シリーズ〈宇宙物理学の基礎〉
Series of Fundamentals in Astrophysics

Series 6

ブラックホール宇宙物理の基礎［改訂版］

小嶌 康史
Kojima Yasufumi

小出 眞路
Koide Shinji

高橋 労太
Takahashi Rohta

日本評論社

―― 編集委員 ――

柴田一成
(同志社大学理工学部特別客員教授, 京都大学名誉教授)

福江 純
(大阪教育大学名誉教授)

梅村雅之
(筑波大学特命教授)

シリーズ＜宇宙物理学の基礎＞

　さまざまな階層の天体現象について最先端の知見まで紹介するテキストとしては，過去にも良書や何種類ものシリーズが出版されてきた．一方，個別の天体現象にとらわれず多岐にわたる天体現象に共通な切り口で，理論的な手法や観測的な手法を詳細に記述したテキストは少ない．本シリーズは，さまざまな天体現象を普遍的に理解し取り扱うために必要な，基礎理論的でやや上級的な内容のテキストシリーズとして企画された．

　基礎理論的な内容であることから数式はどうしても多くなるが，あまり抽象的になりすぎないよう図版を多用し，数式の物理的な意味合いを説明するとともに，できるだけ具体的な実例や応用例を紹介するように心がけた．また内容的には多少高度だが，独習でもきちんと数式をフォローできるよう，式の導出や参考文献の引用を丁寧に行うようにした．さらに各章末では，さまざまな手法が身に付くための演習問題も課すこととした．本シリーズはまた宇宙物理学の研究現場の実状に合わせて編集・執筆した．たとえば単位系は一般的にはSI単位系が使われるが，天文学研究では古くからcgs単位系を使っていて現在でも同じなので，本シリーズでも基本的にはcgs単位系を採用した（必要に応じてSI単位も併記した）．

　このような大きな目的を達成するために，シリーズ全体の構成を立て執筆内容の調整をする編者を置くこととした．さらに，それぞれの巻が充実してまとまった内容になるように，各巻は数人程度で執筆することとした．また執筆者については，その分野で現役の研究者であることを条件とし，各地の大学などで教育的な経験も豊富な方々にお願いした．

　本シリーズの各巻を読み込んで，現代宇宙物理学の奥深い真髄に触れていただきたいと思う．願わくば，本シリーズで学習した知識や手法を用いて，具体的な研究テーマにアタックしてほしい．本シリーズが実際の研究に役立つことはわれわれ編者の大きな希望である．

・　編者一同　・

まえがき

　ブラックホールに関する書物は啓蒙書を含めて多数出版されてきた．それだけこの天体に対して，人々の関心の高さを示している．観測の精度やコンピュータの性能の向上により，今後より詳細な解析を行う段階になってきた．そのブラックホールの周りの現象を正確に記述しようとすると，一般相対論も不可欠となる．これらを扱う本も数多く，その程度も簡単すぎるものから高度に数学的なものなど様々で，ブラックホールがからむ天体現象を学ぼうとする者にはその選択も悩ましいであろう．大学，大学院あるいはその先に最先端の研究をしようとすると，多くの場合，英語の専門書となり，しかもいくつもの文献を調べる必要が出てくる．

　本書はブラックホールを学ぶのに必要な基礎を説明し，習得後には最先端の研究論文が読めるところまで実力が高められることを目指した．予備知識として，大学の理系の数学（ベクトル解析，線形代数，微積分や偏微分方程式）と物理学（力学，解析力学，流体力学，電磁気学，熱統計物理学と一般相対論）を前提としている．広すぎると感じられるかもしれないが，それらの教科書の全内容が必要であるわけでもない．特に，一般相対論は用語や概念など基礎的な箇所を必要とするが，その完全な理解は要求しない．むしろ，本書で天体現象への応用を丁寧に学習することで，一般相対論が実践的に身に着くことを期待している．本シリーズの他巻同様，自習できるよう，多くの内容は導出できるように説明を加えた．しかし，最初から一つ一つ全てを追う必要もないだろうと感じている．読者が取捨選択して先に進み，必要に応じて読み返してみるのも良いだろう．

　さて，全体の構成は以下である．第 1 章ではブラックホール天体のさまざまな事柄を説明した．本書で主として取り扱うのはブラックホール周りの構造であるが，その形成・進化や観測事実などより広い分野から，この天体を俯瞰した．『ブラックホールと高エネルギー現象』（シリーズ現代の天文学，日本評論社）とは幾分異なる観点から記述を行っている．ブラックホール現象を理解するのに重要なものは「ジェット」と「降着円盤」であろう．原始星などの他の天体でも見られる現象ではあるが，より強い重力のため，速度が光速程度となる．1 章後半ではこれらの現

象の導入部とした．

　2章では記号の説明も兼ねて一般相対論を簡単に復習したが，十分に身についているなら，ざっと読み流せるだろう．

　3章では相対論的流体力学の一般論を展開し，4章でブラックホールの周りの流体現象の簡単な場合に応用した．本シリーズ第1巻にある非相対論的な場合の流体力学の予備知識があれば理解しやすいかもしれないが，必ずしも前提としていない．

　5章から7章では一般相対論的電磁流体力学（General Relativistic Magneto-Hydro Dynamics, GRMHD）を取り扱う．本シリーズ第2巻では非相対論的な場合のものが詳しく議論されるが，その発展形として書かれているわけでない．両方を学習するとより知識が豊かになろう．ブラックホールから出るジェットには磁場が重要であるという考えが有力であることと，ブラックホールの自転エネルギーを磁気的に抽出するという興味ある理論的過程が関係する．5章は一般相対論的な電磁気学についてまとめる．その後，6章ではGRMHDの基礎方程式を議論し，7章で真空，フォースフリー，GRMHDの場合の解析解および数値計算結果を説明した．8章から10章では曲がった時空での輻射を取り扱う．

　8章では，位相空間で輻射を扱う際の基本となる一般相対論的ボルツマン方程式について詳しく説明する．9章ではブラックホール周囲の降着流から放出される光子の一般相対論的輻射輸送を扱う．10章では，一般相対論的輻射流体力学の基礎方程式について解説する．本シリーズ第3巻では非相対論的な輻射輸送が説明されているので，必要があれば参考にすると良いだろう．

　改訂版について：改訂につきブラックホール・シャドウの観測など最近の進展を増補した．

小嶌康史
小出眞路
高橋労太

目次

シリーズ＜宇宙物理学の基礎＞……… i
まえがき……… iii

Chapter ❶ 相対論的天体現象とブラックホール……… 1
1.1 ブラックホール物語……… 1
1.2 ブラックホールの種類……… 4
1.3 ブラックホール降着円盤とブラックホール降着流……… 14
1.4 相対論的宇宙ジェット……… 18
1.5 一般相対論的輻射流体力学……… 28
1.6 ブラックホール・シャドウ……… 30
Chapter ❶ の章末問題……… 36

Chapter ❷ 一般相対論による重力の記述……… 37
2.1 曲がった時空……… 37
2.2 球対称で静的な重力場……… 46
2.3 軸対称で定常な重力場……… 50
2.4 ブラックホールまわりの質点の運動……… 61
2.5 曲がった時空での光線の軌跡……… 76
2.6 ブラックホールの熱力学……… 80
2.7 ブラックホールの回転エネルギーの抽出……… 82
Chapter ❷ の章末問題……… 91

Chapter ❸ 相対論的流体力学……… 93
3.1 状態方程式と相対論的音速……… 93
3.2 相対論的流体力学の基礎方程式……… 97

3.3　いくつかの応用と拡張……… 103
3.4　相対論的衝撃波……… 108
3.5　ブラックホール時空での流体の方程式系……… 116
Chapter ❸ の章末問題……… 122

Chapter ❹ ブラックホールまわりの流れ……… 123

4.1　定常球対称な降着……… 123
4.2　定常軸対称な降着円盤とトーラス……… 129
4.3　ブラックホールの自転の進化……… 137
4.4　時空のひきずりで湾曲した円盤……… 139
4.5　幅の広い輝線……… 142
4.6　ブラックホール降着円盤の振動モデル……… 146
Chapter ❹ の章末問題……… 153

Chapter ❺ 相対論的電磁気学……… 155

5.1　マクスウェル方程式……… 156
5.2　フォースフリー磁場の波の特殊相対論的解……… 167
5.3　一般相対論的電磁場……… 170
5.4　ブラックホールまわりの局所的な座標系……… 173
5.5　マクスウェル方程式の3+1形式……… 179
5.6　電磁場のエネルギー角運動量の保存則……… 186
Chapter ❺ の章末問題……… 191

Chapter ❻ 相対論的電磁流体力学……… 193

6.1　特殊相対論的MHD方程式……… 194
6.2　特殊相対論的MHD方程式の3+1形式……… 197
6.3　ミンコフスキー時空における磁場の凍結……… 200
6.4　相対論的MHD波動現象……… 203
6.5　相対論的磁気拡散……… 206

6.6　GRMHD方程式の共変形式……… 208
6.7　GRMHD方程式の3+1形式……… 209
6.8　理想GRMHDのプラズマの挙動……… 217
6.9　GRMHDにおける保存則……… 220
Chapter ❻ の章末問題……… 224

Chapter ❼ ブラックホール周辺の電磁場プラズマの挙動……… 225

7.1　ブラックホールまわりの真空磁場……… 225
7.2　一般相対論的グラド-シャフラノフ方程式……… 230
7.3　フォースフリー定常磁場……… 234
7.4　電磁場によるブラックホール回転エネルギーの引き抜き……… 241
7.5　ブラックホールまわりのプラズマの平衡……… 248
7.6　理想GRMHD定常流……… 249
7.7　MHDブランドフォード-ナエク機構とMHDペンローズ過程……… 255
7.8　理想GRMHD数値シミュレーション……… 256
7.9　抵抗性GRMHD数値シミュレーション……… 269
Chapter ❼ の章末問題……… 277

Chapter ❽ 一般相対論的ボルツマン方程式……… 279

8.1　ボルツマン方程式……… 279
8.2　不変体積要素……… 282
8.3　一般的な変位ベクトルに対する不変体積要素……… 286
8.4　質量殻条件と不変ベクトル体積要素……… 293
8.5　不変分布関数と一般相対論的ボルツマン方程式……… 299
8.6　光子に対する一般相対論的ボルツマン方程式：輻射輸送方程式……… 306
Chapter ❽ の章末問題……… 311

Chapter ❾ 一般相対論的輻射輸送……… 313

9.1　一般相対論的輻射輸送方程式……… 313

9.2　不変量と局所ミンコフスキー系の物理量との対応 ……… 314
9.3　一般相対論的輻射輸送方程式の簡単な解 ……… 320
9.4　幾何学的に薄い降着円盤中のブラックホール・シャドウ ……… 327
9.5　一般相対論的輻射輸送方程式の形式解 ……… 333
9.6　不変源泉関数で書いた一般相対論的輻射輸送方程式 ……… 335
9.7　テトラッド系での一般相対論的輻射輸送方程式 ……… 340
　Chapter ❾ の章末問題 ……… 345

Chapter ❿ 一般相対論的輻射流体力学 ……… 347

10.1　光子数密度フラックスと数密度の保存則 ……… 347
10.2　輻射テンソルとエネルギー・運動量の保存則 ……… 353
10.3　輻射流体力学の基礎方程式 ……… 358
10.4　輻射4元力密度 ……… 359
10.5　輻射流体力学の発展方程式 ……… 361
10.6　混合系方程式と物理量の変換則 ……… 366
　Chapter ❿ の章末問題 ……… 371

参考文献 ……… 373
章末問題の略解 ……… 379
索引 ……… 401

Chapter 1
相対論的天体現象とブラックホール

どのような天体現象がブラックホールと関連するのだろうか．本章では，その導入として，歴史的及び観測的側面を中心に，ブラックホール天体現象をまとめた．

1.1 ブラックホール物語

光さえも出られない天体の可能性は，すでに 18 世紀にミシェル（John Michell, 1784）やラプラス（Pierre-Simon Laplace, 1798）により論じられている．光の伝搬をニュートン重力で取り扱える粒子として記述できるものとし，「天体からの脱出速度」を求め，天体がよりコンパクトになると，万有引力が強すぎて，光も脱出できない場合を議論している[*1]．残念ながら，当時の光速度の値の観測精度は悪く，限界の値そのものに意味がない．また，光は波動でありマクスウェル方程式に従うことが 19 世紀に確立し，ラプラスらの議論の拠り所を失う．

光の伝搬に重力がどのように影響するかは 1915 年になってアインシュタイン（Einstein）の一般相対性理論で明らかになる．理論が提唱されてまもなくの 1919 年の日食の観測で光も重力源に落下する方向へ曲がることが確かめられた．その前後にも理論的研究は進む．一般相対性理論発表の 2 か月後には球対称で重力場の解

[*1] 参考図書 Hawking, Ellis (1973)（邦訳：スティーブン・W・ホーキング，ジョージ・F・R・エリス，時空の大域的構造，プレアデス出版（2019 年））の付録にはラプラスの論文が収録されている．

がシュバルツシルト（Schwarzschild）により求められた．また，1963年には軸対称定常解がカー（Kerr）により求められた．そこには特異な面が存在するが，その値があまりにも現実と離れた小さなものであり，近似に由来する無意味なことと考えられていた．

一方で，1930年代にはミクロな量子論的物理法則を応用して天体の構造が研究された．電子の縮退圧で支えられる星には限界の質量があることが，ランダウ（Landau 1932）やチャンドラセカール（Chandrasekhar 1934）によって解明され，中性子の縮退圧で支えられる一般相対論的な星でも事情は同じであることがわかった（Oppenheimer, Volkoff 1939）．このように，縮退圧で支えられる星には限界質量があることが理解されていたが，通常の恒星に比べ，重力が 10^6 倍以上強い天体が自然に存在するかどうかは未知であった．また，球対称な重力場のシュバルツシルト解の特異性も解明された（Oppenheimer, Snyder 1939）．彼らは重力が強く，星の圧力がほとんど効かずダスト的に重力崩壊する様子を一般相対論の枠組みで検討した．崩壊する星の外部の観測者から見れば時間の進みが遅れるため崩壊の様子は時間が止まった（凍結された）状態となる．

1960年代後半以降，クェーサー（quasar, QSO）[*2]，X線天体，パルサーや重力レンズなど一般相対論が関係する天体現象が次々と見つかり，これらは光も出られないほどの強い重力を持つ天体が自然に存在することを示唆している．その天体は通常の恒星のように光を発していないが，連星系において相手方の星の運動の観測から，あるいは天体の周りの降着（噴出）流の様子から，非常に小さな空間領域に強い重力源の存在の証拠が得られる．このようなコンパクトな天体（＝ブラックホール）の観測証拠は増えつつあり，さらにどのような観測によって確定的な性質が現れるかが現代天文学の一つの課題となっている．図1.1はブラックホールとそこから噴出するジェットの様子の絵であるが，観測と数値シミュレーション両面から同じ描像に迫まりつつある．

ブラックホールの命名はホイーラー（Wheeler 1968）によるが，それ以前には「崩壊した星」や「凍結した星」などの用語が使れてきた．物体の重力半径（地平線）付近まで崩壊すると，そこでの時間変化は，赤方偏移のため無限遠の観測者に

[*2] クェーサーというのは非常に遠方（宇宙論的な距離）にあるために，以前は点源としてしか観測できなかった天体で，現在では巨大な銀河の活動的な中心核（活動銀河核，AGN）であると分かっている．

図 **1.1** ブラックホールの想像図（NASA/JPL-Caltech）．よく見かける中央の黒い球を取り囲む円盤とそこから吹き出すジェットのイラストであるが，観測の事実と理論がこの描像に迫りつつある．

は止まっていく特徴が「凍結」で表現されている．一方，地平線付近で輝く物体は暗くなり，光も出られないことをうまく表現する用語として，**ブラックホール**（black hole）が現代では用いられる[*3]．

　また，ブラックホールの存在は，その形成前の星の状態など細かい要因にあまりよらない．そのため，チャンドラセカールは「ブラックホールの性質は宇宙で最も完璧な巨視的物体である．その構築に必要なものは時間と空間の概念だけである」と述べている（熱力学は内容物の詳細によらず，少数の巨視的変数で議論できることと同義）．しかし，実際の観測でその時空を確かめるには，その周りの諸々の込み入ったものが絡んでくる．特に，ブラックホールの強重力下で大半の物体は落下するが，一部は絞られたジェット状に噴出する．その機構や源には理論的課題が残されている．また，その根元の位置を同定することやブラックホールの像を描くのは空間分解能に優る電波天文学の興味ある課題である．また，観測された電磁波のスペクトルや時間変動から，ブラックホールのより強い証拠が関連している．ガンマ線バーストは星の崩壊に伴いブラックホールの形成とそこからのジェットの噴出が関連する，宇宙論的距離にある天体現象だと考えられている．今後，観測と理論の発展によりさらに確定的なことがいえることが期待される．

[*3] 詳しくは，参考図書 Misner, Thorne, Wheeler（1973）に書かれている．

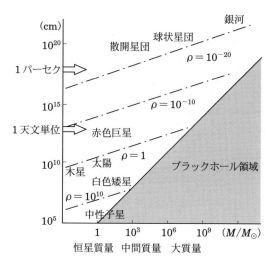

図 **1.2** ブラックホールの質量(横軸:太陽質量との比),半径(縦軸:単位 cm)と質量密度(一点鎖線で g cm^{-3} 単位で表示).

1.2 ブラックホールの種類

ブラックホールの質量 $M_{\rm BH}$ は,形成過程を問わなければ,理論的にはどのような値でも許される(図 1.2 のブラックホール領域).観測的には,主に銀河系内で見つかっている恒星質量程度($M_{\rm BH} \sim 10 M_\odot$)のものと銀河中心に潜む巨大質量($M_{\rm BH} \sim 10^{6-8} M_\odot$)のものがある.ここで,$M_\odot$ は太陽質量($M_\odot = 2.0 \times 10^{33}$ g)を表す.さらに,興味深いこの十年の観測的進展として,それらの中間的な質量を持つブラックホールの証拠が見つかってきたことである.

さて,ブラックホールの大きさ(半径 $r_{\rm g}$)[*4] を次元解析(長さ L,質量 M,時間 T の次元とする)で見積もってみよう.相対論と重力が関係する天体なので,光速度 c($[LT^{-1}]$ の次元),重力定数 $G[L^3 M^{-1} T^{-2}]$ とブラックホールの質量 $M_{\rm BH}[M]$ を用いると,長さの次元 $r_{\rm g}[L]$ として以下の組み合わせとなる:

$$r_{\rm g} = \frac{GM_{\rm BH}}{c^2} \sim 10^5 \left(\frac{M_{\rm BH}}{M_\odot}\right) \text{ cm}. \tag{1.1}$$

また,この範囲が占める体積で割ることで,典型的な質量密度 ρ は,以下ぐらい

[*4] 詳細は 2 章で説明する.

となる：

$$\rho \sim 10^{17}\left(\frac{M_{\rm BH}}{M_\odot}\right)^{-2} {\rm g\ cm}^{-3}. \tag{1.2}$$

　図 1.2 には $M_{\rm BH}$ をパラメータとしてブラックホールの諸量と他の天体を比較した．恒星質量ブラックホール（$M_{\rm BH} \sim 10 M_\odot$）の場合は極めて高密度である．一方，大質量ブラックホールの場合，$M_{\rm BH} \sim 10^8 M_\odot$ にとると，その質量密度は，我々身近な水の密度程度である．このような低密度のブラックホールは星を形成後，それが多数が集まったと考えるより，大きな揺らぎの塊から直接的にできるのが自然と考えられる．

1.2.1 恒星質量ブラックホール

　星の進化は質量によるが，一言でまとめれば中心の密度が高くなる方向に向かう．密度が高くなると量子力学的な縮退圧が効く．軽い星はこの縮退圧で支えられた構造で落ち着く．重いほど重力が強く，密度が増し，縮退に関係するフェルミ運動量が増加し，特殊相対論的効果が無視できなくなる．非相対論的な場合と比べ，密度の増加に対して圧力の増加はより鈍くなる．このことから，縮退圧で支えられる星には質量に上限がでてくる．中性子星は中性子の縮退圧が支配的であるが，核力を考えても量子色力学（QCD）の漸近的自由性という，核子（クォーク）が互いにより近づくと自由になる性質から，高密度ではその効果は限定的である．その結果，中性子星にも最大の質量があり，その限界の値は 2–3$M_\odot$ と理論的に考えられる．それ以上の質量がある空間的にコンパクトな領域に集中しているとそこにはブラックホールが存在すると考えられる．

　見えていないが天体の質量の制限からブラックホールと結論づける方法を，もう少し具体的に説明しよう．ブラックホールの質量を $M_{\rm BH}$ とし，それが質量 $M_{\rm star}$ の恒星と連星系をなしているとしよう．重力定数を G，公転周期を P，観測によって得られる伴星の視線速度振幅を $V_{\rm star}$ とすると，次の組み合わせ——f は**質量関数**（mass function）と呼ばれる——が測定量となる：

$$f \equiv \frac{V_{\rm star}^3 P}{2\pi G} = \frac{(M_{\rm BH}\sin i)^3}{(M_{\rm BH}+M_{\rm star})^2} \leq \frac{M_{\rm BH}^3}{(M_{\rm BH}+M_{\rm star})^2} \tag{1.3}$$

右辺の式変形では 2 体の運動の関係を用いた（章末問題 1.2 を参照）．また，i は

表 1.1 恒星質量ブラックホールの例.

天体/別名 *	質量 [$M_\odot$]	軌道周期 [h]	距離 [kpc]	特徴†
GRO J0422+32	3.7–5.0	5.1	2.6 ± 0.7	LT
0538−641/LMC X−3	5.9–9.2	40.9	50 ± 2.3	HP
0540−697/LMC X−1	4.0–10	101.5	50 ± 2.3	HP
A 0620−003/V616 Mon	8.7–12.9	7.8	1.2 ± 0.1	LT
GRS 1009−45/MM Vel	3.6–4.7	6.8	5.0 ± 1.3	LT
XTE 1118+480/KV UMa	6.5–7.2	4.1	1.8 ± 0.5	LT
GS 1124−684/GU Mus	6.5–8.2	10.4	5 ± 1.3	LT
4U 1543−475/IL Lupi	8.5–10.4	26.8	7.5 ± 0.5	LT
XTE 1550−564	8.4–10.8	37.0	5.3 ± 2.3	LT, jet
GRO J1655−40	6.0–6.6	62.9	3.2 ± 0.2	LT, jet, ec
H 1705−250/V2107 Oph	5.6–8.3	12.5	8 ± 2	LT
XTE 1819.3−2525	6.8–7.4	67.6	7.4 −12.3	LT, jet
XTE 1859+226	7.6–12	9.2	11	LT
GRS 1915+105/V404 Cyg	10–18	804.0	11–12	LT, jet
1956+350/Cyg X1	6.9–13.2	134.4	2.0 ± 0.1	HP, jet
GS 2000+251	7.1–7.8	8.3	2.7 ± 0.7	LT
GS 2023+338/V404 Cyg	10.1–13.4	155.3	2.2–3.7	LT

* : 4桁 ±4桁の数は赤経(時分)± 赤緯(度分)を表す.
† : HP は大質量星との連星系で定常的な X 線天体,LT は低質量星との連星系でトランジェント X 線天体. jet は相対論的ジェットが見られた. ec は食が見られ i の制限が強い(Orosz, J.A. 2003, *Proc. IAU Symp.* No.212, 365).

軌道面の法線と観測者方向となす**軌道傾斜角**で,公転速度の視線方向成分がドップラー効果として測られることから,幾何学的な不定要素が入ってくる.食の有無から角度 i がある程度に推定できる場合は質量 M_{BH} の制約は厳しくなるが,それ以外は(1.3)の最後の不等式を用いる.質量 M_{star} は恒星のスペクトル型から推定でき,質量 M_{BH} の範囲が決められる.

 ブラックホールの観測的証拠は,はくちょう座 X-1(Cyg X-1)と呼ばれる X 線を出す天体として最初に得られた.質量は連星の軌道要素から 7–14$M_\odot$ 程度と見積もられている.このように 10$M_\odot$ 程度の質量をもつ恒星質量ブラックホールは現在では我々の銀河系内には約 20 個見つかっている.表 1.1 には連星系をなすブラックホール候補天体を示してある[*5].

 このような恒星質量ブラックホールは太陽質量 20 倍程度の主系列星の進化の末

に生まれるが，我々の銀河系内にどの程度存在するであろうか．分子雲から星が生まれる際，どのくらいの質量を持った星がいくつ形成されるかを表す**初期質量関数** IMF（initial mass function）は，IMF $\propto M^{-a} (a \sim 2.5)$ のように一般的に重い星ほど誕生する割合は少ない．一方，主系列星の寿命は重い星ほど短い（$\propto M^{-b}$ ($b \sim 2.5$)）．これらを組み合わせてブラックホールになる母天体（$> 20 M_\odot$）から現在の我々の銀河内のブラックホール数の割合を大雑把な議論であるが見積もることができる（Shapiro, Teukolsky 1983）．その結果，銀河内のブラックホールの存在比は，およそ $(4\pi/3) \cdot (6.7\,\mathrm{pc})^3$（pc はパーセク）の空間体積中に 1 個あると見積もられる．同様の議論は他の天体にも適応でき，たとえば白色矮星や中性子星はそれぞれおよそ $(4\pi/3) \cdot (2.5\,\mathrm{pc})^3$，およびおよそ $(4\pi/3) \cdot (4.9\,\mathrm{pc})^3$ に 1 個あると見積もられている．不定性も大きいが，銀河内に存在するブラックホールは決して稀なものでないといえよう．

本格的な地上での重力波の観測（米 LIGO[*6]/欧州 VIRGO/日本 KAGRA）が始まった．その主な観測対象はブラックホールや中性子星からなる連星系の合体である．最初の重力波の直接観測（Abbot *et al.* 2016）は質量が $36 M_\odot$ と $29 M_\odot$ のブラックホール連星系からのものであった．その後にもブラックホールの質量が $20 M_\odot$ を超えるものが数多く観測されている．表 1.1 にあげたように，これまで電磁波で観測された我々の銀河系内のブラックホールの質量は $20 M_\odot$ 以下であったが，重力波という新たな観測手段により，異なる情報が得られた．それにより，より重い質量のブラックホールの形成論が議論されている．初代星の重元素含有量はゼロで冷却が非効率となり，現在の星（種族 I）より重いものが形成されやすく，より重いブラックホールとなる．あるいは重力波で観測されたブラックホールは初期宇宙で形成されたという，超新星爆発を経由しない形成も論じられ，今後の進展が期待される．

[*5] （6 ページ）質量の見積りは文献 Orosz, J.A. 2003, *Proc. IAU Symp.* No.212, 365 に従った．質量関数 f から質量の推定にはある種の議論が含まれており，文献によりブラックホール質量の値には不定性が伴う．Remillard, R.A., McClintock, J.E., 2006 も参照．

[*6] アメリカの重力波望遠鏡 LIGO（https://www.ligo.org/）ではカタログが順次更新されている．

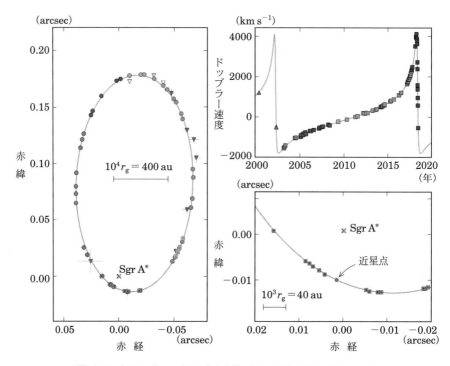

図 1.3 左図：我々の銀河系中心核（Sgr A*）周りの星 S2 の投影面上の軌道．記号の違いは異なる観測グループのデータで，それらを組み合わせたものは無矛盾な楕円軌道となっている．1992 年から観測が可能になり，26 年間の追跡を経てブラックホールの確証が得られた．右上図：視線方向のドップラー速度．右下図：2018 年の近星点付近の星の位置（GRAVITY Collabration 2018）．

1.2.2 超大質量ブラックホール

歴史的には，巨大質量（$M \sim 10^{6-8} M_\odot$）のブラックホールはクェーサー（QSO）のエネルギー源として導入されたが，ここでは最近の観測的証拠から出発しよう．

(1) 我々の銀河系中心 Sgr A*

我々の銀河系中心核にある，コンパクトな電波源 Sgr A* は他の銀河中心核と同様に巨大質量のブラックホールの存在を示す証拠が過去にいくつかあった．それは空間的大きさ r 内にガスのドップラー効果で測られる速度成分 v から，それが中心にある天体の重力に起因すると仮定し，関係する質量 $M \sim v^2 r/G$ を求める方法

である.この質量がブラックホールのものであるかどうかは本当に点源であるかどうかに左右される.近年,高分解能で銀河中心核(Sgr A*の周り)で星の運動を解析し,その長年にわたる観測から星の軌道要素を求め,中心のブラックホールの質量が決定できた(Schodel et al. 2002).このようにして最初に決められた星(S2または S0-2 と記載される)は楕円軌道(周期 16 年)を示し,その様子を図 1.3 に示している[*7].星 S2 の軌道長半径 a は軌道の天球面への投影を考慮して,$a = 1074(d/8\ \mathrm{kpc})$ au(天文単位)と見積もられる.ここで d は銀河中心核までの距離である.その結果,楕円の焦点の位置には質量が $4.1 \times 10^6 M_\odot$(章末問題 1.3 を参照)の重力源があることになり,領域の狭さを考えるとブラックホールであることが確実となった.その後,相対論的効果が確かめられる程度まで,軌道要素やそれに関わるブラックホールの質量が決定された結果(GRAVITY Collabration, Abuter et al. 2018, Do et al. 2019),2020 年にノーベル賞が授与された.

質量 M_BH のブラックホールの典型的な長さは,重力定数 G と光速度 c を用いて,GM_BH/c^2 であるが,これを距離 d で割ることにより,見かけの広がりの角度 θ_g は $GM_\mathrm{BH}/(dc^2)$ 程度となる.その角度は我々の銀河中心にあるブラックホール($M_\mathrm{BH} = 4 \times 10^6 M_\odot$, $d = 8\ \mathrm{kpc}$)では 5 マイクロ秒,M87 の中心のもの($M_\mathrm{BH} = 6 \times 10^9 M_\odot$, $d = 16\ \mathrm{Mpc}$)では,4 マイクロ秒となる.電波干渉計[*8]では,その約 10 倍のリング状の構造が捉えられている(1.6 節参照).

(2) NGC 4258

井上,中井,三好ら(Miyoshi et al. 1995)は,NGC 4258 銀河(距離 7 Mpc)の中心付近に水メーザの輝線のドップラー速度を捉えることに成功した.その観測結果とモデルを図 1.4(11 ページ)に示してある.中心から 0.1–0.2 pc の範囲に速度が約 $1000\ \mathrm{km\,s^{-1}}$ の赤方(遠ざかる成分)と青方(近づく成分)のドップラー偏移が見られ,ケプラーの法則から,この範囲に含まれる質量は $4 \times 10^7 M_\odot$ であることを突き止めた.質量密度に換算すれば,$\sim 10^9 M_\odot\,\mathrm{pc}^{-3}$ となり,星団ではありえない大きな密度で,ブラックホールが存在する強い証拠である.また,この 0.1 pc の距離はブラックホールの半径の数万倍の距離に相当する.

表 1.2 に主な大質量ブラックホールをまとめておく.

[*7] 周りの星の運動の観測データを用いたアニメーションも多数示されている(インターネット天文学辞典 https://astro-dic.jp/sgr-a-star/)

[*8] Event Horizon 望遠鏡.http://eventhorizontelescope.org/

表 1.2 代表的な大質量ブラックホールがある天体.

天体（銀河名）	質量 $[M_\odot]$	距離/赤方偏移	付記
Sgr A*	4×10^6	8 kpc	我々の銀河中心
Cen A (NGC 5128)	5.5×10^8	5 Mpc	電波銀河，ジェット
NGC 4258	5.9×10^7	7 Mpc	水メーザの運動から質量決定
M87	5.9×10^9	16.4 Mpc	ブラックホールの像
NGC 4151	$4 \times 10^7 /$ $\sim 10^7$	19 Mpc	セイファート銀河 *
Mrk 501	$\sim 10^9$	140 Mpc $z = 0.034$	ガンマ線でも明るい
3C 273	8.9×10^8	750 Mpc $z = 0.16$	見かけが一番明るい QSO
OJ 287	$1.8 \times 10^{10} /$ $\sim 10^8$	$z = 0.306$	ブレーザー †
ULAS J1120 +0641	2×10^9	$z = 7.085$	最も遠方 $z = 7.085$

*：15.8 年周期の連星ブラックホールの可能性がある．
†：11.9 年周期の連星ブラックホールがある．

1.2.3　活動源としてのブラックホールと進化

クェーサーは空間的に非常に小さな範囲から莫大な明るさを放つ天体である．そのエネルギー源としてブラックホール周辺における重力エネルギーの解放が妥当である（初期のアイデアとして，Zel'dovich, Novikov 1964, Salpeter 1964, Lynden-Bell 1969）．ある質量 M の天体へ単位時間当たりの質量降着率 $\dot{M}$ で物体が落下しているとする．中心天体から距離 r での重力エネルギーの解放分が光度 L に転化されると概算すると，

$$L = \frac{GM\dot{M}}{r} = \eta \dot{M} c^2 \tag{1.4}$$

となる．ここで無次元量 $\eta = GM/(rc^2)$ は放射エネルギーへの**変換効率**（efficiency）を表すもので，効率的な（より大きな η が可能な）ためには，サイズが小さなコンパクトな天体が必要であることがわかる．ブラックホールは大変コンパクトなので，効率的で $\eta \sim 0.1$ となる．(1.4) から質量降着 $\dot{M}$ が大きければい

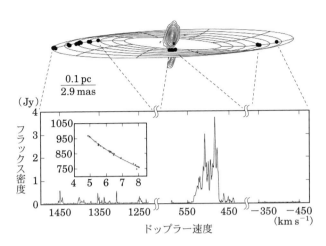

図 1.4 NGC 4258 銀河中心核の構造．下図のドップラー速度に対応する地点を上図の黒丸で示してある．湾曲した円板（warped disk）をほぼ真横から見る（edge on）位置関係にある（Herrnstein *et al.* 2005）．

くらでも大きな光度 L が得られると思うかもしれないが，放射圧が質量降着を妨げる．その結果，光度には上限（**エディントンの限界光度**）がある[*9]．光度が $L \sim 10^{44-46}\,\mathrm{erg\,s^{-1}}$ の天体現象には $M \sim 10^{6-8} M_\odot$ の大質量のブラックホールが関係している．

このような大質量のブラックホールは，どのような種から成長してきたのだろうか．図 1.5（12 ページ）は天文学者のリース（M. Rees）がクェーサーの発見から約 15 年後の会議録を示したもので，大質量ブラックホールへの成長過程の可能性を論じたものである．約 40 年経過し，いくつかのものは可能性が低いと思われるが，原典のまま掲載しておく．個々の進化の道筋は現在も研究中である．

いずれにしても，質量降着とともにブラックホールの質量も時間とともに増加してきたことは確かであろう．その時間変化は，

$$\frac{dM_\mathrm{BH}}{dt} = \dot{M} \tag{1.5}$$

で与えられ，限界の質量降着率 $\dot{M}_E = L_E/(\eta c^2)$ で進化すると仮定し，上式を時

[*9] エディントン光度 L_E はトムソン断面積 σ_T を用いて $L_\mathrm{E} = 4\pi GM m_p c/\sigma_T \sim 10^{38}(M/M_\odot)\,\mathrm{erg\,s^{-1}}$ となる（本シリーズ第 3 巻参照）．

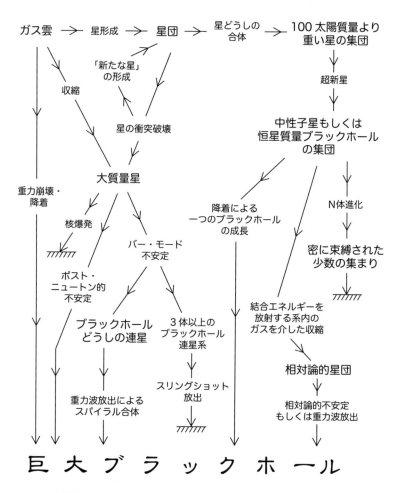

図 1.5 ブラックホールへの道(Rees 1978). ブラックホールは図の底辺に存在し, いつかの進化経路が示されている.

間積分すると以下が得られる:

$$M_{\rm BH} = M_0 \exp(t/\tau_{\rm E}), \quad \tau_{\rm E} = \frac{\eta \sigma_T c}{4\pi G m_p} = 4.6 \times 10^7 (\eta/0.1) \text{ 年}. \quad (1.6)$$

ここで, M_0 は初期の質量で, $\tau_{\rm E}$ はエディントン時間と呼ばれる. たとえば, 質量が 10^8 倍になるには $\ln(10^8)\tau_{\rm E} \approx 8.5 \times (\eta/0.1)$ 億年の時間がかかる. 宇宙論的赤方偏移 $z \sim 7$ (宇宙年齢 7.7 億年)で巨大ブラックホールが観測されている

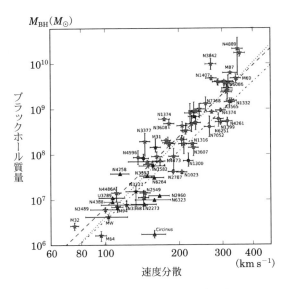

図 **1.6** 銀河中心部(バルジ)の星の速度分散 σ とブラックホールの質量 $M_{\rm BH}$ との相関(McConnell, Ma 2013).$M_{\rm BH} \propto \sigma^\beta$ ($\beta = 4.2$–5.5).

(Mortlock *et al.* 2011).軽い種($M_0 \sim 10^2 M_\odot$ 以下)は現在の観測から否定されつつある.どの程度の質量のブラックホールがどの時期に形成し,その後成長してきたかは,今後の観測事実をもとにして検討される重要な課題である.

1.2.4 ブラックホールと銀河の共進化

多くの銀河中心核にはブラックホールが潜んでいると考えられるが,その母天体である銀河あるいはバルジなどの諸性質との関連が議論されている.図 1.6 はブラックホール質量(縦軸)と星の速度分散(横軸)をプロットしたものであるが,強い相関を示していることが分かる.銀河中心核のブラックホールの質量はそれを取り囲むバルジの質量の 10^{-4} 程度で,ブラックホールの重力が構造自体に支配的でないが,この強い相関は銀河とブラックホールの**共進化**(co-evolution)を示唆していると考えられる.最近,NGC 1277 には質量が $10^{10} M_\odot$ ブラックホールの存在が示唆され(van den Borsh *et al.* 2012),バルジとの質量比は 10^{-2} 程度にもなる.このように,ブラックホールが銀河形成と関連していかに生まれ進化して

きたかは未知の部分が多い．

ここまで，銀河系内の恒星質量と巨大質量のブラックホールを紹介したが，それ以外にはないのであろうか．最近，その中間的な質量を持つブラックホールの観測的証拠が出てきた．大質量のブラックホールと異なり，銀河の中心に位置せず，極端に明るい超光度X線源ULX（ultra luminous X-ray source）である[*10]．たとえば，M 82 X-1 はブラックホールであるが，その光度は $L \sim 10^{41}$ erg s^{-1} で，エディントン限界光度程度と仮定すると，中心のブラックホール質量は $M \sim 10^3 M_\odot$ 程度となる．また短時間変動からその大きさに制限が付き，質量は $M \sim 10^2 M_\odot$ 程度となる．いずれにしても，エディントン光度を超えて輝いているようである．この天体には，10章で取り扱う輻射輸送を伴う降着を取り扱う必要性がある．このような中間質量ブラックホールが新たな種族なのか，大質量のブラックホールへの進化の鍵となるのか，恒星質量ブラックホールの極端な状態に位置するのか，観測と理論の研究が続けられている．

1.3 ブラックホール降着円盤とブラックホール降着流

ブラックホールの重力によって，周囲に存在するガスがとらえられ，ブラックホールに落下して吸い込まれていく．この際，一般的にはガスは角運動量を持つため，回転しながらブラックホールに向かって落ちて行く．その結果，ブラックホールの周囲には回転するガスからなる回転ガス円盤が形成される．これが**ブラックホール降着円盤**（black hole accretion disk）である[*11]．ガスの角運動量が小さい場合には回転の度合いが小さく，より直線的にブラックホールに向かって落ちて行くこともある．この場合には，**ブラックホール降着流**（black hole accretion flow）と呼ばれることもある．

ガスがブラックホールから受ける重力の大きさはブラックホールに近いほど大きい．このため，ブラックホールに回転しながら落ちて行くガスは，ブラックホールに近いほど速く回転することになる．つまり，ブラックホールからの距離に応じて回転する速さが異なる差動回転しながらガスはブラックホールに落ちていく．

[*10] 恒星質量ブラックホールへ非等方に臨界値以上の降着が起き，明るく輝かせるモデルで説明できる天体もある．おそらく，両方のタイプが存在しているのだろう．

[*11] 本シリーズ第1巻参照．

ブラックホールからの距離ごとにガスの速さが異なるので，ガスには**粘性摩擦**（viscous friction）が働く．この粘性摩擦のメカニズムは，通常の分子間力（ファン・デル・ワールス力など）ではなく，磁場によるものだと考えられている（第2巻13章，磁気回転不安定性の節を参照）．このように，ブラックホール天体の降着円盤・降着流では摩擦力が働くことから，これらの円盤や降着流は粘性円盤，粘性降着流などと呼ばれることもある．

ブラックホールに落ちていくガスに働く摩擦のため，ガスは熱せられ，光を放射する．ブラックホールに近いほど摩擦も大きいので，より明るく輝く．この明るさのもともとのエネルギー源は重力エネルギーである．ブラックホールに落ち込みはじめたころのガスは，ブラックホールから遠い距離に存在し，大きな重力エネルギーをもっている．このガスが，差動回転しながらブラックホールに落ちていく際に，磁場の効果による摩擦を受けて熱せられ，光を放出する．もともとの重力エネルギーが，磁場のエネルギーを利用して，熱エネルギーに変換され，その一部が光の放射エネルギーになる．ブラックホールの周囲の降着円盤・降着流の中ではこのようなエネルギー変換が起きていると考えられている．また，摩擦によって，ガスが熱せられると同時に，ガスは徐々に角運動量を失いながらブラックホールに落ちていく．つまり，摩擦はガスの角運動量を内側から外側に輸送する．

ブラックホールまわりの降着円盤の中でのエネルギー変換では，一般相対論の効果が重要になる．降着円盤から放射される光のエネルギーは，中心のブラックホールが速く自転しているほど大きいと考えられている．重力エネルギーが放射エネルギーに変換する効率は，自転していないシュバルツシルトブラックホールの場合には約 5.7% であるのに対し，最大の速さで自転するカーブラックホールの場合には約 42% である．これらの値は，以下で述べる標準円盤の場合の値である．ブラックホールの自転によって放射エネルギーの大きさが約4倍も異なることが起こりえる．このようなエネルギー変換効率は，化学反応や核反応などよりもはるかに大きく，重力を介したエネルギー変換は宇宙で最も効率のよいエネルギー変換となっている．

ブラックホール周囲の降着円盤や降着流はおおまかに3種類に分類され理解されている（図1.7）．歴史的に最初に提案されたのが**標準円盤**（standard disk）である．このモデルは1973年にシャクラ（N.I. Shakura）とスニヤエフ（R.A. Sunyaev）によって提案され，ブラックホール連星の放射スペクトルの低エネ

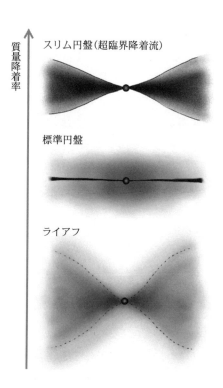

図 **1.7** ガス円盤モデルと質量降着率.

ギー成分に対する理論的な説明を与えた[*12]．このモデルは活動銀河核の可視光や紫外線の熱的スペクトルの説明にも使われる．次に，標準円盤よりも非常に低い降着率の場合には，**ライアフ**（RIAF, radiatively inefficient accretion flow）と呼ばれる円盤状態となる．この降着流の質量密度は非常に低いため，陽子の温度が電子の温度よりも高い2温度状態となっている．また，放射によってエネルギーが失われる効率が低く，暗い天体として観測される．RIAF は暗い活動銀河核や暗いブラックホール連星の観測エネルギー・スペクトルを説明するのに用いられる．1.6節で説明するブラックホール・シャドウが観測された M87* と Sgr A* の降着流のエネルギー・スペクトルなどの観測量はライアフで説明される[*13]．また，降

[*12] 同 1973 年，ノビコフ（I.D. Novikov）とソーン（K.S. Thorne）が相対論的標準円盤モデルを構築した．

[*13] 楕円銀河 M87 の中心領域は M87* と呼ばれる．

着流のブラックホール近傍の磁気フラックスの強さにより，**MAD**（Magntically Arrestec Disk）と **SANE**（Standard Accretion and Normal Evolution）の 2 つに分類される．これらは，数値シミュレーションによってブラックホール降着流の詳細な研究が進んだことにより，それらの存在の認識がより確固なものとなった．MAD では，ブラックホール周囲にポロイダル方向の強い磁場をともなっており，部分的にはガスに与える磁場の強さの効果が重力による効果よりも大きくなっているような降着流の状態である[14]．一方で，SANE は，(MAD の磁場ほど強くない) 乱流的な磁場をもち，ガスの回転方向の磁場が優勢となっている状態である[15]．

最後に，標準円盤よりも質量降着率が大きい場合には，**スリム円盤**（slim disk）と呼ばれる円盤状態となる．この円盤は質量降着率がエディントン降着率を超えていることから**超臨界降着流**（supercritical accretion flow）とも呼ばれる．質量降着率が大きくガスの密度が大きいことから，ガスと密接に相互作用する光子がガスとともにブラックホールに落ち込む現象が起こる．これが**光子捕獲**（photon trapping）である．スリム円盤がブラックホール連星や活動銀河核，ULX の観測スペクトルの説明として用いられることがあるが，まだ最終的な結論は得られていない．降着円盤での一般相対論的効果や標準円盤の観測量に現れる一般相対論的効果については第 10 章で述べる．

ブラックホール降着円盤・降着流を数値シミュレーションによって統一的に理解するためには，磁場の効果と放射の効果を同時に扱わなければならない．磁場は降着円盤での角運動量輸送のメカニズムなどの重要な役割を担っていると考えられ，光子の効果は標準円盤やスリム円盤のような光学的に厚い降着円盤・降着流では無視することができないためである．これらの磁場の効果と光子の効果を全て考慮した輻射磁気流体シミュレーションは大須賀健と共同研究者によって 2009 年にはじめて実現された（Ohusuga *et al.* 2009）．シミュレーションは降着円盤の質量降着率だけを変えて，他の条件は全く変えずに実行され，その結果，3 種のガス円盤を作り出すことに成功した．それまでの数値シミュレーションや降着円盤理論の計算では，いづれか 1 つの円盤状態を作り出すものしか存在しなかったのであるが，大須賀らによるシミュレーションでは，同じ方程式を解き，質量降着率のパラメー

---

[14] Bisnovatyi-Kogan, Ruzmaikin 1974; Igumenshchev *et al.* 2003; Narayan *et al.* 2003.
[15] De Villiers *et al.* 2003; Gammie *et al.* 2003; Narayan *et al.* 2012; Sądowski *et al.* 2013.

タを一つだけ変えることで，3種の円盤が作り出せることを示したものであり，このシミュレーションによりブラックホール降着円盤・降着流を統一的に理解することが可能となった．これらの計算を発展させることで，現在では自転ブラックホール時空での一般相対論的輻射流体シミュレーションが世界の数グループによって行われている．

1.4 相対論的宇宙ジェット

ブラックホールなど活動的天体周辺の狭い領域から，光速度に近い速さ（相対論的速度）を持つ細く絞られた流れ（ジェット）が見られる．このような高速のジェットを**相対論的宇宙ジェット**（relativistic astrophysical jet）と呼んでいる．現在知られている相対論的宇宙ジェットは大きく分けて3種類ある．(1) 活動銀河核からのジェット，(2) ブラックホール連星系からのジェット，そして (3) ガンマー線バーストのジェットの3つである．それらは空間的スケールもローレンツ因子[*16]もまちまちである．第2巻で説明されているように，相対論的宇宙ジェットはブラックホール近傍の磁場とプラズマの相互作用によって引き起こされている可能性のある高エネルギー天体現象である（Meier 2012）．まずは，それぞれの相対論的宇宙ジェットの主な観測的特徴を説明する．

1.4.1 活動銀河核からの相対論的宇宙ジェット

(1) クェーサーからの相対論的宇宙ジェット

相対論的宇宙ジェットがはじめて発見されたのはクェーサー 3C 273 という天体においてであった．クェーサー 3C 273 の光学写真を図 1.8 (a) に示す．

この写真の中心にあるのがクェーサー 3C 273 である．この写真をよく見るとその少し広がった光の中に，その中心から右下に向かって光のすじ（光条）が見られる．この光条は写真の傷などではなく，クェーサー 3C 273 からのジェットである．もっとも，その正体が分かったのはかなり後のことである．すなわち，相対論的ジェットといえども，宇宙の彼方にあるので，通常の天体望遠鏡ではそのことを明らかにすることはできなかった．その光条が相対論的宇宙ジェットであることをは

[*16] ジェットの速さを v，光速度を c として，ローレンツ因子 γ は，$\gamma \equiv 1/\sqrt{1-v^2/c^2}$ で定義される．

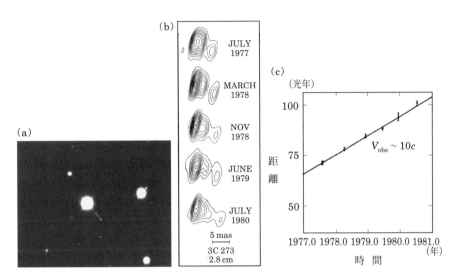

図 1.8 クェーサー 3C 273 からの相対論的ジェットの観測. (a) クェーサー 3C 273 (中央) とその中心からのジェット (National Optical Astronomy, Association of Universities for Research in Astronomy/ National Science Fundation). (b) VLBI による高分解能電波観測画像 (Pearson 1981). (c) (b) の観測におけるノットの速さの測定.

じめて明らかにしたのはピアスン (Pearson) である (Pearson 1981). 彼は超長基線電波干渉計 (Very Long Baseline Interferometer; VLBI) という非常に高い空間分解能を持つ観測手法を用いて, その光条の正体を暴き出した. 図 1.8 (b) は光条の電波強度の分布をほぼ 1 年おきに縦に並べたものである. それぞれの電波分布で最も電波の強いところはクェーサー 3C 273 の中心で**コア** (core) と呼ばれる. 一方, その右側の電波の強くなっているところは**ノット** (knot = こぶ) と呼ばれている. ノットは毎年 3C 273 のコアから遠ざかっていることが分かる. 3C 273 までの距離は分かっているので ($D = 2 \times 10^9$ 光年), そのコアからノットまでの見込み角からその間の距離を求めることができる. 図 1.8 (c) は観測時刻とコアとノットの距離を示したものである. その傾きはほぼ一定で, ノットは等速度運動をしていることが分かる. その傾きからノットの速さを求めると, 光速度の 10 倍程度になる. このような光速度を超えて観測される天体の移動現象を**超光速運動** (superluminal motion) という. この超光速運動は物体が実際に光速度を超

えて運動しているのではなく，光速度に近い速さで電波源が我々に向かって移動しているとして説明される（章末問題 1.4 参照）．いずれにしても，光速度に近い電波源の移動が必要であり，電波源の移動はそれを担う物質（プラズマ）の移動であると考えれば，光速度に近い速さの物質の流れがあることになる．これがはじめて観測された相対論的宇宙ジェットである．

(2) M 87 銀河からの相対論的宇宙ジェット

（1）で述べたように相対論的宇宙ジェットが確認されたのはクェーサー 3C 273 がはじめであるが，楕円銀河 M 87 の中心核における光条の存在は 1918 年に知られていた（Curtis 1918）．今でこそ M 87 は我々の銀河（銀河系）から比較的近い距離（$D = 6 \times 10^7$ 光年）にある巨大な楕円銀河であることが分かっているが，その当時はこの M 87 が銀河系の外にあるのか内にあるのかさえも分かっていなかった．M 87 銀河の直径は 12 万光年と銀河系の直径と同じぐらいであるが，その形がほぼ球状で体積ははるかに大きい．図 1.9 (a) はその中心付近を光学望遠鏡で撮影したもので，ぼやっと広がった雲のようなものが M 87 銀河の一部である[17]．その中心にはひときわ強く輝く点状の領域（コア）がある．そのコアから右上に向けて光条が見て取れる．これは 3C 273 の光条と同様にジェットであり，その全長は 5 千光年である．ジェットの途中で放射光度が上がっている部分（HST1 と呼ばれる）がある．M 87 銀河のジェットの電波画像を図 1.9 (b) に示す．根元からジェットがはっきり続いているのが見える．HST1 の付近では特に電波強度が増していることが分かる．それより先端ではジェットの方向がゆらぐようになり，ジェットは大きく湾曲し広がっているように見える．この先端付近では広がった形状となっている．同様の広がった電波源はコアの左側遠方にもみられる．この広がった電波源は視線方向の逆方向に噴射されているジェットのものと考えられている．この一対の広がった電波源は "耳たぶ" に似ていることから**ローブ**（lobe）と呼ばれている．

この M 87 のジェットにおいても一部分で超光速運動が観測されている．図 1.9 (c) に示すように M 87 のコアから少し離れたところで，VLBI による電波観測はノットの速さが光速度の 5.5–6.0 倍であることを示している．この超光速運動もクェーサーのジェットと同様に我々の方向にほぼ向いている相対論的ジェットとし

---

[17] M 87 はさらにこの図の枠を 10 倍ほど超えて広がっている．

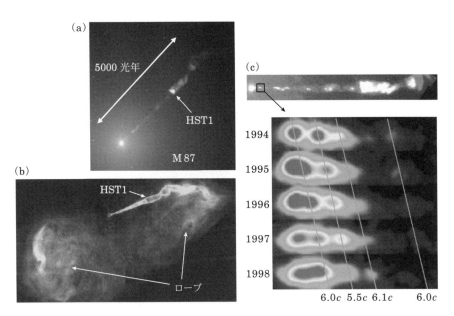

図 1.9 巨大楕円銀河 M 87 およびその活動中心核からの相対論的ジェットの観測. (a) 楕円銀河 M 87 およびその活動銀河核からのジェットの光学画像（NASA and The Hubble Heritage Team (STScI/AURA)）．ジェットの根元から離れた明るく輝く領域は HST1 とよばれる．(b) 楕円銀河 M 87 の活動銀河核からの相対論的ジェットの電波画像（NRAO/NSF）．(c) 楕円銀河 M 87 の活動銀河核からのジェットの超光速運動の観測（Biretta, Sparks, Macchetto 1999）．

て説明される．ジェットは我々に向かう方向と逆の方向にも噴出している．その根元付近で逆方向のジェットが見えないのは，**ドップラーブースト**[*18]の効果により我々の方向に向かうジェットからの放射が強くなり，逆方向のジェットからの放射は弱く目立たなくなるためである．

　この相対論的ジェットの根元にある M 87 の中心領域はこのような相対論的ジェットを放出するだけではなく電波から X 線までさまざまな激しい変動を示す放射をしている．これは，その領域がかなり活発に活動していることを示しており，その

[*18] ジェットのガスから等方的に放射が出ても，特殊相対論的効果によって放射はジェットの前方へ集中し（ドップラービーミング効果），さらにドップラー効果によってエネルギーも高くなる．これらの相乗効果をドップラーブーストと呼んでいる（4 章および 10 章参照）．

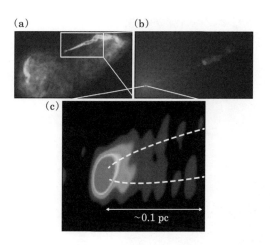

図 1.10 M 87 の活動銀河核からのジェットのコア付近の高分解能電波観測（Junor, Biretta, Livio 1999）．(a) VLA によるジェットの全体像．(b) ハッブル宇宙望遠鏡によるジェット全体の光学画像．(c) VLBI による高分解能観測．ジェットの根元付近ではノットは破線に沿って現れる．これはジェットが中空状になっていることを示している．

ような領域を**活動銀河核**（AGN；active galactic nucleus）と呼んでいる．ジェットはこの AGN から放出されるので，**AGN ジェット**と呼ばれる．クェーサーも AGN のひとつと考えられるので，クェーサーからの相対論的ジェットも AGN ジェットである．AGN ジェットはその母銀河を突き抜けて銀河間を貫く場合，**銀河間ジェット**とも呼ばれる．

M 87 は銀河系に比較的近いこともあり，そのコア付近はよく調べられている．図 1.10 は電波コアを 0.1 pc まで拡大した電波画像である．このようにジェットは中身が詰まった円柱状の流れというよりも，中空状であることが分かる（Junor, Biretta, Livio 1999）．このコアの中心はジェットの根元にあたる（Hada *et al.* 2011）．このように，0.1 pc の範囲内でコアからのジェットの開き角が収束して行く様子が見て取れる．また，ジェットはその流れ方向にも連続しないで，ジェットの放出は間欠的であることが推定される．すなわち，連続的にみえるジェットもノットが集まってできている可能性がある．

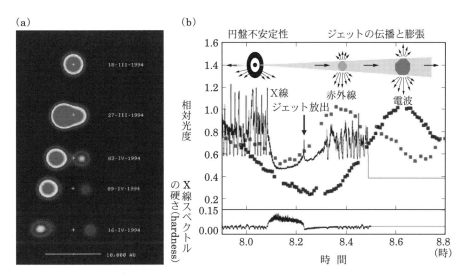

図 1.11 銀河系内のマイクロクェーサー GRS1915+105 の活動の観測．(a) GRS1915+105 の電波干渉計（VLA）で観測された超光速運動（Mirabel, Rodriguez 1994）．(b) GRS1915+105 の多波長観測（Mirabel *et al.* 1998）．実線は X 線，▪（薄い灰色）は赤外線，▪（濃い灰色）は電波観測．

1.4.2 マイクロクェーサー

銀河系の中にも規模は小さいが超光速運動を示す天体がある．そのような天体は同じく超光速運動が観測されるクェーサーの縮小版ということで**マイクロクェーサー**（micro-quasar）と呼ばれている（Mirabel *et al.* 1994, 1998）．図 1.11（a）にこの種の天体の代表である GRS1915+105 のほぼ 1 週間おきの電波画像を縦に並べて示す．この天体ではコアに当たる電波源は見えていない．クェーサーや AGN の場合と違ってノットは何も見えないところで突然現れて左右両方向に移動する．この図で左側に移動するノットは光速度よりも速くその速度は光速度の 1.25 倍，右側に移動するノットは光速度よりも遅く速さは光速度の 0.65 倍である．この場合は，双方向のジェットが両方とも観測されているわけである．左側に移動するノットが超光速運動している．これは双方向に光速度に近い速さの流れがあり，その片方がほぼわれわれの視線方向に向いているとして説明される．ジェットの実際の移動速度はどちらのジェットも同じと考えて，光速度の 0.9 倍と推定さ

れる(章末問題 1.6).マイクロクェーサーは現在まで数個しか見つかっていない.

GRS1915+105 の多波長観測を図 1.11 (b) に示す.この波形を見て分かるように,はじめ X 線がばたばたと変動するのがおさまった後にスパイク状の X 線の増光が見られる.その後,X 線は再びばたばたと変動する.そのとき,赤外線の強度がピークになり,電波の強度が大きくなりはじめ,30 分ほどでピークに達してから徐々に小さくなる.他の時間帯,他のマイクロクェーサーからの X 線,赤外線,電波の波形もこのような特徴的な変動を示す.これは,ジェットのプラズマがブロブ(塊,blob)として放出されて,それが断熱膨張し冷えてゆく過程として説明されている.スパイク状の X 線が増光するが,そのときがジェットが放出された瞬間と考えられている(Mirabel *et al.* 1998).これらの現象は太陽フレアー(solar flare)にともなう**コロナ質量放出**(CME, coronal mass ejection)と似ており,同じ磁気エネルギーの解放機構で起こっている可能性が示唆されている.

マイクロクェーサーはクェーサーや AGN に比べて規模が小さいので,時間変動が激しい.このことで,マイクロクェーサーの現象はクェーサーの現象を観測するよりも時間がかからず,相対論的ジェットの形成機構の解明に手がかりを与えると期待されている.

1.4.3 ガンマー線バースト

ガンマー線バースト(GRB:gamma-ray burst)は平均して 1 日に 1 回程度観測される宇宙からのガンマー線の増光現象で,その持続時間が 2 秒以上の **long GRB**(LGRB)と 2 秒未満の **short GRB**(sGRB)に分けられる.図 1.12 は LGRB と sGRB の典型的なガンマー線の波形を示している.LGRB については大質量($M \gtrsim$ 数十 $M_\odot$)の星が重力崩壊し,星の中心付近からその外層を突き破って出てきた相対論的ジェットがガンマー線を放射しているというモデルが有力である.図 1.13 は GRB990123 の光度曲線を示しているが,ガンマー線が増光しはじめてから 2 日ほど経ったアフターグロー(afterglow)と呼ばれる段階のときに急に勾配が変わるのが見て取れる.これは,相対論的ジェットの速さが小さくなり,ドップラーブースト効果がなくなるためと解釈され,GRB のガンマー線源が相対論的ジェットであるとする観測的根拠となっている.すなわち,ドップラービーミングの開き角はジェットのローレンツ因子の逆数で与えられ($\theta_{\rm rad} \sim 1/\gamma_{\rm jet}$),相対論的ジェットが減速してドップラービーミングの開き角がジェットの開き角とな

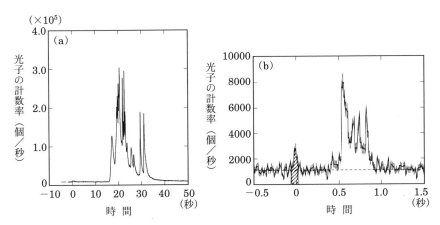

図 1.12 コンプトンガンマ線衛星で観測された典型的なガンマ線バーストの強度（光子数）変化．バースト中は，ガンマ線の強度がはげしく変動する（CGRO 提供）．(a) LGRB，(b) sGRB．

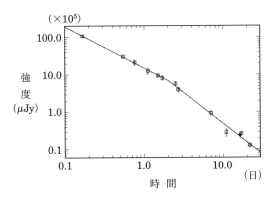

図 1.13 ガンマー線バースト（LGRB GRB990123）のアフターグローに見られる強度減衰の傾きの変化（Kulkarni *et al.* 1999, *Nature* 398, 389）．

ると（$\theta_{\rm rad} \sim \theta_{\rm jet}$），それ以降はジェットの減速にともなうドップラービーミングの効果の弱まりにともない光度は急激に小さくなると説明される．一方，sGRB は連星系をなすコンパクト星（ブラックホール，中性子星）の合体の際に相対論的ジェットが形成され，そのジェットからの放射がガンマ線として観測されると考えられている．

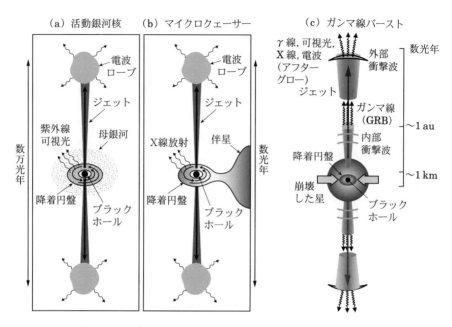

図 1.14　3 種類の相対論的宇宙ジェットのイメージ図．(a) AGN ジェット．(b) マイクロクェーサー・ジェット．(c) ガンマー線バースト (LGRB)（左図，中央図：Mirabel, Rodrigues 1998）．

1.4.4　相対論的ジェットとブラックホール

　これまで 3 種類の相対論的宇宙ジェットを紹介した．これらを絵でまとめると図 1.14 のようになる．いちばん左は AGN ジェット，真ん中はマイクロクェーサーのジェット，いちばん右はガンマー線バーストである．AGN のジェットは長く，5000 光年から 100 万光年に至るものもある．それに対して，マイクロクェーサーのジェットのスケールは数光年，ガンマー線バーストも相対論的ジェットと言えるのは 1 光年未満（図 1.13 よりアフターグローの光度の折れ曲がりから，数光日〜数十光日）である．一方，ローレンツ因子については，AGN ジェットでは 5〜数十，マイクロクェーサーでは 2 から 3 といったところ，ガンマー線バーストでは数百にもなる．このように 3 種類のジェットの長さやローレンツ因子はさまざまである．

　では，それらの相対論的ジェットはどのように形成されているのであろうか．それは，いずれの相対論的ジェットでもジェットの根元に（自転している）ブラック

ホールがあり，そのまわりを回転する降着円盤からの激しい現象により引き起こされると考えられている．

AGN ジェットの場合は，銀河の中心に超巨大ブラックホール（質量は太陽質量の 100 万倍から 10 億倍に達し，その半径は 1 au にもなる）が鎮座し，そのまわりのガスやチリ（あるいは星）がその重力圏に捉えられ降着円盤を維持していると考えられる（図 1.14（a））．そのような物質の供給がなくなると降着円盤はなくなる．現在の銀河系の中心（Sgr A*）のブラックホールへの質量降着率は小さくジェットは放出されておらず RIAF として説明される活動性の低い降着円盤が付随していると考えられている（過去には活発に活動していた痕跡があるとする研究もある（Fukui 2006））．ブラックホール近くの降着円盤は高温になり X 線，紫外線，可視光線，電波などを放射している．X 線では輝線が観測される．

マイクロクェーサーのジェットの場合は，恒星質量程度のブラックホールとその伴星の連星系がその根元にあると考えられている（図 1.14（b））．ブラックホールの降着円盤は伴星から流れ込むガスによって維持される．ブラックホールの質量は太陽質量程度で，その半径は数キロメートルである．ブラックホール近くの降着円盤は高温になり，X 線や電波を放射する．

LGRB は質量が太陽質量の 50 倍程度以上の恒星が重力崩壊したときに起こる爆発的な現象と考えられている（図 1.14（c））．その重力崩壊で星の中心付近に太陽質量程度のブラックホールが形成され，そのまわりの非常に高密度の降着円盤の激しい現象により高エネルギーのジェットが出現すると考えられている．そのジェットは重力崩壊中の星の層を突き抜けて外側に噴出し，この段階で急速な加速をされて，ローレンツ因子が数百の超相対論的ジェットになると考えられている．その相対論的ジェット内の衝撃波（内部衝撃波，internal shock）によりガンマー線が放出され，それが GRB として観測される．一方，少し時間が経つとジェットの先端にある衝撃波（外部衝撃波，external shock）からガンマー線，可視光線，X 線，電波が放出されこれがアフターグローとして観測される．sGRB は連星系の 2 つの天体が衝突合体後，ブラックホールとそのまわりに形成された降着円盤内の激しい現象により相対論的ジェットが放射されると考られ，その数値シミュレーションも進んでいる．LGRB と同様に超高速の相対論的ジェットから放射されたガンマー線が sGRB として観測される．

このように，それぞれの場合のブラックホールまわりの降着円盤の状況というの

はさまざまであるが，いずれにしても相対論的ジェットは，そのまわりの降着円盤内の激しい現象により形成されていると考えられている．しかし，具体的に降着円盤内のどのような機構により相対論的ジェットが形成されるのかはまだ明らかになっていない．

降着円盤におけるさまざまな相対論的ジェットの形成モデルが提案されているが，そのモデルで説明されなくてはならない点を挙げる．まず，相対論的ジェットを形成するには，物質を光速度近くにまで加速する必要がある．これは**加速機構**の問題といわれる．さらに，加速された物質をジェットとして噴射するように，その方向を揃える必要がある．これはジェットの**収束機構**の問題（あるいは，絞り込み機構の問題）といわれる．

これまで，これらを説明するモデルがたくさん提案されてきたが，それらはそれぞれの機構を担う「力」により分類することができる．これまで提案されてきたモデルで使われている力というのは主に，(1) 磁気力，(2) 輻射圧勾配，(3) ガス圧勾配である．ここで，通常，輻射圧というと電磁波の輻射圧のことを指すが，ガンマー線バーストのときはニュートリノの放射も寄与する．

5章と6章で説明される一般相対論的MHD（GRMHD）が関係するのは磁気的力を用いるモデルである．このようなモデルは**磁気的モデル**あるいは**磁気駆動ジェットモデル**と呼ばれている（Meier *et al.* 2001）．一方，輻射圧により形成されるモデルでは8章から10章で説明される輻射流体力学が用いられる．最近，ジェットの加速を放射圧，絞り込みを磁気的力で説明する**ハイブリッド・モデル**も提案され注目を集めている（Ohsuga 2011）．これはGRMHDと次節で述べる輻射磁気流体（輻射MHD）にまたがる話題である．

1.5 一般相対論的輻射流体力学

輻射流体力学を一般相対論的に扱う場合には，湾曲時空での光子の振る舞いを記述する必要がある．一般相対論的に記述するということは，一般座標変換に対して不変な形式で記述するということである．一般相対論では，時間1次元と空間3次元を合わせた4次元時空という考え方に基づいて理論が構築される．そこでは時間も相対化されるので，一般に座標系によって時間の進み方が異なる（図1.15）．

多数の光子の集団的振る舞いを記述する運動学（kinetic theory）の一般相対論

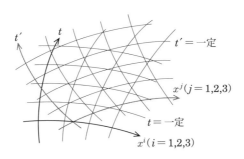

図 1.15 時間の相対性.

に基づく理論は,リンキスト(R. W. Lindquist),ザックス(R. K. Sachs),エラーズ(J. Ehlers),イスラエル(W. Israel)らの多数の先人たちによって構築された.そこでは,4 次元時空とそれに付随する 4 次元運動量空間の中にある粒子の集まりの振る舞いが,ボルツマン方程式によって記述される.非相対論的な場合や時空が平坦な特殊相対論的な場合には,輻射流体力学の方程式が,光子のボルツマン方程式から導かれた.そこでは,位相空間での粒子数密度をあらわす分布関数を用いて,運動量空間で物理量を平均化することが行われた[*19].一般相対論の場合にも同じような計算を行う.第 8 章では,一般相対論的運動学の基本的なことか

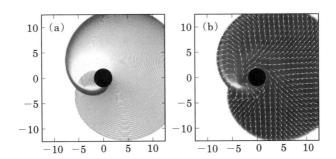

図 1.16 ブラックホール時空での一般相対論的輻射輸送シミュレーション [(a) 一般相対論的光線追跡法の計算 (b) 一般相対論的ボルツマン方程式シミュレーション](Takahashi, Umemura 2017).

[*19] 第 1 巻付録 A.5 (6),第 3 巻参照.

らはじめて，一般相対論的ボルツマン方程式について述べる[*20]．近年，一般相対論的ボルツマン方程式を直接数値的に計算する試みが始まっている（図 1.16，29ページ）[*21]．9 章では一般相対論的輻射輸送について説明する．最後に，10 章で一般相対論的輻射流体力学の基礎方程式を与える．

1.6　ブラックホール・シャドウ

ここでは，最近，観測に成功したブラックホールの姿である**ブラックホール・シャドウ**（black hole shadow）について説明しよう[*22]．前世紀からの観測により，ブラックホールの候補天体が数多く発見されているが，つい最近までブラックホールの姿を直接撮像した観測がなかった．これは，ブラックホールの見かけの大きさがあまりにも小さいために，従来，用いられてきた観測装置の空間分解能ではブラックホールの姿をとらえることができなかったためである．ところが，近年の電波干渉計の観測技術の著しい進歩により，高い空間分解能での観測が可能となり，見かけのサイズが大きいブラックホールの姿をとらえられるようになった．ターゲットとなるブラックホール天体は，私たちが住む銀河系の中心である Sgr A*や M87*にある巨大ブラックホールである．これらのブラックホールの周囲では，ガスが絶え間なくブラックホールに落ち込んでいる．ブラックホールの姿をとらえるにはガスを通してもブラックホールが見えるような光の波長での観測が必要となる．観測データや降着円盤の理論をもとに考えると Sgr A* と M87*の降着流は RIAF モデルであろうと考えられている．観測スペクトルを説明する理論モデルによれば，サブミリ波帯で光学的に薄くなっている可能性があり，ブラックホールの姿をとらえられる可能性が指摘されてきた．

[*20] 一般相対論的運動論は，数学の道具の一つである微分形式を用いると理論の数学的な構造が明確になるのであるが，第 8 章では微分形式を用いないで説明することを試みた．微分形式は，外積代数を基礎にしているが，外積代数は行列式の計算に適していることが知られていることから，第 8 章では微分形式を用いる代わりに，線形代数でおなじみの行列式を用いた説明を行った．一般相対論の計算をなるべくイメージをともなって理解できるように記述したつもりだが，この試みがうまくいっているかどうかは，読者の判断に任せたい．

[*21] Takahashi, R., Umemura 2017; Asahina *et al.* 2020; Asahina, Ohsuga 2022; Takahashi, M.M. *et al.* 2022

[*22] 本書の初版が出版されたのち，ブラックホール・シャドウの観測が公表されたことから，改訂版では本節を大幅に書き直した．

 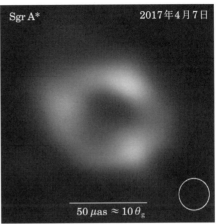

図 **1.17** 2017 年 4 月に取得された観測データから作成された M87*(EHT Collaboration 2019)(左)と Sgr A*(EHT Collaboration 2022)(右)のブラックホール・シャドウのイメージ(EHT Collaboration).論文で公表された図を同じ見かけのスケールになるように大きさを変えて並べている.

このような状況のもと,2019 年 4 月 10 日,イベント・ホライズン望遠鏡(EHT, Event Horizon Telescope)により観測されたデータから得られた超巨大ブラックホールの姿をとらえた画像が公表された(EHT Collaboration 2019)[*23](図 1.17).その姿がとらえられたブラックホールは,楕円銀河 M87 の中心領域の M87*の巨大ブラックホールである.イメージを見てまずわかることは,リング状の明るい領域が存在することである.ブラックホールが吸い込むガス降着流から放出される光が明るいリング状に見えているのである.ブラックホールが吸い込むガス降着流から放出される光は,ブラックホールの**地平面**(horizon)の近くからも放出されている.ところが,重力の効果により光子のエネルギーが小さくなる重力赤方偏移により遠方の観測者には,光子がブラックホールの近くから放出されている領域は暗く見える.この暗く見える領域は,ブラックホールが作る影のように見えることから,**ブラックホール・シャドウ**(black hole shadow)と呼ばれる.一般相対論の効果により,ブラックホールの近くは暗く見えるのだが,実は,暗く見

[*23] イベント・ホライズン望遠鏡(EHT)のウェブサイト(http://eventhorizontelescope.org)で詳しい情報を得ることができる.

える領域からも光子が届いている．つまり，暗いというのは周囲に比べて相対的に暗いということである．また，影の周囲のリング領域の明るさも一般相対論の効果により，より明るくなっている．ブラックホールの周囲では時空が歪んでいるために光の軌道が湾曲するため，湾曲が激しく効くところではブラックホールの周囲を何周も回るような光子の軌道が存在する．これが**光子球**（photon sphere）であり，この軌道に対応する見かけの領域は明るく見える．ブラックホール・シャドウの輪郭と光子球については，第 2 章と第 9 章で触れる[*24]．

ブラックホールの姿をイメージでとらえることは，それ自体でおおきなインパクトがあるが，そのような観測はどのような物理の解明につながるのだろうか．ブラックホールの姿が見えているような空間スケールでは，一般相対論の効果を無視することができない．そこでは，**光の軌道の湾曲**（light bending），光子のエネルギーが低くなる**重力赤方偏移**（gravitational redshift），ブラックホールの回転による**空間の引きずり**（frame dragging）の効果などの一般相対論により説明される効果が顕著となり，光学的に薄い観測波長でブラックホールを観測した場合には，一般相対論的な効果が観測イメージに現れる．ブラックホールが自転している場合には，ブラックホールの影の輪郭の形状が少しゆがんで観測され，ガスが観測者の方向に速度を持つガスから放出される光子が特に明るく観測されるとの理論的予測があるが，図 1.17 の観測イメージではその効果ははっきりととらえられていない．この効果は，ドップラービーミング効果とブラックホールが自転しているために起こる空間の引きずり効果による．ブラックホールが自転している場合には，エルゴ領域内（2.3.4 節参照）では光といえどもその自転に逆らった方向に進むことはできない．そのため，回転方向が遠方の観測者に向かっている部分は空間の引きずりを起源とするドップラー効果のため明るくなる．反対に回転方向が観測者から遠ざかっているところは暗く見える．ブラックホールの影の輪郭の外側に明るさの差があるのはこのためである．つまり，ブラックホール周囲のガス内での光子の

[*24] イベント・ホライズン望遠鏡により観測されたブラックホール・シャドウのイメージは，全世界の 40 億人が見たそうである．また，イベント・ホライズン望遠鏡による画期的な観測が公表されはじめたあたりから，ブラックホール・シャドウに関する論文の数はうなぎ上りに増加している．一方で，本書の執筆者の一人が降着円盤・降着流中のブラックホール・シャドウに関する論文（Takahashi 2004）を書いた当時，ブラックホール・シャドウについて研究している研究者はそれほど多くなく，研究会などの場で「ブラックホール・シャドウを研究して何が面白いの？」などの発言を何回かいただいたことが懐かしく思い出される．

散乱の効果が弱い波長で観測した場合には，このようなブラックホールの自転の効果をはっきりと観測することができ，空間の引きずりの効果により，観測者の方向に向かってくる部分が明るく観測されると理論的に予言されている．この場合，ブラックホールの自転の効果により，観測されるブラックホールの輪郭の形状がゆがんでいると考えられている．ブラックホールが自転している場合には光子球の半径が光子の角運動量によって異なる．ブラックホールはその角運動量とは異なる方向に回転する光子を多く捕獲しようとする性質がある．この性質が光子球の半径の大きさの違いとして現れ，ブラックホールの影の輪郭のゆがみとして現れる．もし将来の観測でブラックホールの影の輪郭のゆがみを正確にとらえることができれば，ブラックホールがどの程度の速さで自転しているのかを観測的に正確に測定することが可能となる．

2017年に取得された観測データから作成されたブラックホール・シャドウのイメージから，ブラックホール天体に関する多くの情報が得られている．図1.17左が2019年4月10日に公開されたM87*のイメージであり，右が2022年5月22日に公開されたSgr A*のイメージである．M87*とSgr A*の2つの天体がイベント・ホライズン望遠鏡で観測された日は同じ日であるのだが，観測データの解析の困難さの違いから，M87*のイメージが公表されてから約2年後にSgr A*のイメージが公開された[25]．得られたイメージであるが，光学的に薄い波長でブラックホール天体を観測した場合には，リング状のイメージが予想されていたが，実際の観測でもリング状のイメージが観測された．観測されたブラックホール・シャドウのリングの見た目の大きさである視直径は，M87*では42 ± 3マイクロ秒角であり，Sgr A*では51.8 ± 2.3マイクロ秒角であった．これらの大きさも概ね理論的に見積もられていたものと一致していた．図1.17の左右の図は地球から見た場合の大きさをそろえて表示している．図の下にある棒が50マイクロ秒角の大きさを表しており，望遠鏡の空間分解能の目安となる直径20マイクロ秒角の円が白い円で表示されている．観測されたブラックホール・シャドウを形成するブラックホールの質

---

[25] ブラックホール・シャドウが実際に観測されたことは，人類史上に残る画期的な科学的な研究成果であり，多くの日本人研究者が実際の観測やデータ解析に関わっている．素晴らしいことに，研究の現場を伝える躍動感のある数々の報告を日本語で読むことができる（天文月報WEBサイト https://www.asj.or.jp/jp/activities/geppou/backnumber/, 秋山, 本間 2018, 松下他 2019, 田崎他 2019, 中村他 2019, 秋山他 2019, 秋山 2021, 浅田, 水野 2021, 秦他 2021, 本間 2021, 秋山他 2022, 森山他 2022, 川島, 水野 2022, 小山他 2022）

図 1.18 光子の偏光の情報を含んだ M87*のブラックホール・シャドウのイメージ（EHT Collaboration 2021）．ブラックホール・シャドウのまわりのドーナツ状に輝く領域に見られる細かい"スジ"は偏光の電場方向を表している（EHT Collaboration）．

量であるが，EHT の観測の画像を考慮して見積もられた M87*に存在するブラックホールの質量は，65 ± 7 億太陽質量であり，従来の観測で見積もられていた運動するガスの速度分散から見積もられていた値とほぼ一致していた．一方，Sgr A*に存在するブラックホールの質量は 400 万太陽質量であり，従来見積もられていた値とほぼ一致していた．また，M87*の観測では，ブラックホール・シャドウの偏光の情報を得ることにも成功した（図 1.18）．M87*のイメージと偏光の観測結果を考慮すると，ブラックホール周囲の降着流の状態はポロイダル方向に強い磁場をもつ MAD モデルで観測結果を説明できるとの結果が示されている．一方で，Sgr A*の場合には，すべての観測結果を説明できる理論モデルが見つかっていない．波長 1.3 mm の観測で明るさの時間変動が観測されているのであるが，この観測を説明するのが難しいとのことである．時間変動を除いた場合には，M87*の場合と同様に，Sgr A*の場合でも MAD モデルが最も有力な理論モデルとなっている．

　ブラックホール・シャドウの観測から，現状で理解できていない未解決な問題も浮き彫りになった．M87*と Sgr A*の両方で降着流の状態として，MAD モデルが有力であるとの結果が導き出されたのであるが，MAD モデルの場合には，強い磁

場が存在するため，天体からジェットが噴出される傾向があると考えられている．M87では，中心から噴出されるジェットが観測されているが，Sgr A*ではジェットが確認されていない．過去のSgr A*の活動性を示すX線観測からジェット構造を示唆しているとの指摘もあるが，実際のところ，Sgr A*からはジェットが噴出されていないのか，もしくは，ジェットが噴出されているが，観測できていないだけなのか，最終的な結論は得られていない．また，Sgr A*の場合には，ジェットの存在の有無だけでなく，上述の1.3 mmの波長の観測でとらえられた時間変動も理論的に説明できていない．今回のブラックホール・シャドウの観測から，ブラックホールの時空構造などに制限が与えられているとの報告がなされているが，最終的な結論は得られていないと考えられる．これらを含む未解決問題の答えや理論的に予言されているが観測的に確かめられていない様々な興味深い観測的特質については，将来のより詳細な観測が人類に新しい知見をもたらすのかもしれない．

Chapter 1 の章末問題

問題 1.1 $10 M_\odot$ および $10^8 M_\odot$ のブラックホールについて,シュバルツシルト半径を計算せよ.

問題 1.2 1.2 節の式 (1.3) を導け.

問題 1.3 我々の銀河中心核のブラックホールの質量を求めよ.

問題 1.4 放射を出す物体が我々に向かって視線方向と角 θ を成す方向に速さ v で等速度運動している場合を考える.この物体の放射を十分遠方から観測したときの物体の見かけの速さ v_{obs} を求めよ.

問題 1.5 マイクロクエーサーでは双方向ジェットの速さが同じで,ジェットの根元を通る視線方向と角度 θ をなす直線上にあるとすると,こちらに向かってくるジェットと反対側に放射されたそれぞれのジェットの見かけの速さは,

$$v_{\mathrm{obs}}^{\mathrm{dir}} = \frac{\dfrac{v}{c}\sin\theta}{1 - \dfrac{v}{c}\cos\theta}c, \qquad v_{\mathrm{obs}}^{\mathrm{anti}} = \frac{\dfrac{v}{c}\sin\theta}{1 + \dfrac{v}{c}\cos\theta}c$$

となることを示せ.また,双方向ジェットの観測される速さ $v_{\mathrm{obs}}^{\mathrm{dir}}$, $v_{\mathrm{obs}}^{\mathrm{anti}}$ を用いて,ジェットの速さ v と視線方向とジェットのなす角 θ を求めよ.

問題 1.6 GRS1915+105 の 2 つの方向に放射されたジェットの見かけの速さは $v_{\mathrm{obs}}^{\mathrm{dir}} = 1.25c$, $v_{\mathrm{obs}}^{\mathrm{anti}} = 0.65c$ である.GRS1915+105 のジェットの速さ v とその進行方向と視線方向の成す角度 θ を求めよ.

Chapter 2
一般相対論による重力の記述

この章では記号の説明を兼ねて一般相対論を復習しておく．本書では，数式の煩雑さをさけるため，多くの式で，光速度 c と万有引力定数 G を 1 とする自然単位系を用いる．物理的な大きさを議論する場合には次元解析からそれらの定数を復活させる．このやり方は初学者にはわかりにくいかもしれないが，途中の数式の簡略化の恩恵が大きいので慣れてほしい．

2.1 曲がった時空

特殊相対論で扱う平坦な時空（ミンコフスキー空間）での計量は，
$$ds^2 = \eta_{\mu\nu}dx^\mu dx^\nu = -dt^2 + dx^2 + dy^2 + dz^2 \tag{2.1}$$
であった[*1]．アインシュタインの規約に従い，上下に同じ文字の添字が現れると和をとることを意味し，和の記号（$\sum$）を省略する．また，時間座標は $x^0 = t$，空間座標は $(x^1, x^2, x^3) = (x, y, z)$ であり，計量テンソル $\eta_{\mu\nu}$ は対角成分のみからなる[*2]．また，$\eta^{\mu\nu}$ は $\eta_{\mu\nu}$ を要素とみなした 4×4 行列の逆行列の成分で，それらを同時に次に示す：

[*1] 光速度 c を復活させると，$ds^2 = -c^2 dt^2 + dx^2 + dy^2 + dz^2$ となる．
[*2] 逆の符号で $\eta_{\mu\nu}$ を定義する文献もあるので注意を要する（第 3 巻は逆の符号系になっている）．本書の符号系は，符号が $(-, +, +, +)$ のサインとか，その対角和から sign= $+2$ などと表記される．

$$\eta_{\mu\nu} = \eta^{\mu\nu} = \begin{pmatrix} -1 & 0 & 0 & 0 \\ 0 & 1 & 0 & 0 \\ 0 & 0 & 1 & 0 \\ 0 & 0 & 0 & 1 \end{pmatrix}. \tag{2.2}$$

「重力は万物に働く」ということから，一般相対論では重力は時空の曲がりとして表される．そして，時空 $(t,x,y,z) = (x^0, x^1, x^2, x^3)$ の関数である**計量テンソル**（metric tensor）$g_{\mu\nu}$ を導入し，計量は，

$$ds^2 = g_{\mu\nu}dx^\mu dx^\nu \tag{2.3}$$

となる．時空計量 $g_{\mu\nu}$ は $\eta_{\mu\nu}$ の一般形であるが，任意の点で局所的にミンコフスキー計量を与える座標系（局所ローレンツ系）をとることができる．すなわち，その点の十分近傍では計量 $g_{\mu\nu}$ が $\eta_{\mu\nu}$ であり，すべての計量をどの方向に 1 階微分してもゼロとなるような局所的な座標系をとることができる：

$$g_{\mu\nu} = \eta_{\mu\nu}, \qquad g_{\mu\nu,\lambda} = 0. \tag{2.4}$$

ここで，カンマ（$,\lambda$）は x^λ 方向の偏微分を表す[*3]．ブラックホール時空など曲がった時空の本質となるのは，$g_{\mu\nu}$ の二階微分である（例題 2.1 参照）．

時空計量 $g_{\mu\nu}$ を決めるものがアインシュタイン方程式であるが，本書ではその解法にはふれず，ある条件のもとに解かれた計量を天体現象に応用することを主題とする．中心天体の質量がそれ以外に比べはるかに大きい場合，外部は真空と近似できる．そのような状況の解（真空解）を用い，その中での流体や電磁場等がどのように影響を受けるかを調べる．

例題 2.1 4 次元空間の座標変換の自由度を数えよう．

解答 時空のある点における 2 つの座標 x^μ と $x^{\nu'}$ の間の座標変換 $x^\mu = x^\mu(x^{\nu'})$ を考える．このとき，局所的に (2.4) の関係式が成り立つような座標系を一般的にとることができるのを自由度を数えることで理解しよう．座標変換 $x^\mu = x^\mu(x^{\nu'})$ のもとでの計量テンソル $g_{\mu\nu}$ の変換は，

$$g_{\mu'\nu'}(x^{\lambda'}) = \Lambda^{\mu}_{\mu'} \Lambda^{\nu}_{\nu'} g_{\mu\nu}(x^\lambda), \qquad \Lambda^{\mu}_{\mu'} \equiv \frac{\partial x^\mu}{\partial x^{\mu'}}$$

[*3] ある関数 f の偏微分を $\partial f/\partial x^\lambda = \partial_\lambda f = f_{,\lambda}$ とも書く．

である．ここで，$\Lambda^\mu_{\mu'}$ は 16（$= 4 \times 4$）個の独立成分をもつ．座標変換を適切に選べば，10 個の独立成分をもつ計量テンソルを $g_{\mu'\nu'} = \eta_{\mu'\nu'}$ となるようにできる．残りの任意性は空間の回転の自由度 3 個と座標系の移動速度（ローレンツ変換のブースト）の自由度 3 個に対応する．次に，計量テンソルの一階微分 $\partial g_{\mu'\nu'}/\partial x^{\alpha'}$ を考える．これは 40 個の独立成分をもつ．これは先に述べた座標変換で考えている点のまわりのテイラー展開で得られ，$\partial \Lambda^\mu_{\mu'}/\partial x^{\alpha'} = \partial^2 x^\mu/\partial x^{\mu'} \partial x^{\alpha'}$ が関係する．この新たに加わった関数の自由度は 40（$= 4 \times 10$）個であり，$\partial g_{\mu'\nu'}/\partial x^{\alpha'}$ がすべてゼロとなるような座標系を一般的にとることができる．さらに進み，二階微分 $\partial^2 g_{\mu'\nu'}/\partial x^{\alpha'} \partial x^{\beta'}$ も全てゼロとできるかを考える．これは 100 個の独立な成分をもつが，今度は関係する $\partial^2 \Lambda^\mu_{\mu'}/\partial x^{\alpha'} \partial x^{\beta'} = \partial^3 x^\mu/\partial x^{\mu'} \partial x^{\alpha'} \partial x^{\beta'}$ が 80（$= 4 \times 20$）個の独立な成分しかもたない．よって，一般的に計量テンソルの座標に関する二階微分をすべてゼロとするような座標変換は存在しない．残った 20 個の自由度はリーマンテンソル $R_{\mu\nu\lambda\sigma}$ で表され，そのうち 10 個の自由度はリッチテンソル $R_{\mu\nu}$ としてアインシュタイン方程式により物質と関係する．残り 10 個はワイルテンソル $C_{\mu\nu\lambda\sigma}$ の自由度で，物質が無くても曲がった時空となる（Misner et al. 1973 などを参照）． ∎

2.1.1　4元ベクトル

座標 (x^0, x^1, x^2, x^3) に対応して，それぞれ成分が (u^0, u^1, u^2, u^3) および (v^0, v^1, v^2, v^3) となる 4 元ベクトル（**反変ベクトル**）を太字で $\boldsymbol{u}$, $\boldsymbol{v}$ で表す[*4]．2 つの 4 元ベクトルの内積は，

$$\boldsymbol{u} \cdot \boldsymbol{v} = g_{\mu\nu} u^\mu v^\nu \tag{2.5}$$

で定義される．また，任意の 4 元ベクトル $\boldsymbol{u}$ に対して $g_{\mu\nu}$ を用いて，

$$u_\mu = g_{\mu\nu} u^\nu, \quad (\mu = 0, 1, 2, 3) \tag{2.6}$$

のように新たな 4 成分の組み（**共変ベクトル**）がつくられる．また，逆に

$$u^\mu = g^{\mu\nu} u_\nu, \quad (\mu = 0, 1, 2, 3) \tag{2.7}$$

[*4] 多くの場合，3 次元のベクトルを太字で表記するが，2–4 章では，$\boldsymbol{A}$ のような太字で 4 元ベクトルを表し，3 次元空間のベクトルは区別するために $\vec{A}$ のような矢印で表現する．

となる[*5]. ここで $g^{\mu\nu}$ は $g_{\mu\nu}$ を要素とみなした 4×4 行列の逆行列の成分で,

$$g^{\mu\alpha}g_{\alpha\nu} = g_{\nu\alpha}g^{\alpha\mu} = \delta^\mu_\nu \tag{2.8}$$

の関係がある.

反変と共変でベクトルの成分は異なるので,それを並べて表記する場合,次の例のように,最初にどちらであるか (u^μ または u_μ) を明記する.たとえば,ミンコフスキー時空で直角座標での粒子の 4 元速度ベクトル $\boldsymbol{u}$ の成分は,

$$u^\mu = (\gamma, \gamma v_x, \gamma v_y, \gamma v_z), \quad u_\mu = (-\gamma, \gamma v_x, \gamma v_y, \gamma v_z) \tag{2.9}$$

となる.ここで,γ はローレンツ因子 $[\gamma = (1-v^2)^{-1/2}]$ である.

もうひとつ,ベクトルの例を取り上げる.スカラー関数 S を座標 x^μ ($\mu = 0,1,2,3$) のそれぞれの方向に微分したもの [カンマ ($,\mu$)] は x^μ 微分の簡略形 $S_{,\mu} \equiv \partial S/\partial x^\mu \equiv \partial_\mu S$] を組みにしたもの $(S_{,0}, S_{,1}, S_{,2}, S_{,3})$ は共変ベクトルの成分となる.また,$dS = S_{,\mu}dx^\mu$ および S 方向の微分 (∂_S) は反変ベクトルの成分を用いて表せる $[\partial_S = S_{,\mu}g^{\mu\nu}\partial_\nu]$ ので,座標基底 dx^μ および ∂_μ を用いて一般のベクトル $\boldsymbol{V}$ を以下のように表す (図 2.1 参照).

$$V_\mu dx^\mu, \quad V^\mu \partial_\mu. \tag{2.10}$$

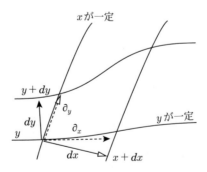

図 2.1 ベクトルを表現する 2 種類の基底. 2 次元の場合,ベクトルの基底 (∂_x, ∂_y) と双対ベクトルの基底 (dx, dy) で表せる.一般に,dx 方向と直交するのは dy 方向でなく,∂_y 方向であることに注意.直交の場合は ∂_y 方向は dy 方向に一致する.

[*5] $\boldsymbol{u}\cdot\boldsymbol{v} = u_\nu v^\nu = u^\nu v_\nu$ である.

座標変換 $x^\mu = x^\mu(x^{\nu'})$ を考えると (2.10) から以下の関係が分かる：

$$V_\nu dx^\nu = V_\nu \frac{\partial x^\nu}{\partial x^{\mu'}} dx^{\mu'} \equiv V_{\mu'} dx^{\mu'}, \quad V^\nu \partial_\nu = V^\nu \frac{\partial x^{\mu'}}{\partial x^\nu} \partial_{\mu'} \equiv V^{\mu'} \partial_{\mu'}. \quad (2.11)$$

それぞれの3番目の式は $x^{\mu'}$ 座標系での成分（$V_{\mu'}$ や $V^{\mu'}$）の定義式であり，2番目の式を比べて，それぞれ共変ベクトルと反変ベクトルでは以下の異なる変換性が明らかであろう：

$$V_{\mu'} = \frac{\partial x^\nu}{\partial x^{\mu'}} V_\nu, \quad V^{\mu'} = \frac{\partial x^{\mu'}}{\partial x^\nu} V^\nu. \quad (2.12)$$

ベクトルの基底を $\boldsymbol{e}_\mu$ ($\mu = 0, \cdots, 3$) とおき，$d\boldsymbol{x} = dx^\mu \boldsymbol{e}_\mu$ なので，その内積は $ds^2 = \boldsymbol{e}_\mu \cdot \boldsymbol{e}_\nu dx^\mu dx^\nu$ とおけるので (2.3) と比べて以下となる：

$$g_{\mu\nu} = \boldsymbol{e}_\mu \cdot \boldsymbol{e}_\nu. \quad (2.13)$$

曲がった時空を取り扱うが，どの点でも，ひとつの時間的な単位ベクトル $\boldsymbol{e}_{\hat{0}}$（自身との内積は -1）と3方向に対する空間的な単位ベクトル $\boldsymbol{e}_{\hat{i}}$ ($i = 1, 2, 3$) を次の正規直交関係を満たすように $\boldsymbol{e}_\mu$ の組みから定めることができる．これは，局所的にミンコフスキー時空を定めることであり，重力のない局所慣性系での物理量を議論することができる：

$$\boldsymbol{e}_{\hat{\alpha}} \cdot \boldsymbol{e}_{\hat{\beta}} = \eta_{\hat{\alpha}\hat{\beta}}. \quad (2.14)$$

このような正規直交関係を満たす4つのベクトルの組みを**テトラッド**（tetrad）と呼ぶ．

先に述べたように，スカラー関数 S の微分から，ベクトル $S_{,\mu}$ ができた．このベクトルをさらに微分して16個の成分 $S_{,\mu,\nu}$ の組ができるが，曲線座標系の場合，それは2階のテンソルとならない．偏微分を**共変微分**に置き換えたものがテンソルとなる．一般に任意のベクトルの成分 V^α および V_α に対し，その共変微分は次で定義される：

$$\nabla_\mu V^\alpha \equiv V^\alpha_{;\mu} \equiv V^\alpha_{,\mu} + \Gamma^\alpha_{\beta\mu} V^\beta, \quad \nabla_\mu V_\alpha \equiv V_{\alpha;\mu} \equiv V_{\alpha,\mu} - \Gamma^\beta_{\alpha\mu} V_\beta. \quad (2.15)$$

ここで，記号 ∇_μ またはセミコロン（$;\mu$）は座標 x^μ 方向への共変微分を表す．また，記号 $\Gamma^\alpha_{\beta\gamma}$ は**クリストフェルの接続係数**と呼ばれるもので以下で与えられる：

$$\Gamma^\alpha_{\beta\gamma} \equiv \frac{1}{2} g^{\alpha\mu} (g_{\mu\gamma,\beta} + g_{\beta\mu,\gamma} - g_{\beta\gamma,\mu}). \quad (2.16)$$

先のベクトルの場合からも分かるように，2 階のテンソルの共変微分は反変または共変成分に応じてクリストフェルの前の符号が逆で，例えば $T^{\alpha\beta}$ と $T_{\alpha\beta}$ に対して具体的に示すと以下となる：

$$T^{\alpha\beta}{}_{;\mu} = T^{\alpha\beta}{}_{,\mu} + \Gamma^{\alpha}_{\lambda\mu} T^{\lambda\beta} + \Gamma^{\beta}_{\lambda\mu} T^{\alpha\lambda}, \quad T_{\alpha\beta;\mu} = T_{\alpha\beta,\mu} - \Gamma^{\lambda}_{\alpha\mu} T_{\lambda\beta} - \Gamma^{\lambda}_{\beta\mu} T_{\alpha\lambda}. \tag{2.17}$$

さて，$T^{\alpha}_{\beta;\mu}$ はどうなるか．答えを出してから下の脚注を見よう*6．

計量テンソルの共変微分はゼロ（$g_{\alpha\beta;\mu} = 0$, $g^{\alpha\beta}_{;\mu} = 0$）で，添字の上げ下げと共変微分の順番は交換可能である．たとえば，反変成分を共変微分した後に共変成分に変えたものは，反変成分を共変成分に変換した後に共変微分したものと等しい*7．

多くの物理法則は微分方程式で記述される．平坦なミンコフスキー時空での式から，重力による曲がった時空での式への移行規則は次の 2 点に要約できる：

- 計量の変更：$\eta_{\mu\nu} \to g_{\mu\nu}$
- 偏微分を共変微分へ変更：$\partial_{\mu} \to \nabla_{\mu}$ （記号カンマ , をセミコロン ; へ）

このようにして一般座標変換で共変な方程式が導出される．以下に例を示そう．

例 2.1 粒子の自由運動

粒子の 4 次元の位置を固有時 τ で表すと，速度はその微分だから $u^{\mu} = dx^{\mu}/d\tau$ ($\mu = 0, 1, 2, 3$) である．自由運動は加速度（$a^{\mu} = u^{\nu} u^{\mu}_{;\nu}$）がないことなので，

$$0 = a^{\mu} = \frac{du^{\mu}}{d\tau} + \Gamma^{\mu}_{\alpha\beta} u^{\alpha} u^{\beta}. \tag{2.18}$$

例 2.2 電磁場のマクスウェル方程式

$$(F_{\alpha\beta,\gamma} + F_{\beta\gamma,\alpha} + F_{\gamma\alpha,\beta} = 0, \ F^{\alpha\beta}_{,\beta} = \mu_0 j^{\alpha})$$
$$\implies (F_{\alpha\beta;\gamma} + F_{\beta\gamma;\alpha} + F_{\gamma\alpha;\beta} = 0, \ F^{\alpha\beta}_{;\beta} = \mu_0 j^{\alpha}) \tag{2.19}$$

例 2.3 完全流体のエネルギー運動量の保存則

---

*6 $T^{\alpha}_{\beta;\mu} = T^{\alpha}_{\beta,\mu} + \Gamma^{\alpha}_{\lambda\mu} T^{\lambda}_{\beta} - \Gamma^{\lambda}_{\beta\mu} T^{\alpha}_{\lambda}$.

*7 たとえば，式では $g_{\alpha\beta} V^{\beta}_{;\mu} = (g_{\alpha\beta} V^{\beta})_{;\mu} = V_{\alpha;\mu}$ ということ．

$$0 = T^{\mu\nu}_{,\nu} = ((\rho + p)u^\mu u^\nu + p\eta^{\mu\nu})_{,\nu}$$
$$\Longrightarrow 0 = T^{\mu\nu}_{;\nu} = ((\rho + p)u^\mu u^\nu + pg^{\mu\nu})_{;\nu} \tag{2.20}$$

これらの記号やその意味するところは後の章で説明する．

2.1.2 　3次元空間の曲線座標

この節では，時空計量（$g_{\mu\nu}$），反変ベクトルと共変ベクトル，クリストフェル記号（$\Gamma^\alpha_{\beta\gamma}$）や共変微分が出てきたが，その理解を深めるために3次元の平坦な空間の場合にどのようになっているかを確かめよう．便宜上，3次元のユークリッド空間なので $g_{\mu\nu}$ の代わりに γ_{ij} と表すが，共変微分やクリストフェル記号の定義式 (2.15) (2.16) は任意の次元で成り立つもので，γ_{ij} を用いて計算される．

直角座標 $(x^1, x^2, x^3) = (x, y, z)$ では計量（$\gamma_{ij} = \delta_{ij}$）は定数であり，反変と共変ベクトルの成分は同じである．また，Γ^i_{jk} [*8]はすべてゼロとなり，共変微分と偏微分の区別がない．

次に，曲線座標の一例として球座標 $(x^1, x^2, x^3) = (r, \theta, \phi)$ を考えよう．その線素は，
$$ds^2 = dr^2 + r^2 d\theta^2 + r^2 \sin^2\theta d\phi^2 \tag{2.21}$$
であり，計量は対角成分だけがゼロでなく，より汎用的に利用できるように $h_1 = 1, h_2 = r, h_3 = r\sin\theta$ とおくと，$\gamma_{ij} = h_i^2 \delta_{ij}$, $\gamma^{ij} = h_i^{-2} \delta^{ij}$ となる．(2.6) – (2.7) の関係式から，反変ベクトルと共変ベクトルの成分は異なることと，その対応関係が理解されよう[*9]．3次元のベクトル解析では通常，座標基底 $\vec{e}_i = \partial_i$ $(i = r, \theta, \phi)$ でなく，次に定義された正規直交の**非座標基底**を用いて成分を表す[*10]：

$$\vec{e}_{\hat{r}} = \vec{e}_r = \partial_r, \quad \vec{e}_{\hat{\theta}} = r^{-1}\vec{e}_\theta = r^{-1}\partial_\theta, \quad \vec{e}_{\hat{\phi}} = (r\sin\theta)^{-1}\vec{e}_\phi = (r\sin\theta)^{-1}\partial_\phi. \tag{2.22}$$

[*8] 4次元の場合と区別して，$^{(3)}\Gamma^i_{jk}$ と書けば正確であろうが，混乱は無いと思う．

[*9] $v^\phi = \Omega$（角速度）とすると，$v^{\hat{\phi}} = v_{\hat{\phi}} = \Omega r \sin\theta$（速度），$v_\phi = \Omega (r\sin\theta)^2$（単位質量あたりの角運動量）となる．

[*10] 適当な座標変換で $\vec{e}_{\hat{\theta}} = \partial/(r\partial\theta) = \partial/\partial\xi$, $\vec{e}_{\hat{\phi}} = \partial/(r\sin\theta\partial\phi) = \partial/\partial\eta$ となる座標 ξ, η をつくることができない．このような基底 $(\partial/\partial r, \partial/(r\partial\theta), \partial/(r\sin\theta\partial\phi))$ は非座標基底と呼ばれる．

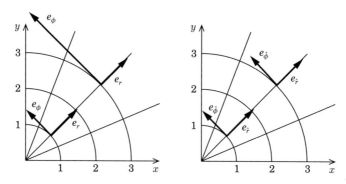

図 2.2 平面の場合の極座標 (r, ϕ) での座標基底ベクトル（左図）と正規直交ベクトル（右図）の関係. $\vec{e}_r = \partial/\partial r$ と $\vec{e}_\phi = \partial/\partial \phi$ はそれぞれの方向に変化分を表す. $\vec{e}_{\hat{r}} = \partial/\partial r$ と $\vec{e}_{\hat{\phi}} = \partial/(r \sin \theta \partial \phi) = 1/(r \sin \theta) \vec{e}_\phi$ は長さが調整されている. また, $\gamma_{\hat{\phi}\hat{\phi}} = \bm{e}_{\hat{\phi}} \cdot \bm{e}_{\hat{\phi}} = 1$ であり, $\gamma_{\phi\phi} = \bm{e}_\phi \cdot \bm{e}_\phi = r^2 \sin^2 \theta$ 等が理解されよう.

図 2.2 に $\theta = \pi/2$ での 2 次元極座標での関係を示してある. あるベクトル $\vec{V}$ を基底 $\vec{e}_{\hat{i}}$ で展開したときの成分を $V^{\hat{i}}$ と表すと, $V^{\hat{i}} = V_{\hat{i}} = h_i V^i = h_i^{-1} V_i$ となる. また, 2 つのベクトルの内積 (2.5) は, それぞれの成分の積の和 $(V^{\hat{r}} U^{\hat{r}} + V^{\hat{\theta}} U^{\hat{\theta}} + V^{\hat{\phi}} U^{\hat{\phi}})$ となる. さらに, 通常のベクトル解析ではある関数 $S(r, \theta, \phi)$ の勾配 (grad, $\vec{\nabla}$) は (2.22) のような非座標基底で取り扱われ, $\vec{\nabla} S = (S_{,r}, S_{,\theta}/r, S_{,\phi}/(r \sin \theta))$ となる.

次に, 計量 (2.21) に対して, クリストフェル記号の定義式 (2.16) から計算すると, Γ^i_{jk} でゼロでないものは以下となる：

$$\Gamma^r_{\theta\theta} = \Gamma^r_{\phi\phi}/\sin^2 \theta = -r, \qquad \Gamma^\theta_{r\theta} = \Gamma^\theta_{\theta r} = \Gamma^\phi_{r\phi} = \Gamma^\phi_{\phi r} = 1/r,$$
$$\Gamma^\theta_{\phi\phi} = -\sin \theta \cos \theta, \qquad \Gamma^\phi_{\theta\phi} = \Gamma^\phi_{\phi\theta} = \cot \theta.$$

ある関数 S に対するラプラス演算 $[\nabla^2 S \equiv \vec{\nabla} \cdot (\vec{\nabla} S)]$ は S の 2 階微分したものからスカラー量をつくるもので,

$$\nabla^2 S = \gamma^{ij} S_{,i;j} = \gamma^{ij} (S_{,i,j} - \Gamma^k_{ij} S_{,k})$$
$$= S_{,r,r} + \frac{2}{r} S_{,r} + \frac{1}{r^2} S_{,\theta,\theta} + \frac{\cot \theta}{r^2} S_{,\theta} + \frac{1}{r^2 \sin^2 \theta} S_{,\phi,\phi}$$

$$= \frac{1}{r^2}(r^2 S_{,r})_{,r} + \frac{1}{r^2 \sin\theta}(\sin\theta S_{,\theta})_{,\theta} + \frac{1}{r^2 \sin^2\theta} S_{,\phi,\phi}.$$

となる．最初の行は共変な形であり，それを具体的に Γ^i_{jk} の表式を用いて表したものが第 2, 3 行目である．同様にベクトルの発散（div, $\vec{\nabla}\cdot$）は，以下となる：

$$\vec{\nabla}\cdot\vec{V} \equiv V^i_{;i} = V^i_{,i} + \Gamma^i_{ji} V^j = \frac{1}{\sqrt{\gamma}}(\sqrt{\gamma} V^i)_{,i}$$
$$= \frac{1}{r^2}(r^2 V^{\hat{r}})_{,r} + \frac{1}{r\sin\theta}\left(\sin\theta V^{\hat{\theta}}\right)_{,\theta} + \frac{1}{r\sin\theta}\left(V^{\hat{\phi}}\right)_{,\phi}. \qquad (2.23)$$

---

3 次元曲線座標系でのベクトル解析の公式

計量 $\gamma_{ij} = h_i^2 \delta_{ij}$, $\gamma^{ij} = h_i^{-2}\delta^{ij}$ の場合，それぞれの長さは $h_i dx^i$ で

$$ds^2 = (h_1 dx^1)^2 + (h_2 dx^2)^2 + (h_3 dx^3)^2.$$

ベクトルの規定 正規直交ベクトルの成分 $V^{\hat{i}}$（座標規定ベクトルの成分 V^i）$V^{\hat{1}} = h_1 V^1 = V_1/h_1$, 第 2, 3 成分も同様．

$$\vec{V} = \frac{V^{\hat{1}}}{h_1}\partial_1 + \frac{V^{\hat{2}}}{h_2}\partial_2 + \frac{V^{\hat{3}}}{h_3}\partial_3 = V^1 \partial_1 + V^2 \partial_2 + V^3 \partial_3.$$

スカラー関数の勾配 正規直交ベクトルの成分

$$\vec{\nabla} S = \left(\frac{1}{h_1} S_{,1}, \frac{1}{h_2} S_{,2}, \frac{1}{h_3} S_{,3}\right).$$

ベクトルの発散 $V^{\hat{i}}$ を用いて表すと

$$\vec{\nabla}\cdot\vec{V} = \frac{1}{h_1 h_2 h_3}\left[(h_2 h_3 V^{\hat{1}})_{,1} + (h_3 h_1 V^{\hat{2}})_{,2} + (h_1 h_2 V^{\hat{3}})_{,3}\right].$$

また，3 次元の共変微分 ∇_i や偏微分で表すと $\vec{\nabla}\cdot\vec{V} = \nabla_i V^i = (\sqrt{\gamma} V^i)_{,i}/\sqrt{\gamma}$.

ベクトルの回転 $\vec{\nabla}\times\vec{V}$ の正規直交ベクトルの第 1 成分は

$$\frac{1}{h_2 h_3}\left[(h_3 V^{\hat{3}})_{,2} - (h_2 V^{\hat{2}})_{,3}\right] = \frac{1}{h_2 h_3}[V_{3,2} - V_{2,3}].$$

第 2, 3 成分は巡回的（$1 \to 2 \to 3 \to 1$）に入れ替える．

ガウス（Gauss）の積分公式

$$\int_V \vec{\nabla}\cdot\vec{V} dv = \oint_S \vec{V}\cdot d\vec{A}.$$

ストークス（Stokes）の積分公式

$$\int_S (\vec{\nabla}\times\vec{V})\cdot d\vec{A} = \oint_C \vec{V}\cdot d\vec{s}.$$

(2.23) では Γ^i_{ji} が γ_{ij} の行列式 $\gamma = (h_1 h_2 h_3)^2$ の微分を用いて表されることを使用して変形した（章末問題 2.1 も参照）．最後の変形では正規直交ベクトルの成分を用いて，通常のベクトル解析の公式に書きかえた．また，3 次元体積要素 $dv = h_1 h_2 h_3 dx^1 dx^2 dx^3 = \sqrt{\gamma} dx^1 dx^2 dx^3$ であり，x^1 が一定の面積要素は $dA_1 = h_2 h_3 dx^2 dx^3$ に注意し，ベクトルの発散を体積積分することで恒等式を得る（コラム「3 次元曲線座標系でのベクトル解析の公式」参照）．ガウスの積分公式の左辺の体積積分は $\vec{\nabla} \cdot \vec{V} = (\sqrt{\gamma} V^i)_{,i} / \sqrt{\gamma}$ の関係に注意して積分して表面積分にする．たとえば，$+x^1$ 方向の量は $\int V^1 \sqrt{\gamma} dx^2 dx^3 = \int V^{\hat{1}} dA_1$ となる．同様にベクトルの回転（rot, $\vec{\nabla} \times$）に関する積分の恒等式を得る．ここでも，右辺の線積分に現れる量 $\int V^{\hat{1}} h_1 dx^1 = \int V_1 dx^1$ であることに注意すると良い．

2.2 球対称で静的な重力場

この節ではアインシュタイン方程式の真空解を取り上げ，$g_{\mu\nu}$ の性質を調べよう．原点に質量 M の重力源があり，その周りは真空とする．球対称なので空間は球座標 (r, θ, ϕ) で表すのが便利で，重力場の計量は以下の**シュバルツシルト計量**（Schwarzschild metric）で与えられる：

$$ds^2 = -\left(1 - \frac{2M}{r}\right) dt^2 + \left(1 - \frac{2M}{r}\right)^{-1} dr^2 + r^2 (d\theta^2 + \sin^2 \theta d\phi^2). \quad (2.24)$$

また，シュバルツシルト半径 r_S を以下のように定義する[*11]：

$$r_S = \frac{2GM}{c^2} = 3.0 \times (M/M_\odot) \text{ km}. \quad (2.25)$$

ここで，物理的大きさを見積もるため，c と G を戻し，太陽質量 $M_\odot = 2.0 \times 10^{33}$g を用いた．シュバルツシルト半径で計量の成分 g_{tt} はゼロ，g_{rr} は無限大となるが，これは座標の取り方に依存したもので，特異性は取り除ける（例題 2.2 を参照）．物理的に特異になるのは重力源がある原点 $(r = 0)$ のみである．

シュバルツシルト半径 r_S の特徴として，以下の現象がある．ひとつは**静止限界**

[*11] シュバルツシルト半径を r_g と記す文献もあり，また，$r_g = GM/c^2$ と定義することもあるので，ここでは $r_S = 2GM/c^2$ を用いた．また，(2.24) を c と G を戻した式にするには M を $M \to GM/c^2$, dt を $dt \to cdt$ とすれば良い．

である．空間座標が一定の位置で静止できる観測者は $r > r_S$ でしか許されない．ある点で静止するためには重力に打ち勝って外向きに加速する必要があり，その点が，より中心に近づくにつれ，より大きな力が必要となり，半径 r_S で静止できなくなる．

2つめに，シュバルツシルト面（$r = r_S$ の面）は**無限赤方偏移面**でもある．一般的に重力場中に静止した物体から放射された光は無限遠で観測すると波長が赤い方へずれる（**重力赤方偏移**）．ある半径 r_{em} $(> r_S)$ から発した光のエネルギー E_{em}（光の波長 λ_{em} と振動数 ν_{em}）と無限遠で観測したエネルギー E_∞（この観測点でのものを $\lambda_\infty, \nu_\infty$ と表す）との関係は以下となる（例題2.3を参照）[*12]．

$$\frac{\lambda_{em}}{\lambda_\infty} = \frac{\nu_\infty}{\nu_{em}} = \frac{E_\infty}{E_{em}} = [-g_{tt}(r_{em})]^{1/2} = \left(1 - \frac{r_S}{r_{em}}\right)^{1/2}. \quad (2.26)$$

この関係式で，$r_{em} \to r_S$ とすると光の波長は無限に赤方偏移することがわかる．

最後にシュバルツシルト面は光（自身との内積がゼロ（null）となるヌルベクトル）の進む**ヌル面**（null surface）となることに注意しておこう．この面より内部から外向きに発射された光（および粒子）は外に出て来れない．このため，外と内を分け隔てる**事象の地平面**（event horizon）となる（図2.3参照）．

例題 2.2 異なる座標系でのシュバルツシルト解 (2.24) の表式を求めよう．

解答　(1) エディントン–フィンケルシュタイン（Eddington–Finkelstein）座標．

新しい座標 $d\bar{t} \equiv dt + 2M(r-2M)^{-1}dr$ ［または積分して $\bar{t} \equiv t + 2M\ln(r/2M - 1)$］を導入すると，計量 (2.24) は以下に書き換えられる．

$$ds^2 = -\left(1 - \frac{2M}{r}\right)(d\bar{t} + dr)^2 + 2(d\bar{t} + dr)dr + r^2(d\theta^2 + \sin^2\theta d\phi^2) \quad (2.27)$$

図2.3は縦軸を $\bar{t}$，横軸を r にとり，光の進む様子を示したものである．内側に進む光は $v \equiv \bar{t} + r = t + r_*$ が一定（左上がりの斜め45度）の直線に沿って進む．外側に進む光は $u \equiv t - r_*$ が一定の曲線に沿って進む．ここで，$r_* = r + 2M\ln(r/2M - 1)$ である．より内側では u が一定の線の勾配が急になり，$r =$

[*12] 光の波長はエネルギー（振動数）の逆数であることを思い出そう．また，固有の波長 λ_* に対する観測された波長 λ_∞ の伸び率 z を用いることもある．つまり，$z = (\lambda_\infty - \lambda_*)/\lambda_*$．静止した物体から発した波長は固有の波長である（$\lambda_{em} = \lambda_*$）ので，(2.26) は $\lambda_{em}/\lambda_\infty = (1+z)^{-1}$ とも表される．

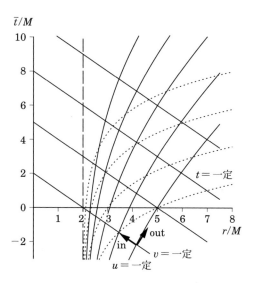

図 2.3 内向きのエディントン–フィンケルシュタイン座標 $(\bar{t}, r)$ で光の進み方を表現したもの．縦軸は $d\bar{t} \equiv dt + 2M(r-2M)^{-1}dr$ で定義され，空間の場所ごとで時間の進む割合が異なる（$d\bar{t} \neq dt$）．点線は座標時間 t を示してある．ある一点における内側に進む光と外側に進む光は図中の矢印の方向で示してあり，それらに囲まれた領域が光円錐になる．

$r_S = 2M$（縦の長破線）に近づく．このようにして r_S の面がヌル面であることが理解できよう．また，r_S 付近には t が一定の等間隔線が集中し，無限遠の観測者の時間変化はほとんどない（凍結した）状態となる．

ここで導入した座標 $(\bar{t}, r)$ は内向きの光を基準にするものである．外向きに便利な外向きのエディントン–フィンケルシュタイン座標や両者を統合するような**クルスカル**（Kruskal）**座標**もある（章末問題 2.2）．

(2) **等方座標**（isotropic coordinate）

計量 (2.24) の動径座標（$r \geqq 2M$ の範囲で）を $\bar{r} = [r - M + (r^2 - 2Mr)^{1/2}]/2$，または，逆に解いた関係式 $r = \bar{r}(1 + (M/2\bar{r}))^2$ により，計量を表すと以下の形になる：

$$ds^2 = -\left(\frac{2\bar{r} - M}{2\bar{r} + M}\right)^2 dt^2 + \left(1 + \frac{M}{2\bar{r}}\right)^4 [d\bar{r}^2 + \bar{r}^2(d\theta^2 + \sin^2\theta d\phi^2)] \quad (2.28)$$

$$= -\left(\frac{2\bar{r}-M}{2\bar{r}+M}\right)^2 dt^2 + \left(1+\frac{M}{2\bar{r}}\right)^4 (d\bar{x}^2 + d\bar{y}^2 + d\bar{z}^2). \tag{2.29}$$

第 2 式では，空間座標を直角座標 $\bar{x}=\bar{r}\sin\theta\cos\phi$, $\bar{y}=\bar{r}\sin\theta\sin\phi$, $\bar{z}=\bar{r}\cos\theta$ を用い，等方的であることを明確にした．また，弱い重力場 $r\approx\bar{r}\gg M$ ではニュートンポテンシャル $\Phi_{\mathrm{N}}=-M/r$ を用いて以下となる．

$$ds^2 = -(1+2\Phi_N)dt^2 + (1-2\Phi_N)(dx^2+dy^2+dz^2). \tag{2.30}$$

相対論で注意が必要なのは座標の意味である．たとえば平坦な空間では動径座標 r が一定の円周距離は $2\pi r$ であり，動径方向に $r=a$ から $b\,(>a)$ まで距離は $b-a$ である．曲がった空間の計量 (2.24) (2.28) ではそれぞれの固有の距離はどうなるかを確かめてみよ（章末問題 2.3）．

例題 2.3 重力赤方偏移を導出*13 しよう．

解答 光子を放出する系およびそれを観測する系の 4 元速度をそれぞれ $\boldsymbol{u}_a\,(a=\mathrm{em},\mathrm{ob})$ とする．それらの系で測るエネルギーは光子の 4 元運動量 $\boldsymbol{P}$ との内積 $E_a = -\boldsymbol{u}_a\cdot\boldsymbol{P}\,(a=\mathrm{em},\mathrm{ob})$ により与えられる*14．2.4 節で説明するが，光線に沿って p_t が保存することと規格化条件（$\boldsymbol{u}_a^2 = -1$）を用いて，エネルギーの比を具体的に計算すると以下となる．

$$E_{\mathrm{ob}}/E_{\mathrm{em}} = (-u_{\mathrm{ob}}^t p_t)/(-u_{\mathrm{em}}^t p_t) = u_{\mathrm{ob}}^t/u_{\mathrm{em}}^t = [(-g_{tt})_{\mathrm{em}}/(-g_{tt})_{\mathrm{ob}}]^{1/2}. \tag{2.31}$$

無限遠の観測者は，$(-g_{tt})_{\mathrm{ob}} = 1$ より (2.26) となる．

例題 2.4 埋め込み図（embedding diagram）を求めよう．

解答 計量 (2.24) の空間部分を考える．$g_{rr}=1$ なら平坦な 3 次元のユークリッド空間を極座標で表したものであるが，$g_{rr}\ne 1$ のため空間が曲がっている．その曲がり具合を理解するため，仮想的に Z 座標を導入し，4 次元のユークリッド空間 (Z,r,θ,ϕ) を考える．図示可能にするため，$\phi=0$ の面に限定し，その 3 次元ユークリッド空間の線素は円筒座標の要素 $(dZ,dr,d\theta)$ を用いて表す．

---

*13 重力赤方偏移の式 (2.26) は多くの本で取り上げれている．結果は別の考えでも導けるが，役立つ導出法を示す．

*14 エネルギー E_a が正になるようにマイナス符号をつけた．

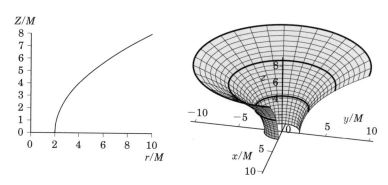

図 2.4 左図：横軸半径 r に対して関数 Z を $r \geqq 2M$ の範囲で描いたもの．右図：左図を Z 軸回りに 3/4 回転（$3\pi/2$ ラジアン）の回転してできる図形．分りやすいように曲面上で $r/M = 3, 6, 10$ は太線にした．

$$ds^2 = dZ^2 + dr^2 + r^2 d\theta^2. \tag{2.32}$$

この空間中に $Z = 2(r_\mathrm{S}(r - r_\mathrm{S}))^{1/2}$（$r \geqq r_\mathrm{S} = 2M$）で定義された 2 次元面を考える．$dZ$ を dr で表し，上式に代入すると，面上の線素は，

$$ds^2 = (1 - r_\mathrm{S}/r)^{-1} dr^2 + r^2 d\theta^2 \tag{2.33}$$

となる．これは $\phi = 0$ に限定した計量（2.24）の空間部分となる．このように，高次元空間で表現したものを**埋め込み図**という．この状況を示したものが，図 2.4 である．1 回転した図は「ラッパ」のような形となる．中心の重い物体が周りの空間を歪めている様子を表し，しばしば，相対論関係の書物で見かけるものである．■

2.3　軸対称で定常な重力場

つぎに，自転しているブラックホール，いわゆるカー（Kerr）時空を考えよう．

2.3.1　時空の 3+1 分解

時間と空間を合わせた共変的な形式より，時間と空間を分離した形式の方が，直観的イメージが膨らむかもしれない．10 個の計量関数 $g_{\mu\nu}$ を以下のように，3 次元空間の計量 γ_{ij}（6 個），**シフトベクトル**（shift vector）$\vec{\beta}$（3 個）と**ラプス関数**（lapse function）α（1 個）に分解する．

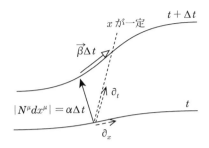

図 2.5 3 + 1 次元の時空の分割（図の空間次元は x のみ）．時間座標が一定の面（図では実線）とそれに直交するベクトル N^μ を考える．空間座標が一定の方向（∂_t 方向）は N^μ 方向と一致しなくてもよく，そのずれを表すものがシフトベクトル $\vec{\beta}$ となる．

$$ds^2 = -\alpha^2 dt^2 + \gamma_{ij}(dx^i + \beta^i dt)(dx^j + \beta^j dt). \tag{2.34}$$

これを**時空の 3+1 分解**（3+1 decomposition）と呼ぶ．

ある時刻 (t) が一定の 3 次元面を考え（図 2.5 参照），この面上の計量が γ_{ij} である．この面に対する，4 元の単位法線ベクトルは，

$$N^\mu = (\alpha^{-1}, -\alpha^{-1}\vec{\beta}), \quad N_\mu = (-\alpha, 0, 0, 0) \tag{2.35}$$

で与えられる．$N_\mu dx^\mu = -\alpha dt$ となり，時刻 t と $t + dt$ 間の固有の時間間隔は αdt である．また，図 2.5 のように，ベクトル $\boldsymbol{N}$ の方向は空間座標が一定の方向と一致する必要がなく，そのずれを表すのが 3 次元ベクトル $\vec{\beta}$ である．世界線が $\boldsymbol{N}$ 方向となる観測者からは，座標一定の世界線は dt 後には $\vec{\beta}dt$ だけずれるので座標間隔が $dx^i + \beta^i dt$ となる．以上を考慮して，4 次元の距離は (2.34) で与えられることが理解されよう．また，$\boldsymbol{N}$ 方向の変化量 $N^\mu \partial_\mu = \alpha^{-1}(\partial_t - \beta^i \partial_i)$ は，設定した座標が $-\beta^i \partial_i$ を動く分と固有時と座標時の間隔を考慮したものであることを意味する．最後に 3 次元の計量と 4 次元の計量の成分 $g_{\alpha\beta}$，$g^{\alpha\beta}$ の関係をまとめておく：

$$g_{\alpha\beta} = \begin{pmatrix} -\alpha^2 + \beta_k \beta^k & \beta_j \\ \beta_i & \gamma_{ij} \end{pmatrix}, \quad g^{\alpha\beta} = \begin{pmatrix} -\alpha^{-2} & \alpha^{-2}\beta^j \\ \alpha^{-2}\beta^i & \gamma^{ij} - \alpha^{-2}\beta^i \beta^j \end{pmatrix}. \tag{2.36}$$

ここで β_i や γ^{ik} は $\beta_i = \gamma_{ij}\beta^j$，$\gamma^{ik}\gamma_{kj} = \delta^i_j$ の関係を満たす量である．

2.3.2 カー解（ボイヤー–リンキスト座標）

中心天体が自転している重力場はモノポール的な球対称なものと自転に起因する四重極子で特徴づけられるものとの和となることが想像できる．天体の質量を M，自転角運動量を $J = aM$ とすると，カー計量は球座標 (r, θ, ϕ) を用いて以下のボイヤー–リンキスト（Boyer–Lindquist）座標で表される：

$$ds^2 = -\left(1 - \frac{2Mr}{\rho^2}\right)dt^2 - \frac{4Mar\sin^2\theta}{\rho^2}dtd\phi + \frac{\rho^2}{\Delta}dr^2 + \rho^2 d\theta^2 + \frac{\Sigma^2}{\rho^2}\sin^2\theta d\phi^2. \tag{2.37}$$

ここに出てきた関数を具体的に表すと[*15]

$$\rho^2 = r^2 + a^2\cos^2\theta, \quad \Delta = r^2 - 2Mr + a^2,$$
$$\Sigma^2 = (r^2 + a^2)^2 - a^2\Delta\sin^2\theta. \tag{2.38}$$

この計量には 2 つの定数 (M, a) が含まれており，自転パラメータ a がゼロの場合にシュバルツシルト計量になる．質量 M は特徴的な長さ GM/c^2 や時間尺度 GM/c^3 を与えるもので，無次元の自転パラメータを $a_* = a/M$ とすると，ブラックホールの地平面外部に特異点が現れないという制限から $|a_*| \leq 1$ に限られる．大雑把には a_* は重力場のより詳しい性質に関連するものと見なせる．

さて，計量（2.37）を先に示した，3+1 分解の形に変形しておこう．

$$ds^2 = -\alpha^2 dt^2 + \frac{\rho^2}{\Delta}dr^2 + \rho^2 d\theta^2 + \frac{\Sigma^2 \sin^2\theta}{\rho^2}\left(d\phi - \omega dt\right)^2. \tag{2.39}$$

ここで，時間の進む割合を示すラプス関数 α と空間座標を決めるシフトベクトルは ϕ 方向のみ（$\beta^\phi = -\omega$）で具体的には以下である．

$$\alpha^2 = \frac{\rho^2 \Delta}{\Sigma^2}, \quad \omega = \frac{2Mar}{\Sigma^2}. \tag{2.40}$$

中心天体の自転方向を $a > 0$ とすると，$\beta^\phi = -\omega < 0$ となり，ϕ が一定の面は負の方向となる[*16]．つまり基準の観測者はブラックホールの自転方向に引きずられ

[*15] これらの関数（ρ や Σ）は 2 乗した形で定義した．また，文献により異なる記号や異なる意味に使用されることがあるので注意．

[*16] 図 2.5 では $\beta > 0$ として描かれている．

る．この性質の詳しいことは 2.3.4 節以降に学ぶ．

さて，(2.37) または (2.39) から $g_{\mu\nu}$ を読みとるのは容易であろう．それらからつくられる $g^{\mu\nu}$ を以下の形で表しておく：

$$g^{\mu\nu}\partial_\mu\partial_\nu = -\frac{1}{\alpha^2}(\partial_t + \omega\partial_\phi)^2 + \frac{\Delta}{\rho^2}(\partial_r)^2 + \frac{1}{\rho^2}(\partial_\theta)^2 + \frac{\rho^2}{\Sigma^2\sin^2\theta}(\partial_\phi)^2. \quad (2.41)$$

(2.39) の ds^2 において $dx^\mu dx^\nu$ の係数から $g_{\mu\nu}$ が読み取れるように，(2.41) において $\partial_\mu\partial_\nu$ の係数が $g^{\mu\nu}$ に対応する．

無限遠 ($r \gg GM/c^2$) では中心天体からの重力が弱くなる．その場合の計量を調べておく．(2.37) において，$dt^2, dr^2, d\theta^2$ や $d\phi^2$ の前のものは，シュバルツシルト計量になることは容易にわかる．次に，$dtd\phi$ の前の関数 $g_{t\phi}$ の $r \to \infty$ での漸近形は，

$$g_{t\phi} = -\frac{2Ma\sin^2\theta}{r} \quad (2.42)$$

である．この振る舞いから中心天体は z 軸方向（ϕ 方向まわり）に大きさが $J = Ma$ の自転角運動量を持つことを表している．ここで $g_{t\hat{i}}$ ($= \beta_{\hat{i}}$，ϕ 成分だけがゼロでなく，$g_{t\hat{\phi}} = -2Ma\sin\theta/r^2$) を正規直交ベクトルの成分[*17] として，3 次元のベクトル表示をすると

$$\vec{\beta}_{\mathrm{N}} = -\frac{2GJ}{c^3r^3}(\vec{e}_z \times \vec{r}) = -\frac{2GJ\sin\theta}{c^3r^2}\vec{e}_{\hat{\phi}} = -\frac{2GJ}{c^3r^3}\partial_\phi. \quad (2.43)$$

ここで $\vec{\beta}$ の漸近的な近似として添え字 N をつけた．また，$\vec{e}_z, \vec{e}_{\hat{\phi}}$ は z 軸方向及び方位角方向の単位ベクトルで，物理的な次元 (c, G) を戻した．

2.3.3　カー解（カー–シルト座標）

ボイヤー–リンキスト座標は $a = 0$ でシュバルツシルト計量になった．そのシュバルツシルト半径（r_S）の球面に座標の特異性があったように，2.3.4 節で説明するが，地平面（半径 r_H の球面）はボイヤー–リンキスト座標系の特異な面となる．たとえば，物体がこの面を超えて落下する数値計算する場合，この境界での取り扱いを工夫する必要がある．そのような特異性を避ける一つとして**カー–シルト**（Kerr–Schild）座標系を紹介する．

[*17] 無限遠の平坦時空の正規直交の基底は $(e_{\hat{t}}, e_{\hat{r}}, e_{\hat{\theta}}, e_{\hat{\phi}}) = (\partial_t, \partial_r, r^{-1}\partial_\theta, (r\sin\theta)^{-1}\partial_\phi)$.

時間座標 $\bar{t}$ と方位角座標 $\bar{\phi}$ を以下で定義する[18]:
$$d\bar{t} = dt + 2Mr\Delta^{-1}dr, \qquad d\bar{\phi} = d\phi + a\Delta^{-1}dr. \qquad (2.44)$$
新しい球座標 $x^\mu = (\bar{t}, r, \theta, \bar{\phi})$ を用いた計量は
$$ds^2 = -\left(1 - \frac{2Mr}{\rho^2}\right)d\bar{t}^2 - \frac{4Mar}{\rho^2}\sin^2\theta d\bar{t}d\bar{\phi} + \frac{4Mr}{\rho^2}d\bar{t}dr + \left(1 + \frac{2Mr}{\rho^2}\right)dr^2$$
$$\qquad - 2a\left(1 + \frac{2Mr}{\rho^2}\right)\sin^2\theta dr d\bar{\phi} + \rho^2 d\theta^2 + \frac{\Sigma^2 \sin^2\theta}{\rho^2}d\bar{\phi}^2 \qquad (2.45)$$
$$= -\alpha^2 d\bar{t}^2 + \gamma_{rr}(dr + \beta^r d\bar{t})^2 + \gamma_{\theta\theta}d\theta^2 + \gamma_{\bar{\phi}\bar{\phi}}d\bar{\phi}^2 + 2\gamma_{r\bar{\phi}}(dr + \beta^r d\bar{t})d\bar{\phi} \qquad (2.46)$$

となる．(2.46) の表式は時空計量の $3+1$ 形式 (2.34) である．ただし，そこに用いた $\alpha, \beta^i, \gamma_{ij}$ の具体的表式は以下のように，ボイヤー–リンキスト座標の場合と同じ記号を用いたが，その関数形は異なることに注意しよう[19]．

$$\alpha = \left(1 + \frac{2Mr}{\rho^2}\right)^{-1/2}, \quad \beta^r = \frac{2Mr}{\rho^2 + 2Mr}, \quad \gamma_{rr} = 1 + \frac{2Mr}{\rho^2}, \quad \gamma_{\theta\theta} = \rho^2,$$
$$\gamma_{\bar{\phi}\bar{\phi}} = \left[\rho^2 + a^2\left(1 + \frac{2Mr}{\rho^2}\right)\sin^2\theta\right]\sin^2\theta, \qquad (2.47)$$
$$\gamma_{r\bar{\phi}} = \gamma_{\bar{\phi}r} = -a\sin^2\theta\left(1 + \frac{2Mr}{\rho^2}\right).$$

この計量の反変成分 $g^{\mu\nu}$ を書き下しておく．
$$g^{\mu\nu}\partial_\mu\partial_\nu = -\left(1 + \frac{2Mr}{\rho^2}\right)(\partial_{\bar{t}})^2 + \frac{4Mr}{\rho^2}\partial_{\bar{t}}\partial_r + \frac{\Delta}{\rho^2}(\partial_r)^2 + \frac{2a}{\rho^2}\partial_r\partial_{\bar{\phi}}$$
$$\qquad + \frac{1}{\rho^2}(\partial_\theta)^2 + \frac{1}{\rho^2\sin^2\theta}(\partial_{\bar{\phi}})^2. \qquad (2.48)$$

例題 2.5 ヌルベクトル ℓ_μ とスカラー関数 H を用いて，計量 $g_{\mu\nu}$ を平坦な時空のもの $\eta_{\mu\nu}$ との和の形 $g_{\mu\nu} = \eta_{\mu\nu} + H\ell_\mu\ell_\nu$（この型をカー–シルト型と呼ばれる）[20]に表せ．

---

[18] この数学的な座標変換の意味は 2.5 節.

[19] ボイヤー–リンキストおよびカー–シルド座標でのものをそれぞれ α_{BL}, α_{KS} と記すならより正確になるが煩雑となる．混乱が生じない限り省略する．

[20] 実は，カーによる厳密解の導出はこのような形で求められた.

$$ds^2 = \eta_{\nu\mu}dx^\nu dx^\mu + H(\ell_\nu dx^\nu)^2. \tag{2.49}$$

解答 ここで，空間を次の定義の直角座標 (x, y, z) を用いる.

$$x + iy = (r + ia)\sin\theta\exp(i\bar{\phi}), \quad z = r\cos\theta. \tag{2.50}$$

また，ヌルベクトル ℓ_μ とスカラー関数 H は以下である.

$$-\ell_\nu dx^\nu = d\bar{t} + \frac{rx + ay}{r^2 + a^2}dx + \frac{ry - ax}{r^2 + a^2}dy + \frac{z}{r}dz,$$

$$H = \frac{2Mr}{\rho^2} = \frac{2Mr^3}{r^4 + a^2z^2}. \tag{2.51}$$

元の座標の r と (x, y, z) は以下の関係式を満たす.

$$r^4 - (x^2 + y^2 + z^2 - a^2)r^2 - a^2z^2 = 0. \tag{2.52}$$

これを解いて $r = r(x, y, z)$ と表せる. ■

さて，カー–シルト座標系［(2.45) または (2.46)］の理解を深めるために，自転パラメータをゼロとしよう．空間を球座標 $(r, \theta, \phi(=\bar{\phi}))$ で表すと以下の形となる.

$$\begin{aligned}ds^2 &= -d\bar{t}^2 + dr^2 + r^2(d\theta^2 + \sin^2\theta d\phi^2) + \frac{2M}{r}(d\bar{t} + dr)^2 \\ &= -\left(1 - \frac{2M}{r}\right)(d\bar{t} + dr)^2 + 2(d\bar{t} + dr)dr + r^2(d\theta^2 + \sin^2\theta d\phi^2).\end{aligned} \tag{2.53}$$

最初のものはカー–シルト型で，それを少し変形して 2 番目のものとした．これは例題 2.2 で示した内向きのエディントン–フィンケルシュタイン座標 $(\bar{t}, r, \theta, \phi)$ である．シュバルツシルト半径（$r = 2M$）で特異性がなかったように，カー–シルト座標系でも地平面での座標の特異性が消えることが理解されよう．またヌルベクトル ℓ^μ は動径方向内向き（$-r$ 方向）に進む光を表すベクトルである.

2.3.4　回転する重力場の特徴

ボイヤー–リンキスト座標の計量 (2.37) の特異な点を調べよう．球対称な場合に調べたように最初に g_{tt} に着目する．r に関する 2 次方程式（$\rho^2 g_{tt} = \rho^2 - 2Mr = 0$）の大きい方の解を $r_{\text{ergo}}(\theta) \equiv M + \sqrt{M^2 - a^2\cos^2\theta}$ とおく．a がゼロの場合，$r_{\text{ergo}} = 2M$ となるので，球対称な場合の r_S の性質が関係することが容易に想像がつく．ひとつは，$r = r_{\text{ergo}}$ を境にして g_{tt} の符号が変わるので，その内部では空間座標 (r, θ, ϕ) が一定の位置に静止する観測者が存在できない（静止

限界).次に,$r > r_\mathrm{ergo}$ の位置で静止した物体から発した光が受ける重力赤方偏移効果が r_ergo に近づくにつれ無限大となる(r_ergo の面は無限赤方偏移面).しかし,球対称な場合の r_S と異なり,r_ergo はヌル面でない.そのため,半径が一定の位置に静止できないが,回転し続ける系が存在し(以下の例題 2.6 参照),$r < r_\mathrm{ergo}$ で運動する物体から外へ物や光の放出が可能である.

次に g_{rr} に現れる関数 Δ がゼロになる点を考える.$\Delta = 0$ の解を $r_\pm = M \pm \sqrt{M^2 - a^2}$ とおく.それぞれの点は座標の特異点となるが,座標の取り方に依存したもので,真の特異点は $\rho^2 = 0$(つまり,赤道面上の $r = 0$ の点)で与えられる(章末問題 2.4 参照).事象の地平面となる,大きい方の半径を $r_\mathrm{H} = r_+$ と表記し,この本のほとんどの議論において $r \geqq r_\mathrm{H}$ の領域に限定する.

さて,r_H と $r_\mathrm{ergo}(\theta)$ で挟まれた領域を**エルゴ領域**(ergo-region)または**エルゴ球**(ergosphere)[*21]と呼ぶが,z 軸上では回転の影響がないので,$r_\mathrm{ergo}(0)$ は r_H と一致する.図 2.6 にその概略を示した.

例題 2.6 子午面の位置 r, θ は固定し,ϕ 方向に角速度 Ω で回転する観測者が存在できる範囲を求めよ.

解答 観測者の 4 元ベクトルを $u^\mu = (u^t, 0, 0, u^\phi (= \Omega u^t))$ とおく.規格化条件 ($\boldsymbol{u}^2 = -1$) を書くと

$$-1 = (u^t)^2 \left(g_{tt} + 2\Omega g_{t\phi} + \Omega^2 g_{\phi\phi} \right). \tag{2.54}$$

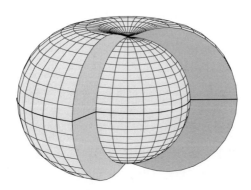

図 2.6 ユークリッド空間の座標 (r, θ, ϕ) のようにして $r = r_\mathrm{H}$(内側の球面)と $r = r_\mathrm{ergo}(\theta)$(外側の楕円面)一定面を表示した.

[*21] エルゴは仕事を意味する.

最初に, ϕ 方向にも動かない場合を考えよう. $\Omega = 0$ として, 上の条件が可能な範囲は $g_{tt} < 0$ つまり, $r > r_{\text{ergo}}$ であることがわかる (静止限界). 次に $\Omega \neq 0$ として, 観測者が存在する条件を考える. 必要条件として, $g_{t\phi}^2 - g_{tt}g_{\phi\phi} = \Delta \sin^2\theta > 0$ となる. これは $r > r_{\text{H}}$ で満足されている. つまり, 地平面より外側では可能である. ∎

次に, 許される Ω の範囲を調べよう. (2.54) の右辺をゼロとした 2 次方程式の解 $\Omega_\pm$ は,

$$\Omega_\pm = (-g_{t\phi} \pm (g_{t\phi}^2 - g_{tt}g_{\phi\phi})^{1/2})/g_{\phi\phi} = \omega \pm \frac{\rho^2 \Delta^{1/2}}{\Sigma^2 \sin\theta} \quad (2.55)$$

であり, 角速度 Ω が $\Omega_- < \Omega < \Omega_+$ の範囲なら適当な u^t が存在する. このように, 角速度に制限範囲がでてきたのは速度が光速度を超えないという条件である. 等号が成り立つ極限 $\Omega = \Omega_\pm$ は 4 元ベクトル u^μ がヌルとなる. 実際, 遠方では回転軸からの距離は $r \sin\theta$ であり, 上下限の値は $\Omega_\pm \to \pm(r \sin\theta)^{-1}$ となることからも理解できよう. 図 2.7 に赤道面上での存在可能範囲 ($\Omega_- < \Omega < \Omega_+$) を新たな動径座標 r_* に対して示した. この動径関数 r_* は,

$$r_* = r - 2M + \frac{M}{(M^2 - a^2)^{1/2}} \left[r_+ \ln\left(\frac{r - r_+}{r_+}\right) - r_- \ln\left(\frac{r - r_-}{r_-}\right) \right] \quad (2.56)$$

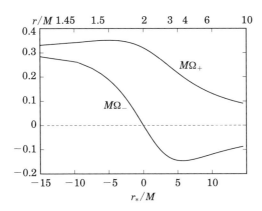

図 **2.7** 赤道面上で許される範囲 ($\Omega_- < \Omega < \Omega_+$) が動径座標 r_* とともにどうなるかを示した. 上部には代表的 r の値も示してある. 図は $a_* = 0.9$ の場合のもので, $\Omega_\pm$ は地平面では $M\omega_{\text{H}} \approx 0.31$, 無限遠では 0 に漸近する.

で定義され，無限遠では $r \approx r_* \to +\infty$ であり，地平面 $(r \to r_\mathrm{H})$ は $r_* \to -\infty$ となる．また，$dr_*/dr = (r^2 + a^2)/\Delta$ を満たす[*22]．方向性が関係するので，しばらくの間 $a > 0$ として議論をしよう．$r > r_\mathrm{ergo}$ では $\Omega_- < 0$ であるが，$r < r_\mathrm{ergo}$ では $\Omega_- > 0$ となる．つまり，エルゴ領域ではブラックホールに引きづられ，中心天体の自転と同方向になる．静止限界で考えたように $r < r_\mathrm{ergo}$ では $0 < \Omega_- < \Omega_+$ となり，$\Omega = 0$ は許されない．つまり静止できない．地平面に近づくと，上限と下限ともに次の（緯度 θ にもよらない）一定値 $\omega_\mathrm{H} \equiv \omega(r_\mathrm{H})$ に近づく．

$$\Omega_\pm \longrightarrow \omega_\mathrm{H} = \frac{a}{r_\mathrm{H}^2 + a^2} = \frac{a}{2Mr_\mathrm{H}}. \tag{2.57}$$

2.3.5 ZAMO 系

無限遠で静止する観測者に対し，ある角速度 Ω で回転する観測者［ボイヤー–リンキスト座標での成分は $u^\mu = (u^t, 0, 0, \Omega u^t)$］の単位質量当たりの角運動量は $u_\phi = g_{\phi\mu} u^\mu = (\Omega - \omega) u^t g_{\phi\phi}$ となる．子午面座標 (r, θ) は固定し，方位角方向に $\Omega = \omega$ で回転する観測者は角運動量がゼロであることがわかる．このため，空間のそれぞれの位置で ω で回転する観測者の系を **ZAMO**（zero angular momentum observer）と呼ぶ[*23]．規格化の条件を考慮すると $u^\mu = (\alpha^{-1}, 0, 0, \alpha^{-1}\omega)$ となり，これは時空の 3+1 分解の節（2.3.1 節）で用いた法線ベクトル N^μ（2.35）に対応している[*24]．この観測者の時間的な単位ベクトルを $\boldsymbol{e}_{\hat{0}}$ と置き，それに直交する 3 つの空間的な単位ベクトル $\boldsymbol{e}_{\hat{i}}$ $(i = 1, 2, 3)$ を定める．具体的に，ボイヤー–リンキスト座標でその成分を以下に示しておこう：

$$\begin{aligned} \boldsymbol{e}_{\hat{0}} &= (e_{\hat{0}}^t, e_{\hat{0}}^r, e_{\hat{0}}^\theta, e_{\hat{0}}^\phi) = (\alpha^{-1}, 0, 0, \omega\alpha^{-1}), \\ \boldsymbol{e}_{\hat{1}} &= (e_{\hat{1}}^t, e_{\hat{1}}^r, e_{\hat{1}}^\theta, e_{\hat{1}}^\phi) = (0, h_r^{-1}, 0, 0), \\ \boldsymbol{e}_{\hat{2}} &= (e_{\hat{2}}^t, e_{\hat{2}}^r, e_{\hat{2}}^\theta, e_{\hat{2}}^\phi) = (0, 0, h_\theta^{-1}, 0), \\ \boldsymbol{e}_{\hat{3}} &= (e_{\hat{3}}^t, e_{\hat{3}}^r, e_{\hat{3}}^\theta, e_{\hat{3}}^\phi) = (0, 0, 0, h_\phi^{-1}). \end{aligned} \tag{2.58}$$

[*22] ここで用いた座標 r_* は亀座標（tortoise coordinate）と呼ばれる．積分定数の取り方の任意性がある．図 2.3 で $a = 0$ の場合のものをすでに用いた．

[*23] **局所非回転系**（LNRF：locally non-rotating reference frame）と呼ばれることもある（参考図書 Frolov, Novikov（付録参照））．

[*24] ZAMO のこのような性質のため，**基準観測者系**（normal observer frame）と呼ばれることもある．

また，これらベクトルの共変成分も以下に具体的に示す：

$$
\begin{aligned}
(e_{\hat{0}\ t}, e_{\hat{0}\ r}, e_{\hat{0}\ \theta}, e_{\hat{0}\ \phi}) &= (-\alpha, 0, 0, 0), \\
(e_{\hat{1}\ t}, e_{\hat{1}\ r}, e_{\hat{1}\ \theta}, e_{\hat{1}\ \phi}) &= (0, h_r, 0, 0), \\
(e_{\hat{2}\ t}, e_{\hat{2}\ r}, e_{\hat{2}\ \theta}, e_{\hat{2}\ \phi}) &= (0, 0, h_\theta, 0), \\
(e_{\hat{3}\ t}, e_{\hat{3}\ r}, e_{\hat{3}\ \theta}, e_{\hat{3}\ \phi}) &= (-\omega h_\phi, 0, 0, h_\phi).
\end{aligned}
\quad (2.59)
$$

ここで，$h_r = \rho \Delta^{-1/2}, h_\theta = \rho, h_\phi = \Sigma \sin\theta / \rho$ で計量（2.37）の空間部分の対角成分である．すなわち，3次元空間の計量は，

$$ds_3{}^2 = (h_r dr)^2 + (h_\theta d\theta)^2 + (h_\phi d\phi)^2 = \frac{\rho^2}{\Delta} dr^2 + \rho^2 d\theta^2 + \frac{\Sigma^2}{\rho^2} \sin^2\theta d\phi^2. \quad (2.60)$$

ここで導入した 4 次元のベクトルの組 $e_{\hat{\alpha}}$ は 2.1 節で考えた正規直交の関係[*25] $g_{\mu\nu} e^\mu_{\hat{\alpha}} e^\nu_{\hat{\beta}} = \eta_{\hat{\alpha}\hat{\beta}}$ を満たすテトラッドであり，局所慣性座標系を構成する．

例 2.4 ある任意の 4 元速度ベクトル u ［その座標成分は $(u^t, u^r, u^\theta, u^\phi)$］を ZAMO 系のベクトル $e_{\hat{\alpha}}$ で分解する．

$$u = \gamma e_{\hat{0}} + \gamma v_1 e_{\hat{1}} + \gamma v_2 e_{\hat{2}} + \gamma v_3 e_{\hat{3}}. \quad (2.61)$$

4 元速度成分 u^α との対応関係は以下となるが，ローレンツ因子 γ と 3 次元の速度 $\vec{v}$ の間には特殊相対論が成り立つ．

$$(v_1, v_2, v_3) = \left[\frac{h_r}{\alpha} \frac{u^r}{u^t}, \frac{h_\theta}{\alpha} \frac{u^\theta}{u^t}, \frac{h_\phi}{\alpha} \left(\frac{u^\phi}{u^t} - \omega \right) \right], \quad (2.62)$$

$$\gamma = (1 - (v_1)^2 - (v_2)^2 - (v_3)^2)^{-1/2}. \quad (2.63)$$

2.3.6 キリングベクトルと保存則

カー時空は軸対称定常な解なので，計量は座標 t と ϕ によらなかった．その方向ベクトル ξ と η ——キリングベクトル（Killing vector）と呼ぶ[*26]——をボイ

[*25] ミンコフスキー空間なので自身との内積で，ある一つは -1 であることに注意．

[*26] 数学者キリング（W. Killing）にちなむ．

ヤ―リンキスト座標の成分で表すと,
$$\xi^\mu = (1,0,0,0), \quad \eta^\mu = (0,0,0,1) \tag{2.64}$$
となる．それらの内積は,
$$g_{\mu\nu}\xi^\mu\xi^\nu = g_{tt}, \quad g_{\mu\nu}\xi^\mu\eta^\nu = g_{t\phi}, \quad g_{\mu\nu}\eta^\mu\eta^\nu = g_{\phi\phi} \tag{2.65}$$
となる．2.3.4 節では，回転する重力場の特徴の議論でボイヤー―リンキスト座標の g_{tt}, $g_{t\phi}$, $g_{\phi\phi}$ の表式を用いての議論であったが，その座標で特別な性質ではなく，カー時空固有の性質であることがわかる．

さて，時空の対称性を表すキリングベクトル ξ は次の**キリング方程式**（Killing equation）を満たす：
$$\xi_{\mu;\nu} + \xi_{\nu;\mu} = 0. \tag{2.66}$$
この関係式は計量がベクトル ξ^μ の方向に不変（リー微分がゼロ）であることを意味する（章末問題 2.5 参照）．時空の対称性のために保存量が存在することを示そう．粒子または光子の 4 元運動量ベクトルを $\boldsymbol{p}$ とすると，キリングベクトル ξ^μ との内積 $\xi_\mu p^\mu \equiv \mathcal{C}$ は測地線に沿った保存量となる．測地線の方程式[*27]とキリング方程式から $d\mathcal{C}/d\lambda = 0$ が導ける：
$$\frac{d\mathcal{C}}{d\lambda} = \xi_\mu \frac{dp^\mu}{d\lambda} + \xi_{\mu,\nu}\frac{dx^\nu}{d\lambda}p^\mu = \xi_\mu\left(\frac{dp^\mu}{d\lambda} + \Gamma^\mu_{\alpha\beta}p^\alpha\frac{dx^\beta}{d\lambda}\right) + \xi_{\mu;\nu}\frac{dx^\nu}{d\lambda}p^\mu = 0 \tag{2.67}$$

最後の式変形で第一項は測地線の方程式で第二項は $\xi_{\mu;\nu}$ の添字には反対称性 (2.66)，それ以外の部分は対称性がありその積は消える．カー時空のキリングベクトル (2.64) から，保存量は以下 E（運動エネルギー）と L_z（角運動量）となる．
$$\xi \cdot \boldsymbol{p} = p_t = -E, \quad \eta \cdot \boldsymbol{p} = p_\phi = L_z. \tag{2.68}$$
注意すべき点は保存量は p_t や p_ϕ であり，p^t, $p^{\hat{t}} = -p_{\hat{t}}$, p^ϕ, $p^{\hat{\phi}} = p_{\hat{\phi}}$ でないことである．

次に，キリングベクトル (ξ, η) とエネルギー運動量テンソル $T^{\alpha\beta}$ の内積を考えよう．

[*27] 粒子（光子）の測地線の方程式は次節以降でも扱う．

$$P^\mu_{(t)} \equiv -T^{\mu\beta}\xi_\beta = -T^\mu_t, \qquad P^\mu_{(\phi)} \equiv T^{\mu\beta}\eta_\beta = T^\mu_\phi. \tag{2.69}$$

このように定義された 4 元ベクトル場 $\boldsymbol{P}_{(a)}(a=t,\phi)$ は次の保存則を満足することがわかる．

$$0 = P^\mu_{(a);\mu} = \frac{1}{\sqrt{-g}}(\sqrt{-g}P^\mu_{(a)})_{,\mu} \tag{2.70}$$

これは，エネルギー運動量テンソルの発散 $T^{\alpha\beta}_{;\alpha} = 0$ とキリング方程式（2.66）から示すことができる．それぞれキリングベクトル (ξ, η) に対応して場のエネルギー，角運動量の保存則を表す．さらに，(2.70) を半径 r_H から無限遠（$r=\infty$）までの領域で積分すると，$\sqrt{-g}=\rho^2\sin\theta$ であることを用いて次の関係式を得る：

$$\int_{r=\infty} P^r_{(a)}\rho^2\sin\theta d\theta d\phi dt - \int_{r=r_\mathrm{H}} P^r_{(a)}\rho^2\sin\theta d\theta d\phi dt = 0 \tag{2.71}$$

第 1 項は無限遠へ出て行く量を，マイナスの符号込みの第 2 項は地平面に向かう量を表している．

最後に，具体的な内容は 7.1 節で取り扱うが，キリングベクトルを利用して，カー解に対して電磁場の真空解（厳密解）が見つけられることを指摘しておく．

2.4 ブラックホールまわりの質点の運動

ブラックホール時空の性質を調べるため，そのまわりでの天体の運動を考えてみよう．大きさが無視できる質点（粒子）として取り扱う．固有時 τ を用いると，質点の 4 元速度 $u^\mu = dx^\mu/d\tau$ は次の運動方程式で与えられる：

$$\frac{du^\mu}{d\tau} + \Gamma^\mu_{\alpha\beta}u^\alpha u^\beta = 0. \tag{2.72}$$

また，この方程式はラグランジアン $L = \frac{1}{2}g_{\mu\nu}\frac{dx^\mu}{d\tau}\frac{dx^\nu}{d\tau}$ の変分から得られる（測地線の方程式）．解析力学で学ぶように，対称性がある場合には運動の恒量（積分量）が容易に求められるので，ラグランジアンから出発するのが便利である．

例題 2.7 弱い重力場での運動方程式を求めよ．

解答 ほぼ平坦なミンコフスキー空間からわずかにずれた場合を考える．ニュートンポテンシャル Φ_N (2.30) と回転による引きずりの効果を最低次で取り入れた

$\vec{\beta}_N$ (2.43) を考える. (2.34) において, $g_{tt} = -\alpha^2 \approx -(1+2\Phi_N)$, $g_{ti} = \beta_i \approx \beta_{N\,i}$, $g_{ij} \approx \delta_{ij}$ としてラグランジアンを書き下すと,

$$L = -\frac{1}{2}(1+2\Phi_N)\left(\frac{dt}{d\tau}\right)^2 + \vec{\beta}_N \cdot \frac{d\vec{x}}{d\tau}\left(\frac{dt}{d\tau}\right) + \frac{1}{2}\left(\frac{d\vec{x}}{d\tau} \cdot \frac{d\vec{x}}{d\tau}\right) \tag{2.73}$$

となる. 粒子の速度が遅い場合, $dt/d\tau = 1 + \mathcal{O}(v^2)$ となるので, 固有時 τ と座標時 t の差を無視する. 回転の効果 $\vec{\beta}_N$ を取り入れた最低次の近似の運動方程式を導く次のラグランジアンを考える:

$$L' = \frac{1}{2}\left(\frac{d\vec{x}}{dt} \cdot \frac{d\vec{x}}{dt}\right) - \Phi_N + \vec{\beta}_N \cdot \frac{d\vec{x}}{dt} \tag{2.74}$$

これは静電ポテンシャルを Φ_N, ベクトルポテンシャルを $\vec{\beta}_N$ としたときの, 電磁場中の (質量と電荷を 1 とした) 荷電粒子のものと同形である. 解析力学の手法に従ってオイラー–ラグランジュの運動方程式は以下となる:

$$\frac{d^2\vec{x}}{dt^2} = -\vec{\nabla}\Phi_N + \frac{d\vec{x}}{dt} \times (\vec{\nabla} \times \vec{\beta}_N). \tag{2.75}$$

右辺第 1 項は通常のニュートン力学の加速度であり, 第 2 項は回転する物体がつくる, 電磁気学における「ローレンツ力」的な加速度である. この項は弱い重力場という近似で補正的に加えた項であるが, 大きさからいえば, 空間の曲率からくる項や速度の 2 乗の効果が同等以上に大事になる. 弱い重力場の場合に一般相対論を近似した理論 (ポスト・ニュートン近似) があるが, ここでは重力場の性質を理解するため, その一部の項を含めた運動方程式を導いた. より詳細な取り扱いは他書 (たとえば, Weinberg 1972) を参照すること. ∎

2.4.1 シュバルツシルト時空における運動

軌道面をシュバルツシルト時空の赤道 ($\theta = \pi/2$) にとり, 2.2 節の計量 (2.24) を用いて, 保存量[*28] (t と ϕ に共役な運動量 $u_t = -E$, $u_\phi = L_z$ と規格化条件 $g_{\mu\nu}u^\mu u^\nu = -\delta$) に着目すれば, 次式となる.

$$\left(\frac{dr}{d\tau}\right)^2 = E^2 - V, \qquad V = \left(1 - \frac{2M}{r}\right)\left(\delta + \frac{L_z^2}{r^2}\right),$$

[*28] ラグランジアン $L = g_{\mu\nu}u^\mu u^\nu/2$ ($u^\mu = dx^\mu/d\tau$) で, 座標 λ を陽に含まないなら, それに共役な運動量 $u_\lambda = g_{\lambda\nu}u^\nu$ が保存する. 2.3.6 節のキリングベクトルの項 (保存量 $\mathcal{C} = \xi^\mu p_\mu$) も比較参照.

$$\frac{d\phi}{d\tau} = \frac{L_z}{r^2}, \qquad \frac{dt}{d\tau} = \frac{E}{(1-2M/r)}. \tag{2.76}$$

ここで，δ は粒子の場合 $\delta = 1$ であり，E と L_z は単位質量当たりのエネルギーと角運動量である．また，光の場合はヌルなので $\delta = 0$ にとることで，関係式が使えるように記す[*29]．

この節では粒子の運動を考えるので $\delta = 1$ とする（光の場合は 2.5 節で議論する）．また，定性的結果には大きさのみが関係するので，$L_z \geqq 0$ とする．静止エネルギーを差し引いたエネルギーを，$E' \equiv (E^2 - 1)/2$ で定義して，以下のように少し書き換えた方が，ニュートン力学との対比が容易だろう：

$$\frac{1}{2}\left(\frac{dr}{d\tau}\right)^2 + V_{\text{eff}} = E', \quad V_{\text{eff}} = -\frac{M}{r} + \frac{L_z^2}{2r^2} - \frac{ML_z^2}{r^3}. \tag{2.77}$$

図 2.8 にはいくつかの角運動量の値に対して，粒子に対する有効ポテンシャルの形が示されている．角運動量がない場合（$L_z = 0$），有効ポテンシャルは地平面半

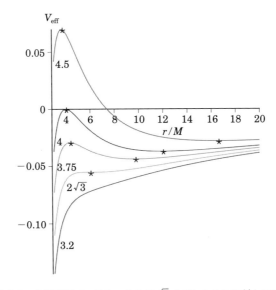

図 2.8 角運動量 $L_z/M = 3.2, 2\sqrt{3}, 3.75, 4, 4.5$ に対して有効ポテンシャル V_{eff} を $3 \leqq r/M \leqq 20$ の範囲で描いた．印 $*$ は関数の極値を示す．

[*29] 光の場合には τ を固有時でなく，光の軌道を特徴づける（アフィン）パラメータとなる．

径 $r = 2M$ から無限遠までの単調な増加関数である．$E \geqq 1$ なら無限遠へ重力場から脱出できるが，$E < 1$ ならブラックホールに落ち込む．ここで E は静止質量を含む，単位質量あたりのエネルギーを表すものだから，$E = 1$（ニュートン力学との対比では $E' = 0$）で振る舞いが分かれることに注意してほしい．遠心力がなければ，中心に引っ張られるだけであったが，この事情は角運動量が小さい場合（$|L_z| < 2\sqrt{3}M$ の範囲内で）も同様である．

有効ポテンシャルを微分して $dV/dr = 0$ となる点 r と L_z の関係を導き出すと，そのような点が存在するのに $L_z \geqq 2\sqrt{3}M$ が必要であることが分かる．ニュートンポテンシャル中での質点の運動を考えた場合，それが有限の角運動量を持てば，ある半径で動径方向の運動は遠心力により転回点（$dV/dr = 0$）を持つ．相対論では重力が強すぎて，あまり小さな角運動量ではブラックホールの外側には現れないと見なせる．なお，$L_z = 2\sqrt{3}M$ の場合のポテンシャルの極値を与える半径は $r = 6M$ である．

ポテンシャルの極値が存在すれば，(2.76) より $dr/d\tau = 0$ となる E に対して，円軌道となる．$L_z \geqq 2\sqrt{3}M$ の場合，円運動を与える L_z と E を半径の関数として求めておくと以下となる．また，それぞれの関数を図 2.9 に示す：

$$L_z^2 = \frac{Mr^2}{r - 3M}, \quad E^2 = \frac{(r - 2M)^2}{r(r - 3M)}. \tag{2.78}$$

$L_z = 2\sqrt{3}M$ の場合が最小の角運動量であり，その場合を **臨界安定軌道**（marginally stable orbit），または，**最内安定円軌道**（ISCO；inner most stable circular orbit）と呼び，その半径を $r_{\rm ms} = 6M$ と記す．ISCO での結合エネルギーは $1 - \sqrt{8/9} \approx 0.057$ となる．$L_z > 2\sqrt{3}M$ では $dV/dr = 0$ となる点は 2 つ存在し，それぞれを r_1, r_2（$r_1 < r_2$）とおく．図 2.8 から明らかなように（または，d^2V/dr^2 の符号から），r_1 は極大，r_2 は極小を与え，円軌道を考えた場合，r_1 での軌道は不安定，r_2 では安定となる．L_z の増加に伴い，r_1 は内側へ r_2 は外側に向かう．r_2 の振る舞いはニュートン力学で馴染み深い，重力と遠心力ポテンシャルから生じる平衡点であり，L_z の増加により，その位置が中心から離れ，結合エネルギーがゆるくなるのは容易に理解できる．

次に r_1 の変化を調べよう．角運動量が $L_z = 4M$ のとき，r_1 の円軌道の結合エネルギーはゼロ（$E = 1$）となる（図 2.9）．この円軌道を **臨界束縛軌道**

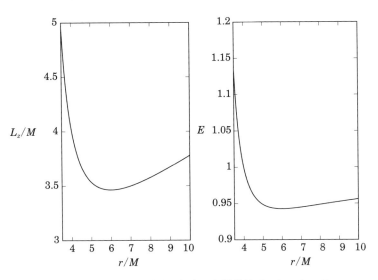

図 2.9 半径 r で円運動する場合の角運動量 L_z とエネルギー E を示す. 最小値は $r = 6M$ の場合で, $L_z/M = 2\sqrt{3} \approx 3.46$, $E = \sqrt{8/9} \approx 0.94$ である.

(marginally bound orbit) と呼び, その半径 $r_{\rm mb} = 4M$ と記す. さらに角運動量が増加し $L_z \to \infty$ とすると, $r_1 \to 3M$ となる. このときエネルギーも $E \to \infty$ となっている. このような円軌道は静止質量をはるかに超える[*30]エネルギーが必要であることを意味し, **光子円軌道** (photon circular orbit) と呼ばれ, 対応する半径を $r_{\rm ph} = 3M$ と記す. なお, 角運動量とエネルギー比は有限で $L_z/E \to 3\sqrt{3}M$ となる.

例題 2.8 円運動の回転角速度 $\Omega = d\phi/dt$ を求めよう[*31].

解答 (2.76), (2.78) を用いて

$$\Omega^2 = \left(\frac{d\phi}{dt}\right)^2 = \left(\frac{d\phi}{d\tau}\right)^2 \left(\frac{dt}{d\tau}\right)^{-2} = \frac{GM}{r^3}. \tag{2.79}$$

ニュートン重力のもとでのケプラー回転の法則と同じ形である角速度を $\Omega_{\rm K} = \sqrt{GM/r^3}$ とおくことにする.

[*30] 質量がゼロの極限, つまり, 光子.

[*31] この節の最後まで, 相対論的現象であることを認識するため, c と G を回復した式とした. $c \to \infty$ のときに消えるものは相対論由来のものである.

例題 2.9 ニュートン力学でポテンシャル $\Phi(r)$ 中の質点の運動は以下となる.

$$\frac{1}{2}\left(\frac{dr}{dt}\right)^2 + V_{\text{eff}} = E_{\text{N}}, \quad V_{\text{eff}} = \Phi + \frac{L_z^2}{2r^2}. \quad (2.80)$$

質量 M の質点がつくる重力ポテンシャル $\Phi(r) = -GM/r$ を**擬ポテンシャル** (pseudo-potential) $\Phi_{\text{ps}}(r) = -GM/(r-r_{\text{S}})$, $(r_{\text{S}} = 2GM/c^2)$ に置き換えることにより, ニュートンポテンシャル Φ では生じないが, Φ_{ps} では臨界安定軌道と臨界束縛軌道が生じることを示そう (Paczynski, Wiita 1980).

解答 円軌道 $dr/dt = 0$ とし $dV_{\text{eff}}/dr = 0$ を考えると, 角運動量 $|L_z| \geq \sqrt{27/2}GM/c$ のときに解が存在する. 等号は $r = 6GM/c^2$ の場合でシュバルツシルト時空の臨界安定軌道半径と同じ値である. さらに, $E_{\text{N}} = 0$ として臨界束縛円軌道を求めると $r = 4GM/c^2$, $|L_z| = 4GM/c$ とまたシュバルツシルトで考えたものと同じ値となる. ∎

この節は円運動を考えたが, その半径で (2.78) で与える E より少し大きい値をとる場合, 動径方向の運動を伴い, 軌道は"楕円"となる. ポテンシャル V に r^{-3} の項が含まれるため, 楕円軌道は一周で閉じず, 近星点*32は回転方向に移動する. ニュートン重力のもとでの軌道の長軸半径を a, 楕円の離心率を e とすると, この相対論的効果による摂動の一次の効果として移動角は,

$$\delta\phi = 6\pi \frac{GM}{(1-e^2)ac^2} \quad (2.81)$$

と表される. 一般相対論の提唱により解決された, 太陽系の水星軌道では, 1 回転で 0.1038 (角度秒), 100 年で 43 (角度秒) である. 我々の銀河中心にあるブラックホール周りの星では大きな値となる (章末問題 2.6).

2.4.2 カー時空における質点の運動

カー時空では一般的に以下のように変数分離できる. 対称性から自明な運動の恒量であるエネルギー E, z 軸まわりの角運動量 L_z に加え, カーター (Carter) 定数 Q が存在し, ボイヤー–リンキスト座標 (t, r, θ, ϕ) で以下となる*33.

---

*32 近ブラックホール点という言い方がより正確であろう.
*33 カーター定数 Q は角運動量の 2 乗 ($\sim L_z^2$) の次元を持つ. この意味を実感するための章末問題 2.7 を解いてみてほしい.

$$\rho^2 \dot{t} = -a(aE\sin^2\theta - L_z) + \frac{r^2+a^2}{\Delta}P, \qquad (2.82)$$

$$\rho^2 \dot{r} = \pm\sqrt{R}, \qquad (2.83)$$

$$\rho^2 \dot{\theta} = \pm\sqrt{\Theta}, \qquad (2.84)$$

$$\rho^2 \dot{\phi} = -\left(aE - \frac{L_z}{\sin^2\theta}\right) + \frac{a}{\Delta}P. \qquad (2.85)$$

ただし,

$$P \equiv E(r^2+a^2) - aL_z, \qquad (2.86)$$

$$R \equiv P^2 - \Delta[\delta r^2 + (aE - L_z)^2 + \mathcal{Q}], \qquad (2.87)$$

$$\Theta \equiv \mathcal{Q} - \cos^2\theta\left[a^2(\delta - E^2) + \frac{L_z^2}{\sin^2\theta}\right]. \qquad (2.88)$$

ここで，$\dot{\ }$ は粒子の場合は固有時 τ（光子に適用する場合はアフィンパラメータ λ）による微分を表す．また，ρ^2 や Δ は 2.3 節 (2.38) の関数である．(2.83)，(2.84) の前の符号は時間とともに変化する方向を必要に応じて選べばよい．例えば，粒子が中心方向に落下しその後遠心力で方向が反転する場合なら，(2.83) の符号は最初は $-$，その後 $+$ を選択する．またこれらの表式で，粒子の場合は $\delta = 1$ であり，光子の場合は $\delta = 0$ とすればよい．

運動が赤道面上（$\theta = \pi/2$）に限ると，方程式系 (2.82) – (2.85) の導出は比較的容易である．3 つの変数 $t(\tau), r(\tau), \phi(\tau)$ に対して 3 つの運動の恒量（積分）が存在するからである．以下に練習問題として取り上げる．

例題 2.10 カー時空で赤道面上（$\theta = \pi/2$）で粒子の運動を求めよう．

解答 運動が常に赤道面上（$\theta = \pi/2$）だとする．4 元速度を u^μ とすると，$u^\theta = 0$．運動の恒量としてエネルギー $E = -g_{t\mu}u^\mu$ と角運動量 $L_z = g_{\phi\mu}u^\mu$ が存在し，規格化条件 $g_{\mu\nu}u^\mu u^\nu = -1$ より，$u^t = dt/d\tau$，$u^r = dr/d\tau$，$u^\phi = d\phi/d\tau$ が以下のように求められる：

$$\frac{dt}{d\tau} = \frac{(r^3 + a^2r + 2Ma^2)E - 2MaL_z}{r\Delta}, \qquad (2.89)$$

$$\frac{d\phi}{d\tau} = \frac{L_z(r-2M) + 2MaE}{r\Delta}, \qquad (2.90)$$

$$r^3\left(\frac{dr}{d\tau}\right)^2 = E^2(r^3 + a^2r + 2Ma^2) - 4aMEL_z - (r-2M)L_z^2 - r\Delta. \qquad (2.91)$$

これらは (2.82)(2.83)(2.85) において $\theta = \pi/2$, $\mathcal{Q} = 0$ に対応していることを確かめられる．また，$a = 0$ とおくと，これら方程式系はシュバルツシルト時空の場合のもの (2.76) に帰着することも分かろう．■

方程式系 (2.82) – (2.85) は初期の位置 (t, r, θ, ϕ) とその速度 u^μ を与えれば，その後の運動は決定される．速度に関してはその規格化条件（$u^\mu u_\mu = -\delta$）があるので，3個の量（エネルギー E，角運動量 L_z と定数 $\mathcal{Q}$）で決定される．これらの適当な初期条件から，数値的に積分することにより，その後の軌道が得られる．このような課題はたとえば，数式ソフトの Mathematica にはパラメータを与えると軌道を図示するデモソフトが示されているので，興味があれば，それを試されたい．軌道の分類は参考図書（Chandrasekhar 1983）に詳しく議論されている．

2.4.3　粒子の軌跡の例 1：赤道面上の運動

ここでブラックホール時空（カー時空またはシュバルツシルト時空）で粒子の運動の特徴を理解するために，赤道面内（$\theta = \pi/2$）における粒子の運動を例示しよう．例題 2.10 で示したように，カー時空で常に $\theta = \pi/2$ であるためには関数 Θ が常に 0 となる必要性から，定数 $\mathcal{Q} = 0$ となる．

最初にシュバルツシルト時空（$a_* = 0$）の場合に，臨界安定軌道よりやや大きな角運動量 $L_z = 3.6M$ を赤道面内の半径 $r = 6.1M$ の地点に与えた場合の軌道を図 2.10A に示してある．2.4.2 節ではニュートン重力からの摂動として楕円軌道の近星点移動を見積もったが，この場合に適用すると，(2.81) から 1 回転で $\sim \pi$ ラジアンとなる．つまり，閉じた楕円の近星点と遠星点が移動するというより，1 回転目はほぼ動径半径が最小の円で次は最大の円と変化している（図 2.10A）．相対論的な効果が大きく，近星点移動の概念が曖昧になっていることがわかる．

次に，図 2.10A と同様の初期条件で $a_* = 0.9$ の場合に計算したものを図 2.10B に示す．異なる時空なので単純比較はできないが，遠星点が図 2.10A より遠方になった束縛軌道となっている．同じ角運動量の大きさであるが，より遠心力が効果的になっている．図 2.10B と同じ時空で，同じ大きさの角運動でその進行方向を逆にした場合の結果を図 2.10C に示す．図からわかるように，軌道は初期に与えられた角運動量に従い，$-\phi$ 方向に向かうが，やがてその方向を変え，ブラックホールに吸い込まれていることがわかる．

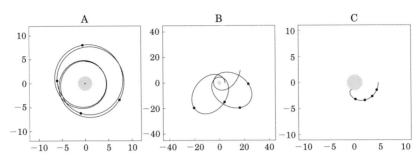

図 2.10 ブラックホール周りの赤道面上での粒子の運動. それぞれの中心にある灰色の円はブラックホールの大きさを示す. 図 A：シュバルツシルト時空の場合の例. $E = 0.957425$. 図 B：カー時空 ($a_* = 0.9$) で順行の場合の例. 図では反時計回り. $E = 0.977851$. 図 C：B と同じであるが, 逆行の場合の例. $E = 0.922357$. それぞれの空間範囲は異なるので注意.

2.4.4 赤道面上軌道の特徴的な半径

シュバルツシルト時空中の円運動で特徴的な半径（$r_{\rm ph} = 3M < r_{\rm mb} = 4M < r_{\rm ms} = 6M$）があった. 自転パラメータ a_* によりこれらはどのように変化するかを調べよう. なお, 数式整理のために, 以下の無次元の関数を定義する：

$$\mathcal{B} \equiv 1 + a_* x^{-3}, \qquad \mathcal{C} \equiv 1 - 3x^{-2} + 2a_* x^{-3},$$
$$\mathcal{F} \equiv 1 - 2a_* x^{-3} + a_*^2 x^{-4}, \quad \mathcal{G} \equiv 1 - 2x^{-2} + a_* x^{-3}. \qquad (2.92)$$

ここで, $x = (r/M)^{1/2}$, $a_* = a/M$ であり, 逆方向に回る場合は $-a_*$ と置き替える. また, これらの関数は非相対論の極限 ($r \to \infty$) では 1 となる.

さて, 半径 r の位置で円軌道だとすると (2.83)（または同等の (2.91)）から $R = dR/dr = 0$ とならなければいけないので, 単位質量当たりのエネルギー E と角運動量 L_z は円軌道の半径 r の関数として以下のようになる.

$$E = \frac{r^2 - 2Mr \pm a\sqrt{Mr}}{r(r^2 - 3Mr \pm 2a\sqrt{Mr})^{1/2}} = \frac{\mathcal{G}}{\mathcal{C}^{1/2}}, \qquad (2.93)$$

$$L_z = \pm \frac{\sqrt{Mr}(r^2 \mp 2a\sqrt{Mr} + a^2)}{r(r^2 - 3Mr \pm 2a\sqrt{Mr})^{1/2}} = \pm\sqrt{Mr}\frac{\mathcal{F}}{\mathcal{C}^{1/2}}. \qquad (2.94)$$

ここで, $\pm$ の符号は上がブラックホールと同方向へ回転する場合であり, 下が逆回

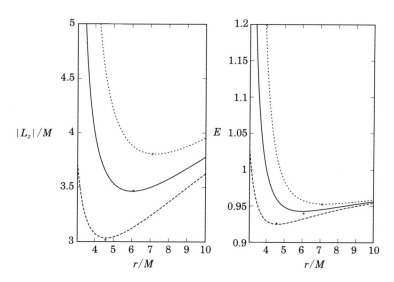

図 **2.11** 半径 r で円運動する場合の角運動量の大きさ $|L_z|$ とエネルギー E を示す．曲線の下から $a_* = 0.4$ で順行, $a_* = 0$, $a_* = 0.4$ で逆行の場合のもの．図中の印 $*$ は曲線の最小値で，それに対応する半径は臨界安定軌道半径 $r_{\rm ms}$ である．

転の場合である．関数形の振る舞いを図 2.11 に例示した．

さらに，E と L_z を (2.82)(2.85)（または (2.89)(2.90)）に代入することにより，

$$\frac{dt}{d\tau} = \frac{(1 \pm a\sqrt{M}r^{-3/2})}{(1 - 3Mr^{-1} \pm 2a\sqrt{M}r^{-3/2})^{1/2}} = \frac{\mathcal{B}}{\mathcal{C}^{1/2}} \tag{2.95}$$

$$\frac{d\phi}{d\tau} = \left(\frac{M}{r^3}\right)^{1/2} \frac{1}{(1 - 3Mr^{-1} \pm 2a\sqrt{M}r^{-3/2})^{1/2}} = \left(\frac{M}{r^3}\right)^{1/2} \frac{1}{\mathcal{C}^{1/2}}. \tag{2.96}$$

また円運動の角速度（ケプラー回転則）は以下となる：

$$\Omega^2 = \left(\frac{d\phi}{dt}\right)^2 = \frac{M}{r^3}\left[1 \pm a\left(\frac{M}{r^3}\right)^{1/2}\right]^{-2} = \frac{M}{r^3}\frac{1}{\mathcal{B}^2}. \tag{2.97}$$

例題 2.11 エネルギー，角運動量を得て（または失い），半径が微小量 δr だけ変化した円軌道の状態に遷移するとする．そのとき，それぞれの変化量の間には $\delta E = \Omega \delta L_z$ の関係があることを示そう．ここで，Ω は円運動の角速度 (2.97) で

ある.

解答 (2.93) – (2.94) を半径 r で微分すること ($\delta E = (dE/dr)\delta r$, $\delta L_z = (dL_z/dr)\delta r$) で $\delta E = \Omega \delta L_z$ が確かめられる. この関係式:

δE(エネルギーの変化量) $= \Omega$(回転角速度) $\times \delta J$(角運動量の変化量)

は平衡状態の解系列が徐々に変化する場合に現れるものである. 異なる例として剛体的に回転する物体(パルサーのモデル)は慣性モーメントを I として $E = I\Omega^2/2$, $J = I\Omega$ で上記の関係式が成り立つ. ブラックホールの性質に関しては 2.6 節を参照. ∎

(2.93) – (2.94) で与えられた E と L_z を解析する. それらの分母 ($\mathcal{C}^{1/2}$) がゼロとなる点は次に解析的に表される[*34].

$$r_{\rm ph} = 2M \left\{ 1 + \cos\left[\frac{2}{3}\cos^{-1}(\mp a_*)\right] \right\}. \tag{2.98}$$

この半径を $r_{\rm ph}$ とおいたが, $\mathcal{C}$ が正であるためには $r > r_{\rm ph}$ でなければならない. $r \to r_{\rm ph}$ で L_z/E は有限であるが, 単位質量当たりのものである E と L_z がともに無限大に近づく. この円軌道は質量が無視できる極限, つまり光子の運動に対応する. 実際, $a_* = 0$ とおくと, 2.4.1 節で求めた $r_{\rm ph} = 3M$ となる. 次に, (2.93) において $E = 1$ となる半径を $r > r_{\rm H}$ の範囲で求めると

$$r_{\rm mb} = M[2 \mp a_* + 2(1 \mp a_*)^{1/2}] \tag{2.99}$$

となる. これは結合エネルギーがゼロの場合で, 臨界束縛軌道に対応する. $a_* = 0$ とおくと, 2.4.1 節で求めた $4M$ となる.

さらに, 平衡点が安定であるためには, ポテンシャルが極小であることが必要で, $d^2R/dr^2 \geqq 0$ となる条件は $r \geqq r_{\rm ms}$ となる. ここで $r_{\rm ms}$ は臨界安定軌道半径または ISCO で,

$$r_{\rm ms}/M = 3 + Z_2 \mp [(3-Z_1)(3+Z_1+2Z_2)]^{1/2}, \tag{2.100}$$

$$Z_1 = 1 + (1-a_*^2)^{1/3}[(1+a_*)^{1/3} + (1-a_*)^{1/3}],$$

$$Z_2 = (3a_*^2 + Z_1^2)^{1/2}. \tag{2.101}$$

[*34] 歴史的な解析的表式 ($r_{\rm ph}$ や $r_{\rm ms}$) を記すが, 現代では数式ソフト等での数値的な理解の方が容易かもしれない.

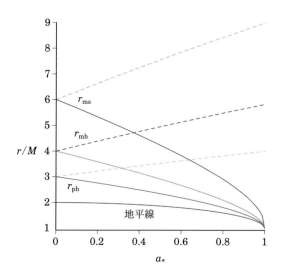

図 2.12 特徴的な軌道半径. ブラックホールと同方向の場合を実線で逆方向の場合を破線で示している. 地平面の半径も示す.

これまでに求めた特徴的な半径($r_{\rm ph} < r_{\rm mb} < r_{\rm ms}$) の自転パラメータ a_* の依存性を図 2.12 に示す. ブラックホールと同方向に回転する場合は円軌道の半径が減少することがわかる.

臨界安定軌道はブラックホールの周りにできる降着円盤と関連して重要であるので, 便利なように解析的な表式をまとめておく. (2.100) より, 逆に a_* を $y_{\rm ms} = r_{\rm ms}/M$ を用いて表すと,

$$a_* = \frac{y_{\rm ms}^{1/2}}{3}[4 - (3y_{\rm ms} - 2)^{1/2}] \tag{2.102}$$

となる. $-1 < a_* < 1$ に対応して, $9 > y_{\rm ms} = r_{\rm ms}/M > 1$ となる. 非回転の場合 $a_* = 0$ が $y_{\rm ms} = 6$ で, 同方向の運動には $a_* > 0$, 逆方向の場合は $a_* < 0$ にとる. 臨界半径 $r_{\rm ms}$ が a_* で表されたので, これをエネルギー (2.93) と角運動量 (2.94) の式に代入するとそれぞれの限界 (安定軌道における値) が以下となる:

$$E_{\rm ms} = \left(1 - \frac{2}{3y_{\rm ms}}\right)^{1/2}, \tag{2.103}$$

$$L_{\rm ms} = \pm \frac{2M}{3\sqrt{3}}[1 + 2(3y_{\rm ms} - 2)^{1/2}]. \tag{2.104}$$

表 2.1 臨界安定軌道の半径 $r_{\rm ms}$ と結合エネルギー $1 - E_{\rm ms}$ と限界の角運動量 $L_{\rm ms}$.

	$r_{\rm ms}/M$	$1 - E_{\rm ms}$
		$L_{\rm ms}/M$
非回転 $a_* = 0$	6	$1 - 2\sqrt{2/3} \approx 0.05719$
		$2\sqrt{3} \approx 3.464$
最大回転（巡方向）$a_* = 1$	1	$1 - 1/\sqrt{3} \approx 0.4226$
		$2/\sqrt{3} \approx 1.1547$
最大回転（逆方向）$a_* = -1$	9	$1 - 5/(3\sqrt{3}) \approx 0.03774$
		$-22/(3\sqrt{3}) \approx -4.2339$

中心のブラックホールの種類と運動方向に対して，臨界安定軌道の半径 $r_{\rm ms}$，単位質量当たりの結合エネルギー $1 - E_{\rm ms}$ と限界の角運動量 $L_{\rm ms}$ が表にまとめてある．回転していないときは静止質量の5.7%のエネルギーが解放できるのに対して，最大回転のカーブラックホールの場合はその値が42%まで増加する．逆方向の軌道の場合は不安定になる位置がより外側で，解放されるエネルギーはより少ない．

2.4.5 エピサイクリック振動数

赤道面上のある半径 r_0 で円運動していた軌道から角運動量を保存したまま，動径方向に位置を少しずらした（$r_0 \to r_0 + \xi$）後の運動を考えよう．動径方向の運動は（2.83）から，

$$\frac{d^2 r}{d\tau^2} = \frac{1}{2}\frac{d}{dr}\left(\frac{R}{r^4}\right) \tag{2.105}$$

となる．ズレ ξ の従う方程式は r_0 の周りでテーラー展開し，r_0 では円運動の関係式 $[dR(r_0)/dr = R(r_0) = 0$，あるいはそれらから得られた E と L_z の表式（2.93）-（2.94）および例題 2.11 参照] を用いて以下となる：

$$\frac{d^2\xi}{d\tau^2} = \frac{1}{2r_0^4}\frac{d^2 R(r_0)}{d^2 r}\xi = -\kappa_{\rm p}^2 \xi \tag{2.106}$$

最後の式で ξ の前の数式を $-\kappa_{\rm p}^2$ とおいた．具体的に計算して，r_0 を一般的な半径 r に置き換えると次のようになる：

$$\kappa_{\rm p}^2 = \frac{M}{r^3}\left(\frac{1 - 6Mr^{-1} + 8a\sqrt{M}r^{-3/2} - 3a^2 r^{-2}}{1 - 3Mr^{-1} \pm 2a\sqrt{M}r^{-3/2}}\right). \tag{2.107}$$

円運動の半径が臨界安定軌道半径より大きい限り ($r > r_{\rm ms}$), $\kappa_{\rm p}^2$ は正となり, ξ の運動は調和振動子と同じになる. 逆に, $r < r_{\rm ms}$ なら不安定であることを示している. この振動数 $\kappa_{\rm p}$ を**エピサイクリック振動数** (epicyclic frequency) と呼ぶ. (2.107) は固有時 τ を用いて表したものであるが, 無限遠の観測者の座標時 t で書くと, (2.95) より,

$$\kappa_t^2 = \kappa_p^2 \left(\frac{d\tau}{dt}\right)^2 = \frac{M}{r^3}\left[\frac{1 - 6Mr^{-1} + 8a\sqrt{M}r^{-3/2} - 3a^2 r^{-2}}{(1 \pm a\sqrt{M}r^{-3/2})^2}\right]. \quad (2.108)$$

特に $a = 0$ とし, 後の議論のため c と G を用いて書いておこう.

$$\kappa_{\rm p}^2 = \frac{GM}{r^3}\left(1 - \frac{6GM}{rc^2}\right)\left(1 - \frac{3GM}{rc^2}\right)^{-1}, \quad (2.109)$$

$$\kappa_t^2 = \frac{GM}{r^3}\left(1 - \frac{6GM}{rc^2}\right). \quad (2.110)$$

この表式で $c^{-2} \to 0$ として確かめられるように, 質点によるニュートンポテンシャルのもとでのエピサイクリック振動数はケプラー回転の振動数 $\Omega_{\rm K} = (GM/r^3)^{1/2}$ である. 動径方向のズレ ξ がもとの座標値に戻る周期 T は 1 回転する時間に等しい $[T = 2\pi/(\kappa_t)_{\rm NR} = 2\pi/\Omega_{\rm K}]$. 相対論ではこの振動の時間と回転の時間は一致しない. 具体的に, $a = 0$ の場合に無限遠の時間 t で表すと, $T = 2\pi/\kappa_t > 2\pi/\Omega_{\rm K}$. この円運動の ϕ 方向に一周する時間が短いので, 時間 T 経過時には方位角は 2π 以上前方に進む. その余分の大きさを r が大きいと近似して最低次の補正角を求めると, $\Delta\phi = 6\pi GM/(rc^2)$ となる. これが, 近星点移動に相当する.

次に, 赤道面上の円運動が $\pm z$ 方向 (θ 方向) に少しずれた場合の振動数を計算する. 先ほどの動径方向の関数 R の代わりに関数 Θ (2.88) を用いて同様に計算できる. 結果は固有時 τ と座標時 t で表した角振動数をそれぞれ, $\kappa_{p\perp}$ と $\kappa_{t\perp}$ と表して以下にまとめる:

$$\kappa_{p\perp}^2 = \frac{M}{r^3}\left[\frac{1 - 4a\sqrt{M}r^{-3/2} + 3a^2 r^{-2}}{1 - 3Mr^{-1} \pm 2ar^{-3/2}}\right], \quad (2.111)$$

$$\kappa_{t\perp}^2 = \frac{M}{r^3}\left[\frac{1 - 4a\sqrt{M}r^{-3/2} + 3a^2 r^{-2}}{(1 \pm a\sqrt{M}r^{-3/2})^2}\right]. \quad (2.112)$$

元々の円運動が臨界安定軌道半径より大きい限り ($r > r_{\rm ms}$), この振動数は実数

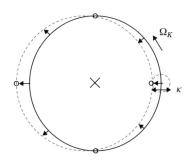

図 2.13 実線で示した角振動数 Ω_K の円運動に角振動数 κ の動径方向の振動を合成すると破線の軌道となる．代表的な地点で矢印により変位を示した．$\kappa = \Omega_\mathrm{K}$ なら，一回転してもとと同じ位置に帰り，軌道は重力源（図の×）を焦点とした楕円軌道となる．$\kappa < \Omega_\mathrm{K}$ なら，近星点が進行方向前方に移動する．振動運動の代わりに，小さな半径で示した円運動の合成でも事情は同じである．

となり，軌道周りの安定な振動を表していることが分かる．

ここまで，r 方向と θ 方向の振動数を調べたが，その大きさは回転の振動数程度（$\sim (GM/r^3)^{1/2} = \Omega_\mathrm{K}$）である．質点の作るニュートン重力のもとではそれらは単一の角振動数 Ω_K であるが，相対論的な取り扱いではわずかにずれている．これを元にブラックホールの情報 M と a が得られる可能性がある．ブラックホール周りから来る光度の時間変動現象（QPO）が円盤の振動との関係として議論される．この内容は 4.6 節で議論する．

例題 2.12 円運動の安定性を調べてみよう．

解答 これまでは平衡点から微小変位を計算することでその安定性が確かめたが，別の観点から議論する．ある半径 r で円運動であるとすると，その r に応じた角運動量 L_z が定まり，$L_z = L_z(r)$ と表せた [非回転の場合は (2.78)，回転する場合は (2.94)]．

円運動が安定であるためにはその角運動量が外に向かって増加する必要がある：

$$dL_z^2/dr \geqq 0.$$

仮想的に平衡点から外側に微小変位させると，そこでは $dL_z^2/dr \geqq 0$ より，必要とされる角運動量より不足している．そのため，内側へ重力により落下する．逆に内側へ変位させると，平衡の値より余分な角運動量があり遠心力により外側に移

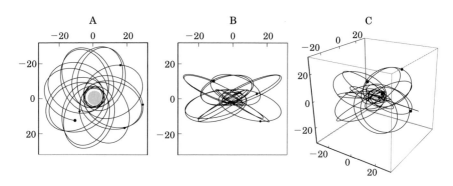

図 **2.14** カーブラックホール周りの粒子の運動で軌道面が傾斜している場合．それぞれの中心にある灰色の円はブラックホールの大きさを示す．図 A：真上から見た図（赤道面に射影した図）．図 B：真横からの見た図．図 C：3 次元的な軌道図．

動する．いずれにしても元の位置に戻り，はじめの位置が安定であることが分かる[*35]．この安定性の議論を図 2.11 のグラフとともに確認しておこう．

2.4.6 粒子の軌跡の例 2：傾斜した軌道面

初期の粒子の位置の角度を $\theta = \theta_0 \neq \pi/2$ とし，その θ 方向の速度がゼロでかつ，球対称な重力場（シュバルツシルトブラックホール）の場合なら，軌道面は常に θ_0 にとどまる．しかし，(2.75) でみたように中心のブラックホールの自転による力が働くため，θ 方向の速度を持つことになる．図 2.14 はカーブラックホールにおいてその軌道を計算した例である．射影された子午面では振動的となる．

2.5 曲がった時空での光線の軌跡

光子の軌道に対するブラックホールの影響を調べよう．最初にシュバルツシルト計量の場合を考える．軌道面を赤道面にとり，2.4 節の (2.76) で $\delta = 0$ としたものを再度まとめておく．

$$\dot{r}^2 = E^2 - L_z^2 V_{\rm ph}, \quad \dot{\phi} = \frac{L_z}{r^2}, \quad \dot{t} = \frac{E}{(1 - 2M/r)}. \tag{2.113}$$

[*35] これは厳密な証明ではないので，結果を知ってからの解釈として利用するのが安全かもしれない．

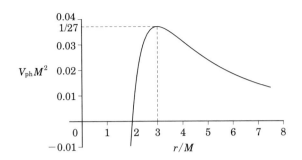

図 **2.15** シュバルツシルト時空における，光子の運動に対する有効ポテンシャル $V_{\rm ph}M^2$. $r/M=3$ で最大値 $1/(27M^2)$ を持つ．

ここで $V_{\rm ph}$ は有効ポテンシャルである：

$$V_{\rm ph} = \left(1 - \frac{2M}{r}\right)\frac{1}{r^2}. \tag{2.114}$$

この $V_{\rm ph}$ は図 2.15 に示すように，$r=3M$ で最大値 $1/(27M^2)$ を持つ（この半径を光子円軌道半径 $r_{\rm ph}$ と呼んだ）．運動は一つのパラメータ $b=|L_z/E|$ で決まる．b が限界の値 $b_c \equiv 3\sqrt{3}M$ より小さいとポテンシャルを飛び越えて運動するが，大きいと遠心力ポテンシャルのために，ある半径に転回点を持つことがわかる．すぐ後に示すが，このパラメータは無限遠での振る舞いから**衝突半径／インパクトパラメータ**（impact parameter）となる．

次に赤道面（$\theta = \pi/2$）上で，ある半径 $r_{\rm em}$ から出た光がどのくらいの割合でブラックホールに吸い込まれるかを調べよう．r 方向の負の方向となす角度を χ とおく．つまり，$\chi = 0$ は正面衝突で必ずブラックホールに落ちる方向である．光の4元運動量を正規直交のベクトルの基底を用いて，その成分は $p^{\hat{\theta}}=0$ とし，

$$(p^{\hat{t}}, p^{\hat{r}}, p^{\hat{\theta}}, p^{\hat{\phi}}) = (p^{\hat{t}}, -p^{\hat{t}}\cos\chi, 0, p^{\hat{t}}\sin\chi) \tag{2.115}$$

となる．(2.113) から $b=|L_z/E|=|r_{\rm em}^2 p^\phi/[(1-2M/r_{\rm em})p^t]|$ の関係式に $p^t = p^{\hat{t}}(1-2M/r_{\rm em})^{-1/2}$ と $p^\phi = p^{\hat{\phi}}r_{\rm em}^{-1} = p^{\hat{t}}r_{\rm em}^{-1}\sin\chi$ を代入すると，吸い込まれる条件 $b < b_c$ は以下となる：

$$\sin\chi < \frac{3\sqrt{3}M}{r_{\rm em}}\left(1 - \frac{2M}{r_{\rm em}}\right)^{1/2}. \tag{2.116}$$

まず，$r_{\rm em} \geqq 3M$ の場合を考える．内向き $0 \leqq \chi \leqq \pi/2$ で放たれた光が捕獲さ

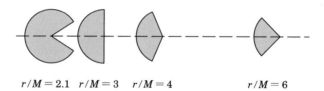

図 2.16 ある位置 r で放った光がブラックホールに吸収される割合（影付き部分）を示す．$r \to 2M$ で全部吸収される．

れる最大の角度 $\sin\chi$ は (2.116) により決まる．r_em が小さいほど χ が大きくなり，$r_\mathrm{em} = 3M$ では $\sin\chi = 1$ つまり $\chi = \pi/2$ となる．外向き $\pi/2 \leqq \chi \leqq \pi$ に放たれた光は図 2.15 に示すようにポテンシャルに影響なく無限に遠ざかる．

次に $r_\mathrm{em} < 3M$ の場合を考える．内向き $0 \leqq \chi \leqq \pi/2$ の光は常に捕獲される．外向き（$\pi/2 \leqq \chi \leqq \pi$）であっても，$r_\mathrm{em} \to 2M$ で (2.116) の右辺がゼロに近づくので，$\chi \to \pi$ となる．つまり，全方向に出た光がブラックホールに落ちる．このような状況を示したものが図 2.16 である．

さて，$r_\mathrm{em} \cdot \sin\chi$ は距離 r_em にある面上に投影した幾何学的な長さになる．$p^\theta = 0$（$\theta = \pi/2$）として，それに直交する角度に制限がついたが，対称性からどの方向も同じになるので，吸収される範囲は半径 $r_\mathrm{em}\sin\chi$ の円内となる．この面積（捕獲断面積）を $r_\mathrm{em} \to \infty$ で計算すると，その大きさは $\pi b_c^2 = 27\pi M^2$ となる．この値は，シュバルツシルト半径 $r_\mathrm{S} = 2M$ を用いてつくられる幾何学的断面積 $\pi r_\mathrm{S}^2 = 4\pi M^2$ より，6.75 倍大きい（半径で約 2.6 倍）．この円の直径は M87, Sgr A* のブラックホールの質量を用いると，$3.3 \times 10^{-3}\,\mathrm{pc}$, $2.1 \times 10^{-6}\,\mathrm{pc}$ となり，この値を天体までの距離で割ることより，広がりの角度は 40 マイクロ秒角，50 マイクロ秒角となる．ブラックホールの自転，質量や天体までの距離に多少の不定性が残るものの，この程度の大きさの像が電波干渉計で観測された（1.6 節参照）．

次に，カー時空の場合にこの捕獲面がどのようになるかを検討する．2.4 節の方程式系 (2.82) – (2.85) で $\delta = 0$ とおき，一般に $\mathcal{Q} \neq 0$ として取り扱う．パラメータ L_z と $\mathcal{Q}$ に対する関数 R の振る舞いから捕獲されるかどうかが決まる．ちなみに，シュバルツシルト時空では $b \equiv \sqrt{L_z^2 + \mathcal{Q}}/E < b_c$ が捕獲条件で，L_z と $\mathcal{Q}$ がそれぞれ ϕ, θ 方向の運動量に結びつく．図 2.17 には無限遠方の赤道面上で観測する捕獲面（ブラックホールの見かけの像）を示した．ブラックホールの自転に対して，順回転と逆回転方向で像の広がりが異なる．これは 2.4 節で学んだ光子

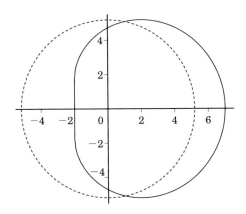

図 2.17 シュバルツシルト（破線）と最大回転のブラックホール（実線）の像．非回転の場合は半径 $3\sqrt{3}M$ の円であり，ブラックホールの自転により像は円からずれる．

の限界円軌道半径の差が現れている．像の求め方は詳しくは 9 章で述べる．

例題 2.13 ボイヤー–リンキストからカー–シルド座標系への変換を考えてみよう．

解答 この節ではボイヤー–リンキスト座標で光の軌道を考えた．その最後として，ある角度 θ_0 において，運動の恒量（積分量）間に $L_z = aE\sin^2\theta_0$, $\mathcal{Q} = -(L_z - aE)^2 = -(aE)^2 \cos^4\theta_0$ の関係があるとする．それらを光の軌道を決める (2.82)–(2.85) に代入して計算すると，

$$\frac{dt}{d\lambda} = E(r^2+a^2)\Delta^{-1}, \quad \frac{dr}{d\lambda} = \pm E, \quad \frac{d\theta}{d\lambda} = 0, \quad \frac{d\phi}{d\lambda} = Ea\Delta^{-1} \quad (2.117)$$

となる．第 3 式より θ は常に θ_0 となる．また，アフィンパラメータ λ の代わりに第 2 式より，内側に進む光の $-r/E$ をアフィンパラメータにとることができる．時間座標 $\bar{t}$ と方位角 $\bar{\phi}$ を以下で定義する．

$$d\bar{t} = dt - dr + (r^2+a^2)\Delta^{-1}dr = dt + 2Mr\Delta^{-1}dr,$$
$$d\bar{\phi} = d\phi + a\Delta^{-1}dr. \quad (2.118)$$

この座標変換が (2.44) であり，内向きのカー–シルド座標系が求まる．外向きのカー–シルド座標系は光の進む方向を逆転させ，$+r/E$ をアフィンパラメータにとることで得られる．∎

── ブラックホール・シャドウのどまんなか ──

観測されたブラックホール・シャドウの図 1.17 における，円形の黒い中心部分は何か．

議論を明確にするため，球対称のシュバルツシルトブラックホールとしよう．輪郭はインパクトパラメータが限界値（$b_c = 3\sqrt{3}M$）の場合で，その値を超えると，無限遠からブラックホール方向へ放出された光は捕獲されることはない．逆方向（無限遠で観測する方向）に軌道をたどれば，より奥の背景光と手前からの光が重なったものが輪郭外の「画像」となる．

それでは輪郭の内側はどうか．シュバルツシルト半径は $r_S = 2M$ であり，「その半径内の光は出ないから黒」との解答は正確でない．やって来る光を考えれば，観測には常に手前の成分もあるので，それらをとり除けたなら，ブラックホールの形成時の昔の光，つまり，より過去の姿に近づける．シュバルツシルト計量の $r < r_S$ の情報とは無関係である．

我々を取り巻く夜空（宇宙）のある方向を眺めることを想像しよう．距離が近い手前の発光源を原理的に取り除けるとし，その作業を繰り返すほど，より過去の宇宙の姿にたどり着くのと同じである．ブラックホール・シャドウの黒も「深淵」である．

2.6 ブラックホールの熱力学

カーブラックホールの表面積 A（地平面 r_H での 2 次元的面積）は面積要素 $\sqrt{g_2} = \Sigma_{r_H}\sin\theta = (r_H^2 + a^2)\sin\theta$ を用いて以下のように計算できる．

$$A = \int \sqrt{g_2}\,d\theta d\phi = 4\pi(r_H^2 + a^2) = 8\pi M[M + (M^2 - a^2)^{1/2}]. \quad (2.119)$$

また，表面の角速度 ω_H は (2.57) から $\omega_H = a/(r_H^2 + a^2)$ である．(2.119) を微分して，その表面積の微小変化 δA を質量 M と自転角運動量 $J = aM$ の変化分（δM と δJ）で表す：

$$\frac{\kappa}{8\pi}\delta A = \delta M - \omega_H \delta J. \quad (2.120)$$

ここで，κ は表面の重力加速度を表し，具体的表式は，

$$\kappa = \frac{r_H - M}{r_H^2 + a^2} \quad (2.121)$$

である．$a = 0$ として c と G を回復し，重力加速度 GM/r^2 の表式に，半径 r としてシュバルツシルト半径 $r_S = r_H = 2GM/c^2$ にとったものに κ [$\kappa = GM/(2GM/c^2)^2$] は一致する．また，$a = M$ の場合は $\kappa = 0$ となる．表面の重力加速度 κ の正確な議論は他書に譲り，この程度の直観的理解で止めよう．

さて，上記の関係式 (2.120) は熱力学の第 1 法則 $T\delta S = \delta E + p\delta V$ と類似している．実際，熱力学の第 0 から第 3 までの 4 つの法則に対応した関係式は以下のようにまとめられる．これらの熱力学の法則は孤立したカーブラックホール以外にでも適応可能なことが数学的に証明されている（Bardeen, Carter, Hawking 1973）．

ブラックホールの熱力学法則

第 0 法則 熱平衡状態と温度に関する法則
 定常なブラックホールの表面重力 κ は地平面上で一様である．
第 1 法則 エネルギー保存則
 ブラックホールの表面積 A，質量 M と自転角運動 J の状態変化は (2.120) の関係式で与えられる．
第 2 法則 熱現象の不可逆性．エントロピー増大則
 ブラックホールの表面積は減少することはない．
第 3 法則 絶対 0 度における状態に関する法則
 有限の試行で表面重力 $\kappa = 0$ の状態に到達できない．

量子論的な考察を行うことで，ブラックホールは以下に示す温度 $T_{\rm BH}$ の黒体熱放射があることが示された（Hawking 1974, 1975）．その結果，ブラックホールの温度 $T_{\rm BH}$ と表面重力 κ，エントロピー $S_{\rm BH}$ と表面積 A に以下の関係式がつく．

$$T_{\rm BH} = \frac{\hbar\kappa}{2\pi k_{\rm B}} \approx 10^{-7}(M/M_\odot)^{-1}\ {\rm K}, \tag{2.122}$$

$$S_{\rm BH} = \frac{k_{\rm B} c^3 A}{4\hbar G} \approx 10^{77} \times k_{\rm B}(M/M_\odot)^2. \tag{2.123}$$

ここで，$k_{\rm B}$ はボルツマン定数で，最後の数値は天体現象に関わる典型的な場合として $a = 0$ の太陽質量程度のブラックホールに対して見積もった．この温度 (2.122) は極めて低温である．また，(2.123) は恒星のエントロピーは $S/k_{\rm B} \sim$

$10^{58}(M/M_\odot)$ と比べ,巨大な数になっている*36.

例題 2.14 宇宙年齢以内に蒸発するブラックホールの質量の上限を見積ろう.

解答 ホーキング放射は黒体放射なのでステファン–ボルツマン定数 $\sigma = \pi^2 k_{\rm B}^4/(60\hbar^3 c^2)$ を用いて,単位時間当たり単位面積当たり,$F = \sigma T^4$ のエネルギーが放出される.これにブラックホールの面積($\sim (GM/c^2)^2$)をかけたものが単位時間当たりの放出量となり,その反作用として質量エネルギーが減少する.質量 M のものがゼロになる(蒸発する)典型的な時間 τ は,

$$\tau \sim \frac{Mc^2}{\sigma T_{\rm BH}^4 (GM/c^2)^2} \sim \frac{G^2}{\hbar c^4} M^3.$$

宇宙年齢 $\sim 4 \times 10^{17}$ 秒を用いて,蒸発するブラックホールの質量の上限は $M \sim 10^{-18} M_\odot \sim 10^{15}$g となる. ■

さて,(2.119) より,同じ質量に対して回転するブラックホールの表面積(ブラックホールの熱力学の言葉ではエントロピー)はパラメータ a_*^2 が大きいと小さい.ブラックホールの表面積(エントロピー)は減少することはない(つねに $\delta A \geqq 0$)が,(2.120) から $\delta M \geqq 0$ である必要はない.$\delta M \leqq 0$ の場合は $\omega_{\rm H} \delta J \leqq 0$ という条件が必要であるが,高速回転するブラックホールがより遅い回転状態へと変化する過程で,回転エネルギーの抽出が原理的に可能である.天体現象で関係する可能性があるのはブラックホールの回転部分のエネルギーの取り出しである.次の節では単純な例を通してその過程を理解しよう.

2.7 ブラックホールの回転エネルギーの抽出

自転するブラックホールからは,その回転エネルギーを抽出することが可能だと考えられている.そのメカニズムを紹介しよう.

---

*36 エントロピーは $S_{\rm BH}/k_{\rm B} = A/(4L_{\rm PL}^2)$ と表され,面積をプランク長 $L_{\rm PL} = (\hbar G/c^3)^{1/2}$ を基本単位として測った値になる.通常の熱力学ではエントロピーは示量数であり,体積や総数(総質量)に比例する.ブラックホールのエントロピーは面積または質量の 2 乗に依存していることに注意.

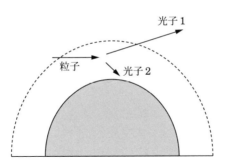

図 2.18 ペンローズ過程．入射粒子がエルゴ領域（破線と実線にはさまれた領域）で分裂し，一方が入射粒子のエネルギー以上で無限遠に飛び出る．

2.7.1 粒子による回転エネルギーの取り出し：ペンローズ過程

ペンローズは無限遠エネルギー $E_{\rm in}$ を持った粒子がエルゴ領域に侵入し，そこで分裂し，片割れがより大きなエネルギー $E_{\rm out} > E_{\rm in}$ で飛び出す過程を示した（Penrose 1969）．具体的に示すため，以下のように状況を限定して，計算を簡単化する．

運動は分裂後も含めて常にカー時空の赤道面上 $(\theta = \pi/2)$ で起こるとする．無限遠方から静止エネルギー μc^2 で，ある角運動量を持った粒子が $\dot{r} = 0$ となる地点（半径 r）で 2 個の光子に分裂するとする．2.4 節の数式 [(2.82)–(2.88) で $Q = 0$ とおいたもの] を用いると分裂前の粒子 $(\delta = 1)$ の単位質量当たりのエネルギーは $E = 1$ で，(2.83) の $R = 0$ となる L_z と r の関係は以下となる：

$$L_z = \frac{-2Ma - \sqrt{2\Delta Mr}}{r - 2M}. \qquad (2.124)$$

分裂直後の光子の運動量も ϕ 方向だけと仮定し，それぞれ光子のエネルギー E_k，角運動量 $L_k (k=1,2)$ とすると，運動の動径成分がないので光子に対して（$\delta = 0$ として），$R = 0$ から解くと，以下となる：

$$\frac{L_k}{E_k} = \frac{-2Ma \mp r\sqrt{\Delta}}{r - 2M}. \qquad (2.125)$$

符号上側を粒子 $k = 1$ とする．反応の前後で成り立つ保存則は $1 = E_1 + E_2$,

$L_z = L_1 + L_2$ となり*37，これら代数式を解くと，E_1 と E_2 が求まる．質量 μ と次元も回復して物理的な意味が明確な式にすれば，それぞれのエネルギーは，

$$E_1 = \frac{\mu c^2}{2}\left(1 + \sqrt{\frac{2GM}{rc^2}}\right), \qquad E_2 = \frac{\mu c^2}{2}\left(1 - \sqrt{\frac{2GM}{rc^2}}\right) \tag{2.126}$$

となる．反応が起こる場所が $r < 2GM/c^2$（エルゴ領域以内）である場合に $E_1 - \mu c^2 = -E_2 > 0$ となる．つまり，飛び出す光子のエネルギー E_1 が元の粒子の静止エネルギー μc^2 以上が可能である．その際，無限遠で測ったエネルギー E_2 は負であることに注意してほしい．このように，エルゴ領域の存在が回転エネルギーの抽出に関わっている．ブラックホールの回転がより速いと，より小さな r ($> r_{\rm H}$) が許され，取り出せる値 E_1 が増加する．

ここでは問題を特別な場合に限ったが，エネルギー E を持った粒子が E_1 と E_2 の粒子に分裂する，より一般的な過程も議論ができ，片方がより大きな $E_{\rm out} > E_{\rm in}$ が示せる．しかし，この過程が起こるのは運動学的条件で限られた範囲であることが議論されている（たとえば，Chandrasekhar 1983）．

2.7.2 波による回転エネルギー抽出の可能性

カーブラックホールからのエネルギーの抽出の過程として次のモデルを考える．質量ゼロのスカラー場 Φ の方程式は以下である．

$$0 = \Box\Phi = g^{\mu\nu}\Phi_{;\mu;\nu} = \frac{1}{\sqrt{-g}}\left(\sqrt{-g}g^{\mu\nu}\Phi_{,\mu}\right)_{,\nu}. \tag{2.127}$$

ここに，カー時空の計量（2.39）を用い*38，Φ を以下の変数分離形で考える．

$$\Phi = (r^2 + a^2)^{-1/2} u_{lm}(r) S_{lm}(\theta)\exp(-i(\omega t - m\phi)). \tag{2.128}$$

関数 $S_{lm}(\theta)$ は回転楕円調和関数と呼ばれるもので，定数 λ を固有値として含む次の微分方程式を満たす：

$$\frac{1}{\sin\theta}\frac{d}{d\theta}\left(\sin\theta\frac{dS_{lm}}{d\theta}\right) + \left(-a^2\omega^2\sin^2\theta - \frac{m^2}{\sin^2\theta} + 2a\omega m + \lambda\right)S_{lm} = 0. \tag{2.129}$$

---

*37 r と θ 方向の運動量保存は $0 = 0$ と自明に満たすように設定した．

*38 （2.127）の最後の式と（2.41）を用いるのが簡単かもしれない．時空の引きずりの角速度 ω（2.40）と波の角振動数 ω（2.128）の混同に注意．この節では ω を波の角振動数として用いる．

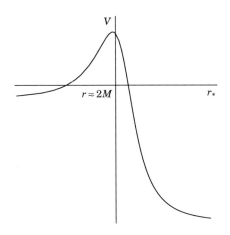

図 2.19 ポテンシャルの概形. 無限遠 $r_* \to \infty$ と地平面 $r_* \to -\infty$ に近づくにつれ, 一定値になり, その間に障壁がある.

$a\omega = 0$ の場合は通常の球面調和関数 $P_{lm}(\theta)$ となり, その場合の固有値は $\lambda = l(l+1)$ である. また, 動径方向の関数 $u_{lm}(r)$ は次の 2 階の微分方程式を満たす:

$$-\frac{d^2 u_{lm}}{dr_*^2} + V u_{lm} = 0. \qquad (2.130)$$

ここで, ポテンシャル V の具体的な形を次に示す.

$$V = -\left(\omega - \frac{ma}{r^2 + a^2}\right)^2 + \frac{\Delta}{(r^2 + a^2)^2}\left[\lambda + \frac{2(Mr - a^2)}{r^2 + a^2} + \frac{3a^2 \Delta}{(r^2 + a^2)^2}\right]. \qquad (2.131)$$

(2.130) では動径座標 r の代わりに地平面 ($r = r_{\mathrm{H}}$) での振る舞いが分り易いように, (2.56) で定義された関数 r_* ($dr_*/dr = (r^2 + a^2)\Delta^{-1}$) を用いた. ポテンシャル V は無限遠 ($r \approx r_* \to \infty$) 及び地平面 ($r \to r_{\mathrm{H}}$, $r_* \to -\infty$) に近づくにつれ, 定数値となる (図 2.19):

$$\begin{cases} V \to -\omega^2 & r_* \to \infty, \quad (r \to \infty), \\ V \to -(\omega - m\omega_{\mathrm{H}})^2 & r_* \to -\infty, \quad (r \to r_{\mathrm{H}}). \end{cases} \qquad (2.132)$$

このポテンシャルの性質から, それぞれの無限遠で $\exp(\pm i\omega r_*)$, $\exp[\pm i(\omega - m\omega_{\mathrm{H}})r_*]$ の解を持つ. $r_* \to +\infty$ で入射波と反射波の線形結合になり, また $r_* \to$

$-\infty$ では透過波のみとなる.

$$\begin{cases} u \to A_{\rm in}\exp(-i\omega r_*) + A_{\rm out}\exp(i\omega r_*) & r_* \to \infty \\ u \to B_{\rm in}\exp[-i(\omega - m\omega_{\rm H})r_*] & r_* \to -\infty \end{cases} \quad (2.133)$$

具体的な係数 $A_{\rm in}$, $A_{\rm out}$, $B_{\rm in}$ 間の関係式は適当な中間点で接続することから決まる.

スカラー場のエネルギー運動量テンソルは $T_{\mu\nu} = (\Phi_{,\mu}\Phi_{,\nu} - g_{\mu\nu}g^{\alpha\beta}\Phi_{,\alpha}\Phi_{,\beta}/2)$ $/4\pi$ で与えられる. 十分遠方 $(r \to +\infty)$ の地点で単位時間当たりに $+r$ 方向(外向き)の出て行くエネルギー量は,

$$\left(\frac{dE}{dt}\right)_{+\infty} = \int_{r_* \to +\infty} -T^r_t(\rho^2\sin\theta)d\theta d\phi = \frac{1}{8\pi}\omega^2(|A_{\rm out}|^2 - |A_{\rm in}|^2). \quad (2.134)$$

ここで波長に比べ距離が十分長くなる $(\omega r_* \gg 1)$ の波動帯では指数関数の微分からくる項が主要項となることと,球関数部分の規格化と時間平均[*39]を用いた. 同様に地平面近く $(r_* \to -\infty)$ で $+r$ 方向に出て行くエネルギー量は,

$$\left(\frac{dE}{dt}\right)_{-\infty} = \int_{r_* \to -\infty} -T^r_t(\rho^2\sin\theta)d\theta d\phi = -\frac{1}{8\pi}\omega(\omega - m\omega_{\rm H})|B_{\rm in}|^2 \quad (2.135)$$

となる. 2.3.6 節 (2.71) で示したように,上記の 2 つの量は等しいから,

$$\frac{|A_{\rm out}|^2}{|A_{\rm in}|^2} = 1 - \frac{\omega - m\omega_{\rm H}}{\omega}\frac{|B_{\rm in}|^2}{|A_{\rm in}|^2}. \quad (2.136)$$

面白いことに $0 < \omega/m < \omega_{\rm H}$ の場合に過剰反射 $(|A_{\rm out}|/|A_{\rm in}| > 1)$ が可能となる. その際,ブラックホールからエネルギーが出てくることになる.

次に,両無限遠方 $(r_* \to \pm\infty)$ 付近で $+r$ 方向に出て行く角運動量を計算する.

$$\left(\frac{dJ}{dt}\right)_{\pm\infty} = \int_{r_* \to \pm\infty} T^r_\phi(\rho^2\sin\theta)d\theta d\phi. \quad (2.137)$$

具体的には,エネルギー量と同様の表式が得られる.

[*39] 複素数の指数関数を用いて表した関数 $A(t) = \Re(ae^{-i\omega t})$ と $B(t) = \Re(be^{-i\omega t})$ の積の時間平均は $\langle AB \rangle = \Re(ab^*)/2 = \Re(a^*b)/2$ で与えられる.

$$\left(\frac{dJ}{dt}\right)_{+\infty} = \frac{1}{8\pi}m\omega(|A_{\text{out}}|^2 - |A_{\text{in}}|^2), \quad \left(\frac{dJ}{dt}\right)_{-\infty} = \frac{-1}{8\pi}m(\omega - m\omega_{\text{H}})|B_{\text{in}}|^2.$$
(2.138)

無限遠に出て行くエネルギーと角運動量はある比例係数 h を用いると，エネルギー $h\omega > 0$，角運動量 hm となる．この結果，ブラックホールには $\delta M = -h\omega$，$\delta J = -hm$ の変化を及ぼす．(2.120) に代入すると，$\kappa\delta A/(8\pi) = h(-\omega + m\omega_{\text{H}})$ となり，過剰反射の条件（$0 < \omega/m < \omega_{\text{H}}$）はブラックホールの熱力学第 2 法則（表面積の増加）と矛盾はない．$\delta M < 0$ だが $\delta A > 0$ である．

この節ではスカラー場モデルで過剰反射の過程を示したが，電磁波や重力波でも同様のことが起きる．係数 $A_{\text{in}}, A_{\text{out}}, B_{\text{in}}$ の関係式を求めるのに，もう少し計算が必要になるが，具体的に求められた過剰反射率は数パーセント程度である．

このモデルでは，地平面に負のエネルギーが落ちることにより，ブラックホールからエネルギーが引き出された．電磁場のエネルギーフラックス（ポインティングフラックス）の落ちる量が負になる場合があることをブランドフォードとナエック (Blandford, Znajek 1977) により示された．この興味ある過程は 7.4 節で述べる．

例題 2.15 透過波 $\Phi \sim B_{\text{in}} \exp[-i(\omega - m\omega_{\text{H}})r_*] \exp[-i(\omega t - m\phi)]$ はブラックホールの回転とともに動く系では角振動数 $(\omega - m\omega_{\text{H}})$ を持って内側に落ちて行く波であることを示そう．

解答 ブラックホールの回転を差し引いた角度 $\phi_R = \phi - \omega_{\text{H}} t$ を代入すると，

$$\Phi \sim B_{\text{in}} \exp[-i(\omega - m\omega_{\text{H}})(r_* + t) + im\phi_R]$$

となる．$r_* + t$ は内向きに進む時間で，その前の係数から，外では $\omega > 0$ でも $\omega - m\omega_{\text{H}} < 0$ とその性質が変化する．この不一致がエネルギーを取り出せる要因である． ■

2.7.3　ブラックホールの準固有振動

重力場の変動である重力波も (2.127) のような波動方程式で記述される．時空が変動した場合，無限遠から入射する波はなく，ブラックホールに吸い込まれる，または無限遠に出て行く波だけと考えることが自然である（2.7.2 節のスカラー場モデルでは $A_{\text{in}} = 0$ という数学的な境界条件に対応）．その変動はブラックホール

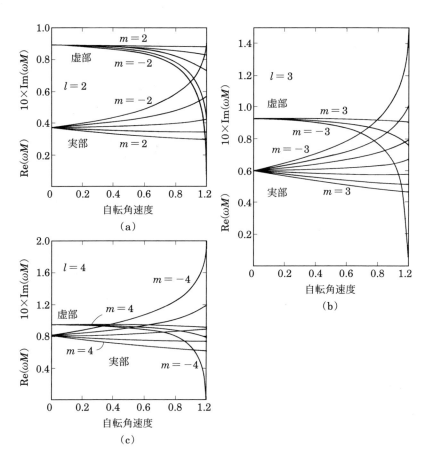

図 2.20 カーブラックホールの準固有振動数. 左図は実部, 右図は虚数部を表す. 値は球面調和関数の指数, l と m に依存する (Detweiler 1978).

の地平面の近傍のポテンシャルを特徴づける量となる. このような境界条件を満足する波は任意の振動数 ω に対しては満たされず, ある複素数の固有振動数となる. これを**準固有振動数** (quasi-normal mode) という. ブラックホールの質量を M_{BH} として, シュバルツシルトブラックホールの重力波の基本モード (ノードがないもの) の準固有振動数は球面調和関数の指数 l に対して $\omega G M_{\mathrm{BH}} c^{-3} = 0.3737 - 0.0889i$ $(l=2)$, $0.5994 - 0.0927i$ $(l=3)$ である. 図 2.20 はカーブ

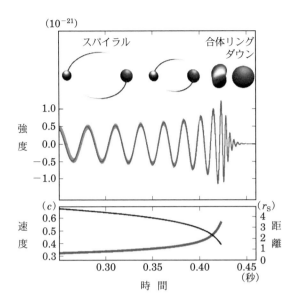

図 2.21 最初に直接観測された,ブラックホール連星合体からの重力波 (GW150914) の波形 (Abbot et al. 2016).

ラックホールの準固有振動数を自転角速度 a_* (横軸) に対して示してある.球対称な場合 $a_* = 0$ は経度方向の指数 $e^{im\phi}$ にはよらないが,自転角速度が増すとその分離が明確になる.ブラックホールの最大回転に近づくにつれて,虚数部はゼロに近づく(減衰しないようになる).このようにして,ブラックホールの準固有振動数は質量 $M_{\rm BH}$ と自転パラメータ a_* が刻み込まれたものとなっている.

最後に,シュバルツシルトブラックホールに特徴的な重力波の準固有振動数 ($l = 2, n = 1$) の典型的な大きさとして振動数 ν と減衰時間 τ を具体的に書こう.

$$\nu = \frac{\Re(\omega)}{2\pi} = 1.2(M_{\rm BH}/10M_\odot)^{-1} \text{ kHz}, \tag{2.139}$$

$$\tau = \frac{1}{\Im(\omega)} = 0.56(M_{\rm BH}/10M_\odot) \text{ ミリ秒}. \tag{2.140}$$

これは低振動数帯であり,電磁波ではその特徴を観測できない.重力波を使えば連星合体直後あるいは超新星爆発後に形成されたブラックホールの情報が探せるだろうと考え,研究が進んでいる.2015 年に直接観測された,ブラックホール連星合体からの重力波 (GW150914) の波形を図 2.21 に示してある.合体後の準固有振

動数から自転パラメータは $a_* = 0.67$ であったと報告されている（Abbot *et al.* 2016）.

Chapter ❷ の章末問題

問題 2.1 4次元の計量 $g_{\mu\nu}$ の行列式 g として、$\Gamma^{\mu}_{\alpha\mu} = (\sqrt{-g})_{,\alpha}/\sqrt{-g}$ を示せ。さらに、これを利用して $V^{\mu}_{;\mu} = \dfrac{1}{\sqrt{-g}}(\sqrt{-g}\,V^{\mu})_{,\mu}$ を示せ。なお、g は負の値となるので、$-g$ を用いて $\sqrt{-g}\,dx^0 dx^1 dx^2 dx^3$ が4次元体積要素を表す。

問題 2.2 dU および dV が外向きおよび、内向きのヌルに対応する関数を以下に定義する:

$$U = -\exp[-(t-r_*)/(4M)], \qquad V = \exp[+(t+r_*)/(4M)],$$
$$r_* = r + 2M\ln[r/(2M) - 1].$$

この変換により、シュバルツシルト計量（2.24）が以下のクルスカル（Kruskal）座標になることを確かめよ。

$$ds^2 = -\frac{32M^3}{r}\exp[-r/(2M)]dUdV + r^2(d\theta^2 + \sin^2\theta d\phi^2).$$

問題 2.3 計量（2.24）（2.28）の動径座標が一定の円周距離と a から b までの動径方向の固有の距離を求めよ。

問題 2.4 カー解のリーマン曲率の2乗は以下で与えられる。

$$R^{\alpha\beta\gamma\delta}R_{\alpha\beta\gamma\delta} = 48M^2\rho^{-12}(r^2 - a^2\cos^2\theta)(\rho^4 - 16a^2r^2\cos^2\theta)$$

曲率の特異点は $\rho^2 = r^2 + a^2\cos^2\theta = 0$、つまり $r = 0$、$\theta = \pi/2$ であることを確かめよ。また、直角座標を用いたカー–シルド座標では特異点は $x^2 + y^2 = a^2$ かつ $z = 0$ という赤道面上でリング状に位置していることは明らかである。

問題 2.5 ある座標 x^{ν} から $x'^{\mu} = x'^{\mu}(x^{\nu})$ の微小な座標変換を考える $[x'^{\mu} = x^{\mu} + \epsilon\xi^{\mu}(x^{\nu})\ (|\epsilon| \ll 1)]$。計量テンソルの変化の関係式

$$g_{\mu\nu}(x) = \frac{\partial x'^{\alpha}}{\partial x^{\mu}}\frac{\partial x'^{\beta}}{\partial x^{\nu}}g'_{\alpha\beta}(x')$$

を ϵ の1次までの計算し、それが変化しないという要請からキリング方程式 $\xi_{\mu;\nu} + \xi_{\nu;\mu} = 0$ を導け。

また、任意のテンソル場 $T^{\alpha_1\alpha_2\cdots\alpha_n}_{\beta_1\beta_2\cdots\beta_m}$ に対する ξ^{μ} 方向のリー微分 $\mathcal{L}_{\xi}$ は、

$$\mathcal{L}_{\xi}T^{\alpha_1\alpha_2\cdots\alpha_n}_{\beta_1\beta_2\cdots\beta_m}$$
$$= T^{\alpha_1\alpha_2\cdots\alpha_n}_{\beta_1\beta_2\cdots\beta_m;\mu}\xi^{\mu} - \sum_{i=1}^{n}T^{\alpha_1\cdots\mu\cdots\alpha_n}_{\beta_1\beta_2\cdots\beta_m}\xi^{\alpha_i}_{;\mu} + \sum_{j=1}^{m}T^{\alpha_1\cdots\alpha_n}_{\beta_1\cdots\mu\cdots\beta_m}\xi^{\mu}_{;\beta_j}$$

となる. $g_{\mu\nu}$ のリー微分がキリング方程式を与えることを確かめよ.

問題 2.6 S0-2 の近星点移動. 1 章にある Sgr A*の周りの星(S0-2: $a = 920\,\mathrm{au}$, 離心率 $e = 0.88$)の運動の近星点移動の角度を見積もれ.

問題 2.7 カー時空における質点の運動の方程式 (2.82) – (2.85) をシュバルツシルト時空の場合に帰着し, その対応関係からカータ定数 $\mathcal{Q}$ の意味を理解せよ.

Chapter 3
相対論的流体力学

2章で学んだように，ブラックホール近傍ではその強い重力のため，運動速度は必然的に光速に近づく．運動エネルギーの一部が流体の内部エネルギーに転化された結果，高エネルギー現象と関係する．この章では相対論的流体力学の基礎方程式をまとめておく．

3.1 状態方程式と相対論的音速

天体の大きさに比べ，はるかに小さなスケールでは局所的熱平衡が成り立つ．その場合の密度や圧力など熱力学的諸量の関係をこの節で復習する．より巨視的な大きさでは異なる環境となり，たとえば圧力の空間依存性が生じる．その内容は次節以降の取り扱いとする．ブラックホールが関係する天体現象では物体が塊として光速度近くまで加速される．その運動エネルギーの一部が熱化され，流体の構成粒子の熱運動速度も大きくなる．そのような場合をも含む相対論的な状態方程式を一般的に導こう[*1]．

簡単のために，相対論的ガスを構成する粒子は1種類とし（質量 m），各粒子はさまざまなエネルギー E（あるいは運動量が $\vec{p}$）をもって運動しており，その分布

[*1] 相対論的な状態方程式は，チャンドラセカール（1937）で導かれている．その後，数多くの本にまとめられているが，シン（1957）は詳細で，シン気体（Synge gas）とも呼ばれることがある．

関数を $f(E)$ とする（相対論的な関係式 $E^2 = \bar{p}^2 + m^2$ が成り立ち，また，速度の大きさは $v = \bar{p}/E$ である[*2]）．相対論的フェルミ粒子の分布関数は以下である：

$$f(E) = \frac{1}{\exp[\beta(E-\mu)]+1}. \tag{3.1}$$

ここで，μ は化学ポテンシャルで，温度は $k_{\mathrm{B}}T = \beta^{-1}$ である．

粒子の数密度 n，静止質量エネルギーを含むエネルギー密度 ρ，（内部エネルギー密度を ϵ とすると 1 粒子の質量 m として $\rho = \epsilon + mn$），そして圧力 p は粒子の分布関数 f を用いて計算できる．すなわち，スピンの自由度 2 を考慮し状態数を計算することより以下を得る（$2\pi\hbar$ はプランク定数）：

$$n = \frac{8\pi}{(2\pi\hbar)^3} \int f(E) \bar{p}^2 d\bar{p}, \tag{3.2}$$

$$\rho = \frac{8\pi}{(2\pi\hbar)^3} \int E f(E) \bar{p}^2 d\bar{p}, \tag{3.3}$$

$$p = \frac{8\pi}{(2\pi\hbar)^3} \int \frac{1}{3} v \bar{p} f(E) \bar{p}^2 d\bar{p}. \tag{3.4}$$

一般的な表式を書いたが，完全縮退と縮退がない両極限以外は数値的に取り扱う必要がある．ここで後者に限定する．前者は章末問題 3.1 とした．

縮退が無視できる場合，分布関数は $f = \exp(\beta\mu) \cdot \exp(-\beta E)$ となり，(3.4) を部分積分[*3]することにより，圧力 p と数密度 n の間には理想気体の状態方程式：

$$p = n k_{\mathrm{B}} T \tag{3.5}$$

が成り立つ．また，(3.2) – (3.4) で $E = m\cosh t$, $\bar{p} = m\sinh t$ と変数変換するとそれぞれの積分は第 2 種変形ベッセル関数 $K_n(z)$ を用いて表される．$K_n(z)$ には恒等式[*4]があるので，同等な表現がいくつもある．$dK_n(z)/dz$ を用いない表式として結果をあげておく[*5]：

[*2] $c = 1$ の単位系を使用し，圧力 p との混同をさけるため運動量は $\bar{p}$ とした．

[*3] $v = \bar{p}/E = dE/d\bar{p}$ を用いると積分の中身は $-(3\beta)^{-1} e^{\beta\mu} \bar{p}^3 d(e^{-\beta E})/d\bar{p}$ となる．

[*4] $K_n(z)$ の積分表示では $K_n(z) = \int_0^\infty \exp(-z\cosh t) \cosh(nt) dt$ であり，以下の恒等式が成り立つ．$K_{n+1}(z) - K_{n-1}(z) = 2n K_n(z)/z$, $dK_n(z)/dz = -(K_{n+1}(z) + K_{n-1}(z))/2$．（『岩波数学公式 III』）

[*5] 次元を入れるとそれぞれの左辺は $\rho/mc^2 n$, $h/mc^2 = (\rho + pc^{-2})/mc^2 n$, 右辺は $mc^2\beta$ の関数で，非相対論的極限は $mc^2\beta \to \infty$ に対応する．

$$\frac{\rho}{mn} = \frac{3}{m\beta} + \frac{K_1(m\beta)}{K_2(m\beta)}, \quad \frac{h}{m} = \frac{\rho+p}{mn} = \frac{K_3(m\beta)}{K_2(m\beta)}. \tag{3.6}$$

h は粒子当たりのエンタルピーである.

熱力学の第1法則を数密度 n やエネルギー密度 ρ などの密度量の関係式として表す. ある体積 V 中に粒子数 N, エネルギー E があると, それぞれ $n = N/V$, $\rho = E/V$ であり, 粒子当たりのエントロピーを $s = S/N$ とおく. エントロピー密度 $sn = S/V$ である[*6]. 粒子数一定 $(dN = 0)$ のもとで, 熱力学の式 $TdS = dE + pdV$ を書きかえると以下となる[*7]:

$$nTds = d\rho - \frac{\rho+p}{n}dn. \tag{3.7}$$

例題 3.1 音速 $c_{\rm s}$ は圧力と密度の変動が伝わる弾性粗密波の速度であり, 平衡状態におけるそれらの関係を用いて, 表式 $c_{\rm s}^2 \equiv (dp/d\rho)_{\rm ad}$ から音速を求めよう.

解答 断熱過程のもと $(ds = 0)$ では (3.7) は $d(\rho/mn) = (p/mn^2)dn$ と変形できることと, (3.6) の微分 $d(\rho/mn)$ が逆温度 $\beta = (k_{\rm B}T)^{-1}$ の微分 $d\beta$ で書けることから, $d\beta$ と dn との関係式が得られる. また, (3.5) から一般には圧力の変化 dp は $d\beta$ と dn で表せ, 先に述べた関係式を用いて, 以下の音速 $c_{\rm s}$ の表式を得る:

$$c_{\rm s}^2 = \left(\frac{dp}{d\rho}\right)_{ad} = \frac{\Gamma p}{\rho+p}, \tag{3.8}$$

$$\Gamma = 1 + \left\{3 - 3(m\beta)\frac{K_1}{K_2} + (m\beta)^2\left[1 - \left(\frac{K_1}{K_2}\right)^2\right]\right\}^{-1}. \tag{3.9}$$

ここでは公式を用いて関数 K_n の微分がない形に結果を変形した. ∎

関数 $K_n(z)$ の漸近形[*8]を用いて, 低温 $(m\beta \to \infty)$ と高温 $(m\beta \to 0)$ のそれぞれの極限の熱力学的な関係式の振る舞いを調べておく. それぞれ内部粒子の運動速度が遅い非相対論的な場合と光速度に近い超相対論的な場合である. 非相対論的極限 $(m\beta \to \infty)$ では,

$$\epsilon/p \to 3/2, \quad \left(p = \frac{2}{3}\epsilon\right), \quad \Gamma \to 5/3$$

[*6] s は粒子1個当たりの量であり, 密度 (単位体積当たりの量) は sn.
[*7] 同等な式を挙げておく. $Tds = dh - n^{-1}dp = d(\varepsilon n^{-1}) + pd(n^{-1})$.
[*8] $K_n(z) \sim \frac{1}{2}\frac{(n-1)!}{(z/2)^n}$ $(z \ll 1)$, $K_n(z) \sim \left(\frac{\pi}{2z}\right)^{1/2} e^{-z}\left(1 + \frac{4n^2-1}{8z} + \cdots\right)$ $(z \gg 1)$.

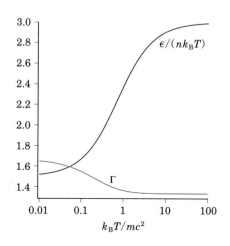

図 **3.1** $\epsilon/(nk_\mathrm{B}T)$（上）と Γ（下）の温度依存性.

となり，超相対論的極限 $(m\beta \to 0)$ では，

$$\epsilon/p \to 3, \quad \left(p = \frac{1}{3}\epsilon\right), \quad \Gamma \to 4/3$$

となる．中間の状態は図 3.1 に示す．規格化された温度 $k_\mathrm{B}T/m$ に対し，内部エネルギー密度 $(\epsilon = \rho - mn)$ と圧力の比，$\epsilon/p = \epsilon/nk_\mathrm{B}T$ および，(3.9) の Γ をプロットした．Γ の値は $4/3 \leqq \Gamma \leqq 5/3$ の範囲であることがわかる．また，静止質量エネルギーに対する温度 $T_* = m/k_\mathrm{B}$ のあたりで急激に状態が変化していることがわかる．実際にはこの温度付近で対生成が重要になる．その具体的な値は，

$$T_{*,e} = 5.9 \times 10^9\,\mathrm{K}\ \text{（電子）}, \quad T_{*,p} = 1.1 \times 10^{13}\,\mathrm{K}\ \text{（陽子）} \tag{3.10}$$

となる．

3.1.1 ポリトロープ

2 つの定数 $K\,(>0)$ と $\Gamma\,(>1)$ を用いて，圧力が $p = Kn^\Gamma$ で与えられるようにモデル化することがある．このような関係式は**ポリトロープ**（polytrope）と呼ばれ，本シリーズ第 1 巻で説明されているように，天文関連の研究で近似的な状態方程式としてしばしば利用される．ここではその相対論的な拡張を考える．断熱の関係式 $[(3.7)$ から $d(\rho/n) = (p/n^2)dn]$ を積分したものを用いて，圧力が内

部エネルギー ϵ ($=\rho-mn$) に比例する形として与えられる：
$$p = (\Gamma-1)\epsilon, \quad \rho = mn + \frac{p}{\Gamma-1}. \tag{3.11}$$
また，音速は，
$$c_s^2 = \left(\frac{dp}{d\rho}\right)_{\mathrm{ad}} = \frac{dp}{dn}\frac{n}{\rho+p} = \frac{\Gamma p}{\rho+p} = \frac{(\Gamma-1)X}{(\Gamma-1)+X}, \quad X \equiv \frac{\Gamma p}{mn} \tag{3.12}$$
と計算される．非相対論的極限 ($p \ll mn$, $X \ll 1$) では $c_s^2 = \Gamma p/(mn)$ となる．一方，超相対論的な場合 ($p \gg mn$, $X \gg 1$) は $c_s^2 = \Gamma - 1$ となり，$\Gamma \leqq 2$ でないと光速度を超える不適当なモデルになり，そのパラメータの取り扱いに注意を要する．

3.2 相対論的流体力学の基礎方程式

ある点での流れを記述するのに，その近傍のある巨視的な範囲に含まれる構成要素の運動を平均して，時間および場所の関数として流れの速度を考える[*9]．その地点における密度や圧力も同様に時空の関数となるが，それらの間に満たすべき式（質量，運動量，エネルギーの保存則）が流体力学の基礎方程式となる．最初に，ニュートン重力のもとで非相対論的な場合のものを復習しておこう（第1巻参照）．流体の粘性や熱伝導性は無視し（これを**完全流体**（perfect fluid）と呼ぶ），質量密度を ρ_m，圧力を p，内部エネルギー密度を ϵ，ニュートンポテンシャルを Φ_N とし，オイラー的描像での基礎方程式は以下となる．式変形によりいくつもの異なる表式を得ることができるが，ここでは保存形[*10]で書き表した：

$$(\rho_m)_{,t} + \nabla_j(\rho_m v^j) = 0, \tag{3.13}$$
$$(\rho_\mathrm{m} v_i)_{,t} + \nabla_j(\rho_\mathrm{m} v_i v^j + p\delta_i^j) = -\rho_\mathrm{m}\nabla_i \Phi_\mathrm{N}, \tag{3.14}$$
$$\left[\frac{1}{2}\rho_\mathrm{m} v^2 + \epsilon\right]_{,t} + \nabla_j\left[\left(\frac{1}{2}\rho_\mathrm{m} v^2 + \epsilon + p\right)v^j\right] = -\rho_\mathrm{m} v^j \nabla_j \Phi_\mathrm{N}. \tag{3.15}$$

[*9] 固定された座標（目盛）で変化を見るオイラー的描像と，流体素片の初期の位置を座標（目盛）に選びその後の変化を見るラグランジュ的描像がある．

[*10] 流束（フラックス）が発散の形になるものを保存形と呼ぶ．外力の重力がないとそれぞれの量の保存式が容易にわかろう．

ここで，∇_j は 3 次元空間座標での共変微分を表す（2.1 節参照）．(3.14) と (3.15) の右辺ではスカラー量に作用しているので，勾配（grad）となり，(3.13) と (3.15) の左辺第 2 項の中の 3 次元ベクトルを $\vec{V}$ とおけば，発散 $\vec{\nabla}\cdot\vec{V}$ の形となる．また，(3.14) の左辺第 2 項の中の 3 次元空間のテンソルを S_i^j とおけば，

$$\nabla_j S_i^j = \frac{1}{\sqrt{\gamma}}(\sqrt{\gamma}S_i^j)_{,j} - \frac{1}{2}\gamma_{kl,i}S^{kl} \tag{3.16}$$

とも書ける．ここで，γ_{kl} は 3 次元空間の計量で γ はその行列式である．

さて，相対論では質量とエネルギーは等価（$E=mc^2$）なので，非相対論で記述した質量およびエネルギー保存則の区別はやや曖昧になる．質量の大部分を占めるのは核子であるので，その 1 粒子の質量を m，数密度を n とすると，非相対論的極限では $\rho_{\rm m} = mn$ となる．相対論では粒子数の保存として表した式を (3.13) の代わりに用いる．また，質点のエネルギーと運動量をまとめて 4 元運動量として取り扱ったように，流体の場合もエネルギーと運動量をまとめた 2 階のテンソル $T^{\alpha\beta}$ を用いて，(3.14) と (3.15) をまとめて取り扱う．その結果，基礎方程式は以下となる：

$$(nu^\alpha)_{;\alpha} = 0, \qquad T^{\alpha\beta}_{;\beta} = 0 \tag{3.17}$$

この 2 つの共変な式に流体の基礎方程式が集約されている．その形はきれいであるが，初学者にはこの内容はピンとこないかもしれない．$T^{\alpha\beta}$ とは何で，なぜ 4 次元の共変微分を用いたか，重力の項はどこに行ったのか．分かっているなら「さっと」，疑問を感じたら「じっくりと」以下の内容を見ていこう．

3.2.1 粒子数の保存則

最初に平坦な空間の場合を考える．流体の静止系で測った粒子数密度を n，流体の 4 元速度を u^α（$=dx^\alpha/d\tau$）（規格化条件 $u^\alpha u_\alpha = -1$ を満たす）とする．直角座標で，これらからできる 4 元ベクトルの成分は $nu^\nu = (n\gamma, n\gamma\vec{v})$ となる．ここで 3 次元速度ベクトルが $\vec{v}$（$=d\vec{x}/dt$），そのローレンツ因子が $\gamma = (1-v^2)^{-1/2}$ である．非相対論的な場合と異なり，数密度は座標系（観測者）によりその大きさが変化する（図 3.2 とその下の説明文を参照）[*11]．核子数密度の保存則は 4 次元的

[*11] 先ほど n は「流体静止系で測った」と定義したのはこのためで，n は固有粒子数密度の意味．

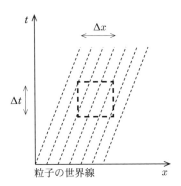

図 3.2 x 方向へ速度 v で移動する，粒子の世界線を破線で表す．粒子の静止系での数密度を n とすると，実験室系ではローレンツ収縮のため x 方向の間隔が $(1-v^2)^{1/2}$ 倍となるので時間が一定面を通過する数密度は $n/(1-v^2)^{1/2} = n\gamma$ となる．また，x が一定面を通過する数密度のフラックスは $n\gamma v^x$ となる．保存則は 4 次元的な箱（図では 2 次元の破線の箱）の出入りが相殺していることを意味している．

な発散がゼロということであり，具体的な表式は以下となる．

$$(nu^\alpha)_{,\alpha} = (n\gamma)_{,t} + (n\gamma v^k)_{,k} = 0. \tag{3.18}$$

ここで，$\rho_{\rm m} = mn\gamma$ とおくと見慣れた質量保存の式（3.13）になる．

一般相対論では重力を空間の曲がりとして表す．ミンコフスキー空間（局所慣性系）で成り立つ方程式（3.18）にある偏微分（カンマ $_{,\alpha}$）を共変微分（セミコロン $_{;\alpha}$）に置き換えて，一般の 4 次元時空でも成り立つものにする．

$$0 = (nu^\alpha)_{;\alpha} = \frac{1}{\sqrt{-g}}(\sqrt{-g}\,nu^\alpha)_{,\alpha}. \tag{3.19}$$

最後の表式は章末問題 2.1 の式を用いた．4 次元の体積要素は $\sqrt{-g}\,d^4x$ なので，（3.19）をある 4 次元の領域で積分し，ガウスの積分公式を用いて 3 次元の表面積分に書き換えると面を通過する総和（出入り）がゼロであることを表している．

また，（3.19）の別の表現も記しておく．

$$0 = n_{,\alpha}u^\alpha + nu^\alpha_{;\alpha} = \frac{dn}{d\tau} + \frac{n}{\sqrt{-g}}(\sqrt{-g}\,u^\alpha)_{,\alpha}. \tag{3.20}$$

ここで，$d/d\tau \equiv u^\alpha \partial_\alpha$ は流体に沿っての時間変化を表し，その増加（減少）の割

合率は流体素片が占める体積の減(増)にかかわることが明らかな式である.

例 3.1 数密度の保存則 (3.19) と同様の 4 元ベクトル型の保存則として表される例をもう一つあげておこう. 電荷密度を ρ_e と電流密度を $\vec{j}$ とすると 4 元ベクトルは $j^\alpha = (\rho_e, \vec{j})$ となり, $j^\alpha_{;\alpha} = 0$ を満たす.

3.2.2 エネルギー運動量テンソル

この節ではエネルギー運動量テンソル $T^{\alpha\beta}$ の各成分の意味を考えよう. ある 3 次元の体積 ΔV とその法線ベクトルを N_μ とする. エネルギーと運動量は 4 元ベクトルを構成するので, 体積 ΔV 中の 4 元運動量は,

$$\Delta p^\alpha = T^{\alpha\mu} N_\mu \Delta V \tag{3.21}$$

となる. 最初に時間方向の法線ベクトル $N_\alpha = (1, 0, 0, 0)$ を考えると, $\Delta V = \Delta x \Delta y \Delta z$ である. (3.21) で $\alpha = t$ として $T^{tt} = \Delta p^t / \Delta V$ となるから, この成分は**エネルギー密度**(energy density)を表す (ρ と記す). ダスト (dust) からなる流体の場合, 構成粒子の質量を m とすると, 静止している系では mn であるが, 一般的に速度 v で動いている場合にはエネルギーは $m\gamma$, 数密度は $n\gamma$ となるので $\rho = (m\gamma) \times (n\gamma) = mnu^t u^t$ となる[*12]. 同様に (3.21) で $\alpha = i$ とし, $T^{it} = \Delta p^i / \Delta V$ となるから, T^{it} は**運動量密度**(momentum density)ベクトルの i 成分を表す. ダストの場合, $T^{it} = (m\gamma v^i) \times (n\gamma) = mn\gamma^2 v^i = mnu^t u^i$ となる.

次に法線ベクトルを x 方向 $N_\alpha = (0, 1, 0, 0)$ にとると, それに垂直な体積は $\Delta V = \Delta y \Delta z \Delta t$ であるから, $T^{tx} = \Delta p^t / (\Delta y \Delta z \Delta t)$ となる. これは x が一定の単位面積を通過する**エネルギー流束**(energy flux)を表す. エネルギー $m\gamma$ を持ったものが数密度 $n\gamma$, 速度 v^x で通過するので $T^{tx} = (m\gamma) \times (n\gamma v^x) = mnu^t u^x = T^{xt}$ となる. ここではダストの場合に $T^{ti} = T^{it}$ を示したが, この対称性は一般的に成り立つ[*13]. 空間成分 T^{ix} の場合も同様の式変形で $T^{ix} = (\Delta p^i / \Delta t) / (\Delta y \Delta z)$ となる. 運動量の時間変化 $(\Delta p^i / \Delta t)$ は力 (ΔF^i) を表し,

---

[*12] このように内部エネルギーがなく流体間に圧力を及ぼさないものをダストと呼ぶ.

[*13] エネルギー流束と運動量密度は, 物理的意味合いは異なるが, 質量ゼロの場合も含めて, 粒子のエネルギー E, 運動量 $\vec{p}$ と速度 $\vec{v}$ の間に $E\vec{v} = c^2 \vec{p}$ の関係があるので同じになる.

$T^{ix} = \Delta F^i/(\Delta y \Delta z)$ だから，T^{ix} は x 方向に垂直な単位面積当たりに作用する力の i 成分を意味する．このため，これを**応力テンソル** (stress tensor) と呼ぶ．一般的に対称性 ($T^{ij} = T^{ji}$) がある．ダストの場合には，j 方向に垂直な面を x^j 正方向に単位面積あたり単位時間あたり輸送される運動量の i 成分は $T^{ij} = (m\gamma v^i) \times (n\gamma v^j) = mnu^i u^j = T^{ji}$ となる．

ここにエネルギー運動量テンソルをまとめておこう．2 階の対称なテンソル ($T^{\alpha\beta} = T^{\beta\alpha}$) で表され，各成分は以下の意味をもつ．

$$T^{\alpha\beta} = \begin{pmatrix} \text{エネルギー密度} & \text{エネルギー流束} \\ \hline \text{運動量密度} & \text{応力テンソル} \end{pmatrix}$$

先の議論で示したように，ダストの場合のエネルギー運動量テンソルは，

$$T^{\alpha\beta} = mnu^\alpha u^\beta \tag{3.22}$$

となる．流体間に及ぼす力がなく，その物体の静止系では質量エネルギーだけがあるものに対応する．一般には流体のエネルギー密度 ρ は質量エネルギー密度の他に内部エネルギー ϵ も含まれ，$\rho = nm + \epsilon$ となる．また，圧力は面を通してその法線方向にのみにしか働かず，流体の静止系で空間等方的に働く．その大きさを p とし，流体の静止系では $T^{\hat{i}\hat{j}} = p\delta^{\hat{i}\hat{j}}$ となる．以上の考察から完全流体のエネルギー運動量テンソルは，

$$T^{\alpha\beta} = \rho u^\alpha u^\beta + p\mathcal{P}^{\alpha\beta} = (\rho + p)u^\alpha u^\beta + pg^{\alpha\beta} \tag{3.23}$$

となる．ここで，$\mathcal{P}^{\alpha\beta}$ は u^α に直交する方向に射影するテンソルである．

$$\mathcal{P}^{\alpha\beta} = g^{\alpha\beta} + u^\alpha u^\beta. \tag{3.24}$$

任意の 4 元ベクトル $\boldsymbol{V}$ に対して $\mathcal{P}^{\alpha\beta} V_\beta$ は u^α に直交する[*14]．ダストの場合と比較して，内部エネルギーを考慮したエネルギー密度を ρ に変更したこと [(3.23) の第 2 式の第 1 項] と，圧力が流体の 4 元速度 u^α に直交する空間方向に等方的に働くことを表している [(3.23) の第 2 式第 2 項]．

[*14] $u_\alpha \mathcal{P}^{\alpha\beta} V_\beta = 0$.

例 3.2 ある局所慣性系における直角座標 ($g^{\alpha\beta} = \eta^{\alpha\beta}$) における，完全流体のエネルギー運動量テンソル（3.23）の成分を具体的に書いておく．この系で測った流体の 3 次元速度 $\vec{v}$ とそのローレンツ因子を γ [4 元速度は $u^\nu = (\gamma, \gamma\vec{v})$] とする．

$$T^{\alpha\beta} = \begin{bmatrix} \rho_\mathrm{H} & J^j \\ J^i & S^{ij} \end{bmatrix}, \quad T_{\alpha\beta} = \begin{bmatrix} \rho_\mathrm{H} & -J_j \\ -J_i & S_{ij} \end{bmatrix}. \tag{3.25}$$

ここで，記号は以下の量であるが，その非相対論的な極限を $\longrightarrow$ で示す．

$$\rho_\mathrm{H} = (\rho + pv^2)\gamma^2 \longrightarrow \rho_m, \quad \vec{J} = (\rho + p)\gamma^2 \vec{v} \longrightarrow \rho_m \vec{v},$$

$$S_{ij} = (\rho + p)\gamma^2 v_i v_j + p\delta_{ij} \longrightarrow \rho_m v_i v_j + p\delta_{ij}.$$

さらに，流体が静止している場合（流体静止系）では（3.23）の前に述べた議論が理解されよう．

3.2.3 エネルギー運動量保存の式

この節のはじめに述べたように，運動量とエネルギーの保存則はまとめて，エネルギー運動量テンソル $T^{\alpha\beta}$ の発散がゼロ（3.17）と表せる．ここでは曲がった時空でも適応可能なように共変微分を用いて表した保存則（$T^{\alpha\beta}_{;\beta} = 0$）から出発する．完全流体のもの（3.23）を用いて保存則を具体的に計算してみよう．

$$0 = T^{\alpha\beta}_{;\beta} = u^\alpha[\rho_{,\beta} u^\beta + (\rho + p)u^\beta_{;\beta}] + (\rho + p)u^\alpha_{;\beta} u^\beta + p_{,\beta}\mathcal{P}^{\alpha\beta}. \tag{3.26}$$

u^α と内積をとると第 2 項と第 3 項は恒等的にゼロ（$u^\alpha_{;\beta} u_\alpha = 0 = \mathcal{P}^{\alpha\beta} u_\alpha$）となるので，

$$0 = \rho_{,\beta} u^\beta + (\rho + p)u^\beta_{;\beta} = \frac{d\rho}{d\tau} + \frac{\rho + p}{\sqrt{-g}}(\sqrt{-g} u^\beta)_{,\beta}. \tag{3.27}$$

これは（3.20）と結びつけると

$$\frac{d\rho}{d\tau} - \frac{\rho + p}{n}\frac{dn}{d\tau} = 0. \tag{3.28}$$

粒子当たりのエントロピーを s とすると熱力学の第 1 法則（3.7）から，この式は $ds/d\tau = 0$ を表し，流れは断熱的であることを表している．流体のエネルギー保存

則を別の形で表現すると，4元のエントロピー流（$s^\alpha \equiv snu^\alpha$）の保存則として表せる．

$$(snu^\alpha)_{;\alpha} = 0. \tag{3.29}$$

次に，(3.27) を用いると (3.26) は次となる．

$$0 = (\rho+p)u^\alpha_{;\beta}u^\beta + p_{,\beta}\mathcal{P}^{\alpha\beta}. \tag{3.30}$$

$u^\alpha_{;\beta}u^\beta$ は流体の加速度であるので，慣性の項 × 加速度が圧力勾配と釣り合っていることを表す式である．ただし，相対論では慣性（$\rho+p = mn+\epsilon+p$）が質量密度 $\rho_\mathrm{m} = mn$ だけでなく，内部エネルギー密度 ϵ や圧力 p もその源になっていることに注意すること．(3.30) は粒子当たりのエンタルピー h を用いて次のようにも書ける[*15]．

$$n(hu_\alpha)_{;\beta}u^\beta + p_{,\alpha} = 0. \tag{3.31}$$

3.3 いくつかの応用と拡張

いくつかの具体例を示しておこう．

3.3.1 静水圧平衡

流体が静止しているとすると，その4元速度 u^μ でゼロでない成分は u^t だけである．また，条件 $u^\mu u_\mu = -1$ を用いて (3.30) の空間成分 k に対して $p_{,k} = (\rho+p)g_k$ となる．ここで，g_k は重力加速度で $g_k = -a_k = -u_{k;\alpha}u^\alpha$ である．$g_k = \Gamma^t_{kt}u^t u_t = -g^{tt}g_{tt,k}/2 = -(\ln\sqrt{-g_{tt}})_{,k}$ となる[*16]．非相対論的極限（$p \ll \rho \approx \rho_\mathrm{m} = mn$，$g_{tt} \approx -1-2\Phi_\mathrm{N}$，$\vec{g} = -\vec{\nabla}\Phi_\mathrm{N}$）では，静水圧平衡の式は $\vec{\nabla}p + \rho_\mathrm{m}\vec{\nabla}\Phi_\mathrm{N} = 0$ となる．

例題 3.2 静水圧平衡の具体例として球対称な星を考えよう．

[*15] 熱力学的変数をまとめておく．密度量として，固有数密度（n），質量密度は $\rho_\mathrm{m} = mn$，固有内部エネルギー密度（ϵ），固有エネルギー密度は $\rho = mn + \epsilon$．圧力（p），温度（T），音速（$c_\mathrm{s} = (\partial p/\partial\rho)^{1/2}_\mathrm{ad}$）．粒子当たりのエントロピー（$s$），粒子当たりのエンタルピー（$h = (\rho+p)/n$）で，質量当たりのエンタルピーは $f = h/m$ となる．

[*16] ラプス関数 α を用いて，$\ln\alpha = \ln\sqrt{-g_{tt}}$ より，その勾配 $-\nabla\ln\alpha$ を重力加速度と呼ぶことがある．

解答 球対称な時空では $M_r = 4\pi \int_0^r \rho r^2 dr$ として，アインシュタイン方程式より，$(\ln\sqrt{-g_{tt}})_{,r} = -(M_r + 4\pi pr^3)/[r^2(1-2M_r/r)]$ で静水圧平衡の式が与えられるので，これから，以下の **TOV**（Tolman–Oppenheimer–Volkoff）方程式が導かれる．

$$\frac{dp}{dr} = -\frac{GM_r\rho}{r^2}\left(1 + \frac{p}{\rho c^2}\right)\left(1 + \frac{4\pi pr^3}{GM_r c^2}\right)\left(1 - \frac{2GM_r}{rc^2}\right)^{-1}. \quad (3.32)$$

明示的に c と G を用いた．形の上では，右辺はニュートン重力での静水圧平衡の表式に，3つの1より大きい補正項がついたとみなせる．相対論的な重力が強く，力学平衡となるために，より大きな圧力勾配が必要となる． ■

3.3.2 一様エントロピー流

流れが及ぶ空間的領域全体でエントロピーが一様な場合を考える．単位質量当たりのエンタルピー $f = h/m = (\rho + p)/(mn)$ を用いて，エンタルピーを繰り込んだ新たな計量 $\bar{g}_{\alpha\beta}$ と4元速度 $\bar{u}^\alpha$ を，

$$\bar{g}_{\alpha\beta} = f^2 g_{\alpha\beta}, \quad \bar{g}^{\alpha\beta} = f^{-2}g^{\alpha\beta}, \quad \bar{u}^\alpha = f^{-1}u^\alpha, \quad \bar{u}_\alpha = fu_\alpha \quad (3.33)$$

で定義する[*17]．新たな計量のもとで，規格化条件 $\bar{u}_\alpha \bar{u}^\alpha = -1$ を満たす．計量 $\bar{g}_{\alpha\beta}$ を用いてつくられるクリストフェル記号を $\bar{\Gamma}^\alpha_{\beta\gamma}$ とすると，元の計量からつくられたもの $\Gamma^\alpha_{\beta\gamma}$ との関係は，

$$\bar{\Gamma}^\alpha_{\beta\gamma} = \Gamma^\alpha_{\beta\gamma} + \delta^\alpha_\beta (\ln f)_{,\gamma} + \delta^\alpha_\gamma (\ln f)_{,\beta} - g^{\alpha\mu}g_{\beta\gamma}(\ln f)_{,\mu} \quad (3.34)$$

となる．熱力学的関係式 (3.7) $[0 = nTds = ndh - dp]$ を用いて運動方程式 [(3.30) または (3.31)] の圧力勾配の項をエンタルピーの微分で表せる．規格化条件と (3.34) を用いて少し計算すると運動方程式は次式となる：

$$\bar{u}^\alpha_{;\beta}\bar{u}^\beta = (\bar{u}^\alpha_{,\beta} + \bar{\Gamma}^\alpha_{\beta\gamma}\bar{u}^\gamma)\bar{u}^\beta = 0. \quad (3.35)$$

これは圧力勾配による加速度が消え，自由粒子の測地線の方程式となった．非相対論では流体の運動方程式に現れる圧力と重力による加速度は $-\rho_\mathrm{m}^{-1}\vec{\nabla}p - \vec{\nabla}\Phi_\mathrm{N}$ であり，一様なエントロピー分布であれば，エンタルピーと重力ポテンシャルをま

[*17] 計量全体をある関数倍する変換を**等角変換**（conformal transformation）と呼ぶ．

とめて $-\vec{\nabla}\Phi_{\text{eff}}$ とできる．一様エントロピー流の場合，流体の運動方程式は圧力項がなく重力が変更された形にできる．相対論ではその熱的な部分を含めた計量の変更 $\bar{g}_{\alpha\beta}$ となった．

3.3.3 渦度とポテンシャル流

相対論的な渦度の表式は 4 元速度 u^μ と単位質量当たりのエンタルピー $f = h/m$ を用いて次の 2 階反対称テンソルで与えられる：

$$\Omega_{\mu\nu} = \mathcal{P}_\mu^\alpha \mathcal{P}_\nu^\beta [(fu_\beta)_{;\alpha} - (fu_\alpha)_{;\beta}] = (fu_\nu)_{;\mu} - (fu_\mu)_{;\nu}. \tag{3.36}$$

4 元速度と直交すべきであるから，第 2 式では射影演算子 $\mathcal{P}_\mu^\alpha$ 等を用いたが，オイラーの運動方程式 (3.31) を用いて最後の表式となる．2 階反対称テンソルの性質 ($\Omega_{\mu\nu} = -\Omega_{\nu\mu}$) と直交性 ($\Omega_{\mu\nu}u^\mu = 0$) から，この $\Omega_{\mu\nu}$ の独立な成分は 3 個である．正規直交基底で 3 次元ベクトル渦度 $\vec{\Omega}$ の成分を $[\Omega_{\hat{1}}, \Omega_{\hat{2}}, \Omega_{\hat{3}}] = [\Omega_{\hat{2}\hat{3}}, \Omega_{\hat{3}\hat{1}}, \Omega_{\hat{1}\hat{2}}]$ のように対応させると，その渦度のベクトル表示は以下で与えられる．

$$\vec{\Omega} = \vec{\nabla} \times (f\gamma\vec{v}) \tag{3.37}$$

渦なしの流れは**ポテンシャル流**と呼ばれ，一つのポテンシャルで決定される．その関数を Φ とすると，(3.36) から $fu_\alpha = \Phi_{,\alpha}$ で与えられることがわかる．これを粒子数保存の式 $[(nu^\beta)_{;\beta} = 0]$ に代入すると次の波動方程式を得る：

$$\left(\frac{mn}{f} g^{\alpha\beta} \Phi_{,\alpha}\right)_{;\beta} = 0. \tag{3.38}$$

これは，内部エネルギーが無視できる非相対論的極限 ($f \approx 1$) でポテンシャル流が満たす方程式 $[\vec{\nabla} \cdot (\rho_{\text{m}}\vec{\nabla}\Phi) = 0]$ を拡張したものである．さらに非相対論的で圧縮性が無視できる場合，$\nabla^2 \Phi = 0$ となり，その一般解は容易である．同様に相対論的な方程式 (3.38) もある特殊な状態方程式の場合に解が容易に得られる．興味ある例を 4.1 節で取り扱う．

3.3.4 保存量

運動方程式 (3.31) と，ある一般のキリングベクトル ξ^α との内積を考える．キリング方程式により，次の式を満たしていることが分かる：

$$(hu_\alpha \xi^\alpha)_{;\mu} u^\mu = 0. \tag{3.39}$$

この式は流れに沿ってスカラー量 $hu_\alpha \xi^\alpha$ が保存することを意味している.

定常 ($\partial_t = 0$) だと,時間方向のキリングベクトルを ξ^α とし,$-hu_\alpha \xi^\alpha = -hu_t$ が保存する(**ベルヌーイの保存量**)[*18]. 平坦な時空ではローレンツ因子を $\gamma = (1-v^2)^{-1/2}$ として $h\gamma = \gamma(\rho+p)/n$ となる.また,非相対論的極限では $-hu_t \approx m(v^2/2 + p/\rho_m + \Phi_N) + m$ となる(章末問題 3.2 参照).

次に軸対称性がある場合 ($\partial_\phi = 0$, 対応するキリングベクトルは η^α),$hu_\alpha \eta^\alpha = hu_\phi$ が保存量となるが,完全流体の場合の角運動量の保存である.ここで調べた 2 つの保存量($-hu_t$ と hu_ϕ)はダスト(粒子)近似の極限でのエネルギー $-mu_t$ と角運動量 mu_ϕ をそれぞれ拡張させたものである.

3.3.5 散逸効果

完全流体では流体要素間にエネルギー(熱)や粒子の移動はない.たとえば,流体要素に速度差があると微視的には混合が起こる.また,温度に空間的な勾配があると熱の流れを引き起こす.これらの効果は比較的永い時間尺度で起こる現象である.これらの粘性や熱伝導性の効果を考慮すると,エネルギー運動量テンソルは完全流体のもの (3.23) に,**散逸項** $T_{\rm vis}^{\alpha\beta}$ を加えると以下となる:

$$T^{\alpha\beta} = (\rho+p)u^\alpha u^\beta + pg^{\alpha\beta} + T_{\rm vis}^{\alpha\beta}. \tag{3.40}$$

ここで $T_{\rm vis}^{\alpha\beta}$ は**熱流ベクトル** q_α と,体積変化 ($\Theta = u^\alpha_{;\alpha}$) に伴う部分とトレースがない 2 階対称テンソルの**シア** $\sigma^{\alpha\beta}$ ($\sigma^\alpha_\alpha = 0, \sigma_{\alpha\beta} = \sigma_{\beta\alpha}$) からなり,一般形は以下となる:

$$T_{\rm vis}^{\alpha\beta} = q^\alpha u^\beta + q^\beta u^\alpha - 2\mu \sigma^{\alpha\beta} - \zeta\Theta\mathcal{P}^{\alpha\beta}, \tag{3.41}$$

$$\sigma_{\alpha\beta} = \frac{1}{2}(u_{\alpha;\beta} + u_{\beta;\alpha})\mathcal{P}^{\alpha\beta} - \frac{1}{3}\Theta\mathcal{P}^{\alpha\beta}. \tag{3.42}$$

ここで,μ は**シア粘性係数**,ζ は**体積粘性係数**である.シアテンソルなどは 4 次元の意味で流れに直交する方向なので,射影演算子 $\mathcal{P}_{\alpha\beta}$ がつけられている.

また,粒子の流れに関しては,**粒子拡散ベクトル** ν_α を用い,散逸の効果を考慮して以下となる.

$$N^\alpha = nu^\alpha + \nu^\alpha. \tag{3.43}$$

[*18] この保存量(エネルギー)が正になるようマイナス符号をつけた.

熱流ベクトル q_α や粒子拡散ベクトル ν_α も直交関係式を満たす．

$$0 = u^\alpha \sigma_{\alpha\beta} = u^\alpha q_\alpha = u^\alpha \nu_\alpha. \tag{3.44}$$

さて，エネルギー，運動量と粒子数の保存則は（3.40）と（3.43）を用いて以下の関係式を満たさなければならない．

$$T^{\alpha\beta}{}_{;\beta} = 0, \qquad N^\alpha{}_{;\alpha} = 0. \tag{3.45}$$

一方，エントロピーの流れ s^α は次に示すように熱流（第 2 項）と粒子の移動（第 3 項）を用いて以下の形となる．

$$s^\alpha = snu^\alpha + \frac{q^\alpha}{T} + \left(s - \frac{\rho + p}{nT}\right)\nu^\alpha. \tag{3.46}$$

（3.45）を用いて計算すると，

$$Ts^\alpha{}_{;\alpha} = \zeta \Theta^2 + 2\eta \sigma^{\alpha\beta}\sigma_{\alpha\beta} + \frac{1}{\kappa T}q^\alpha q_\alpha + \frac{1}{\lambda T}\nu^\alpha \nu_\alpha \tag{3.47}$$

となる．ここで，κ は**熱伝導係数**，λ は**粒子拡散係数**であり，エントロピーの増大則 $Ts^\alpha{}_{;\alpha} \geqq 0$ を満たすように，つまり右辺を非負になるように，熱流ベクトル q^α と粒子拡散ベクトル ν^α を以下の形とした．

$$q^\alpha = -\kappa T \left(\frac{T_{,\beta}}{T} + a_\beta\right)\mathcal{P}^{\alpha\beta}, \tag{3.48}$$

$$\nu^\alpha = \lambda T^2 \left(s - \frac{\rho + p}{nT}\right)_{,\beta}\mathcal{P}^{\alpha\beta}. \tag{3.49}$$

熱の流れは加速度 $a_\alpha = u_{\alpha;\beta}u^\beta$ の項を無視すれば，温度勾配により生み出されるという経験則と一致する．実際加速度の項は光速度を用いると a_β/c^2 であり，相対論的な効果であることがわかる．また，粒子の拡散は化学ポテンシャルと温度との比の勾配により生み出される．

粘性流体における散逸の効果として追加された量［(3.42)(3.48)(3.49)］は，熱平衡量の勾配の 1 次で表されたものであり，これを **1 次の散逸理論**と呼ぶ．多くの文献で示されているのは，以下の 2 つの理論のどちらかである．一つはエッカルト（Eckart）の理論で，粒子の拡散を考えず（$\nu^\alpha = 0,\ \lambda = 0$），熱流 q^α で散逸を記述する．もうひとつはランダウ–リフシッツ（Landau–Lifshitz）によるもので，その取り扱いでは $q^\alpha = 0$（$\kappa = 0$）とし，その代わりに粒子の拡散 ν^α［(3.46) の第 3 項］が散逸の本質と考える．

このように粘性流体の運動方程式は (3.40)(3.43)(3.45) を書き下すことにより閉じた形となる．しかしながら，これらの方程式系には動的な不安定性が内在することが示されている．線形摂動でモード解析を行うと，ある種の不安定なモードでの成長時間は極めて短いことがわかる．エッカルトの理論では $\sim \kappa T/(\rho c^2 + p)c^2 \sim 10^{-34}$ 秒，ランダウ–リフシッツの理論では $\kappa = 0$ であるが，ある種の組み合わせはやはり不安定なモードが存在する．この事情は 1 次の散逸理論の共通の性質である．非相対論的な流体の対応する式はナビエ–ストークス方程式となり，その数学的構造は波を伝える双極型（完全流体）から散逸効果が一瞬にして全空間に伝わる放物型（粘性流体）となるところにある．これらは散逸効果を相対論の基礎である因果律を破らずに取り入れることの困難さを示している[*19]．

以上のように，$T^{\alpha\beta}_{\rm vis}$ まで含めた粘性流体の運動方程式 $T^{\alpha\beta}_{;\beta} = 0$ を動的に解くのには困難が生じるが，永年的に働く散逸効果を取り入れる理論として用いることはできる．実際，降着円盤の構造を論じるのに，4.2 節で用いる．

3.4 相対論的衝撃波

この節では相対論的な衝撃波を取り扱う．非相対論的な衝撃波については本シリーズ第 1 巻に詳しい．

3.4.1 特性曲線

3.2 節で学んだ基礎方程式 (3.17) を空間の次元を 1 次元（x 方向のみ）とし，特殊相対論の範囲で考える．ベクトル $\bm{W} = [n\gamma, (\rho+p)\gamma^2 v, (\rho+pv^2)\gamma^2]^T$, $\bm{F} = [n\gamma v, (\rho+p)(\gamma v)^2 + p, (\rho+p)\gamma^2 v]^T$ とおくと[*20]，方程式は以下の保存形式をなす．

$$\bm{W}_{,t} + \bm{F}_{,x} = 0. \tag{3.50}$$

[*19] 相対論での散逸効果を取り扱いに内在する問題はヒスコックとリンドブロム（Hiscock, Lindblom (1985)）を元に最近の文献が調べられよう．また，ひとつの解決可能性として 2 次の散逸理論も脈々と研究されている．こちらもやや古い文献［イスラエルとスティワート（Israel, Stewart (1979)）やミュラー（Muller (1967)）］を上げておくが，これを元に最近の文献が調べられよう．たとえば，天体物理データシステム ADS（https://ui.adsabs.harvard.edu/）に，ここに挙げた人名と年代を入力すると，元の文献とそれを引用した論文が列挙できる．

[*20] 記号 T は転置を取ることを表す．

どのような種類の擾乱（波）がどのような速度で伝搬するかを調べるのに，変数 $\bm{w} = [n, v, p]^T$ を採用すると，それらの時間微分と空間微分の間には (3.50) から以下の関係式が成り立つ：

$$\bm{w}_{,t} + A\bm{w}_{,x} = 0, \quad A_{i,j} = (\partial W_i/\partial w_k)^{-1}(\partial F_k/\partial w_j). \tag{3.51}$$

この 3×3 の行列 A の固有値と対応する固有ベクトルを λ_k, $\bm{w}_k$（記号の都合上 $k = 0, +, -$）とする．また A を対角化する行列を B とおく $[(B^{-1}AB)_{kj} = \lambda_k \delta_{kj}]$．

特性曲線を求めるのに，ある 1 変数 $\chi(t, x)$ の形でベクトル $\bm{w}(\chi)$ が依存すると仮定する．(3.51) は $0 = B^{-1}AB d\bm{w}/d\chi$ の形となり，行列 $\mathcal{A}$ は対角行列でその成分は $\chi_{,t} + \lambda_k \chi_{,x}$ である．その特性曲線は $dx/dt = \lambda_k$ を満たす．すなわち $\bm{w}(\chi) = \bm{w}(x - \lambda_k t)$ である．実際の計算はやや面倒であるが結果は以下となる．結果は本シリーズ第 1 巻の非相対論的な場合と見比べると，その拡張であることが理解されよう．

$$\lambda_0 = v, \quad d\bm{w}_0/d\chi = (1, 0, 0)^T, \tag{3.52}$$
$$\lambda_+ = (v + c_\mathrm{s})/(1 + vc_\mathrm{s}), \quad d\bm{w}_+/d\chi = (+n\gamma^2/c_\mathrm{s}, 1, +nhc_\mathrm{s}\gamma^2)^T, \tag{3.53}$$
$$\lambda_- = (v - c_\mathrm{s})/(1 - vc_\mathrm{s}), \quad d\bm{w}_-/d\chi = (-n\gamma^2/c_\mathrm{s}, 1, -nhc_\mathrm{s}\gamma^2)^T. \tag{3.54}$$

ここで c_s は音速で，流体の静止系で定義される値である．流体の速度 v と相対論的な速度合成則を用いたものが $\lambda_\pm$ となっており，それぞれ実験室系で $\pm x$ 方向への音波の伝搬速度を表している．

3 種類の波が存在することをみたが，それぞれ，どのような物理量の変動を伝えるかを調べよう．ある固有ベクトル $\bm{w}_k$ に対して $d\bm{w}_k/d\chi = [K_n, K_v, K_p]^T$ とすると，特性曲線に沿って $dn/K_n = dv/K_v = dp/K_p$ の関係がある．

最初，$\bm{w}_0$ の波の伝搬を考えよう．$dv = 0, dp = 0$ となるので，圧力と速度は保たれ，数密度の変化が伝わることを意味する．また，その特性曲線は $dx/dt = v$ を積分して $x = vt$ となる．

次に，$\bm{w}_\pm$ に関して，$c_\mathrm{s}dn = dp/(hc_\mathrm{s})$ と $\pm c_\mathrm{s}dn/n = \gamma^2 dv$ が成り立つ．前者は少し変形して $ds = 0$，すなわちエントロピーが保存する．後者の保存量はリーマン不変量 $\mathcal{R}^\pm$ と呼ばれ，以下の積分で与えられる．

$$\mathcal{R}^{\pm} \equiv \int \gamma^2 dv \pm \int \frac{c_s}{n} dn = \ln\left(\frac{1+v}{1-v}\right)^{1/2} \pm \int \frac{c_s}{n} dn. \tag{3.55}$$

混乱を生じるかもしれない慣用的な使用法に従ったが，特性曲線 $dx/dt = \lambda_- = (v-c_s)/(1-c_s v)$ に沿って保存するのが $\mathcal{R}^+$ である．$\mathcal{R}^-$ が一定なのは $dx/dt = \lambda_+$ に沿ってである．これらの保存量は**リーマン不変量**と呼ばれる．これらの結果は当然予期されるように $|v|, c_s \ll 1$ の極限では非相対論のものに帰着する．非相対論的な扱いを理解していれば，ここで導出した相対論的拡張は納得できよう．最後に，リーマン不変量 $\mathcal{R}^{\pm}$ はローレンツ不変な値でないことを注意しておく．たとえば，速度が $v \to (v+\beta)/(1+v\beta)$ と変化すると，値は $\ln((1+\beta)/(1-\beta))/2$ だけずれる．

例題 3.3 ポリトロープの場合にリーマン不変量を求めよう．

解答 状態方程式より c_s は n の関数で表されるので，積分を実行することにより求まる．比較的見やすい以下の形に導出するには，微分の関係式 $dn/n = 2(\Gamma-1)^{-1}c_s^{-3}(\Gamma p/mn)dc_s$ を導き，その後 $(X = \Gamma p/mn)$ を c_s で表すと積分が容易である．

$$\mathcal{R}^{\pm} = \frac{1}{2}\ln\left(\frac{1+v}{1-v}\right) \pm \frac{1}{(\Gamma-1)^{1/2}}\ln\left(\frac{(\Gamma-1)^{1/2}+c_s}{(\Gamma-1)^{1/2}-c_s}\right) \tag{3.56}$$

$$\longrightarrow v \pm \frac{2c_s}{\Gamma-1} \pm \left[\frac{1}{(\Gamma-1)^{1/2}}\right] \tag{3.57}$$

最後の式は非相対論的表式を得るのに $c_s/(\Gamma-1)^{1/2} \ll 1 (= c)$ として展開をした[*21]．■

3.4.2 相対論的衝撃波条件

衝撃波が速度 v_s である方向に伝搬するとする．その空間方向の単位ベクトルを $\vec{n}$ とすると，衝撃波の法線方向の 4 元ベクトル $\boldsymbol{l}$ の成分は $l^\mu = (v_s, \vec{n})$ とおける．この面を境に，エネルギーと運動量のフラックスは連続であるが，ある種の物理量（圧力や質量密度など）が不連続となる．完全流体のエネルギー運動量テンソルを $T^{\mu\nu}$ とし，衝撃波を超えての連続量は

$$(\rho_a + p_a)(\boldsymbol{l}\cdot\boldsymbol{u}_a)u_a^\mu + p_a l^\mu = (\rho_b + p_b)(\boldsymbol{l}\cdot\boldsymbol{u}_b)u_b^\mu + p_b l^\mu. \tag{3.58}$$

[*21] 本シリーズ第 1 巻では第三項の定数 [ ] を省略したものが示されている．

ここで，衝撃波の上流と下流の量に添え字（b, a）をつけた[*22]．この式とベクトル l, u_a, u_b との内積をとり，$u_a \cdot u_b \neq 0$ に注意して法線方向の4元速度を前後の熱力学的な量で表せる：

$$\frac{(l \cdot u_a)^2}{(l \cdot l)} = \frac{(p_a - p_b)(\rho_b + p_a)}{(\rho_a + p_a)(\rho_a - \rho_b - p_a + p_b)},$$
$$\frac{(l \cdot u_b)^2}{(l \cdot l)} = \frac{(p_a - p_b)(\rho_a + p_b)}{(\rho_b + p_b)(\rho_a - \rho_b - p_a + p_b)}. \quad (3.59)$$

例題 3.4 衝撃波の静止系で測った，上流と下流の3次元速度 (v_a, v_b) を求めよう．

解答 $v_s = 0$ より，(3.59) の左辺は $(l \cdot u_x)^2/(l \cdot l) = (v_x \gamma_x)^2 = v_x^2/(1 - v_x^2)$ (x = a, b) となる．このことより結果は

$$v_a^2 = \frac{(p_a - p_b)(\rho_b + p_a)}{(\rho_a - \rho_b)(\rho_a + p_b)}, \quad v_b^2 = \frac{(p_a - p_b)(\rho_a + p_b)}{(\rho_a - \rho_b)(\rho_b + p_a)} \quad (3.60)$$

と表される．また，条件 $(p_a - p_b)/(\rho_a - \rho_b) > 0$ を得る．この関係式から衝撃波面を通過後，減速（$|v_a| < |v_b|$）され，圧力とエネルギー密度が増加する（$p_a > p_b, \rho_a > \rho_b$）．また，$v_b v_a = (p_a - p_b)/(\rho_a - \rho_b) > 0$ であることがわかる．さらに，$v_a, v_b > 0$ として相対論的な速度の合成則を用いて速度差 $v_{\rm rel}$ は

$$v_{\rm rel} = \frac{v_b - v_a}{1 - v_b v_a} = \left[\frac{(p_a - p_b)(\rho_a - \rho_b)}{(\rho_b + p_a)(\rho_a + p_b)}\right]^{1/2} \quad (3.61)$$

となる． ∎

次に，衝撃波面を通じて粒子数フラックスの連続性から，

$$n_a (l \cdot u_a) = n_b (l \cdot u_b) = J \quad (3.62)$$

と書ける．この量（粒子流束）を J とおく．衝撃波の静止系で (3.58) と (3.62) の満たすべき関係式は次の形にまとめられる：

$$[[J]] = 0, \quad J^2 = -\frac{[[p]]}{[[h/n]]}, \quad [[h^2]] = \left(\frac{h_a}{n_a} + \frac{h_b}{n_b}\right)[[p]]. \quad (3.63)$$

ここで，記号 $[[Q]] = Q_a - Q_b$ は衝撃波面の前後の物理量 Q の差を意味する．非相対論的な極限では $h/m \approx 1 + \epsilon + p/\rho_m$ であることを用いると，最後の式は

[*22] before と after の意味．

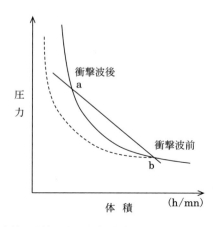

図 3.3 実線の曲線は衝撃波前の状態 b から許される衝撃波後の状態 a をつないだもの．ab 間の傾きが J^2 を与える．破線はエントロピーが一定とした断熱曲線．$s_a > s_b$ の条件から，$p_a > p_b$ の状態が実現する．

$h_a^2 - h_b^2 \approx 2m(h_a - h_b)$ より $[[h]] = (n_a^{-1} + n_b^{-1})[[p]]/2$ となり，**ランキン–ユゴニオの関係式**（第 1 巻 8.2.2 節参照）になることが確かめられる．

ここまでの議論は状態方程式によらない議論であった．衝撃波後の状態を決めるのに，粒子流束 J が関係する．そのことを図 3.3（p と h/mn の関係）を用いて説明する．横軸は非相対論的極限では粒子当たりの体積（$h/mn \approx V/N$）となり，pV 図に相当する．「前」の状態を与えられば，(3.63) の第 3 式より可能な「後」の状態が得られる．この曲線は **Taub 断熱曲線**（Taub adiabat）と呼ばれる[*23]．(3.63) の第 2 式より $-J^2$ は 2 つの状態の傾きを表し，粒子流束 J が大きいほど圧力比が大きくなることが分かる．また，衝撃波断熱曲線が等エントロピー曲線より上である場合が実現する．

非相対論的な場合にも同様に存在するが，(3.63) は別の種類の不連続面も許す．それは速度や圧力に差がなく，数密度だけが不連続な面である．異なる密度のものが接触して置かれた状態であり，**接触不連続面**（contact discontinuity）と呼ばれる：

[*23] A.H. Taub (1948).

$$[[n]] \neq 0, \quad [[p]] = [[h]] = [[v]] = 0. \tag{3.64}$$

例題 3.5 衝撃波が静止した流体中を進む際に生じる圧力変化等をポリトロープの状態方程式の場合に具体的に解こう.

解答 非相対論的な場合のように簡単な解析的表式は得られない. 衝撃波の進行方向を x にとり, $l^\mu = (v_s, 1, 0, 0)$, $u_a^\mu = (\gamma_a, \gamma_a v_a, 0, 0)$, $u_b^\mu = (1, 0, 0, 0)$ とおき, (3.58) (3.62) を以下の (3.66) (3.68) のようにまとめるが, その際, 次のような比の形の表式を用いるのが便利である:

$$r = \frac{n_a}{n_b}, \quad q = \frac{p_a}{p_b}, \quad \xi = \frac{v_a}{v_s}, \quad \mu = \frac{p_b}{mn_b}. \tag{3.65}$$

ここで, r と q は衝撃波の前後での数密度と圧力の増加比を表す. μ は衝撃波前の状態を表すもので, 音速もこれで表される. ξ は衝撃波後の速度 v_a と衝撃波の速度 v_s との比である*24.

計算の手順は ξ と r を消去して, 衝撃波後の速度 v_a に関するローレンツ因子 γ_a の満たす式

$$A\gamma_a^{-2} + B\gamma_a^{-1} + C = 0 \tag{3.66}$$

を解く. ここで 2 次方程式の係数は,

$$A = [1 + q(\Gamma - 1)^{-1}]\{1 + \mu[q + (\Gamma - 1)^{-1}]\}, \quad B = q - 1,$$
$$C = -q\Gamma(\Gamma - 1)^{-1}[1 + \mu\Gamma(\Gamma - 1)^{-1}] \tag{3.67}$$

であり, 通常 $A > 0$, $B > 0$, $C < 0$ なので, $0 < \gamma_a^{-1} < 1$ の範囲に唯一の解をもつことがわかる. 衝撃波前の状態を表す μ と圧力の増加比 q [(3.63) の J の代わりに指定したもの] を与えると $\gamma_a (v_a)$ が求まる. 求まった γ_a から衝撃波の速度に関する量 ξ と数密度の増加比 r は以下で計算される:

$$\xi = \frac{1 - \gamma_a^{-2}}{q - 1}[q + \mu^{-1} + (\Gamma - 1)^{-1}], \quad r = \frac{1}{\gamma_a(1 - \xi)}. \tag{3.68}$$

いくつかの μ を与えて数値的に解いた結果を図 3.4 に示す. ∎

---

*24 例題 3.4 の衝撃波の静止系で求めたものを v_b^* (3.60), v_{rel}^* (3.61) と表すと, この例題の状況の速度 v_a と v_s は $v_a = -v_{rel}^*$ と $v_s = -v_b^*$ に対応し, それぞれ衝撃波前後の p, ρ (または n) で表せる.

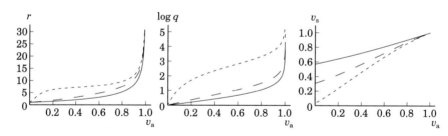

図 3.4 数値計算例：左図 (I)：$\Gamma = 4/3$ のポリトロープの場合の数密度比 r（縦軸）と衝撃波後の速度 v_a（横軸）の関係．中図 (II)：圧力比 $\log q$（縦軸）と v_a（横軸）の関係．右図 (III)：衝撃波の速度 v_s（縦軸）と v_a（横軸）．3 つの曲線は $\mu = 10^{-3}$（点線）10^{-1}（破線）10^1（実線）に対応する．

特に非相対論的な場合は $\mu \sim 0$ の場合に対応し，2 次方程式の解が $\gamma_\mathrm{a} \sim 1$ 付近に求まり，その速度は前面の音速との比 $(v_\mathrm{a}/c_\mathrm{s})^2 = v_\mathrm{a}^2/(\Gamma\mu)$ の形で依存することが分かる．それを用いて密度比は以下の非相対論的な表式 r_NR を得る：

$$r \longrightarrow r_\mathrm{NR} = \frac{(\Gamma-1) + (\Gamma+1)q}{(\Gamma+1) + (\Gamma-1)q}. \tag{3.69}$$

強い衝撃波の極限（$q \to \infty$）では密度比は最大で $(\Gamma+1)/(\Gamma-1)$ となる（$\Gamma = 4/3$ の場合にその比は 7）．一方，図から明らかなように，相対論的な場合はその制限がなくなる．圧力比も数桁以上の増加がある．

3.4.3 リーマン衝撃波管問題

高圧（高密度）と低圧（低密度）の静止した流体が仕切られており，時刻 $t = 0$ に仕切りが取られた後の時間発展を記述する問題を**リーマン衝撃波管問題**という．非相対論的な場合でもその解が数値流体のコード開発のチェックに利用されるように，相対論的でも重要な例である[*25]．しかし，解析的な解を示すことは不可能なので，ここではその典型的な解を定性的に説明するのに留めることにしよう．

初期に左側に高圧（高密度）がある場合の様子を図 3.5 に示す．一番下の図に波の伝播を表した時空図が示してあり，5 つの領域に分けられる．

[*25] 特殊相対論的流体のコードのレヴューとリーマン問題は以下に書かれている．
http://relativity.livingreviews.org/lrr-2003-7

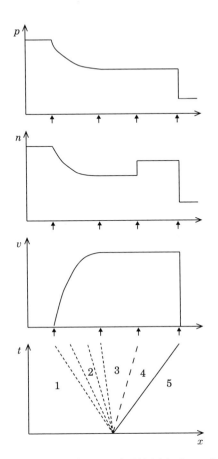

図 3.5 リーマン衝撃波管問題の典型的な振る舞い．初期に真ん中を境に圧力差がある状態から出発した時間発展を示す．上から，ある時刻での圧力，粒子数密度，そして速度分布を表しており，一番下の図が波の伝播を示した時空図になっている．全体は5つの領域に分けられる．

領域 1 変動が及んでいない高圧力，高密度の状態．
領域 2 希薄波（膨張波）が通過する部分．
時空図では左方向に進む希薄波を点線で示している．この領域では徐々に加速され，膨張により圧力と密度が減少する．
領域 3 破線で示す接触不連続面の左右では圧力と速度は連続であるが，密度は

不連続である.

領域 4　衝撃波通過後の状態

右側に進む波は追い越しが起き，衝撃波を形成する．衝撃波が通過した後は右側の領域 5 より，高圧力，高密度の状態が実現．

領域 5　変動が及んでいない低圧力で低密度の状態

3.5　ブラックホール時空での流体の方程式系

前節まで相対論的な流体方程式を 4 次元共変な形で述べた．ブラックホール周りで流体の運動を考えるために，重力効果を取り入れた一般相対論的なものが必要になるが，それは (3.17) において計量 ($g_{\alpha\beta}$) や共変微分 ($;$) をブラックホール時空のものにするだけである．原理的にはこれで作業は終わりであるが，一般相対論的な重力の効果を理解しやすい形に，方程式を具体的に書き下す．

3.5.1　基礎方程式の分解

より一般的な時空に対して適応できる取り扱いで出発する．2.3 節ですでに出てきたものであるが，計量は時空の 3+1 分解された形式を以下にまとめておく．

$$ds^2 = -\alpha^2 dt^2 + \gamma_{ij}(dx^i + \beta^i dt)(dx^j + \beta^j dt). \tag{3.70}$$

また，ある時刻一定の空間に対して法線ベクトル $\boldsymbol{N}$ とその方向への微分 $N^\mu \partial_\mu$ は以下で与えられる：

$$N^\mu = (\alpha^{-1}, -\alpha^{-1}\vec{\beta}) \Longrightarrow (\alpha^{-1}, \alpha^{-1}\omega \vec{e}^\phi), \quad N_\mu = (-\alpha, 0, 0, 0), \tag{3.71}$$

$$N^\mu \frac{\partial}{\partial x^\mu} = \frac{1}{\alpha}\left(\frac{\partial}{\partial t} - \beta^k \frac{\partial}{\partial x^k}\right) \Longrightarrow \frac{1}{\alpha}\left(\frac{\partial}{\partial t} + \omega \frac{\partial}{\partial \phi}\right). \tag{3.72}$$

一般形と矢印（$\Longrightarrow$）以降にボイヤー–リンキスト座標でのものを併記した．

このベクトル $\boldsymbol{N}$ の共変微分 $N_{\mu;\nu}$ を考え，ベクトル N^ν との内積からつくられる加速度 $a_\mu \equiv N_{\mu;\nu}N^\nu$ を具体的に計算する：

$$a_\mu = (\beta^i(\ln\alpha)_{,i}, (\ln\alpha)_{,i}), \quad a^\mu = (0, \gamma^{ik}(\ln\alpha)_{,k}). \tag{3.73}$$

次に，射影テンソル $\mathcal{P}^{\alpha\beta} = g^{\alpha\beta} + N^\alpha N^\beta$ を用いて，以下の量を定義する：

$$K_{ij} \equiv -\mathcal{P}_i^\mu \mathcal{P}_j^\nu N_{\mu;\nu} = -N_{i;j} = \frac{1}{2\alpha}\left(-\gamma_{ij,t} + \nabla_i \beta_j + \nabla_j \beta_i\right). \tag{3.74}$$

3.5 ブラックホール時空での流体の方程式系

第2，第3番目の式変形では $\mathcal{P}^{\alpha\beta}$ や計量を用いて具体的に計算した．また，記号 ∇_i は 3 次元の計量 γ_{ij} を用いてつくられる i 方向の共変微分を意味する．この K_{ij} は**外部曲率**（extrinsic curvature）と呼ばれ，3 次元の面が 4 次元空間でどのように曲がっているかの指標を与える．外部曲率の理解を深めるための章末問題 3.4–3.5 を参照．以降，本書では定常時空（$\gamma_{ij,t}=0$）に限り[*26]，少し変形すると，

$$K_{ij} = \frac{1}{2\alpha}\left(\gamma_{kj}\beta^k_{,i} + \gamma_{ik}\beta^k_{,j} + \gamma_{ij,k}\beta^k\right). \tag{3.75}$$

さて，2 階の対称テンソルである，エネルギー運動量テンソル $T_{\mu\nu}$ を以下のように分解する：

$$T_{\mu\nu} = \rho_{\rm H} N_\mu N_\nu + J_\mu N_\nu + N_\mu J_\nu + S_{\mu\nu}. \tag{3.76}$$

ここで導入した新たな量 $\rho_{\rm H}, J_\mu, S_{\mu\nu}$ は，ベクトル N^ν と射影テンソル $\mathcal{P}^{\alpha\beta}$ を用いて，以下で定義する[*27]．

$$\rho_{\rm H} \equiv T^{\alpha\beta}N_\alpha N_\beta, \quad J_\mu \equiv -T^{\alpha\beta}N_\alpha \mathcal{P}_{\mu\beta}, \quad S_{\mu\nu} = T^{\alpha\beta}\mathcal{P}_{\mu\alpha}\mathcal{P}_{\nu\beta}. \tag{3.77}$$

自由度が増えたように思うかもしれないが，J_μ（または J^μ）の独立なものは 3 つである．実際，具体的に計算すると，

$$J^0 = 0, \quad J^i = \alpha(T^{0i} + T^{00}\beta^i), \tag{3.78}$$

$$J_0 = \beta_k J^k = \beta^k J_k, \quad J_i = \gamma_{ik}J^k = \alpha(\gamma_{ik}T^{0k} + T^{00}\beta_i) \tag{3.79}$$

である．また，$S^{00} = S^{0i} = S^{i0} = 0$ が成り立ち，$S^{\mu\nu}$ で独立なものは 6 成分である：

$$S^{ij} = T^{ij} + T^{0j}\beta^i + T^{i0}\beta^j + T^{00}\beta^i\beta^j. \tag{3.80}$$

これらの量は，4 元ベクトル $\boldsymbol{N}$ である観測者（ZAMO）が測るエネルギー密度 $\rho_{\rm H}$，i 方向へのエネルギーフラックス（運動量密度の i 成分）J^i，応力テンソル S^{ij} を意味する．

次に，エネルギー運動量テンソル $T^{\mu\nu}$ の発散 $T^{\mu\nu}_{\ ;\nu}$ を計算する．この 4 つの式もベクトルと射影テンソル演算子により分解する：

[*26] 重力波の生成や伝搬など時空の動的変化を調べるのに γ_{ij} と K_{jk} の時間変化を追う．

[*27] エネルギー密度 ρ と区別し，時空構造を決めるアインシュタイン方程式を解く際に現れる，ハミルトニアン拘束条件に由来して記号 $\rho_{\rm H}$ が使われる．

$$F \equiv -T^{\mu\nu}{}_{;\nu} N_\mu, \quad F_i \equiv T^{\mu\nu}{}_{;\nu} \mathcal{P}_{i\mu}. \tag{3.81}$$

エネルギー運動量テンソル $T^{\mu\nu}$ が関係する物質やその他の場の量の和となっている場合 ($T^{\mu\nu} = \sum T_s{}^{\mu\nu}$) は，全エネルギーと運動量テンソルは保存するので $F = F_i = 0$ となる．ここで $T_s{}^{\mu\nu}$ はある成分の流体，電磁場，輻射場などに関する量を表し，その部分系だけの発散は $T_s{}^{\mu\nu}{}_{;\nu} \neq 0$ となり，他の成分や他の場とのエネルギーや運動量のやり取りを表す．このような応用も念頭に，しばらくの間，$T^{\mu\nu}$ を定めず，一般的に F や F_i として取り扱う．

さて，エネルギーの式は，

$$F = -(T^{\mu\nu} N_\mu)_{;\nu} + T^{\mu\nu} N_{\mu;\nu} = -(\sqrt{-g}\, T^{\mu\nu} N_\mu)_{,\nu}/\sqrt{-g} + T^{\mu\nu} N_{\mu;\nu}$$

と変形後，これに（3.74）（3.76）を代入する．また，4 次元計量 $g_{\mu\nu}$ の行列式 g と 3 次元 γ_{ij} の行列式 γ の間の恒等式 $\sqrt{-g} = \alpha\sqrt{\gamma}$ 等を用いて，3 + 1 次元の偏微分方程式の馴染みのある形にまとめる：

$$F = \frac{1}{\alpha\sqrt{\gamma}}(\sqrt{\gamma}\rho_{\rm H})_{,t} + \frac{1}{\alpha\sqrt{\gamma}}(\sqrt{\gamma}(\alpha J^k - \rho_{\rm H}\beta^k))_{,k} + (\ln\alpha)_{,i}J^i - K_{ij}S^{ij}. \tag{3.82}$$

ここで $N_{\mu;\nu}N^\nu = a_\mu$ （3.73）や $N_{i;j} = -K_{ij}$ （3.74）を用いた．重力加速度は $g_i = -(\ln\alpha)_{,i}$ で定義され，第 3 項 $-g_i J^i$ は重力による仕事を表す．第 4 項は非相対論的なニュートン重力での対応物はなく，ブラックホールの回転により生じる時空のよじれの効果（重力シア）と見なせる．

次に，運動量の式の方は，$F_i = T^\nu{}_{i;\nu} = (\sqrt{-g}T_i^\nu)_{,\nu}/\sqrt{-g} - g_{\alpha\beta,i}T^{\alpha\beta}/2$ と変形し，具体的に計算すると以下を得る[*28]：

$$F_i = \frac{1}{\alpha\sqrt{\gamma}}(\sqrt{\gamma}J_i)_{,t} + \frac{1}{\alpha\sqrt{\gamma}}(\sqrt{\gamma}(\alpha S_i^k - J_i\beta^k))_{,k}$$
$$+ \rho_{\rm H}(\ln\alpha)_{,i} - \frac{1}{\alpha}\beta^k_{,i}J_k - \frac{1}{2}\gamma_{kl,i}S^{kl}. \tag{3.83}$$

または，3 次元の共変微分 ∇_i を用いて，

$$F_i = \frac{1}{\alpha\sqrt{\gamma}}(\sqrt{\gamma}J_i)_{,t} + \frac{1}{\alpha}\nabla_k(\alpha S_i^k - J_i\beta^k) + \rho_{\rm H}(\ln\alpha)_{,i} - \frac{1}{\alpha}J_k\nabla_i\beta^k. \tag{3.84}$$

[*28] 恒等式 $(\ln\gamma)_{,i} = \gamma^{kl}\gamma_{kl,i}$ を必要に応じて利用．

3.5.2 具体的表式

完全流体のエネルギー運動量テンソル $T^{\alpha\beta}$ (3.23) を用いて，(3.77) で定義された諸量を示した後，粒子数の保存の式とエネルギー運動量保存の式 $F = F_i = 0$ を具体的に書き下そう．いくつもの数学的に等価な式が得られるが，しばしば混乱する原因の一つとして変数の選択（記号の意味）がある．たとえば，速度はどの系で測った量であるかということである．以下の例題で 2 つの場合を考えよう．もちろん等価な方程式系なので，以下で示す変数 $(V^k,\ u^\mu,\ v^k)$ の対応関係を用いれば，他方の量は計算できる．

例題 3.6 無限遠の観測者が測る 3 次元の速度 V^k を用いる場合．

解答 時間 t と空間座標を x^k とすると，流体の 4 元速度は $u^\mu (= dx^\mu/d\tau)$ から，$V^k \equiv u^k/u^t$ となる．また規格化条件から，u^t は，

$$u^t = [\alpha^2 - \gamma_{ij}(V^i + \beta^i)(V^j + \beta^j)]^{-1/2} \tag{3.85}$$

と求まる．(3.77) の定義に従って

$$\rho_{\rm H} = (\alpha u^t)^2 (\rho + p) - p, \tag{3.86}$$

$$J^i = \alpha (u^t)^2 (\rho + p)(V^i + \beta^i) = \alpha^{-1}(\rho_{\rm H} + p)(V^i + \beta^i), \tag{3.87}$$

$$S^{ij} = (u^t)^2 (\rho + p)(V^i + \beta^i)(V^j + \beta^j) + p\gamma^{ij} = (\rho_{\rm H} + p)^{-1} J^i J^j + p\gamma^{ij}. \tag{3.88}$$

これらの量を用いて方程式を具体的に書き下す[*29]．

(1) 粒子数の保存の式 (3.19)：

$$\frac{\partial}{\partial t}(nu^t) + \frac{1}{\alpha\sqrt{\gamma}}\frac{\partial}{\partial x^k}(\alpha\sqrt{\gamma}\,nu^t V^k) = 0. \tag{3.89}$$

なお第 2 項は 3 次元曲線座標系の発散[*30]を用いれば $\alpha^{-1}\vec{\nabla}\cdot(\alpha n u^t \vec{V})$．

(2) エネルギーの保存則 (3.82) で $F = 0$ とする：

$$\frac{\partial}{\partial t}\rho_{\rm H} + \frac{1}{\sqrt{\gamma}}\frac{\partial}{\partial x^k}[\sqrt{\gamma}\{(\rho_{\rm H} + p)V^k + p\beta^k\}] = -\alpha_{,i}J^i + \alpha K_{ij}S^{ij}. \tag{3.90}$$

(3) 運動量保存の式 (3.83) で $F_i = 0$ とする：

[*29] 参考文献：中村卓史他 1998．

[*30] 公式は 2.1 節（45 ページコラム）にまとめてある．

$$\frac{\partial}{\partial t}J_i + \frac{1}{\sqrt{\gamma}}\frac{\partial}{\partial x^k}[\sqrt{\gamma}J_i V^k] = -(\alpha p)_{,i} - \rho_{\rm H}\alpha_{,i} + \beta^k_{,i}J_k + \frac{\alpha}{2(\rho_{\rm H}+p)}\gamma_{kl,i}J^k J^l. \tag{3.91}$$

∎

例題 3.7 ZAMO が測る 3 次元の速度 v^k を用いる場合.

解答 ここでは 2.3 節で学んだカー時空のボイヤー–リンキスト座標 ($\vec{\beta} = -\omega\vec{e}^{\phi}$) に特化する. ZAMO における流体の 3 次元的速度の正規直交の座標成分を $\vec{v} = (v_{\hat{r}}, v_{\hat{\theta}}, v_{\hat{\phi}})$, そのローレンツ因子を $\gamma_0 = (1 - \vec{v}\cdot\vec{v})^{-1/2}$ とおく[*31]. 4 元速度 $u^\mu = dx^\mu/d\tau$ と $\vec{v}$ との関係は,

$$(u^t, u^r, u^\theta, u^\phi) = (\gamma_0 \alpha^{-1}, \gamma_0 v_{\hat{r}} h_r^{-1}, \gamma_0 v_{\hat{\theta}} h_\theta^{-1}, \gamma_0(v_{\hat{\phi}} h_\phi^{-1} + \omega\alpha^{-1})) \tag{3.92}$$

である. ここで, $h_r^2 = \gamma_{rr}, h_\theta^2 = \gamma_{\theta\theta}, h_\phi^2 = \gamma_{\phi\phi}$ である (2.3.5 節を参照). これらの量で, (3.77) で定義された諸量を書き下す.

定義に従って $\rho_{\rm H}, J^i, S^{ij}$ を計算すれば良いが, それらは例題 3.6 に出てきたものと同じである. 正規直交成分で表示すると,

$$\rho_{\rm H} = (\rho+p)\gamma_0^2 - p = (\rho + pv^2)\gamma_0^2, \tag{3.93}$$
$$J^{\hat{i}} = (\rho+p)\gamma_0^2 v^{\hat{i}}, \tag{3.94}$$
$$S^{\hat{i}\hat{j}} = (\rho+p)\gamma_0^2 v^{\hat{i}} v^{\hat{j}} + p\gamma^{\hat{i}\hat{j}} \tag{3.95}$$

となる. これらの量を用いて具体的にカー時空の場合に方程式を書き下せる[*32]:
(1) 粒子数の保存の式 (3.19):

$$\frac{1}{\alpha}\left(\frac{\partial}{\partial t} + \omega\frac{\partial}{\partial \phi}\right)(n\gamma_0) + \frac{1}{\alpha}\nabla_i(\alpha n\gamma_0 v^i) = 0. \tag{3.96}$$

第 1 項の時間微分が単に $\partial/\partial t$ ではなく, $\alpha^{-1}(\partial/\partial t + \omega\partial/\partial\phi)$ となったのは, $\bm{N}$ 方向への微分で, ZAMO の固有時間当たりの変化を表している. また, 第 2 項は 3 次元曲線座標系での共変微分で表記したが, ベクトルの発散 $\nabla_i(\alpha n\gamma_0 v^i) = \vec{\nabla}\cdot(\alpha n\gamma_0 \vec{v})$ である (2.1 節のコラム参照).
(2) エネルギーの保存則 (3.82):

[*31] 3 次元計量 γ_{ij} の行列式 γ との混同を避けるため, ローレンツ因子を γ_0 とした.
[*32] 参考文献:ソーンら (Thorne et al. 1986).

$$\frac{1}{\alpha}\left(\frac{\partial}{\partial t}+\omega\frac{\partial}{\partial\phi}\right)\rho_{\rm H}+\frac{1}{\alpha^2}\nabla_i(\alpha^2 J^i)=K_{ij}S^{ij}. \tag{3.97}$$

左辺は粒子数の保存の式と同じような形となったが，第2項のフラックスでは因子が α^2 となっている．これは $\alpha^{-1}\nabla_i(\alpha J^i)+J^i\nabla_i\ln(\alpha)=\alpha^{-2}\nabla_i(\alpha^2 J^i)$ からきているが，エネルギー密度の式のため，重力赤方偏移による追加の α がかかるとも解釈できる[*33]．

(3) 運動量保存の式 (3.84)：

$$\frac{1}{\alpha}\left(\frac{\partial}{\partial t}+\omega\frac{\partial}{\partial\phi}\right)J_i+\frac{1}{\alpha}\nabla_k(\alpha S_i^k)=-\rho_{\rm H}(\ln(\alpha))_{,i}-\frac{1}{\alpha}J_\phi\omega_{,i}. \tag{3.98}$$

左辺の第2項は3次元の共変微分 ∇_k で表した．ここに導出した基本方程式 (3.96)–(3.98) を 3.2 節の最初に示した非相対論的なもの (3.13)–(3.15) と比較してみよう． ■

[*33] $\rho_{\rm H}$ の式 (3.93) と数密度の式 $n\gamma_0$ の γ_0 の指数の差も注意せよ．

Chapter 3 の章末問題

問題 3.1 完全縮退の状態方程式を導け.

問題 3.2 平坦な時空では運動方程式 (3.31) は $u^\mu = (\gamma, \gamma\vec{v})$, $\gamma = (1-v^2)^{-1/2}$ を用いて

$$n\gamma[(h\gamma\vec{v})_{,t} + (\vec{v}\cdot\vec{\nabla})h\gamma\vec{v}] = -\vec{\nabla}p \tag{3.99}$$

である. ベクトルの恒等式

$$(\vec{V}\cdot\vec{\nabla})\vec{V} = (\vec{\nabla}\times\vec{V})\times\vec{V} + \frac{1}{2}\vec{\nabla}V^2 \tag{3.100}$$

を用いて, 定常な流れのベルヌーイの保存量 $h\gamma$ となることを確かめよ.

問題 3.3 超相対論的な場合 ($p = \rho/3$) に衝撃波前後の速度 (3.60) の $v_\mathrm{a}, v_\mathrm{b}$ はどうなるか.

問題 3.4 3次元ユークリッド空間 (線素は $ds^2 = dr^2 + r^2 d\theta^2 + r^2\sin^2\theta d\phi^2$) における2次元球面 ($r$ が一定) を考える. これを動径方向 r と球面に $1+2$ 分解したものとみなすと, 球面の法線ベクトルは $(N^r, N^\theta, N^\phi) = (1, 0, 0)$ である. 3次元空間での共変微分により $N_{a;b}$ ($a, b = \theta, \phi$) を求め, その意味を確かめよ.

問題 3.5 ボイヤー–リンキスト座標に対して, 外部曲率 K_{jk} を求めよ.

ブラックホールまわりの流れ

　この章ではブラックホール近傍での流れと，その周りにできる円盤構造に及ぼす相対論的重力の効果を学ぶ．解析的に取り扱えるように比較的単純なモデルを取り上げる．各節の内容はほぼ独立しており，適宜取捨選択できる．基礎となる仕組みの理解や技法の取得に役立つ演習的要素が含まれているので，じっくりと読み進めてほしい．

4.1　定常球対称な降着

　ここではまず，ブラックホールの角運動量がゼロであると理想化し，シュバルツシルトブラックホールへの質量降着を考える[*1]．

4.1.1　定常球対称な降着流の基礎方程式と性質

　シュバルツシルト時空で球対称な質量降着を考える．保存量（積分量）を用いれば容易に結果に至るが，ここでは3章で考えた相対論的な流体方程式の保存量を求める具体例となるので初等的な説明をする．4元速度の動径 (r) 成分を $u = u^r$ とし，規格化の条件より

[*1] 天体への球対称な流れはボンヂ降着（Bondi accretion）と呼ばれる（第1巻参照）．ニュートン重力でのもの（Bondi 1952），それを相対論的な場合に拡張したもの（Michel 1972），その他，参考図書であげた文献にも解説がある．

$$-u_t = \left(1 - \frac{2M}{r}\right) u^t = \left(1 + u^2 - \frac{2M}{r}\right)^{1/2} \tag{4.1}$$

となる.また,動径方向の 3 次元的速度 $v\ (\equiv v^{\hat{r}})$ と u との関係は

$$v = u \left(1 + u^2 - \frac{2M}{r}\right)^{-1/2} \tag{4.2}$$

である(例 2.4(59 ページ),例題 3.7 参照).核子数の保存則,$(nu^\beta)_{;\beta} = 0$ は

$$(nur^2)' = 0, \quad nur^2 = -\dot{M}/(4\pi m). \tag{4.3}$$

ここで,r 方向の微分を $'$ で表した.2 番目の式はその前の式の積分形で,その積分定数を核子の質量 m,質量降着率 $\dot{M}$ を用いて表した[*2].また,3.2 節の運動方程式(3.30)の r 成分は

$$(\rho + p)\left(uu' + \frac{M}{r^2}\right) = -p'\left(1 + u^2 - \frac{2M}{r}\right) \tag{4.4}$$

と書ける.この式も熱力学の断熱の関係式 $dp = ndh$ を用いて容易に積分でき,無限遠での値 $(\rho_\infty, p_\infty, n_\infty)$ を用いて以下となる.

$$\left(\frac{\rho + p}{n}\right)^2 \left(1 + u^2 - \frac{2M}{r}\right) = \left(\frac{\rho_\infty + p_\infty}{n_\infty}\right)^2. \tag{4.5}$$

(4.1) より,この式は 3.3.4 節で示したベルヌーイの保存量,すなわち,$-hu_t = (\rho + p)u_t/n$ が一定,を表している.

音速 $c_s^2 = dp/d\rho = (dp/dn)(n/(\rho + p))$ を用いて,(4.3)(4.4) を具体的に計算すると以下にまとめられる[*3].

$$\frac{n'}{n} = \frac{N_1}{D}, \quad \frac{u'}{u} = \frac{N_2}{D}. \tag{4.6}$$

これらの式の分子と分母の関数は以下で与えられる.

$$N_1 = \frac{M}{r^2} - \frac{2u^2}{r},\ N_2 = \left(1 - \frac{2M}{r} + u^2\right)\frac{2c_s^2}{r} - \frac{M}{r^2},$$
$$D = u^2 - \left(1 - \frac{2M}{r} + u^2\right)c_s^2 = u_t^2(v^2 - c_s^2). \tag{4.7}$$

[*2] $u < 0$ より $\dot{M} > 0$ となるように定めた.

[*3] 非相対論的な場合の臨界点解析については,第 1 巻参照.

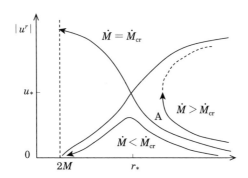

図 4.1 球対称な降着流の構造. 実線 A は臨界質量降着の場合の遷音速解. 無限遠での速度が遷移音速解のもの以下ならブラックホール地平面で $(u^r \to 0, n \to \infty)$ となる. この場合の質量降着率は (4.14) で求めたもの (これを $\dot{M}_{\rm cr}$ とする) より小さい場合である. また, 無限遠で速度が大きい場合には $r < r_*$ の解につながらない. 遷音速解以外はいずれも場合も実現しない.

無限遠方 $(r \to \infty)$ では亜音速流なので, 分母の関数 D は負となる.

$$D \to u^2 - c_{\rm s}^2 \approx v^2 - c_{\rm s}^2 < 0, \qquad (v^2 \approx 0,\ r \to \infty). \tag{4.8}$$

また, 音速は光速以下 $(c_{\rm s}^2 < 1)$ なので地平面 $(r \to 2M)$ 付近で, D は正となることが分かる.

$$D \to u^2(1 - c_{\rm s}^2) > 0, \quad (v^2 \approx 1,\ r \to 2M). \tag{4.9}$$

方程式 $D = 0$ となる点を**臨界点** (critical point) と呼び, $r = r_*$ とおく. (4.7) より, この点は**遷音速点** (transonic point) となっている (図 4.1). この点で分子の関数も $N_{1,2} = 0$ とならなければならないので, 臨界点で以下の関係式を満たす.

$$u_*^2 = \frac{M}{2r_*} = \frac{c_{\rm s*}^2}{1 + 3c_{\rm s*}^2}. \tag{4.10}$$

ここで, 臨界点での値に $*$ をつけて表した.

次に, 圧力と密度の間に 3.1 節で示したポリトロープの関係式 $p = Kn^\Gamma (0 < \Gamma < 5/3)$ を仮定しよう[*4]. ベルヌーイの保存量より, 臨界点と無限遠での値には次の関係がある.

[*4] 以下の議論で $\Gamma = 5/3$ は数学的に特異となるので除外する. $\Gamma = 5/3$ の場合は章末問題 4.1.

$$(1 + 3c_{\text{s}*}^2)\left(1 - \frac{c_{\text{s}*}^2}{\Gamma - 1}\right)^2 = \left(1 - \frac{c_{\text{s}\infty}^2}{\Gamma - 1}\right)^2. \tag{4.11}$$

無限遠で音速は光速よりはるかに遅い（$c_{\text{s}\infty} \ll 1$）ので，上の式を近似的に解く．

$$c_{\text{s}*}^2 \approx \frac{2}{5 - 3\Gamma} c_{\text{s}\infty}^2. \tag{4.12}$$

この結果，臨界点での音速に対しても，依然 $c_{\text{s}*}^2 \ll 1$ の関係が成り立つ．また，臨界半径は（4.10）より，

$$r_* = \frac{5 - 3\Gamma}{4} \frac{M}{c_{\text{s}\infty}^2} \tag{4.13}$$

と求まり，相対論が必要となる領域より外側である．

さらに，質量降着率 $\dot{M}$ を求めるが，臨界点 r_* で評価するのが簡単で，数密度の関係，$n_*/n_\infty = (c_{s*}/c_{s\infty})^{2/(\Gamma-1)}$ を用いて以下となる．

$$\dot{M} = 4\pi m n_* |u_*| r_*^2 = 4\pi \lambda m M^2 n_\infty c_{\text{s}\infty}^{-3}. \tag{4.14}$$

ここで，λ は以下の表式で与えられる，大きさが 1 程度の数値である．

$$\lambda = \left(\frac{1}{2}\right)^{(\Gamma+1)/[2(\Gamma-1)]} \left(\frac{5 - 3\Gamma}{4}\right)^{-(5-3\Gamma)/[2(\Gamma-1)]}. \tag{4.15}$$

光速 c を用いてブラックホールの幾何学的断面積 $\sigma = \pi(2GM/c^2)^2$ を表せば，$\dot{M} \sim \sigma m n_\infty c_{s\infty} \times (c/c_{s\infty})^4$ 程度となる．最後の係数 $(c/c_{s\infty})^4$ の分だけ，重力によりかき集められた影響と解釈できる．

また，その質量降着率の典型的な値として，

$$\dot{M} \sim 10^{-15} \left(\frac{M}{M_\odot}\right)^2 \left(\frac{c_{s\infty}}{10 \text{ km s}^{-1}}\right)^{-3} \left(\frac{\rho_\infty}{10^{-24} \text{ g cm}^{-3}}\right) M_\odot \text{yr}^{-1} \tag{4.16}$$

となる．この値はエディントン光度で輝くのに必要な質量降着率 $\dot{M}_{\text{E}} = L_{\text{E}}/\eta c^2 \sim 10^{-8}(\eta/0.1)^{-1}(M/M_\odot)M_\odot \text{yr}^{-1}$ に比べるとはるかに小さい．また，この球対称な流れ——**ボンヂ降着**（Bondi accretion）——では，重力エネルギーを解放することなく，そのままブラックホールに落ち込むので効率的でない[*5]．明るく輝くためには，次節で考える円盤が必要となる．

この節の最後にブラックホール付近（$2M \sim r \ll r_*$）での流れの振る舞いをまと

[*5] （磁気）乱流などによってエネルギー解放が可能になるという考え方もある．

めておく．(4.5) から $u^2 \approx 2M/r \approx 1$ で，(4.2) から速度 v は常に光速 ($v^2 \to 1$) に近づくことがわかる．また，密度と温度はそれぞれ半径 r のべき関数で増加する．

$$\frac{n}{n_\infty} \approx \frac{\lambda}{\sqrt{2}} \left(\frac{M}{rc_{s\infty}^2}\right)^{3/2}, \quad \frac{T}{T_\infty} = \left(\frac{n}{n_\infty}\right)^{\Gamma-1} \approx \left(\frac{\lambda}{\sqrt{2}}\right)^{\Gamma-1} \left(\frac{M}{rc_{s\infty}^2}\right)^{3(\Gamma-1)/2}. \tag{4.17}$$

4.1.2　ブラックホールへのポテンシャル流

この節ではブラックホールへの降着流を記述する解析的モデルを紹介しよう[*6]．状態方程式が $p = \rho\, (\propto n^2)$ で音速は常に光速で，至るところで亜音速の流れとなる（章末問題 4.2 参照）．この状態方程式は非常に**硬い**（stiff）ものに対応しており，ガス降着流を記述するのに非現実的であるが，数値計算コードを確かめるのに役立てられた．この仮定のもとで，3.3.3 節のポテンシャル流の流れ関数 Φ に関する方程式（3.38）は 2.7.2 節で考えたスカラー場の波動方程式となる：

$$0 = \Box\Phi = g^{\mu\nu}\Phi_{;\mu;\nu} = \frac{1}{\sqrt{-g}}(\sqrt{-g}g^{\mu\nu}\Phi_{,\mu})_{,\nu}. \tag{4.18}$$

計算を簡単にするため，シュバルツシルト時空の計量を用いて，具体的に書き下そう．$\alpha^2 = 1 - 2M/r$ と置き，方程式は以下となる[*7]．

$$-\alpha^{-2}\Phi_{,tt} + \frac{1}{r^2}[\alpha^2 r^2 \Phi_{,r}]_{,r} + \frac{1}{r^2}\left[\frac{1}{\sin\theta}(\sin\theta\Phi_\theta)_{,\theta} + \frac{1}{\sin^2\theta}\Phi_{,\phi\phi}\right] = 0. \tag{4.19}$$

ポテンシャル Φ の微分が流束（$nu_\mu = \Phi_{,\mu}$）の関係で，それが時間によらないと仮定すると，Φ の時間（t）の依存性は高々 1 次関数である．また流れの方向に対して座標系を適切に選択し軸対称（$\partial_\phi = 0$）となるように設定する．定数 W，動径方向の関数 $R_l(r)$，ルジャンドルの球関数 $P_l(\cos\theta)$ を用いて，Φ は以下の形で表せる．

$$\Phi = -Wt + \sum_l R_l P_l. \tag{4.20}$$

これを（4.19）に代入し変数分離すると，関数 $R_l(r)$ は次の 2 階の常微分方程式を満たすことがわかる．

[*6] 参考文献：Petrich *et al.* (1988)．

[*7] 2.7.2 節で取り扱ったものとは，$a = 0, \omega = 0, m = 0$ および $R = u/r$ の対応関係がある．

$$\frac{1}{r^2}\frac{d}{dr}\left[\left(1-\frac{2M}{r}\right)r^2\frac{dR_l}{dr}\right] - \frac{l(l+1)}{r^2}R_l = 0. \tag{4.21}$$

変数を $\xi = r/M - 1$ にとると R_l はルジャンドルの微分方程式になることがわかり，その解は第1種および第2種ルジャンドル関数 $[P_l(\xi)$ と $Q_l(\xi)]$ で表せる[*8]。

無限遠から $+x$ $(= r\cos\theta)$ 軸方向に3次元的速度 v_∞ [ローレンツ因子 $\gamma_\infty = (1-v_\infty^2)^{-1/2}$] で進む流れを考える．無限遠と地平面での境界条件を満たすことから，R_l に関して P_1 $(=\xi)$ と Q_0 $(=1/2\ln[(\xi+1)/(\xi-1)])$ のみしか関係しないことがわかる．結果は理解しやすいように定数を変更して以下となる．

$$\Phi/(n_\infty\gamma_\infty) = -t - 2M\ln\left(1 - \frac{2M}{r}\right) + v_\infty(r-M)\cos\theta. \tag{4.22}$$

ここで n_∞ は無限遠での数密度である．また，微分して次の関係式を得る．

$$nu_t = -n_\infty\gamma_\infty, \quad nu_r/(n_\infty\gamma_\infty) = -4M^2/(r(r-2M)) + v_\infty\cos\theta,$$
$$nu_\theta/(n_\infty\gamma_\infty) = -v_\infty(r-M)\sin\theta, \quad nu_\phi = 0. \tag{4.23}$$

流れの様子を決めるのはパラメータ v_∞（または γ_∞）のみである．任意の場所の数密度は規格化条件 $(u^\mu u_\mu = -1)$ から求まる．

$$\left(\frac{1}{\gamma_\infty}\frac{n}{n_\infty}\right)^2 = (1+2M/r)[1+(2M/r)^2] - [1-2M/r+(M/r)^2\sin^2\theta]v_\infty^2$$
$$+ 8v_\infty(M/r)^2\cos\theta. \tag{4.24}$$

さて，(4.22)の第2項（地平面で発散する関数 Q_0）が現れるのが奇妙に感じたかもしれない．地平面付近で球対称的な流れを記述するために必要であり，この関数 Q_0 の項があるから数密度 (4.24) は有限となる．なお，(4.22) の第3項 $(\propto P_1 = \cos\theta)$ は無限遠での流れを表すものである．

流れの様子（速度ベクトルをつないだ流線）を具体的に図 4.2 に示す．$|v|=0$ となるよどみ点 (stagnation point) が $\theta = 0, \pi$ にあることが分かる．$\theta = 0$ にとり，具体的に計算すると $r_s = M[1+\sqrt{1+(4/v_\infty)}]$ となる．

質量降着率 $\dot{M}$ は $\dot{M} = m\dot{N}$ で定義すると，以下となる．

$$\dot{M} = -\int g^{rr}mnu_r\sqrt{-g}d\theta d\phi = 16\pi M^2 m n_\infty \gamma_\infty. \tag{4.25}$$

[*8] 地平面は $\xi = 1$，無限遠は ∞ であり，$\xi \geqq 1$ の範囲を考えることに注意．通常の角度方向を考える場合には $|\xi| \leqq 1$ である．

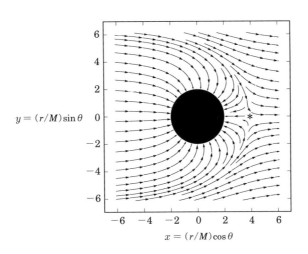

図 **4.2** 無限遠 $(r \to \infty, \theta = \pi)$ から速度 $v_\infty = 0.6$ で x 方向に進む流れのブラックホール付近での振る舞い.中心の半径 $r = 2M$ の黒塗り部分はブラックホールを表し,縦と横軸の直角座標を r, θ から定義した.ブラックホール背後 $(r = r_s \approx 3.8M, \theta = 0)$ にある * はよどみ点を表す.

上の積分はある半径 r が一定の球面で計算したが,当然のことながら,地平面 $r = 2M$ も含め,その半径によらず一定である.また,カーブラックホールの場合もほぼ同様に計算でき,r_H を地平面の半径として結果は以下となる.

$$\dot{M} = 4\pi(r_\mathrm{H}^2 + a^2)mn_\infty\gamma_\infty. \tag{4.26}$$

ここで,光速 $c = 1$ の記述から次元を回復して物理的に分かりやすいように書き換えよう.2.6 節で計算したブラックホールの表面積 $A = 4\pi(r_\mathrm{H}^2 + a^2)$ と光速 c を用いると,質量降着率 $\dot{M}$ は $\dot{M} = mn_\infty\gamma_\infty cA$ と書ける.この量は幾何学的断面積がブラックホールの全表面に相当し,図から想像できるように,地平面付近では直線状に落ち込んでいる量と解釈される.

4.2 定常軸対称な降着円盤とトーラス

この節では,ブラックホール周辺の流れとして,ガス降着円盤とトーラス状の平衡形状を紹介する.

4.2.1 幾何学的に薄い降着円盤

流体は一般的に角運動量を持っており，落下する物体は天体の周りに**降着円盤**（accretion disk）をつくる[*9]．より内側へ落ちるためには角運動量の輸送が必要となる．天体の周りにできる標準降着円盤はシリーズ第 1 巻で示されているので参考にすると良い．ここでは理解を深めるため，最初にニュートン重力での取り扱いで，その構造を初等的に導出し，その後，相対論的な取り扱いを説明する．

幾何学的に薄い円盤ができる状況は以下である．流体素片はほぼ円軌道上を移動するが，より長い時間尺度で働く粘性の効果により，内側に向かって徐々に落下する．同時に，粘性効果は摩擦熱を発生するが，その熱エネルギー流は円盤上下の外向き（$\pm z$ 方向）に放出されると仮定する．その結果，内部に熱エネルギーがたまることなく，圧力も小さく，z 方向の厚みが無視できる構造となる．

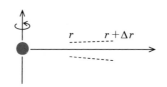

図 4.3 中心天体から距離 r と $r + \Delta r$ にある円盤の構造．このリング部分の質量は $\Sigma_0(2\pi r\Delta r)$，角運動量は $r^2\Omega_{\rm K}\Sigma_0(2\pi r\Delta r)$ である．この部分に働く粘性トルク W^r_ϕ により，角運動量が外側に運ばれ，物が落ちる．発生した熱エネルギーは放射として円盤上下方向にそれぞれ $2\pi r F\Delta r$ が出る．

図 4.3 に示すように，中心天体の赤道面に厚みが薄く，軸対称な回転ガス円盤が定常状態にあるとする．ここではすべての量は厚み方向（z 方向）で積分したものを取り扱う．たとえば，中心天体から円柱半径 r の位置の面密度を $\Sigma_0(r)$ とする．降着速度を v^r（< 0）とすると，質量保存則から単位時間に r を通過する量は場所によらず一定なので，その定数——**質量降着率**（mass accretion rate）と呼ぶ——を $\dot{M}$（> 0）とおく：

$$\dot{M} = -2\pi r \Sigma_0 v^r. \tag{4.27}$$

次に，角運動量の輸送を考える．幾何学的に薄い回転円盤の力学的構造はほぼ重力

[*9] 詳しくは，本シリーズ第 1 巻や Kato *et al.*（2008）参照．

と遠心力との釣り合いで決まり，回転速度はケプラー則 ($v^\phi = \Omega_{\rm K} = (M/r^3)^{1/2}$, $v_\phi = r^2 \Omega_{\rm K}$) となることに注意して方程式を書き下す．粘性トルク W^r_ϕ による角運動量輸送の式[*10]を書けば，

$$\frac{d}{dr}[r(\Sigma_0 r^2 \Omega_{\rm K} v^r - W^r_\phi)] = 0 \tag{4.28}$$

となる．円盤の内縁 ($r_{\rm in}$) でトルクが働かない条件で，この式を r 方向に積分する．(4.27) を用いて，以下を得る：

$$W^r_\phi = -\frac{\dot{M} r \Omega_{\rm K}}{2\pi}\left[1 - \left(\frac{r_{\rm in}}{r}\right)^{1/2}\right]. \tag{4.29}$$

また，粘性より発生する摩擦熱を求める．粘性係数 ν を用いて，トルクは $W^r_\phi = \nu \Sigma_0 r^2 d\Omega_{\rm K}/dr$ と表せることに注意し，円盤の単位時間，単位面積当たりに発生するエネルギーの大きさは $W^r_\phi d\Omega_{\rm K}/dr$ となり，これが円盤の上方または下方（$\pm z$ 方向）に放出される．そのエネルギーフラックス F は，

$$F = \frac{1}{2} W^r_\phi \frac{d\Omega_{\rm K}}{dr} = \frac{3\dot{M}M}{8\pi r^3}\left[1 - \left(\frac{r_{\rm in}}{r}\right)^{1/2}\right] \tag{4.30}$$

となる．円盤からの全光度 L は区間を $r_{\rm in}$ から十分遠方まで積分すると，

$$L = 2\int_{r_{\rm in}}^{\infty} F 2\pi r dr = \frac{\dot{M} M}{2 r_{\rm in}} \tag{4.31}$$

となる．この値は $r_{\rm in}$ まで落下したときに解放される重力エネルギーの半分であり，残りは回転エネルギーとなっている．

さてここからは，ブラックホールの周辺の構造なので，相対論的な取り扱いをしよう．基礎方程式は，粒子数，エネルギーと運動量の保存則であり，各物理量をより数学的に表すとともに具体的に書き下すことをする．圧力が無視でき，ほぼケプラーの回転速度で円運動するので，流体の4元速度 u の成分 (u^t, u^ϕ) は 2.4 節で議論した質点の運動のもので近似できる．半径 r の円軌道の場合で求めた単位質量当たりのエネルギー $E(r)$ と角運動量 $L(r)$ ($= L_z$) を用いると $u_t = -E$，$u_\phi = L$ であり，角速度とは $\Omega = u^\phi/u^t$ の関係がある．また，(u^t, u^ϕ) の成分に比べ，その

[*10] 非粘性の運動方程式は 3.2 節の (3.14) の応力テンソル $S^j_i = \rho_{\rm m} v_i v^j + p\delta^j_i$ に粘性によるシア項 $-\nu\rho_{\rm m}(\nabla_i v_k + \nabla_k v_i)\gamma^{kj}$ を加えることにより得られる．$\nabla_j S^j_i$ は角運動量の輸送に関係し，円盤厚み方向に積分して，$\rho_{\rm m} v_\phi v^j$ は $\Sigma_0 r^2 \Omega_{\rm K} v^r$，追加項は $-W^r_\phi = -\nu\Sigma_0 r^2 d\Omega_{\rm K}/dr$ となる．

他の方向の速度成分は小さいと近似する．3.3.5 節のエッカルトの散逸理論を用い，圧力や内部エネルギーを無視すれば，エネルギー運動量テンソルは以下となる：

$$T^\mu_\nu = \rho_m u^\mu u_\nu + q^\mu u_\nu + u^\mu q_\nu + t^\mu_\nu. \tag{4.32}$$

ここで，ρ_m は質量密度 $\rho_m = mn$ であり，考えている状況を説明したように熱流はほとんど円盤の法線方向であり，q^μ の z 成分以外はゼロとする．また，体積粘性はほとんど無視できるので，$t^\mu_\nu = -2\mu\sigma^\mu_\nu$ となる．

質量密度 ρ_m を用いて粒子数の保存則の式 $[0 = (\rho_m u^\mu)_{;\mu} = (\rho_m\sqrt{-g}u^\mu)_{,\mu}/\sqrt{-g}]$ を積分することから，半径 r を通過する量は一定である．その定数 $\dot{M}$（質量降着率）の具体的表式は値が正になるように符号（$-$）をつけて以下で定義する：

$$\dot{M} = -\int \sqrt{-g}\rho_m u^r d\theta d\phi = -2\pi r\Sigma_0 u^r. \tag{4.33}$$

ここで，幾何学的に薄い円盤が赤道面付近 [円盤の厚みを $H(r)$ とすると，$H/r \ll 1$] に存在し，その厚み方向に積分した面密度 $\Sigma_0(r)$ を用いて最後の式を表した．円盤は赤道面付近のみにあるので $\sqrt{-g} \approx r^2$ と近似でき*11，面密度は以下で与えられる：

$$\Sigma_0 = \int_{-H}^{H} \rho_m r d\theta. \tag{4.34}$$

説明の都合上，シアテンソルを円盤内の z 方向に積分した量 $W^r_a(r)$ $(a = t, \phi)$ を以下に定義しておく*12：

$$W^r_a(r) = -\int_{-H}^{H} t^r_a\, rd\theta,\ \ (a = t, \phi),\qquad W^r_t = -\Omega W^r_\phi. \tag{4.35}$$

また，$t^r_t = -(u^\phi/u^t)t^r_\phi = -\Omega t^r_\phi$ の関係があるので，上記の第 2 式の関係式を得る．

次に，円盤の上部 $z = H(r)$ [または下部 $z = -H(r)$] にある表面から出るエネルギーフラックスは上下対称で，その大きさを $F(r)$ とすると，

---

*11 2.3 節のカー時空のボイヤー–リンキスト座標では $\sqrt{-g} = \rho^2\sin\theta$．

*12 定義でマイナスの符号がついたところが気になったかもしれない．エネルギー運動量テンソルが流体と他成分 $T^\mu_{A\ \nu}$ からなるとし $(T^\mu_\nu = T^\mu_{\text{Fluid}\ \nu} + T^\mu_{A\ \nu})$，その保存則は $T^\mu_{\text{Fluid}\ \nu;\mu} = -T^\mu_{A\ \nu;\mu}$ となる．非相対論的な式（4.28）と合わせて右辺が流体に働く力と理解しやすいように符号をつけた．

$$F(r) = (\pm q^{\hat{z}})_{z=\pm H} = (\pm r q^\theta)_{z=\pm H}. \tag{4.36}$$

さらに，エネルギー保存の式 $[(T_t^\mu \sqrt{-g})_{,\mu}/\sqrt{-g} = 0]$ を空間積分して，$T_t^r \approx \rho_{\mathrm{m}} u^r u_t + t_t^r = -E\rho_{\mathrm{m}} u^r + t_t^r$ および，$T_t^\theta \approx -Eq^\theta$ に注意して次式を得る：

$$\frac{d}{dr}(\dot{M}E - 2\pi r W_t^r) - 4\pi r F E = 0. \tag{4.37}$$

同様に角運動量保存の式 $[(T_\phi^\mu \sqrt{-g})_{,\mu}/\sqrt{-g} = 0]$ から，

$$\frac{d}{dr}(\dot{M}L + 2\pi r W_\phi^r) - 4\pi r F L = 0 \tag{4.38}$$

となる．関係式 (4.35) を用いて，(4.37) と (4.38) は F または W_ϕ^r の 1 階の微分方程式となる．$(dE/dr) = \Omega(dL/dr)$ の関係（例題 2.11）や $E - L\Omega = \mathcal{C}^{1/2}\mathcal{B}^{-1}$ を用いて計算すると次の結果を得る：

$$F = \frac{3\dot{M}M}{8\pi r^3} f_{\mathrm{c}}, \quad W_\phi^r = -\frac{\dot{M}}{2\pi}\left(\frac{M}{r}\right)^{1/2} \mathcal{B}\mathcal{C}^{1/2} f_{\mathrm{c}}. \tag{4.39}$$

ここで，$\mathcal{B}, \mathcal{C}$ は 2.4.4 節で導入した相対論的補正項で，$\mathcal{B} \to 1$, $\mathcal{C} \to 1$ とすると，非相対論的なものとなる．また，f_{c} は $x = (r/M)^{1/2}$ として，

$$f_{\mathrm{c}} = \frac{1}{x\mathcal{C}} \int_{x_{\mathrm{ms}}}^x \frac{1}{\mathcal{C}}(1 - 6x^{-2} + 8a_* x^{-3} - 3a_*^2 x^{-4})\, dx \tag{4.40}$$

であり，微分方程式の積分定数は臨界安定軌道半径 $r_{\mathrm{ms}} = M x_{\mathrm{ms}}^2$ でトルクが働かない条件 ($W_\phi^r = 0$) にとった．非相対論的な極限では，この積分は $f_{\mathrm{c}} = (x - x_{\mathrm{ms}})/x = 1 - (r_{\mathrm{ms}}/r)^{1/2}$ となる．非相対論的な取り扱いで導入した半径 r_b は最内縁半径 r_{ms} である．

この節では降着円盤から発生するエネルギーフラックス $F(r)$ を求めた．観測されるスペクトルは異なる点からの放射の重ね合わせとなる．この課題は 9.4 節で説明する．

4.2.2 幾何学的に厚いトーラス

4.2.1 節の降着円盤の構造は，冷却が効率的で，圧力が円盤構造に効かない場合であった．放射冷却が不十分な場合は膨らんだ構造となる．ここでは，解析的に理解できるモデルを紹介する（Abramowicz et al. 1978）[*13]．数値シミュレーション

[*13] レビューは Abramowicz, M. et al. http://www.livingreviews.org/lrr-2013-1

の初期モデルなどに使用されることがある．

子午面内の速度は無視できるとし，流体の 4 元速度の反変成分を $(u^t, 0, 0, u^\phi)$，その共変成分を $(u_t, 0, 0, u_\phi)$ とおく．角速度 $\Omega = u^\phi/u^t$ と単位エネルギー当たりの角運動量 $\ell = -u_\phi/u_t$ を導入する[*14]．それぞれの間には以下の関係が成り立つ：

$$u_t = -(-g^{tt} + 2\ell g^{t\phi} - \ell^2 g^{\phi\phi})^{-1/2},$$
$$u^t = (-g_{tt} - 2\Omega g_{t\phi} - \Omega^2 g_{\phi\phi})^{-1/2}, \tag{4.41}$$
$$u^t u_t = -(1 - \ell\Omega)^{-1}, \quad u^\phi u_\phi = \ell\Omega(1 - \ell\Omega)^{-1}. \tag{4.42}$$

これらの関係式で ℓ を Ω で表した（またはその逆の）式は以下である：

$$\ell = -\frac{g_{t\phi} + \Omega g_{\phi\phi}}{g_{tt} + \Omega g_{t\phi}}, \qquad \Omega = -\frac{g_{t\phi} + \ell g_{tt}}{g_{\phi\phi} + \ell g_{t\phi}}. \tag{4.43}$$

または，次の関係があることがわかる：

$$\ell g_{tt} + (1 + \Omega\ell)g_{t\phi} + \Omega g_{\phi\phi} = 0. \tag{4.44}$$

例題 4.1 ここで導入した単位エネルギー当たりの角運動量 ℓ と単位質量当たりの角運動量 L では値が異なる．特徴的な値で比較しておこう．

解答 2.4.1 節のシュバルツシルト時空の質点における円運動の限界の角運動量とエネルギーは $L_{\rm ms} = 2\sqrt{3}M$, $E_{\rm ms} = 2\sqrt{2}/3$ と $L_{\rm mb} = 4M$, $E_{\rm mb} = 1$ である．ここで導入した $\ell = L/E$ はその比なのでそれぞれ，$\ell_{\rm ms} = 3\sqrt{6}M/2$, $\ell_{\rm mb} = 4M$ となる． ■

さて，3.3.1 節の静水圧平衡の式は加速度と圧力勾配が釣り合う式 $[(\rho+p)a_k = -\nabla_k p]$ であった．(4.41)–(4.44) を使って加速度 a_k ($= u_{k;\alpha}u^\alpha = u_{k,\alpha}u^\alpha - g_{\alpha\beta,k}u^\alpha u^\beta/2$) と等価ないくつかの表式

$$a_k = -\ln(|u^t|)_{,k} + \frac{\ell\Omega_{,k}}{1-\ell\Omega} = \ln(|u_t|)_{,k} - \frac{\Omega\ell_{,k}}{1-\ell\Omega} \tag{4.45}$$

を得ることができるので，それぞれに応じた静水圧平衡の式を書き下す：

$$-\frac{p_{,k}}{\rho+p} - \frac{\ell\Omega_{,k}}{1-\ell\Omega} + (\ln|u^t|)_{,k} = 0 \quad (k = r, \theta), \tag{4.46}$$

[*14] 質点の場合の単位質量当たりの角運動量 u_ϕ や流体の単位質量当たりのもの hu_ϕ (3 章) と異なる定義を採用した．この ℓ を用いる方がここでの計算には便利である．

$$-\frac{p_{,k}}{\rho+p} + \frac{\Omega \ell_{,k}}{1-\ell\Omega} - (\ln|u_t|)_{,k} = 0 \quad (k=r,\theta). \tag{4.47}$$

これらの式（4.46）（4.47）は，非相対論的な場合には遠心力と中心天体からの重力の加速度を合成したものを $\vec{g}$ とし静水圧平衡の式 $-\rho_{\rm m}^{-1}\vec{\nabla}p + \vec{g} = 0$ を表したものである（章末問題 4.3 参照）．

これらの静水圧平衡の式から，バロトロピックの場合（圧力が一定面と密度一定面が一致する場合，$\nabla p // \nabla \rho$ の場合），等角速度面と等角運動量面が一致することが分かる．すなわち $\Omega = \Omega(\ell)$．2つの関数の比を $\ell/\Omega \equiv \lambda^2$ とおくと，それぞれ $\ell(\lambda)$，$\Omega(\lambda)$ と与えられる．ここで導入した λ は平坦な空間では通常の円柱半径 $\lambda = \varpi = r\sin\theta$ となり，円柱状に Ω と ℓ が一定である．この面をフォンツァイペル円柱（von Zeipel cylinder）と呼ばれるが，2つの面が不一致だと，斜径不安定性といわれる粘性に関する不安定性が存在する．相対論の場合，その半径が曲がっており，シュバルツシルト計量の場合に具体的にその '円柱半径' を求めると，$\lambda = (\ell/\Omega)^{1/2} = \alpha^{-1}r\sin\theta$ となる．$\alpha = (1-2M/r)^{1/2}$ の因子のため，直観的な円柱半径 $r\sin\theta$ からずれている．具体的に半径 λ が一定の線を描いたのが図 4.4 である．遠方での幾何学的円柱から，ブラックホールに近づくにつれて構造がゆがんでいる．また，$r=3M$ に臨界半径があり，上方または下方の z から来た線は地平線に近づくにつれ，z 軸上に漸近する．

ℓ を場所によらず一定としてシュバルツシルト計量の場合に等圧面の構造を具体的に考えよう．(4.41) を用いて (4.46) を積分すると，等圧力面は次の $F(r,\theta)$（$F>1$）が一定の曲線で表される．

$$F = \exp\left(2\int \frac{dp}{\rho+p}\right) = \left(1-\frac{2M}{r}\right)^{-1} - \frac{\ell^2}{r^2\sin^2\theta} + F_0 \tag{4.48}$$

F の振る舞いはパラメータ ℓ により3つの場合に大別されるが，その形状が図 4.5 にまとめてある．

角運動量が小さい（$\ell < \ell_{\rm ms} = 3\sqrt{6}M/2$）場合のものを図 4.5（左）に示す．赤道面上の点 r で考えると分かりやすいので面上の点（$\sin\theta = 1$）に限るが，動径半径 r の減少とともに F，つまり，密度，圧力が単調に増加する．内向きの重力に抗して，遠心力が足りず常に外向きの圧力勾配が働く構造であり，ブラックホール地平面で仮定した構造は実現されない．右図は $\ell > \ell_{\rm mb} = 4M$ の場合である．遠心

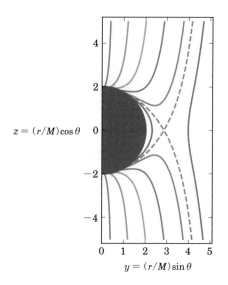

図 4.4 シュバルツシルト計量の場合のフォンツァイペル円柱．中心の円はブラックホールで，遠方では直観的な円柱となる．破線は臨界半径 $r = 3M, \theta = \pi/2$ を通るとき $\lambda = 3^{3/2}M$ である．

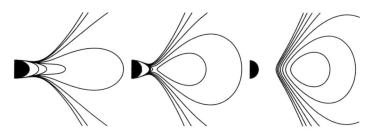

図 4.5 ブラックホール（各図の左の半円）のまわりにできる幾何学的に厚い円盤（トーラス）．圧力が一定の等高線を表す．左から $\ell/M = 3.5$（$< \ell_{\mathrm{ms}}/M$），$3.8, 4.2$（$> \ell_{\mathrm{mb}}/M$）の場合．

力のため，中心に落ちず，外側に留まる構造となる．

関数 F の最大値は赤道面上のある半径 r_{c}（$dF(r_c, \pi/2)/dr = 0$ となる）にあり，この点での回転速度はケプラー速度となっている．それより内側のブラックホール側では中心向きの重力に対して遠心力が大きく圧力勾配でブラックホール側に押し出した構造となっている．逆に，r_{c} より外では圧力勾配は外向きである．この構造

は円盤というよりトーラス（穴あきドーナッツ）の形をしている．最後に，中央の図は $\ell_{\mathrm{ms}} = 3\sqrt{6}M/2 < \ell < \ell_{\mathrm{mb}} = 4M$ の場合で，等圧面の一部は左図に示したブラックホールに向かう曲線と，それらの囲まれた閉じた曲線（トーラス）の共存系となる．

4.3 ブラックホールの自転の進化

　一般的なブラックホールであるカー解は質量と自転パラメータで記述される．1章では球対称な質量降着によるブラックホールの質量の成長を議論したが，もうひとつのパラメータである自転がどのように進化するかをこの節で考える[*15]．この自転の時間変化は落下する物質が運ぶエネルギーと角運動量が鍵となる．

　ブラックホールの周りに降着円盤が形成されており，2.4節で説明した安定な円軌道の限界半径（これが円盤の内縁となる）から質量 ΔM_0 が落ちるとする．単位質量当たりの円盤の内縁でのエネルギーが E_{ms} なので，エネルギー保存則からブラックホールの質量は $\Delta M = \Delta M_0 E_{\mathrm{ms}}$ だけ増加する．一方，単位質量当たりの角運動量は L_{ms} なので，自転は $\Delta J = \Delta M_0 L_{\mathrm{ms}}$ だけ増加する．単位質量当たりの自転のパラメータ $a_* (= a/M = J/M^2)$ の進化を決める式は $da_* = dJ/M^2 - 2JdM/M^3$ を考慮して以下と書ける．

$$\frac{dM}{dM_0} = E_{\mathrm{ms}}, \quad \frac{dJ}{dM_0} = L_{\mathrm{ms}}, \quad M\frac{da_*}{dM_0} = \frac{L_{\mathrm{ms}}}{M} - 2a_* E_{\mathrm{ms}}. \tag{4.49}$$

または，一つに組み合わせて以下を得る：

$$\frac{da_*}{d\ln M} = \frac{L_{\mathrm{ms}}}{ME_{\mathrm{ms}}} - 2a_*. \tag{4.50}$$

　これらの微分方程式の右辺は具体的には 2.4.4 節で導入した y_{ms} だけの関数となり積分は解析的に表される．初期質量 M_{i} の非回転のブラックホールだとすると，$M/M_{\mathrm{i}} \leqq \sqrt{6} \approx 2.4495$ の範囲では a_* と M の関係は以下で与えられ[*16]，その表式を図 4.6（左）に示してある．

$$a_* = \left(\frac{2}{3}\right)^{1/2} \frac{M_{\mathrm{i}}}{M} \left[4 - \left(\frac{18M_{\mathrm{i}}^2}{M^2} - 2\right)^{1/2}\right]. \tag{4.51}$$

[*15] 参考文献として Bardeen (1970) や Thorne (1974).

[*16] $y_{\mathrm{ms}} = 6(M/M_{\mathrm{i}})^{-2}$ となる．

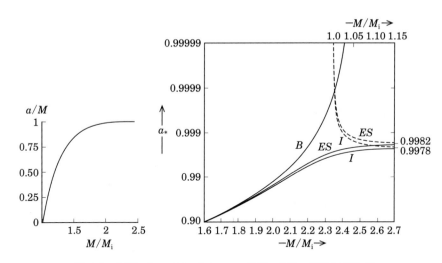

図 4.6 左図：カーブラックホールの自転の進化．横軸の質量 M の増加とともに自転パラメータ $a_* = a/M$ が変化する様子を示している．右図：横軸を質量降着量，縦軸は無次元の自転パラメータ a_*．光子捕獲を考えない場合の進化は B をつけた曲線で表される．ES や I をつけた曲線は円盤からの光子の放出モデルの違いであるが，$a_* = 0.99$ 付近からのずれが顕著になり，いずれのモデルも $a_* = 0.998$ 程度に落ち着く．破線は $a_* = 1$ から出発しても同じ最終値になる（Thorne (1974) より）．

降着とともに質量は単調に増加するが，$a_* \to 1$ に近づくとき，微分方程式 da_*/dM_0 の右辺はゼロとなり，a_* が 1 を超えることはないことがわかる．質量 M_i の非回転のブラックホールがその質量増加分が $\Delta M/M_\mathrm{i} \approx 1.4495$ のときに $a_* = 1$ となる．ちなみに，落下した質量は $\Delta M_0/M_\mathrm{i} \approx 1.8464$ である．

最大回転のブラックホール $a_* = 1$ が容易に実現できそうに思える（ブラックホールの熱力学の言葉ではゼロ温度の状態が実現できることを意味する）．その極限状態のブラックホール構造は内と外の地平面が一致（$r_- = r_+$）し，微妙な構造であり，より厳密な問題の取り扱いが必要である．また，いま示したモデルは理想化された質量降着なので，さまざまな現実的過程も考慮すべきであろう．

その一つとして円盤から出た光の捕獲がある．先の議論では，物質に関しては円盤の内縁の値から $\Delta M = \Delta M_0 E_\mathrm{ms}$ と $\Delta J = \Delta M_0 L_\mathrm{ms}$ と決めたが，光子の吸収は円盤のより外側（$r \geqq r_\mathrm{ms}$）から放出されたものも含まれる．具体的には放出さ

れる光子の量とそれがブラックホールに捕獲される量を計算する必要がある．この光子捕獲量を考慮すると，実効的な値として，より小さな比 $\Delta J/\Delta E$ を与えることになる．ブラックホールからより離れた発光場所を出た光子はより少ない角運動量をもつことになり，物質の降着による角運動量の増加を抑える方向に働く．標準円盤モデルを仮定し，実際に光子を捕獲する効果を取り入れて計算した結果，最終的には $a_* = 1$ の状態まで到着せず，より現実的な値として $a_* = 0.998$ 程度にとどまることが示されている（図 4.6（右）参照）．しばしば論文等でこの限界の値が採用される．

ブラックホールの質量の 2 倍程度の降着で容易に高速回転のブラックホールに近づくことがわかったが，ブラックホールのまわりの天文学的な環境を推察することで，この節を締めくくる．恒星質量程度のブラックホールの場合（$M \sim 10 M_\odot$）には連星系をなし，ある定まった方向の角運動量（それが自転方向に関係する）を伴う質量降着量（$\Delta M \sim M_\odot$ 程度）がある場合があるが，それがブラックホールの質量 2 倍程度までになるかどうか．一方，銀河中心に存在するブラックホールの場合（$M \sim 10^{6-8} M_\odot$）はどうであろうか．降着円盤から質量降着［典型的な値としてエディントン降着率 $\sim 10^{-8}(\eta/0.1)^{-1}(M/M_\odot) M_\odot \mathrm{yr}^{-1}$］が起こるが，その構造による降着状態がブラックホールの質量が 2 倍以上増加する時間以上継続しているかどうか．より短い時間で回転円盤の方向がランダムに変わってしまわないかどうか．あるいは，大規模な構造（より大きな質量の系）から降着円盤の回転方向が決まり，それが中心のブラックホール自転軸を決めているのか．観測的および理論的な一部の研究報告があるが，今後の発展が望まれる．

4.4　時空のひきずりで湾曲した円盤

回転するブラックホールがつくる重力場には，**レンズ・シリング効果**（Lense-Thirring effect）や**重力的磁気効果**（gravito-magnetic effect）と呼ばれる，ニュートン重力では見られない性質が含まれる．2.4 節では質点の運動への影響を学んだが，この節ではブラックホール周りにある円盤への影響を考える．中心天体から比較的離れた場所で，相対論効果は小さいとして，弱い重力場の近似でその性質を調べよう．

圧力が無視できる薄い円盤とし，中心天体の重力との力学的な釣り合いから，角

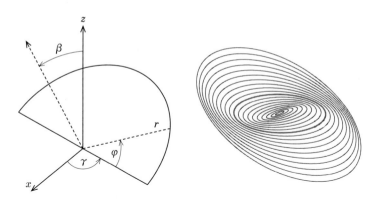

図 4.7 左図：円盤と z 軸とのなす角度を β とし，円盤と赤道面 ($z = 0$) の交線を x 軸から測った角度を γ とし，半径 r のリング上の点はこの交線からの角度 φ で指定される．右図：リングが多数集まり円盤を構成しているとみなすと，歳差運動の振動数は中心距離に依存するので，中心に降着するとともに，均されて赤道面に落ち着く．その状況を模式的に示す．

速度 $\Omega_\mathrm{K} = (M/r^3)^{1/2}$ で円運動するとする．最初，円盤の半径 r と $r + \Delta r$ の範囲にあるリング部分に着目する．その回転面はブラックホールの赤道面と一致せず，図 4.7（左）に示すように角度 β だけ傾いているとする．円盤の面密度を σ_s とし，Δr 部分の角運動量 $\vec{L}$ はリングに沿って（φ 方向に）積分することで求まる．

$$\vec{L} = \int (\vec{r} \times \vec{v})\, \sigma_s \Delta r r d\varphi. \tag{4.52}$$

ある瞬間に図 4.7（左）に示すような方位角 (β, γ) で決まる配置とすると，全角運動量の大きさを $L_0 = 2\pi r^3 \sigma_s \Omega_\mathrm{K} \Delta r$ とおくと，直角座標の各成分は $(L_x, L_y, L_z) = (L_0 \sin\beta \sin\gamma, -L_0 \sin\beta \cos\gamma, L_0 \cos\beta)$ となる．

一方，角運動量の時間変化は

$$\frac{d\vec{L}}{dt} = \int \left(\vec{r} \times \frac{d\vec{v}}{dt} \right) \sigma_s \Delta r r d\varphi = \vec{\Omega}_s \times \vec{L} \tag{4.53}$$

となる．ここで，$\vec{\Omega}_s = 2J\vec{e}_z/r^3$（$J$ は中心天体の自転角運動量でカーブラックホールの場合 $J = Ma$）であり，最後の式は運動方程式 $d\vec{v}/dt = g_r \vec{e}_r + \vec{v} \times (\vec{\nabla} \times$

$\vec{\beta}_N$)（例題 2.7）を用いて具体的に計算した*17. ニュートン重力から来る動径方向の加速度 g_r は効かず，上の表式を得る．この式は全角運動量の大きさ $(L_x^2 + L_y^2 + L_z^2)^{1/2}$ と z 成分 L_z は時間的に一定であることを示している．逆にいえば，L_x や L_y は時間的に変化する．たとえば，$t = 0$ で $(L_x, L_y) = (0, -L_0 \sin\beta)$ の状態から（4.53）を時間積分すると，$(L_x, L_y) = (L_0 \sin\beta \sin(\Omega_s t), -L_0 \sin\beta \cos(\Omega_s t))$ となる．この表式と図 4.7（左）の位置関係を比較すると，$\Omega_s \ll \Omega_K$ なので角度 γ が $\Omega_s t$ でゆっくりと回転することがわかる．傾いた剛体コマの自転軸が回転する現象を歳差運動と呼ぶが，リング（円盤）がブラックホールの $J\,(\neq 0)$ に起因した効果で引きずられ，リングの自転軸方向は時間的に一定でなく歳差運動する．

次に，ブラックホール周りに，傾斜角度 β が小さく，ほとんど赤道面上にある，厚みが薄い円盤を考える．それを半径 r と $r + \Delta r$ にある多数のリングに分割し，それぞれのリング部の角運動量はほぼ，z 方向成分であり，その他の歳差運動する成分は小さい $[(|L_x|, |L_y|) \ll L_z \approx L_0]$ としよう．それぞれのリングの半径ごとに歳差角速度は異なるので，円盤全体では湾曲した構造（warped disk）となる（図 4.7（右）参照）．流体の粘性により，$L_0(L_z)$ が永年的な時間尺度で減少し，物質はリング半径が減少する方向へ移動する．この際に働くトルクは $t_{r\phi}$ で回転角速度 Ω_K の勾配 $d\Omega_K/dr \propto r^{-5/2}$ に依存する．歳差運動の成分 (L_x, L_y) の減少に働くトルクは $t_{r\theta}$ で $d\Omega_s/dr \propto r^{-4}$，中心に向かうにつれ，より重要になる．このトルク $t_{r\theta}$ が有効に働けば，降着とともに L_x, L_y の成分が消え，ブラックホールの自転と円盤の軸がそろう方向に近づく（$\beta \to 0$）．円盤とブラックホールの回転軸がそろう効果を**バーデーン–ピーターソン効果**（Bardeen–Peterson effect）というが，歳差振動数は中心からの距離に依存するので（$\Omega_s \propto r^{-3}$），それが顕著になる半径を概算してみる．

動径方向の速度の大きさを v^r とおくと，$\Omega_s r/v^r > 1$ なら無視できない．典型的な降着速度 v^r を用いて，最大回転ブラックホールの場合（$a = M$）にその半径を見積もると $r \sim 100M$ となる（Hatchett et al. 1981）．ここまで，円盤の圧力を無視していたが，それを考慮に入れた数値シミュレーションが行われている．近年の SPH (smoothed particle hydrodynamics) 法の結果（Nixon, King 2012）では，時間変動する圧力（音波的な変動）により，円盤内部の流れが重要になり，質量降着率が増加するという計算例がある．

---

*17 リングに対して成り立つ関係 $\vec{v} = \vec{\Omega}_K \times \vec{r}$, $\vec{L} = (L_0/\Omega_K)\vec{\Omega}_K$ を利用．

4.5 幅の広い輝線

ブラックホール周りでの物体の運動速度は光速近くになるので，通常の視線方向の速度差によるドップラー効果に加え，速度の 2 乗以上の効果として働く横方向ドップラーや重力赤方偏移の効果が同程度に重要になる．このような強い重力場の影響は，その他のランダムな過程で生じる速度成分より優位になり，輝線の幅が広い特異な形として観測される可能性がある．この節では少し具体的に考察する．

ブラックホールの赤道面上を角速度 Ω で円運動している物体から，ある固有のエネルギー $E_{\rm em}$ の光が放出され，それを無限遠で観測する値を $E_{\rm obs}$ としよう．また，観測する振動数と波長を $\nu_{\rm obs}, \lambda_{\rm obs}$ とし，原子固有の振動数と波長を ν_0 と λ_0 と記すと，赤方偏移因子 g は $g = E_{\rm obs}/E_{\rm em} = \nu_{\rm obs}/\nu_0 = \lambda_0/\lambda_{\rm obs}$ の関係がある．放出系と無限遠の観測者の 4 元速度はそれぞれ，$\boldsymbol{u}_{\rm em} = [u^t, 0, 0, \Omega u^t]$, $\boldsymbol{u}_{\rm obs} = [1, 0, 0, 0]$ で与えられる．カー時空での円軌道の角速度は $\Omega = \sqrt{M}/(\sqrt{r^3} + a\sqrt{M})$ であり，ZAMO 系での ϕ 方向の速度を $V (= V^{\hat{\phi}})$ と置くと $u^t = \alpha^{-1}(1-V^2)^{-1/2}$ となる．具体的には $V = \Sigma(\Omega - \omega)/(r\alpha)$ である（関数 α, Σ, ω は 2.3 節を参照）．2.2 節で説明したように，エネルギーの比で定義した赤方偏移因子 g は光子の 4 元運動量 $\boldsymbol{p}$ との内積で与えられ，具体的に計算すると，

$$g = \frac{E_{\rm obs}}{E_{\rm em}} = \frac{-\boldsymbol{p} \cdot \boldsymbol{u}_{\rm obs}}{-\boldsymbol{p} \cdot \boldsymbol{u}_{\rm em}} = \frac{\alpha(1-V^2)^{1/2}}{1 - \Omega(p_\phi/p_t)} \tag{4.54}$$

となる．ここで，光子の保存するエネルギー p_t と角運動量 p_ϕ を用いた．その比 $b = -p_\phi/p_t$ は発光位置と放出角に依存する[*18]．

例題 4.2 赤方偏移因子 g を理解するため，シュバルツシルト計量で円盤と同一平面（赤道面）上で観測するとしよう．この場合，$\alpha^2 = 1 - 2M/r$, $\Omega = (M/r^3)^{1/2}$, $V = \alpha^{-1}(M/r)^{1/2}$ となる．赤道面上の軌道のみが観測に関係するので，$p_\theta = 0$ であり，またヌル条件を用いて $|p_\phi/p_t| \leqq r\alpha^{-1}$ となる．等号は $p_r = 0$, すなわち，円軌道の接線方向に出た場合である．赤方偏移の大きさの見積りのため $p_\phi/p_t = \pm r\alpha^{-1}$ とし，半径 r の円軌道から出た光の g は以下となる．

[*18] b は 2.5 節の光子の衝突パラメータである．

$$g = \left(1 - \frac{3M}{r}\right)^{1/2} \left[1 \mp \left(\frac{r}{M} - 2\right)^{-1/2}\right]^{-1} \approx 1 \pm v + \left(\frac{1}{2}v^2 - \frac{M}{r}\right) + \cdots$$
(4.55)

上式右辺の2番目の展開では比較を容易にするためニュートン力学での速度 $v = \sqrt{M/r}$ とおき，それを用いて表した．第2項が視線方向のドップラー効果で，上側の符号が観測者に向かう方向で，下側の符号は遠ざかる方向に対応する．第3項が横方向ドップラーと重力赤方偏移の効果を表しており，それらの和は $-v^2/2$ となり，赤方偏移に働く．(4.55) では $p_r = 0$ としたが，一般には $p_r \neq 0$ なので，$p_\phi/p_t = r\alpha^{-1}\cos\phi_*$ となり，第2項の速度の1次のドップラー効果では，速度の視線方向成分が関係する（$v \to v\cos\phi_*$）．ここで，ϕ_* は放射する物質の共動系で定義された円の法線となす放出角であり，光線の曲がりのため，平坦な空間の場合のように放射位置の角度 ϕ とは一致しないことに注意が必要である（図 4.8（左）参照）．例えば，赤道面の $\phi = 0$ の方向の無限遠で観測するとしよう．平坦な時空の場合には，円軌道上の $\phi = \pi/2$ または $\phi = -\pi/2$ の位置から放出したものが，それぞれ最も大きな赤方偏移と青方偏移を与える．曲った時空ではその角度がずれる．

次に，観測者が回転軸から角度 i の方向に位置している，つまり，円盤の傾き角が i の場合を考える（図 4.8（右）参照）．円盤から放出した光は $p_\theta \neq 0$ となるの

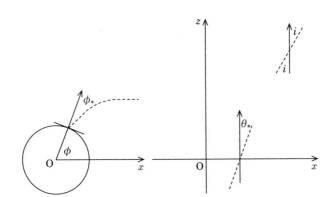

図 4.8 左：赤道面上で $+x$ 方向での観測する光の放出角度 ϕ_* と発光体の位置の方位角 ϕ の位置関係．右：子午面内の充分遠方で観測する発光体の方向 i と放出角度 θ_* の位置関係．光の進む方向を破線で模式的に示した．平坦な空間では $\phi = \phi_*$，$i = \theta_*$ である．

で，$p_\phi/p_t = r\alpha^{-1}\cos\theta_* \cos\phi_*$ とおける．ここで角度 θ_* は回転軸（z 軸）と放出方向とのなす角であり，先ほどの場合同様，平坦な空間の場合には $i = \theta_*$ となるが，その関係は曲がった空間では少しずれる．

シュバルツシルト計量の場合の安定な円軌道の条件 $r \geqq 6M$ より，(4.55) の表式の g には $g \geqq \sqrt{2/3} \approx 0.47$ の制限がつく．一番の偏移を受けるのは円盤を真横から観測する場合であり，円盤を斜めから見込む場合には g の最小値は 1 に近くなる．

円盤から放出された光は異なる赤方偏移因子 g の重ね合わせとなる．半径ごとに速度の大きさが異なり，その速度の視線方向成分も変化したものを集積することになる．ある固有のエネルギー E_0 で放出する物体の分布 ϵ を円盤上の位置（円盤の半径 r）の関数と仮定し，輻射強度 $I_{\rm em}(E_{\rm em})$ はデルタ関数 δ を用いて $I_{\rm em} = \epsilon(r)\delta(E_{\rm em} - E_0)$ と書ける．観測されるフラックスは円盤上を見込む立体角の範囲 $d\Omega$ で積分することにより，

$$F_{\rm obs}(E_{\rm obs}) = \int g^3 I_{\rm em}(E_{\rm obs}/g) d\Omega = \int \epsilon(r) g^4 \delta(E_{\rm obs} - gE_0) d\Omega \quad (4.56)$$

の結果を得る．ここで，強度 I/E^3 が不変の関係式とデルタ関数の性質を用いた．$|g-1|$ がドップラー効果の大きさの指標となるが，結構大きな要素となり得ることがわかる．

具体的に (4.56) を積分するには，**光線追跡（レイトレーシング）法**（ray-tracing method）によるのがわかりやすい．つまり，ある円盤上の点からある方位角に光を放射し，それが観測者に到着するなら，赤方偏移因子（観測エネルギー $E_{\rm obs} = gE_0$）に対応する強度を計算上保存する．これを円盤上の放射体の分布範囲に渡り，あらゆる光の軌道に対して行うことで，フラックスが観測するエネルギー関数として計算できる．

さて，このように計算された，ブラックホールの周りから出た光の輝線は発光体の場所の相対論的因子の比率が異なり，さまざまになり得る．典型的な理論モデルの例を図 4.9 に示してある．一般的には速度の 1 次のドップラー効果に対応して 2 本のピークがあり，光源がより円盤内部に存在し，速度が大きくなると高次のドップラー効果や重力赤方偏移の効果を受ける．そのため，幅が広くなるとともに全体的に低エネルギー側（長波長側）にずれる．また，相対論的効果が大きいと 2 つの

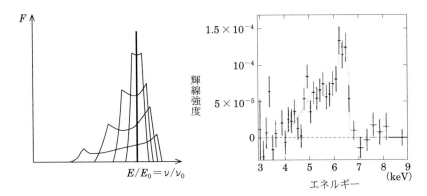

図 **4.9** (左) 相対論的円盤起源による典型的な輝線の形.静止の場合はデルタ関数的になるが,ケプラー速度の影響を受け,幅が広がるとともに 2 つのピークの非対称性が顕著になる.具体的な形はパラメータによる.(右) 輝線がブラックホールによる重力赤方偏移や高次のドップラー効果により幅が広くなったと解釈される観測例 (Tanaka *et al.* 1995).

ピークは非対称性が顕著になる.

輝線の形を決める理論モデル計算にはいくつかのパラメータが含まれる.以下,3 つに大別してモデル依存性を考える.

(1) ブラックホールの性質に関係するものとして,質量 M と自転パラメータ a_* がある.プロファイルはエネルギーの比の情報であり,質量によらない.もし,時間変動がわかれば,その時間尺度は GM/c^3 で与えられるので,質量の情報を与えることになる.

(2) 発光体の空間分布.現状では理論的に導出できていない.むしろ,観測に合わせるようにモデル化されている.

(3) 観測者が円盤を見る幾何学的関係である円盤傾斜角.観測精度の向上ではどうにもならない天文現象のパラメータで,他の情報と合わせて推論することになる.

モデル計算の結果は相対論的効果の度合い,モデルパラメータや観測の観測位置関係などの複雑さから,ブラックホールの自転パラメータ a_* が観測されるか否か

の点をまとめる[*19].

- 発光体の分布が $r \geqq 6M$ の範囲であれば，輝線の形はシュバルツシルト時空の場合 $a_* = 0$ として求めたものとほとんど変わらない．
- 自転があると円盤の最内縁の位置が $a_* = 0$ の場合より内側となり，非常に線幅が広がったものとなり，その場合には自転パラメータ a_* の証拠を得ることができる．

さて，観測事実は複雑で，ブラックホールから発せられた輝線と最初に報告された例を図 4.9（右）に示す．セイファート銀河 MCG-6-30-15 を X 線観測衛星 ASCA で観測したもので，非常に幅が広い（$\Delta E/E_0 \sim 0.4$）鉄輝線を観測したというものである[*20]．その後，異なる観測衛星データを用いていくつかの AGN から同様の非常に幅が広い鉄輝線を観測し，ブラックホール自転を求めたという論文が続出した．エネルギー分解能の精度や連続成分とライン成分の分離が難しい点などに起因して論争が続いている．

4.6 ブラックホール降着円盤の振動モデル

本章の最後に，相対論的降着円盤の振動現象について触れておく．

4.6.1 摂動方程式

4.2 節で考えた軸対称で定常な流れに，微小な変動が加わった場合に起きる，その後の振る舞いを考えよう．背景の流れとして子午面内の速度は無視し，流体の 4 元速度は $u^\mu = (u^t, 0, 0, u^\phi)$，その共変成分を $u_\mu = (u_t, 0, 0, u_\phi)$ とおく．角速度 $\Omega = u^\phi/u^t$ と単位エネルギーあたりの角運動量 $\ell = -u_\phi/u_t$ を導入しておく．重力場（計量 $g_{\mu\nu}$）の摂動を無視し，流体量に関する線形摂動を考える．オイラー的な摂動量（固定座標点での変化）に δ をつけて表す．以降，一次の摂動量である粒子数 δn，圧力 δp，エネルギー密度 $\delta \rho$ および，4 元速度の 3 成分 δu^i 間の関係式を考える．4 元速度の規格化の条件（$u_\mu \delta u^\mu = 0$ または $u^\mu \delta u_\mu = 0$）から $\delta u^t = \ell \delta u^\phi$ または $\delta u_t = -\Omega \delta u_\phi$ と与えられる．

最初に，粒子数，圧力，エネルギー密度の変化量である δn, δp と $\delta \rho$ の関係を

[*19] Kojima（1991）や Laor（1991）．

[*20] Tanaka et al.（1995）．最近の観測例は 108 ページの脚注に示した方法で調べてみよう．

調べよう．変動は断熱的（エントロピーの変化がゼロ）とすると，これらには 3.1 節で考えた熱力学的関係式が成り立つ．それは背景の流れに沿って成り立つ関係式であり，ラグランジュ的摂動の意味で Δ を用いて以下に表される．

$$\frac{\Delta n}{n} = \frac{\Delta \rho}{\rho + p} = \frac{\Delta p}{\Gamma p}. \tag{4.57}$$

あるスカラー量 Q のラグランジュ的変化量 ΔQ は，流体素片の移動を表すラグランジュ変位ベクトル $\vec{\xi}$ を用いて，オイラー的変化量 δQ と $\Delta Q = \delta Q + \vec{\xi} \cdot \vec{\nabla} Q$ で結びつく．(4.57) を用いて，エネルギー密度 $\delta \rho$ と圧力 δp の関係は以下となる．

$$\delta \rho = \frac{\rho + p}{\Gamma p} \delta p - (\rho + p)\vec{\xi} \cdot \vec{A} = c_{\rm s}^{-2} \delta p - (\rho + p)\vec{\xi} \cdot \vec{A}. \tag{4.58}$$

ここで音速 $c_{\rm s}^2 = \Gamma p/(\rho + p)$ を用いた．また，$\vec{A}$ は以下で定義される，背景の構造から決まる量である[*21]．

$$\vec{A} = \frac{\vec{\nabla} \rho}{\rho + p} - \frac{\vec{\nabla} p}{\Gamma p}. \tag{4.59}$$

例題 4.3 $\vec{A}$ の意味を理解するために，非相対論的極限かつ分布が z 方向のみである 1 次元的な構造を考えよう．

解答 この場合，質量密度 $\rho_{\rm m}$ を用いて $A = \rho_{\rm m}^{-1} d\rho_{\rm m}/dz - (\Gamma p)^{-1} dp/dz$ である．ある流体素片が z から $z + \delta z$ まで仮想的に移動したとする．$z + \delta z$ の地点で圧力が釣り合うように断熱的に変化した密度は $\rho_a \equiv \rho_{\rm m} + \rho_{\rm m}(\Gamma p)^{-1}(dp/dz)\delta z$ となる．一方，$z + \delta z$ の点で周りの密度は $\rho_b \equiv \rho_{\rm m} + (d\rho_{\rm m}/dz)\delta z$ である．z 方向の重力加速度を g とし，この素片が排除した分に働く浮力は単位体積当たり $\rho_a g - \rho_b g = -\rho_{\rm m} g A \delta z$ となる．または静水圧平衡の条件 $\rho_{\rm m} g - dp/dz = 0$ から $-(dp/dz)A\delta z$ とも書ける．重力の方向が $-z$ 方向 $[g = \rho_{\rm m}^{-1}(dp/dz) < 0]$ とすると，$A > 0$ なら力の方向は変位 δz の方向と同方向で元の状態からさらに離れることを意味する．逆に $A < 0$ なら元の状態に戻る．このように A は対流安定性に関する量である．バロトロピックな場合 $p = p(\rho)$ なら $\vec{A} = 0$ となる．■

[*21] A はシュバルツシルトの判別式（Schwarzschild discriminant）と呼ばれる，対流に関しての安定性を与えるものを相対論的に拡張したものである．相対論的な拡張は必ずしも一意的ではなく，文献により異なる定義もあるので注意．

さて，3.2 節に示した相対論的なエネルギー保存の式 (3.27) と運動方程式 (3.30) の摂動方程式を考える．いくつもの等価な形に書けるが，後の議論の都合上，(4.58) を用いて以下の運動方程式では $\delta\rho$ を消去したものとした．

$$\delta\rho_{,\alpha}u^\alpha + \rho_{,\alpha}\delta u^\alpha + (\rho+p)\delta u^\alpha_{;\alpha} = 0, \tag{4.60}$$

$$\delta u_{i;\alpha}u^\alpha + (u_{i;\alpha} - a_\alpha u_i)\delta u^\alpha + \delta Q_i - a_i(\vec{\xi}\cdot\vec{A}) = 0. \tag{4.61}$$

ここで δQ_i は簡略化のために導入した次式である．

$$\delta Q_i = (\rho+p)^{-1}\left[\delta p_{,i} + (1 + c_s^{-2})a_i\delta p + \delta p_{,\alpha}u^\alpha u_i\right]. \tag{4.62}$$

加速度 a_i は背景となる静水圧平衡の条件から圧力勾配や重力加速度 g_i と $g_i = (\rho+p)^{-1}p_{,i} = -a_i$ の関係にある．もうひとつ，粒子数保存則の摂動方程式の導出が必要と思うかもしれないが，(4.57) から δn は $\delta\rho$ （または，δp）で表せるので，その必要はない．実際，粒子数保存則 (3.19) の摂動方程式に現れる δn を $\delta\rho$ に置き換えたものが (4.60) となる．まとめると，断熱過程での摂動方程式は (4.58)，(4.60) および (4.61) となる．これらを解くことで背景の構造の安定性やどのような波が伝搬するかを調べることができる．

4.6.2 復元力と波の種類

4.6.1 節で示した方程式系で，すべての線形摂動の量 δF が $f(r,\theta)\exp[-i(\omega t - m\phi)]$ の形で変動すると仮定する．多少の式の変形後，最終的に ω を固有値とする方程式を得る．それを解くことにより，モード（ある種の固有振動数と固有関数）が得られ，その振動の様子がわかる．軸対称 ($m=0$) あるいは非軸対称 ($m\neq 0$) の変動である固有関数のノード数もその振る舞いに関係する．天体現象で重要になるのは比較的大域的な波であり，数値計算が不可欠であるが，ここでは余り詳細な計算によらず，定性的理解が得られるように議論を進める．

波の性質は復元力により決まる．運動方程式 (4.61) には単純には分離できないものの，特徴的な 3 つの力が含まれている．それは背景の流れ u_i，圧力変化 δp と浮力 $\vec{A}$ を含む項であり，それぞれに起因する波動現象，場合によっては不安性を引き起こす．いくつかの振動の様子が図 4.10 に模式的に示してある．

例題 4.4 シュバルツシルト時空の場合に運動方程式 (4.61) を具体的に書き下してみよう．

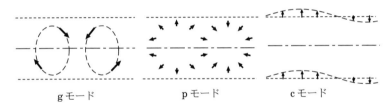

図 4.10 子午面（r-z 面）内での変動の様子を典型的なパターンを模式的に示した．復元力により，波は分類される．左は浮力による g モード（内部重力波），中央は圧力による p モード（音波），右は回転による c モード（コルゲーション波）である．

解答 方位角成分（ϕ）と子午面内成分（$P = r, \theta$）はそれぞれ以下となる．

$$(-i\sigma u^t)\delta u_\phi + (u_{\phi,P} - a_P u_\phi)\delta u^P + i(\rho+p)^{-1}(m - \sigma u^t u_\phi)\delta p = 0, \quad (4.63)$$

$$(-i\sigma u^t)\delta u_P - \alpha^2 \ell u^t (\ln \lambda^2)_{,P} \delta u^\phi$$
$$+ (\rho+p)^{-1}[(1 + c_s^{-2})a_P \delta p + \delta p_{,P}] - (\vec{\xi} \cdot \vec{A})a_P = 0. \quad (4.64)$$

ここで $\sigma = \omega - m\Omega$ で，σu^t は回転系の固有時間に対する角振動数であり，σ は無限遠の観測者の時間で測ったものとなる．また，$\ell/\Omega = \lambda^2 = \alpha^{-2}(r\sin\theta)^2$，$\alpha^2 = 1 - 2M/r$（4.2.2 節参照）を用いた． ∎

例題 4.3 から $\vec{A}$ の項の意味が理解できたと思うが，具体的に運動方程式を取り扱う．変位は z 方向のみと考え，その方向の速度 $\delta u^z = d\xi^z/d\tau = -i\sigma u^t \xi^z$ である．運動方程式（4.64）の z 成分にこれらを代入して振動数（σ の代わりに z 方向なので N_z と表記）は

$$(N_z u^t)^2 = -a_z A^z = \frac{\nabla_z p}{\rho + p} A^z \quad (4.65)$$

となる．a_z と A^z が異符号なら振動数は実数となる．$(\rho+p)^{-1}\nabla p$ は静水圧平衡にある物体に働く重力 g_z である．このように浮力が復元力となる振動モードは**内部重力波（g モード）**，その振動数は**ブラント–バイサラ振動数**（Brunt–Väisälä frequency）と呼ばれる[*22]．重力加速度は相対論的効果を無視すれば，$u^t \approx 1$, $g_z \approx -(M/r^2) \times z/r = -\Omega_K^2 z$ 程度であり，また，幾何学的に薄い円盤では圧力は無視（$p \ll \rho$, $\rho \approx \rho_m$）とする．また，$A_z \approx -\Gamma^{-1}\partial \ln(p/\rho_m^\Gamma)/\partial z$ と近似でき

[*22] 慣例的に，記号 N がブラント–バイサラ振動数に用いられる．

るので典型的な振動数の大きさは，

$$N_z^2 = \Omega_K^2 \Gamma^{-1} \frac{\partial \ln(p/\rho_{\mathrm{m}}^\Gamma)}{\partial \ln z} \tag{4.66}$$

となる．Ω_K との積に現れる熱的な分布に由来する因子は一般的に小さいので，g モードの振動数は低周波（$N_z \ll \Omega_\mathrm{K}$）となる．また，波が伝わる方向（$z$ 方向）は重力がほぼ一定面（$|g_z| \ll |g_r|$）であり，その一定面に沿って伝わる g モードの特徴が見られる（図 4.10 参照）．

今度は a_z と A^z が同符号の場合を考える．この場合，振動数は虚数になり，このような変動は指数関数的に増大することがわかる．$-a$ の方向が重力加速度の方向であり，$A_z = -\Gamma^{-1}\nabla_z \ln(p/\rho_\mathrm{m}^\Gamma) \propto -\nabla_z S$ に着目すれば，重力が働く方向にエントロピーが増加する構造は不安定で，対流が起こることが理解される[*23]．

動径（r）方向の g モードも同様に考えられる．その典型的な振動数は $(N_r u^t)^2 = (\rho+p)^{-1} A^r \nabla_r p$ となる．しかし，動径方向変位には圧力や遠心力などの復元力も必然的に関係し，一般に複雑になる．

次に，回転流に起因する振動を考えよう．バロトロピックな場合（$\vec{A}=0$）で，圧力変化も無視し（$\delta p = 0$），赤道面内の運動に限定する（$\delta u^z = 0$）．この条件下で運動方程式（4.64）の r, ϕ 成分から，振動数 σ は以下に定まる．

$$(\sigma u^t)^2 = \frac{\alpha^2}{2r^2}\frac{d\ln\lambda^2}{dr}\frac{dL^2}{dr} = \frac{M}{r^3}\left(1-\frac{3M}{r}\right)^{-1}\left(1-\frac{6M}{r}\right) = \kappa_p^2. \tag{4.67}$$

ここに現れた κ_p は 2.4 節の粒子の運動で調べたエピサイクリック振動数である．$\sigma = \kappa_t$ は無限遠の観測者が測る振動数であり，κ_p は固有時間に対する量である．非相対論的な場合，$u^t \to 1$，$\alpha \to 1$，$\lambda \to r$ とすると，$\kappa^2 = (dL^2/dr)/r^3 = \Omega_\mathrm{K}^2$ となる．ここではシュバルツシルト時空の場合に調べたが，ブラックホールの自転の効果を含めて回転角振動数 Ω，垂直方向と動径方向のエピサイクリック振動数 $\kappa_{t\perp}$ と κ_t を図 4.11 に示す．

音速 c_s がゼロの極限では粒子の運動と同じであり，角運動量に由来する復元力だけであり，振動数としてエピサイクリック振動数が現れた．次に圧力変化 δp を伴う**音波（p モード）**を考えるが，実は非常に短波長のもの以外，その伝搬にはエ

[*23] 重力に逆らい断熱的に移動した流体素片が排除した部分より軽いと，その方向への移動は続き不安定となる（本シリーズ第 1 巻参照）．

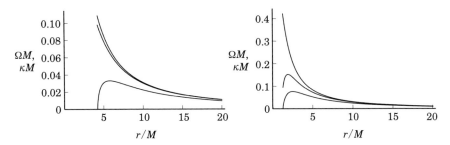

図 4.11 上から順に回転角振動数 Ω, 垂直方向のエピサイクリック角振動数 $\kappa_{t\perp}$, 動径方向のエピサイクリック角振動数 κ_t を場所（横軸 r/M）の関数として表した．左は $a/M = 0.5$, 右は $a/M = 0.998$ の場合のもの．$a = 0$ では $\kappa_{t\perp} = \Omega = (M/r^3)^{1/2}$ となる．

ピサイクリック振動数が大いに影響する．たとえば，軸対称モード ($m = 0$) に限り波数 k_r として，ある種の近似的な局所的分散関係式は $\omega^2 = \kappa^2 + (c_s k_r)^2$ となり，復元力として遠心力と圧力の和になっている[*24]．幾何学的に薄い円盤では音速が小さく，第 1 項が支配的である ($c_s k_r < \Omega_K \sim \kappa$)．

この分散関係式から，圧力が復元力となる p 波の伝播条件としては $\omega^2 > \kappa^2$ であることが必要となる．エピサイクリック振動数 κ は場所の関数であり，ある振動数を持った波が存在する領域が限られる．ニュートン重力では κ^2 は単調な関数（ケプラー回転なら $\kappa^2 = M/r^3$）であり，内側に近づくにつれ κ^2 は増加し，ある振動数の波の伝搬領域はある半径より外である．一方，図 4.11 に示したように相対論効果を取り入れた振動数 κ^2 は単調な変化でなく，ブラックホール近傍でゼロに近づく．このため，円盤の内縁付近にも新たな波の伝搬領域が存在する．円盤の内縁端（シュバルツシルト時空では $r_{\rm ms} = 6M$）で落ちる波の一部は反射され，この内側の伝搬領域に捕獲された定在波を生じる可能性がある．

復元力として，浮力，重力，遠心力，圧力が含まれるが，ここまでの極限的取り扱いでいくつかの振動モードを示してきた．あと一つ，ノードがなく円盤に垂直方向（z 方向）に，振動する表面波があり，このようなモードは c モード（コルゲーション波）と呼ばれる（図 4.10）．このモードでは圧力は効果的でなく，復元力は

[*24] Kato et al. (2008).

回転に由来し，典型的な振動数はエピサイクリック角振動数 $\kappa_{t\perp}$ となる．z 方向にノードがあると，p モードと区別がつかず，c モードは特殊なものとみなせる．

最後に振動数の大きさを見積もっておく．ケプラー回転の角速度 $\Omega_\mathrm{K} = (GM/r^3)^{1/2}$ をシュバルツシルト時空での円盤の内縁半径 $6GM/c^2$ で評価すると，

$$\nu = \Omega_\mathrm{K}/2\pi = 2.2 \times 10^2 (M/10M_\odot)^{-1} \text{ Hz} \qquad (4.68)$$

となる．観測的にはいくつかのブラックホール候補から数 $100\,\mathrm{Hz}$ の QPO（準周期振動）が見つかっている．これらと円盤の振動の関連が議論されている．

Chapter 4 の章末問題

問題 4.1 4.1.1 節の議論で $\Gamma = 5/3$ の場合どのようになるか考えてみよ.

問題 4.2 $p = \rho \, (\propto n)$ とはどのような場合か.

問題 4.3 4.2.2 節の (4.46) (4.47) の非相対論極限の式を導け.

問題 4.4 4.6 節の赤方偏移因子 g をカー時空の場合に求め, シュバルツシルトのもの (4.55) と比較せよ.

Chapter 5
相対論的電磁気学

図 5.1 は自転するブラックホールとその降着円盤を取り巻く磁場のイメージである．この図では磁力線の根元(ねもと)は薄い降着円盤につながっている．また，その中のいくつかの磁力線は自転するブラックホールのエルゴ領域を貫き地平面に達している．本章では，ブラックホールまわりの電磁場の一般相対論について述べる．ブラックホールまわりの真空中，フォースフリーの場合などの具体的な電磁場の解については 7 章の前半で取り上げる．

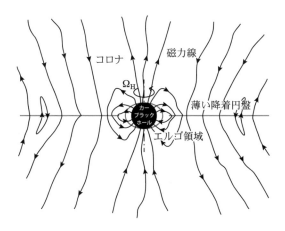

図 **5.1** ブラックホールのまわりの磁場のイメージ．

5.1 マクスウェル方程式

重力場の影響が無視できる場合のマクスウェル方程式は

$$\nabla \cdot \boldsymbol{E} = 4\pi \rho_{\mathrm{e}}, \quad \frac{\partial \boldsymbol{E}}{\partial t} + 4\pi \boldsymbol{J} = \nabla \times \boldsymbol{B}, \tag{5.1}$$

$$\nabla \cdot \boldsymbol{B} = 0, \quad \frac{\partial \boldsymbol{B}}{\partial t} = -\nabla \times \boldsymbol{E} \tag{5.2}$$

である（Jackson 1962）．ここで，$\boldsymbol{E}$, $\boldsymbol{B}$, $\boldsymbol{J}$, ρ_{e} はそれぞれ，電場，磁場，電流密度，電荷密度である．ここでの時空はミンコフスキー時空 $(x^0, x^1, x^2, x^3) = (t, x, y, z)$ で，線素は，$ds^2 = \eta_{\mu\nu} dx^\mu dx^\nu = -dt^2 + \sum_i (dx^i)^2$ である．(5.1)，(5.2) は異なる慣性系間の座標変換（ローレンツ変換）に対して，不変な方程式である．

5.1.1 電磁場のエネルギー・運動量

電磁場のエネルギーおよび運動量の式は (5.1)，(5.2) より，

$$\frac{\partial u}{\partial t} + \nabla \cdot \boldsymbol{S} = -\boldsymbol{J} \cdot \boldsymbol{E}, \tag{5.3}$$

$$\frac{\partial \boldsymbol{S}}{\partial t} + \nabla \cdot \boldsymbol{T} = -\boldsymbol{f}_{\mathrm{L}} \tag{5.4}$$

となる．ここで，$u = \frac{1}{8\pi}(E^2 + B^2)$, $\boldsymbol{S} = \frac{1}{4\pi} \boldsymbol{E} \times \boldsymbol{B}$ はそれぞれ電磁場のエネルギー密度，ポインティングフラックス（Poynting flux）である．さらに，$\boldsymbol{T} = -\frac{1}{4\pi}(\boldsymbol{EE} + \boldsymbol{BB}) + u\boldsymbol{I}$ はマクスウェルの応力テンソルの逆符号[*1]（$\boldsymbol{I}$ は 3×3 の単位テンソル），$\boldsymbol{f}_{\mathrm{L}} = \rho_{\mathrm{e}} \boldsymbol{E} + \boldsymbol{J} \times \boldsymbol{B}$ はローレンツ力密度である．ポインティングフラックス $\boldsymbol{S}$ は電磁場の運動量密度であり，(5.3)，(5.4) は電磁場のエネルギー，運動量の保存則を与える．

5.1.2 ゲージ不変性

(5.2) よりスカラーポテンシャル Φ とベクトルポテンシャル $\boldsymbol{A}$ があり，

$$\boldsymbol{B} = \nabla \times \boldsymbol{A}, \tag{5.5}$$

[*1] テンソル $\boldsymbol{T}$ は成分で書くと，$T^{ij} = -\frac{1}{4\pi}(E^i E^j + B^i B^j) + u\delta^{ij}$．また，$\nabla \cdot \boldsymbol{T}$ はベクトルで，その i 成分は $\frac{\partial}{\partial x^j} T^{ij}$ である．

$$\boldsymbol{E} = -\nabla\Phi - \frac{\partial \boldsymbol{A}}{\partial t} \tag{5.6}$$

と書かれることが分かる．(5.5)，(5.6) を (5.1) に代入すると，

$$\nabla \cdot \boldsymbol{E} = -\nabla^2\Phi + \frac{\partial^2\Phi}{\partial t^2} - \frac{\partial}{\partial t}\left(\frac{\partial\Phi}{\partial t} + \nabla\cdot\boldsymbol{A}\right) = 4\pi\rho_\text{e},$$

$$\nabla \times \boldsymbol{B} - \frac{\partial \boldsymbol{E}}{\partial t} = -\nabla^2\boldsymbol{A} + \frac{\partial^2}{\partial t^2}\boldsymbol{A} + \nabla\left(\frac{\partial\Phi}{\partial t} + \nabla\cdot\boldsymbol{A}\right) = 4\pi\boldsymbol{J}.$$

ここで，任意のスカラー場を $\lambda(x^\mu)$ として $\boldsymbol{A}$, Φ に対してゲージ変換 $\boldsymbol{A}' = \boldsymbol{A} + \nabla\lambda$, $\Phi' = \Phi - \dfrac{\partial\lambda}{\partial t}$ を行っても電場，磁場は変わらない．任意の関数 λ はゲージ (gauge) とよばれ，この変換に対する不変性はゲージ不変性 (gauge invariance) とよばれる．このことから，$\boldsymbol{A}$, Φ の選定にはゲージ分だけの自由度があることが分かる．その自由度を制限する条件として，ローレンツ・ゲージ $\dfrac{\partial\Phi}{\partial t} + \nabla\cdot\boldsymbol{A} = 0$ を選ぶと，

$$-\nabla^2\Phi + \frac{\partial^2\Phi}{\partial t^2} = 4\pi\rho_\text{e}, \tag{5.7}$$

$$-\nabla^2\boldsymbol{A} + \frac{\partial^2}{\partial t^2}\boldsymbol{A} = 4\pi\boldsymbol{J} \tag{5.8}$$

を得る．この方程式はマクスウェル方程式 (5.1) と同値である．また，スカラーポテンシャル，ベクトルポテンシャルの定義から (5.2) は自然と満たされる．よって，(5.7)，(5.8) はスカラーポテンシャルとベクトルポテンシャルによるマクスウェル方程式の書き換えと見なせる．

5.1.3 電磁場テンソル

ローレンツ変換に対して方程式が不変であることが見ただけで分かるように，マクスウェル方程式を 4 次元時空でのテンソルを用いた共変形式に書き換える．4 元電流密度 $J^\mu = (\rho_\text{e}, \boldsymbol{J})$ および 4 元ベクトルポテンシャル $A^\mu = (\Phi, \boldsymbol{A})$ を導入する．これらを用いて，マクスウェル方程式 (5.7)，(5.8) を書くと，

$$\Box A^\mu = -4\pi J^\mu. \tag{5.9}$$

ここで，$\Box \equiv -\dfrac{\partial^2}{\partial t^2} + \nabla^2 = \eta^{\mu\nu}\dfrac{\partial}{\partial x^\mu}\dfrac{\partial}{\partial x^\nu}$ はダランベルシアン (d'Alembertian)

というスカラー微分演算子である．さらに，4元電流密度 J^μ は反変ベクトルなので[*2]，(5.9) から A^μ も反変ベクトルであることが分かる．

共変ベクトル $A_\mu = (-\Phi, A_i)$ を用いて，共変テンソル

$$F_{\mu\nu} = \frac{\partial}{\partial x^\mu} A_\nu - \frac{\partial}{\partial x^\nu} A_\mu \tag{5.10}$$

を定義する．このテンソルは反対称 ($F_{\mu\nu} = -F_{\nu\mu}$) で，(5.5)，(5.6) より，電磁場 $\boldsymbol{E} = (E_1, E_2, E_3)$, $\boldsymbol{B} = (B^1, B^2, B^3)$ と次のように関係している．

$$F_{i0} = -F_{0i} = E_i, \qquad F_{ij} = \sum_k \epsilon_{ijk} B^k. \tag{5.11}$$

ここで，ϵ_{ijk} は**レヴィ=チビタの記号**（Levi-Civita symbol）で，

$$\epsilon_{ijk} = \begin{cases} 1 &: (ijk) \longrightarrow (123) \text{ が偶置換のとき} \\ -1 &: (ijk) \longrightarrow (123) \text{ が奇置換のとき} \\ 0 &: \text{その他の場合} \end{cases} \tag{5.12}$$

と定義する．具体的には，行列で書き表すと次のようになる．

$$(F_{\mu\nu}) = \begin{pmatrix} F_{00} & F_{01} & F_{02} & F_{03} \\ F_{10} & F_{11} & F_{12} & F_{13} \\ F_{20} & F_{21} & F_{22} & F_{23} \\ F_{30} & F_{31} & F_{32} & F_{33} \end{pmatrix} = \begin{pmatrix} 0 & -E_1 & -E_2 & -E_3 \\ E_1 & 0 & B^3 & -B^2 \\ E_2 & -B^3 & 0 & B^1 \\ E_3 & B^2 & -B^1 & 0 \end{pmatrix}. \tag{5.13}$$

このテンソル $F_{\mu\nu}$ は**電磁場テンソル**（field-strength tensor）とよばれる．

さてここで，4元レヴィ=チビタの記号

$$\epsilon^{\kappa\lambda\mu\nu} = \begin{cases} 1 &: (\kappa, \lambda, \mu, \nu) \longrightarrow (0123) \text{ が偶置換のとき} \\ -1 &: (\kappa, \lambda, \mu, \nu) \longrightarrow (0123) \text{ が奇置換のとき} \\ 0 &: \text{その他の場合} \end{cases} \tag{5.14}$$

を導入し，

$$^*F^{\mu\nu} = \frac{1}{2} \epsilon^{\mu\nu\rho\sigma} F_{\rho\sigma} \tag{5.15}$$

を定義すると，

[*2] 電荷，電流を担う粒子の種類が $s = 1, 2, \cdots$ とあって，それぞれの粒子の電荷を q_s，静止粒子個数密度を n_s，4元速度を U_s^μ とすると，$J^\mu = \sum_s q_s n_s U_s^\mu$ となる．

$$({}^*F^{\mu\nu}) = \begin{pmatrix} {}^*F^{00} & {}^*F^{01} & {}^*F^{02} & {}^*F^{03} \\ {}^*F^{10} & {}^*F^{11} & {}^*F^{12} & {}^*F^{13} \\ {}^*F^{20} & {}^*F^{21} & {}^*F^{22} & {}^*F^{23} \\ {}^*F^{30} & {}^*F^{31} & {}^*F^{32} & {}^*F^{33} \end{pmatrix} = \begin{pmatrix} 0 & B^1 & B^2 & B^3 \\ -B^1 & 0 & -E_3 & E_2 \\ -B^2 & E_3 & 0 & -E_1 \\ -B^3 & -E_2 & E_1 & 0 \end{pmatrix} \quad (5.16)$$

となる[*3]．$F_{\mu\nu}$, ${}^*F^{\mu\nu}$ を用いて，

$$E_\mu = F_{\mu 0}, \quad (5.17)$$

$$B^\mu = {}^*F^{0\mu} \quad (5.18)$$

と拡張して定義できる．ここで，$E_0 = 0$, $B^0 = 0$ である．5.1.4 節で示すように，4 元レヴィ=チビタの記号は空間反転や時間反転などの不連続な座標変換に対してテンソルとは異なる変換性を示す．しかし，後で示すようにミンコフスキー時空どうしの連続的な変換に対してはテンソルと同じ座標変換性を示すので，その範囲において 4 元レヴィ=チビタ記号および ${}^*F^{\mu\nu}$ はテンソルと見なすことができる．今後，座標変換は，特に断わりがない限り（一般相対論の場合も含めて）連続的な変換に限ることとする．

5.1.4 マクスウェル方程式の共変形式

ここで，電磁場テンソルによるマクスウェル方程式の共変形式を見ておこう．ミンコフスキー時空では $F^{0i} = F_{i0}$, $F^{ij} = F_{ij}$ なので，（5.1）は

$$\frac{\partial}{\partial x^i} F^{0i} = 4\pi J^0,$$

$$-\frac{\partial}{\partial t} F^{i0} + 4\pi J^i = \epsilon^{0ijk} \frac{\partial}{\partial x^j} B_k = \frac{\partial}{\partial x^j} F^{ij}$$

と直接書き換えられる．これは，共変形式

$$\partial_\mu F^{\nu\mu} = 4\pi J^\nu \quad (5.19)$$

とまとめられる．ここで，$\partial_\mu = \dfrac{\partial}{\partial x^\mu}$ と略記した．（5.2）は，

$$\frac{\partial}{\partial x^i} {}^*F^{0i} = 0,$$

[*3] この ${}^*F^{\mu\nu}$ は後に述べる GRMHD 数値計算の基礎的な計算でよく用いられる．

$$0 = \frac{\partial}{\partial t}{}^*F^{0i} + \epsilon^{0ijk}\frac{\partial}{\partial x^j}F_{k0} = -\frac{\partial}{\partial x^0}{}^*F^{i0} - \frac{\partial}{\partial x^j}\left(\frac{1}{2}\epsilon^{ij\rho\sigma}F_{\rho\sigma}\right) = -\frac{\partial}{\partial x^\mu}{}^*F^{i\mu}$$

と書き換えられる．これは，次式のようにまとめられる：

$$\partial_\mu {}^*F^{\nu\mu} = 0. \tag{5.20}$$

また，この式は次のような共変形式にも書き換えられる．ここで，添字 0, 1, 2, 3 のうち ν 以外の異なる 3 つの添字を α, β, γ と書く．さらに，$(\nu, \alpha, \beta, \gamma)$ が順列 (0,1,2,3) の偶置換とすると，

$$\begin{aligned}\partial_\mu {}^*F^{\nu\mu} &= \frac{1}{2}\partial_\mu \epsilon^{\nu\mu\rho\sigma} F_{\rho\sigma} \\ &= \frac{1}{2}[\partial_\alpha F_{\beta\gamma} + \partial_\beta F_{\gamma\alpha} + \partial_\gamma F_{\alpha\beta} - \partial_\alpha F_{\gamma\beta} - \partial_\beta F_{\alpha\gamma} - \partial_\gamma F_{\beta\alpha}] \\ &= \partial_\alpha F_{\beta\gamma} + \partial_\beta F_{\gamma\alpha} + \partial_\gamma F_{\alpha\beta} = 0.\end{aligned}$$

ここで，$(\nu, \alpha, \beta, \gamma)$ が (0,1,2,3) の奇置換の場合も同じ式を得る．さらに，$\partial_\alpha F_{\beta\gamma} + \partial_\beta F_{\gamma\alpha} + \partial_\gamma F_{\alpha\beta} = 0$ の式で α, β, γ のうち一対が等しければ，例えば $\beta = \gamma$ として $\partial_\alpha F_{\beta\beta} + \partial_\beta F_{\beta\alpha} + \partial_\beta F_{\alpha\beta} = 0$ と恒等的にゼロとなる．よって，

$$\partial_\mu F_{\nu\lambda} + \partial_\nu F_{\lambda\mu} + \partial_\lambda F_{\mu\nu} = 0 \tag{5.21}$$

は (5.20) と同じ式となる．この式は明らかに共変形式となっている．

このように，マクスウェル方程式 (5.1), (5.2) は共変形式 (5.19), (5.21) で書かれる．後で述べるように，(5.20) は共変形式となっていて，それを (5.21) の代わりに用いることができる．

5.1.5 電場と磁場の座標変換性

ここでは，電場 $\boldsymbol{E} = (E_1, E_2, E_3)$ と磁場 $\boldsymbol{B} = (B^1, B^2, B^3)$ のミンコフスキー時空 $x^\mu = (t, x, y, z)$, $x^{\mu'} = (t', x', y', z')$ 間のベクトルとしての変換性の違いについて述べる．電場 $E_i = F_{i0}$ は 3 次元空間座標の変換 $x^i \longrightarrow x^{i'} = L^i{}_j x^j$ について，$t' = t$ なので，

$$E_{i'} = F_{i'0'} = L_i{}^j F_{j0} = L_i{}^j E_j \tag{5.22}$$

となり，3 次元空間で共変ベクトルとして振る舞う．ここで，行列 $(L_i{}^j)$ は定行列 $(L^i{}_j)$ の逆行列である．以降，$L_i{}^j$ と $L^i{}_j$ で書くのは紛らわしいので，$L^i{}_j = \dfrac{\partial x^{i'}}{\partial x^j}$,

$L_i{}^j = \dfrac{\partial x^j}{\partial x^{i'}}$ と書くことにする. すなわち, ここでは $E_{i'} = \dfrac{\partial x^j}{\partial x^{i'}} E_j$ となる.

一方, 磁場 $B^i = {}^*F^{0i}$ の座標変換性を示すには, ${}^*F^{\mu\nu} = \dfrac{1}{2}\epsilon^{\mu\nu\rho\sigma} F_{\rho\sigma}$ の変換性をはっきりさせなくてはならない. ${}^*F^{\mu\nu}$ の変換性を明確にするには, $\epsilon^{\mu\nu\rho\sigma}$ の変換性を与える必要がある. もともと, $\epsilon^{\mu\nu\rho\sigma}$ は単なる記号として導入されたが, 他の物理量と同様にこれも各座標系で定義され, 互いに座標変換にともなって変換されると考える. その変換性は次のように決まる.

座標変換 $x^\mu \to x^{\mu'}$ において, ヤコビアン $\dfrac{\partial(x')}{\partial(x)}$ は

$$\dfrac{\partial(x')}{\partial(x)} = \epsilon^{\mu\nu\rho\sigma} \dfrac{\partial x^{0'}}{\partial x^\mu} \dfrac{\partial x^{1'}}{\partial x^\nu} \dfrac{\partial x^{2'}}{\partial x^\rho} \dfrac{\partial x^{3'}}{\partial x^\sigma}. \tag{5.23}$$

ここで, 右辺の偏微分の変数 $x^{0'}$, $x^{1'}$, $x^{2'}$, $x^{3'}$ を $x^{\alpha'}$, $x^{\beta'}$, $x^{\gamma'}$, $x^{\delta'}$ に置き換えたとき, $(\alpha', \beta', \gamma', \delta') \to (0'1'2'3')$ が偶置換のときは右辺は変わらないが, 奇置換のとき符号が逆になる. よって,

$$\dfrac{\partial(x')}{\partial(x)} \epsilon^{\alpha'\beta'\gamma'\delta'} = \epsilon^{\mu\nu\rho\sigma} \dfrac{\partial x^{\alpha'}}{\partial x^\mu} \dfrac{\partial x^{\beta'}}{\partial x^\nu} \dfrac{\partial x^{\gamma'}}{\partial x^\rho} \dfrac{\partial x^{\delta'}}{\partial x^\sigma}$$

であることが分かる. 両辺を $\dfrac{\partial(x')}{\partial(x)}$ で割ると,

$$\epsilon^{\alpha'\beta'\gamma'\delta'} = \left(\dfrac{\partial(x')}{\partial(x)}\right)^{-1} \dfrac{\partial x^{\alpha'}}{\partial x^\mu} \dfrac{\partial x^{\beta'}}{\partial x^\nu} \dfrac{\partial x^{\gamma'}}{\partial x^\rho} \dfrac{\partial x^{\delta'}}{\partial x^\sigma} \epsilon^{\mu\nu\rho\sigma}. \tag{5.24}$$

さらに,

$$\dfrac{\partial(x')}{\partial(x)} = \pm 1 \tag{5.25}$$

であること (章末問題 5.1) を用いると,

$$\epsilon^{\alpha'\beta'\gamma'\delta'} = \pm \dfrac{\partial x^{\alpha'}}{\partial x^\mu} \dfrac{\partial x^{\beta'}}{\partial x^\nu} \dfrac{\partial x^{\gamma'}}{\partial x^\rho} \dfrac{\partial x^{\delta'}}{\partial x^\sigma} \epsilon^{\mu\nu\rho\sigma}. \tag{5.26}$$

すなわち, 符号 $\pm$ を除いて $\epsilon^{\mu\nu\rho\sigma}$ はテンソルと同じ変換則にしたがう. ここで, 連続的な座標変換に対して符号が $-$ になることはないので, 少なくとも連続的な座標変換に対しては $\epsilon^{\mu\nu\rho\sigma}$ はテンソルと見なすことができる.

よって，$*F^{\mu\nu}$ の変換は座標変換 $x^\mu \to x^{\mu'}$ において

$$*F^{\mu'\nu'} = \frac{\partial(x)}{\partial(x')}\frac{\partial x^{\mu'}}{\partial x^\alpha}\frac{\partial x^{\nu'}}{\partial x^\beta}*F^{\alpha\beta} = \pm \frac{\partial x^{\mu'}}{\partial x^\alpha}\frac{\partial x^{\nu'}}{\partial x^\beta}*F^{\alpha\beta}. \qquad (5.27)$$

したがって，ミンコフスキー時空の間の連続的な座標変換であれば，$*F^{\mu\nu}$ もテンソルと見なすことができる．このため $*F^{\mu\nu}$ は $F_{\mu\nu}$ の**双対テンソル**（dual tensor）とよばれる．

レヴィ=チビタの記号は限定的ながらテンソルと見なすことができるので，「下付きの」レヴィ=チビタ記号を次のように与える：

$$\epsilon_{\mu\nu\rho\sigma} = \eta_{\mu\alpha}\eta_{\nu\beta}\eta_{\rho\gamma}\eta_{\sigma\delta}\epsilon^{\alpha\beta\gamma\delta} = -\epsilon^{\mu\nu\rho\sigma}. \qquad (5.28)$$

以上のように，連続な座標変換のみを考えれば，レヴィ=チビタの記号，および $*F^{\mu\nu}$ はテンソルと見なすことができる．このように，レヴィ=チビタ記号がテンソルとみなされるとき $\epsilon^{\mu\nu\rho\sigma}, \epsilon_{\mu\nu\rho\sigma}$ を**レヴィ=チビタテンソル**と呼ぶ．しかし，次に示すように鏡像変換のような不連続な座標変換に対してはヤコビアンが -1 となりテンソルとは見なせなくなることに注意を要する．3 次元空間での座標変換 $x^i \to x^{i'}$ では，$t' = t$ なので，

$$\frac{\partial(x)}{\partial(x')} = \begin{vmatrix} \dfrac{\partial x^1}{\partial x^{1'}} & \dfrac{\partial x^1}{\partial x^{2'}} & \dfrac{\partial x^1}{\partial x^{3'}} \\ \dfrac{\partial x^2}{\partial x^{1'}} & \dfrac{\partial x^2}{\partial x^{2'}} & \dfrac{\partial x^2}{\partial x^{3'}} \\ \dfrac{\partial x^3}{\partial x^{1'}} & \dfrac{\partial x^3}{\partial x^{2'}} & \dfrac{\partial x^3}{\partial x^{3'}} \end{vmatrix} \equiv \frac{\partial(\vec{x})}{\partial(\vec{x}')} = \pm 1$$

となる．よって，磁場 $B^i = *F^{0i}$ についての 3 次元空間での座標変換則は

$$B^{i'} = \frac{\partial(\vec{x})}{\partial(\vec{x}')}\frac{\partial x^{i'}}{\partial x^j}B^j \qquad (5.29)$$

となる．この変換則は電場 E_i の変換則と因子 $\dfrac{\partial(\vec{x})}{\partial(\vec{x}')} = \pm 1$ だけ違ってくる．すなわち，磁場は電場とは違った変換性を持つ（コラム「鏡像変換と磁場」参照）．また，電場について時間を含めた座標変換に対してはベクトルの変換性を示さない（コラム「時間反転と電場」参照）．

一般に，座標変換 $x^\mu \longrightarrow x^{\mu'}$ において，電場および磁場は次のように変換される．

$$E_i \longrightarrow E_{i'} = \frac{\partial x^j}{\partial x^{i'}} \left(\frac{\partial x^0}{\partial x^{0'}} E_j + \epsilon_{jkn} \frac{\partial x^k}{\partial x^{0'}} B^n \right) - \frac{\partial x^0}{\partial x^{i'}} \frac{\partial x^j}{\partial x^{0'}} E_j, \tag{5.30}$$

$$B^i \longrightarrow B^{i'} = \frac{\partial(x)}{\partial(x')} \left[\frac{\partial x^{i'}}{\partial x^j} \left(\frac{\partial x^{0'}}{\partial x^0} B^j + \epsilon^{jkn} \frac{\partial x^{0'}}{\partial x^k} E_n \right) - \frac{\partial x^{0'}}{\partial x^j} \frac{\partial x^{i'}}{\partial x^0} B^j \right]. \tag{5.31}$$

ただし $\epsilon^{ijk} = \epsilon_{ijk}$ である.

特殊相対論では不連続な座標変換を考えない限り, $\dfrac{\partial(x)}{\partial(x')} = 1$ となり, 電場と磁場は同じ座標変換則にしたがう. これ以降において, 一般相対論の場合も含めて連続的な座標変換のみを考え, $\dfrac{\partial(x)}{\partial(x')} > 0$ とする.

鏡像変換と磁場

鏡像 (反転) 変換という簡単な変換を例にとって, 電場と磁場の3次元空間の座標変換に対する変換性の違いを見てみよう. 鏡像反転変換というのは, たとえば, 次のような変換をいう (図 5.2):

$$(x, y, z) \longrightarrow (x', y', z') = (x, -y, z).$$

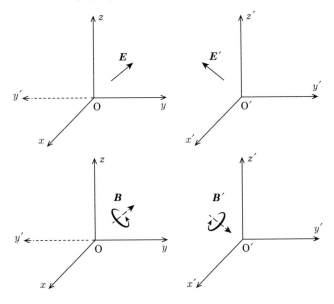

図 **5.2** 極性ベクトルと軸性ベクトルの鏡像反転変換での変換性の違い.

ちょうど xz 平面に鏡を置いてみたときに，y 方向に反転して像が見える変換に対応する．このとき，$\dfrac{\partial(\vec{x})}{\partial(\vec{x}')} = -1$ となるので，電場および磁場はそれぞれ次のように変換される．

$$E_{x'} = E_x, \qquad E_{y'} = -E_y, \qquad E_{z'} = E_z,$$
$$B_{x'} = -B_x, \qquad B_{y'} = B_y, \qquad B_{z'} = -B_z.$$

このように電場は位置ベクトルの変換 ($x' = x, y' = -y, z' = z$) と同じになるが，磁場はその逆符号になる．このことは，電場は位置ベクトルと同じ変換性を示すが，磁場はその逆方向となることを示している．このような座標変換性は軸のまわりの回転する物体を鏡に映したとき，回転ベクトルに見られる変換性である．そのようなベクトルを**軸性ベクトル**という．それに対して位置ベクトルと同じ座標変換性を示すベクトルを**極性ベクトル**という．軸性ベクトルとして扱うべきベクトルは他に流体の渦度 $\boldsymbol{\omega} = \nabla \times \boldsymbol{v}$ がある．

軸性ベクトルは鏡像変換などの不連続な座標変換に対しては極性ベクトルとは異なった変換性を示す．ただ，回転変換やローレンツ変換などの連続的な変換においては，ベクトルと見なせる．レヴィ=チビタ記号，および $^*F^{\mu\nu}$ も同様である．

時間反転と電場

電場 E_i は3次元空間ではベクトルとして振る舞うが，時間反転も含めた4次元空間での不連続な変換ではベクトルとして扱うことはできない．たとえば，時間反転座標変換 $t \longrightarrow t' = -t$, $\boldsymbol{x} \longrightarrow \boldsymbol{x}' = \boldsymbol{x}$ では，$E_{i'} = F_{i'0'} = \dfrac{\partial x^\mu}{\partial x^{i'}} \dfrac{\partial x^\nu}{\partial x^{0'}} F_{\mu\nu}$ なので，

$$\boldsymbol{E} \longrightarrow \boldsymbol{E}' = -\boldsymbol{E} \tag{5.32}$$

と変換される．一方，磁場 $\boldsymbol{B}$ は軸性ベクトルであるが，時間反転座標変換では，$B^{i'} = {}^*F^{0'i'} = \dfrac{\partial(x)}{\partial(x')} \dfrac{\partial x^{0'}}{\partial x^\mu} \dfrac{\partial x^{i'}}{\partial x^\nu} {}^*F^{\mu\nu}$ なので，

$$\boldsymbol{B} \longrightarrow \boldsymbol{B}' = \boldsymbol{B} \tag{5.33}$$

となる．奇しくも，磁場はこの時間反転変換では3次元位置ベクトル (x^1, x^2, x^3) と同じ変換となる．

5.1.6 特殊相対論における電気力線,磁力線

磁力線(電気力線)とは,接線の方向と向きが常にその点における磁場 $\boldsymbol{B}$(電場 $\boldsymbol{E}$)の方向と一致している曲線の群をいう.磁力線(電気力線)の密度は磁場(電場)の強さに比例するように描く.磁力線は磁場を表現する上で便利なものであるが,以下に述べるように相対論ではその取扱いには注意を要する.

2つの慣性系 x^μ と $x^{\mu'}$ を考える.対応する座標軸は平行・同方向で,座標系 x^μ から見た座標系 $x^{\mu'}$ の3元相対速度を $\boldsymbol{v}$ とする.$x = x^1$ 軸,$x' = x^{1'}$ 軸を $\boldsymbol{v}$ の方向に取ると,座標変換はローレンツ変換

$$t' = \gamma(t - vx), \tag{5.34}$$

$$x' = \gamma(x - vt), \tag{5.35}$$

$$y' = y, \tag{5.36}$$

$$z' = z \tag{5.37}$$

となる.ここで,$\gamma = (1 - v^2)^{-1/2}$ である.この場合の電場 E_i,磁場 B^i の座標変換は (5.30),(5.31) により

$$E_{x'} = E_x, \qquad B^{x'} = B^x, \tag{5.38}$$

$$E_{y'} = \gamma(E_y - vB^z), \qquad B^{y'} = \gamma(B^y + vE_z), \tag{5.39}$$

$$E_{z'} = \gamma(E_z + vB^y), \qquad B^{z'} = \gamma(B^z - vE_y) \tag{5.40}$$

となる.これをベクトルで書くと,

$$\boldsymbol{E}'_{//} = \boldsymbol{E}_{//}, \qquad \boldsymbol{B}'_{//} = \boldsymbol{B}_{//}, \tag{5.41}$$

$$\boldsymbol{E}'_\perp = \gamma(\boldsymbol{E}_\perp + \boldsymbol{v} \times \boldsymbol{B}), \qquad \boldsymbol{B}'_\perp = \gamma(\boldsymbol{B}_\perp - \boldsymbol{v} \times \boldsymbol{E}). \tag{5.42}$$

ここで,$//$ は $\boldsymbol{v}$ と平行,$\perp$ は $\boldsymbol{v}$ と垂直な成分であることを意味する.

このように電場と磁場は互いに密接に関係し合っているので,<u>電磁場の力線の現れは座標系に依存する.</u>

たとえば,座標系 x^μ で見たとき,一様な電場 $\boldsymbol{E} \neq \boldsymbol{0}$ があり,磁場がない場合($\boldsymbol{B} = \boldsymbol{0}$)を考える(図5.3).電場と平行でない方向に座標系 $x^{\mu'}$ が速度 $\boldsymbol{v}$ で座標系 x^μ に対して等速度並進運動しているとき,その座標系 $x^{\mu'}$ で見ると,

$$\boldsymbol{B}' = -\gamma \boldsymbol{v} \times \boldsymbol{E} \neq \boldsymbol{0}$$

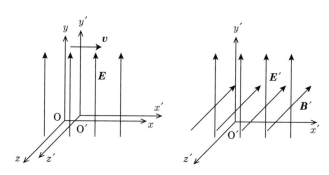

図 5.3 座標系による電磁場の力線の違い．（左図）座標系 O–xyz で一様な電場のみがあるときの電気力線．（右図）座標系 O–xyz に対して一定速度 $\boldsymbol{v}$ で並進運動する座標系 $\mathrm{O}' - x'y'z'$ での電気力線と磁力線．

という一様な磁場が現れることになる．よって，座標系 x^μ では磁力線は一本もなかったのに，座標系 $x^{\mu'}$ では一様な磁力線が現れる．同様のことが，電気力線に対しても起こる．

いずれにしても，電気力線や磁力線は電場や磁場を表現するのに必要不可欠であるが，相対論では電気力線や磁力線は座標系によって変わることをふまえたうえで使うことが必要となる．

電場や磁場の現れは座標変換で変わる．電磁場は本来，電磁場テンソルとして扱われるべきものであることを示している．ただ，電場 $\boldsymbol{E}$ と磁場 $\boldsymbol{B}$ からつくられる量で次のようなスカラー量がある．

$$F^{\lambda\kappa}F_{\lambda\kappa} = 2[(B)^2 - (E)^2]. \tag{5.43}$$

$${}^*F^{\lambda\kappa}F_{\lambda\kappa} = -4\boldsymbol{E}\cdot\boldsymbol{B}. \tag{5.44}$$

これらのスカラー量は座標系に依存しない．すなわち，磁場優勢 $((B)^2 > (E)^2)$ あるいは電場優勢 $((E)^2 > (B)^2)$ であることは座標系によらないことがわかる．また，$\boldsymbol{E}\cdot\boldsymbol{B} \neq 0$ のときは，座標変換により磁場および電場をゼロにすることはできないことがわかる．

5.1.7 電磁場のエネルギー・運動量テンソルとローレンツ力

ここで，電磁場のエネルギー・運動量テンソルの導入を行う．マクスウェル方程式 (5.19)，(5.21) により，

$$\partial_\nu \left(F^\mu{}_\sigma F^{\nu\sigma} - \frac{1}{4}\eta^{\mu\nu} F^{\lambda\kappa} F_{\lambda\kappa} \right) = -4\pi J^\sigma F^\mu{}_\sigma \tag{5.45}$$

となるので,

$$T_{\rm EM}^{\mu\nu} \equiv \frac{1}{4\pi} \left(F^\mu{}_\sigma F^{\nu\sigma} - \frac{1}{4}\eta^{\mu\nu} F^{\lambda\kappa} F_{\lambda\kappa} \right) \tag{5.46}$$

として,

$$\partial_\nu T_{\rm EM}^{\mu\nu} = -J^\sigma F^\mu{}_\sigma \tag{5.47}$$

を得る(章末問題 5.2).この $T_{\rm EM}^{\mu\nu}$ は **4 元電磁場のエネルギー・運動量テンソル**とみなせ,この式は電磁場エネルギー・運動量の保存則を与える.すなわち,

$$\frac{\partial u}{\partial t} + \frac{\partial}{\partial x^i} S^i = -E_i J^i, \tag{5.48}$$

$$\frac{\partial}{\partial t} S^i + \frac{\partial}{\partial x^j} T_{\rm EM}^{ij} = -(\rho_{\rm e} E^i + \epsilon_{ijk} J^j B^k). \tag{5.49}$$

これは当然 (5.3), (5.4) と一致する(章末問題 5.3).ここで,

$T_{\rm EM}^{00} = \frac{1}{8\pi}[(B)^2 + (E)^2] \equiv u$ は電磁場のエネルギー密度,

$T_{\rm EM}^{0i} = T_{\rm EM}^{i0} = \frac{1}{4\pi}\epsilon^{ijk} E_j B_k \equiv S^i$ は電磁場の運動量密度あるいはポインティングフラックス,

$T_{\rm EM}^{ij} = -\frac{1}{4\pi}(E^i E^j + B^i B^j) + \frac{1}{8\pi}[(B)^2 + (E)^2]\delta^{ij}$ はマクスウェルの電磁場応力テンソルの逆符号である(章末問題 5.4).

また,(5.47) の右辺の

$$f_{\rm L}^\mu = J^\sigma F^\mu{}_\sigma \tag{5.50}$$

は 4 元ローレンツ力密度である.この 4 元ローレンツ力密度はベクトルである.ミンコフスキー時空では $f_{\rm L}^i = \rho_{\rm e} E^i + \epsilon^{ijk} J_j B_k$, $f_{\rm L}^0 = J^i E_i$, すなわち,$\boldsymbol{f}_{\rm L} = (f_{\rm L}^1, f_{\rm L}^2, f_{\rm L}^3) = \rho_{\rm e}\boldsymbol{E} + \boldsymbol{J} \times \boldsymbol{B}$,$f_{\rm L}^0 = \boldsymbol{J}\cdot\boldsymbol{E}$ となる.4 元ローレンツ力密度 $f_{\rm L}^\mu$ がゼロとなる場合は,**フォースフリー**(force-free)とよばれる.このとき電磁場とプラズマの間でエネルギーや運動量のやり取りがない.

5.2　フォースフリー磁場の波の特殊相対論的解

マクスウェル方程式 (5.1),(5.2) とフォースフリー条件 $f_{\rm L}^\mu = 0$ すなわち,

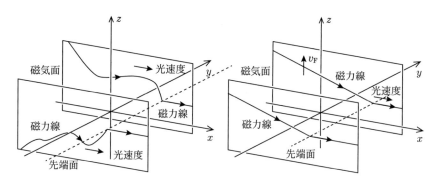

図 5.4 （左）x 正方向に光速度で進む特殊相対論的フォースフリー波．磁気面ごとに独立な波が伝わり得る．（右）x 正方向に光速度で進む特殊相対論的フォースフリー平面波．平面波の先端の下流は定常な磁場となっている．その領域での磁力線は速度 v_F で z 方向に移動していると考えることができる．

$$\rho_e \bm{E} + \bm{J} \times \bm{B} = \bm{0}, \qquad \bm{J} \cdot \bm{E} = 0 \tag{5.51}$$

を満たす解

$$\begin{aligned}
&B_x = B_0, \quad B_y = 0, \quad B_z = -f(x-t)g(y), \\
&E_x = 0, \quad E_y = -f(x-t)g(y), \quad E_z = 0, \\
&J_x = -\frac{1}{4\pi}f(x-t)g'(y), \quad J_y = 0, \quad J_z = 0, \\
&\rho_e = -\frac{1}{4\pi}f(x-t)g'(y)
\end{aligned} \tag{5.52}$$

は一様磁場 $\bm{B}_0 = (B_0, 0, 0)$ 中をその磁力線に沿って一方向（x 正方向）に伝わるフォースフリーの波を与える（章末問題 5.5）．ここで，B_0 は定数でバックグラウンドの磁場の強さ，$f(x), g(y)$ は任意の関数である．この解は波の進行方向とフォースフリー波の磁場の振動成分を含む各平面（磁気面）内をそれぞれ独立にフォースフリーの波が一方向に伝わることを示している（図 5.4（左））．このとき，フォースフリーの波には

$$E_y = B_z, \quad J_x = \rho_e \tag{5.53}$$

が成り立つ．ここで，解のポインティングフラックスは

$$S_x = \frac{1}{4\pi}E_y B_z = \frac{1}{4\pi}[f(x-t)g(y)]^2 = \frac{1}{4\pi}(E_y)^2 \geqq 0, \qquad S_y = S_z = 0 \tag{5.54}$$

であり，波が x 軸の正方向に伝わっていくことを示している．

たとえば，$H(x)$ をヘビサイド関数[*4]，v_F を正の定数として，$g(y) = 1$，$f(x-t) = v_F B_0 H(t-x)$ のとき解は $x = t$ を先端面とする波となる．先端面の下流 ($x < t$) では定常な電磁場となり，その磁力線は速度 v_F で z 方向に移動していると見なせる（図 5.4（右））．このとき，下流 ($x < t$) では $E_y = -v_F B_0$ となる．

波の伝わる方向として $\pm x$ 方向を考えると，(5.53)，(5.54) は

$$E_y = \pm B_z = \mp f(\pm x - t)g(y), \qquad \rho_e = \pm J_x = \mp \frac{1}{4\pi}f(\pm x - t)g'(y),$$
$$S_x = \pm \frac{1}{4\pi}[f(\pm x - t)g(y)]^2 = \pm \frac{1}{4\pi}(E_y)^2 \tag{5.55}$$

となる（複号同順）．これはバックグラウンド磁場の方向 B_0 にはよらない．波の伝播方向の単位ベクトルを $\boldsymbol{n} = (n_x, 0, 0) = (\pm 1, 0, 0)$ とすると，

$$E_y = -\epsilon_{yxz} n_x B_z, \qquad \rho_e = n_x J_x, \qquad S_x = \frac{1}{4\pi}n_x(E_y)^2.$$

さらにこれは，一般に $E_i = -\epsilon_{ijk} n_j B_k$，$\rho_e = n_i J_i$，$S_i = \frac{1}{4\pi}n_i E^2$ と書けるので，

$$\boldsymbol{E} = -\boldsymbol{n} \times \boldsymbol{B}, \qquad \rho_e = \boldsymbol{n} \cdot \boldsymbol{J}, \qquad \boldsymbol{S} = \frac{1}{4\pi}E^2 \boldsymbol{n}. \tag{5.56}$$

また，ここで s を任意の定数として

$$\boldsymbol{B} - s\boldsymbol{B}_0 = -\boldsymbol{B}_0 \boldsymbol{v}_F$$

とおいて $\boldsymbol{B}_0 = \pm B_0 \boldsymbol{n}$ を用いると，

$$\boldsymbol{E} = -\boldsymbol{v}_F \times \boldsymbol{B}_0 \tag{5.57}$$

となる．この $\boldsymbol{v}_F$ は磁力線の移動速度とみなせる．(5.56) と (5.57) はフォースフリーの波を考える際に有用であるので，フォースフリー波の『黄金則』と呼ぶ．ただし，$\boldsymbol{n}$ はバックグラウンド磁場 $\boldsymbol{B}_0$ に平行で，変動磁場は $\boldsymbol{n}$ に垂直な一定のベ

[*4] ヘビサイド関数とは $x < 0$ のとき $H(x) = 0$，$x > 0$ のとき $H(x) = 1$ となる関数をいう．さらに，通常，$H(0) = 1/2$ と定義される．

クトルに平行に限定されている.

また, (5.56) のはじめの式, $\boldsymbol{E} = -\boldsymbol{n} \times \boldsymbol{B}$ から

$$F^{\lambda\kappa}F_{\lambda\kappa} = 2[(B)^2 - (E)^2] > 0, \tag{5.58}$$

$${}^*F^{\lambda\kappa}F_{\lambda\kappa} = -4\boldsymbol{E} \cdot \boldsymbol{B} = 0. \tag{5.59}$$

ここで, (5.43), (5.44) を用いた. (5.58) と (5.59) の左辺はスカラーなので, (5.58) と (5.59) は座標系によらない. (5.58) は磁場が優勢か, 電場が優勢かという性質は座標系によらないことを示している. また, (5.59) は**縮退性**(degeneracy) と呼ばれる. この条件は 6 章で述べる理想 MHD 条件においても成り立つ. 電磁場の縮退性はフォースフリー磁場 (電磁場) の動的な取り扱いの際には付加的に課せられ, そのような電磁場の時間発展を扱う分野をフォースフリー縮退性動電気学 (force-free degenerate electrodynamics, 略して FFDE) あるいはフォースフリー動磁気学 (force-free magnetodynamics, 略して FFMD) という (Komissarov 2002).

5.3 一般相対論的電磁場

これから電磁場の一般相対論的な取り扱いについて述べる. 特殊相対論のとき計量はミンコフスキー計量に限られ, また座標変換 $x^\mu \longrightarrow x^{\mu'}$ の $\partial x^\mu / \partial x^{\nu'}$ が一定であったが, 一般相対論ではそういった制限はなくなり, 時空座標 $x^\mu = (t, x^1, x^2, x^3)$ における線素を一般に $ds^2 = g_{\mu\nu}dx^\mu dx^\nu$ と書く.

5.3.1 一般相対論的マクスウェル方程式

前節で述べた特殊相対論的なマクスウェル方程式 (5.19), (5.21) は共変形式なので, ミンコフスキー時空の計量 $\eta_{\mu\nu}$ を一般座標の計量 $g_{\mu\nu}$ に, 偏微分 ∂_μ を共変微分 ∇_μ に置き換えれば, 直ちに一般相対論的なマクスウェル方程式を得ることになる.

$$\nabla_\mu F^{\nu\mu} = \frac{1}{\sqrt{-g}}\partial_\mu\left(\sqrt{-g}F^{\nu\mu}\right) = 4\pi J^\nu, \tag{5.60}$$

$$\nabla_\mu F_{\nu\lambda} + \nabla_\nu F_{\lambda\mu} + \nabla_\lambda F_{\mu\nu} = \partial_\mu F_{\nu\lambda} + \partial_\nu F_{\lambda\mu} + \partial_\lambda F_{\mu\nu} = 0. \tag{5.61}$$

なお, ファラデーの法則と磁場に関するガウスの法則 (5.21) のもうひとつの表

式 (5.20) は 5.3.3 節で述べるように，$^*F^{\mu\nu}$ が一般座標変換においても連続的な座標変換に対してテンソルとみなすことができ，共変形式と見なせる．そのことにより，一般相対論的な共変形式

$$\nabla_\mu {}^*F^{\mu\nu} = \frac{1}{\sqrt{-g}} \partial_\mu (\sqrt{-g} \, {}^*F^{\mu\nu}) = 0 \tag{5.62}$$

とすることができる．

4元ベクトルポテンシャル A^μ は $F_{\mu\nu} = \nabla_\mu A_\nu - \nabla_\nu A_\mu = \partial_\mu A_\nu - \partial_\nu A_\mu$ で導入される．4元ベクトルポテンシャル A^μ の方程式 (5.9)，

$$\Box A^\mu = -4\pi J^\mu \tag{5.63}$$

はそのまま，$\Box \equiv \nabla_\mu \nabla^\mu$ として一般相対論化される．ローレンツ・ゲージ（特殊相対論では $\partial_\mu A^\mu = 0$）は，

$$\nabla_\mu A^\mu = 0 \tag{5.64}$$

となる．一般相対論的な 4 元電場 E_μ，4 元磁場 B^μ は

$$E_\mu = F_{\mu 0}, \qquad B^\mu = {}^*F^{0\mu} = \frac{1}{2} \epsilon^{0\mu\rho\sigma} F_{\rho\sigma}$$

と定義される．ここで，$E_0 = 0$，$B^0 = 0$ であり，E_i，B^i が（3元）電場および（3元）磁場を与えることになる．$\epsilon^{\mu\nu\rho\sigma}$ は素朴なレヴィ゠チビタ記号とは異なることを 5.3.3 節で示す．

5.3.2 一般相対論的な電磁場エネルギー・運動量

(5.46) より，一般相対論的な 4 元電磁場のエネルギー・運動量テンソルは $T_{\rm EM}^{\mu\nu} = \frac{1}{4\pi}\left(F^{\mu\sigma}F^\nu{}_\sigma - \frac{1}{4}g^{\mu\nu}F_{\rho\sigma}F^{\rho\sigma}\right)$ となる．4元ローレンツ力密度を $f_{\rm L}^\mu = J^\sigma F^\mu{}_\sigma = -F_{\rm EM}^\mu$ として電磁場のエネルギーと運動量の一般相対論的表式は (5.47) より

$$\nabla_\nu T_{\rm EM}^{\mu\nu} = -J^\nu F^\mu{}_\nu = -f_{\rm L}^\mu = F_{\rm EM}^\mu. \tag{5.65}$$

5.3.3 レヴィ゠チビタテンソル

レヴィ゠チビタの記号 $\epsilon^{\mu\nu\rho\sigma}$ はミンコフスキー時空 $x^\mu = (t, x, y, z)$ では連続的な座標変換においてテンソルと同じ変換性を示し，テンソルと見なせる．しかし，

一般座標 x^μ の場合はそのままではテンソルと見なせなくなる．ここでは，一般の座標でも連続的な座標変換に対してテンソルと見なせるように，レヴィ=チビタ記号を拡張して定義しよう．便宜上，(5.14) で定義される素朴なレヴィ=チビタ記号 $\epsilon^{\mu\nu\rho\sigma}$ を $\eta^{\mu\nu\rho\sigma}$ と記すことにする．また，$\eta_{\mu\nu\rho\sigma} = \eta^{\mu\nu\rho\sigma}$ とする．一般座標変換 $x^\mu \to x^{\mu'}$ に対して，ヤコビアンは $\dfrac{\partial(x')}{\partial(x)} = \eta^{\mu\nu\rho\sigma}\dfrac{\partial x^{0'}}{\partial x^\mu}\dfrac{\partial x^{1'}}{\partial x^\nu}\dfrac{\partial x^{2'}}{\partial x^\rho}\dfrac{\partial x^{3'}}{\partial x^\sigma}$ で与えられる．5.1.5 節と同様に，

$$\eta^{\alpha'\beta'\gamma'\delta'} = \left(\frac{\partial(x')}{\partial(x)}\right)^{-1} \frac{\partial x^{\alpha'}}{\partial x^\mu}\frac{\partial x^{\beta'}}{\partial x^\nu}\frac{\partial x^{\gamma'}}{\partial x^\rho}\frac{\partial x^{\delta'}}{\partial x^\sigma}\eta^{\mu\nu\rho\sigma} \tag{5.66}$$

となる．一般座標変換では $\dfrac{\partial(x')}{\partial(x)} = \pm 1$ とは限らない．しかし，$g_{\mu\nu}$ は共変テンソルなので，$-g_{\mu'\nu'} = -\dfrac{\partial x^\alpha}{\partial x^{\mu'}}\dfrac{\partial x^\beta}{\partial x^{\nu'}}g_{\alpha\beta}$ と書け，$-g' = \left(\dfrac{\partial(x)}{\partial(x')}\right)^2(-g)$ となり，

$$\left(\frac{\partial(x')}{\partial(x)}\right)^{-1} = \frac{\partial(x)}{\partial(x')} = \pm\sqrt{\frac{-g'}{-g}} \tag{5.67}$$

とできる．ここで，複号が $+$ となるのは連続的な座標変換のときであり，$-$ となるのは鏡映反転変換などの不連続な座標変換のときである[*5]．よって，(5.66) は

$$\eta^{\alpha'\beta'\gamma'\delta'} = \pm\sqrt{\frac{-g'}{-g}}\frac{\partial x^{\alpha'}}{\partial x^\mu}\frac{\partial x^{\beta'}}{\partial x^\nu}\frac{\partial x^{\gamma'}}{\partial x^\rho}\frac{\partial x^{\delta'}}{\partial x^\sigma}\eta^{\mu\nu\rho\sigma} \tag{5.68}$$

と書ける．ここで，新たに

$$\epsilon^{\mu\nu\rho\sigma} \equiv \frac{1}{\sqrt{-g}}\eta^{\mu\nu\rho\sigma} \tag{5.69}$$

を導入すると，$\epsilon^{\mu\nu\rho\sigma}$ は，

$$\epsilon^{\alpha'\beta'\gamma'\delta'} = \pm\frac{\partial x^{\alpha'}}{\partial x^\mu}\frac{\partial x^{\beta'}}{\partial x^\nu}\frac{\partial x^{\gamma'}}{\partial x^\rho}\frac{\partial x^{\delta'}}{\partial x^\sigma}\epsilon^{\mu\nu\rho\sigma} \tag{5.70}$$

[*5] $\dfrac{\partial(x')}{\partial(x)} = 0$ となる座標変換は座標が 1 対 1 に対応しなくなるので，連続な座標変換では $\dfrac{\partial(x')}{\partial(x)} > 0$ となる．

のように，符号を除いて，テンソルと同じ座標変換性を示す．すなわち，この $\epsilon^{\mu\nu\rho\sigma}$ は連続的な座標変換に限れば複号が + となり，テンソルと見なすことができる．今後は考える座標変換を連続的な変換に限り，$\epsilon^{\mu\nu\rho\sigma}$ をテンソルとして扱う．このような $\epsilon^{\mu\nu\rho\sigma}$ は**レヴィ=チビタテンソル**（Levi-Civita tensor）とよばれる（Misner et al. 1970）[*6]．

レヴィ=チビタテンソルの共変成分は次のように与えられる．$g = \det(g_{\mu\nu}) = \eta^{\mu\nu\rho\sigma} g_{0\mu} g_{1\nu} g_{2\rho} g_{3\sigma}$ を用いると（章末問題 5.6），

$$\epsilon_{\alpha\beta\gamma\delta} = -\sqrt{-g}\eta_{\alpha\beta\gamma\delta}. \tag{5.71}$$

$F_{\mu\nu}$ の双対テンソル $^*F^{\mu\nu}$ はレヴィ=チビタテンソルを用いて定義される：

$$^*F^{\mu\nu} = \frac{1}{2}\epsilon^{\mu\nu\rho\sigma} F_{\rho\sigma}. \tag{5.72}$$

双対テンソル $^*F^{\mu\nu}$ は連続的な座標変換に対してテンソルと同じ変換性を示し，テンソルとみなせる．

5.4 ブラックホールまわりの局所的な座標系

一般相対論的な表式，すなわち共変形式はどのような座標系でも同じ形の式となることが保証されて，座標系に煩わされない便利な表式である．しかし，その表式は時間と空間の座標が同等に扱われているので，通常われわれが目にする時間的に発展する現象を直接に表す式とはなっておらず，扱いにくい．直観的に扱いやすい式とするために，あえて時間と空間を分離した表式を **3 + 1 形式**（3+1 formalism）といい，実際の現象の解析によく用いられる．その表式を与える局所的な座標系について述べる．実際，これらの電磁場の座標成分を用いて一般相対論的なマクスウェル方程式が (5.1), (5.2) に一般相対論的な補正を加えた方程式として再び現れることになる（(5.121)‒(5.124)）．

5.4.1 基準観測者系

ブラックホールのまわりの定常な時空の（大局的な）任意の座標系 $x^\mu =$

[*6] 本来はレヴィ=チビタ記号は『レヴィ=チビタテンソル密度』として拡張されるべきであるが，テンソル密度の取り扱いが面倒で計算の見通しが悪くなるので今回の定義を用いる．

(x^0, x^1, x^2, x^3) を考える.その計量を $g_{\mu\nu}$ とする.局所座標系でミンコフスキー時空と同様に,その計量が時間と空間座標の交差項 ($dtd\phi$ など)がない(局所的な)座標系,**基準観測者系** (normal observer frame) $x^{\tilde{\mu}} = (\tilde{t}, x^{\tilde{1}}, x^{\tilde{2}}, x^{\tilde{3}})$ を導入する (Misner et al. 1970).すなわち,基準観測者系では,

$$ds^2 = -d\tilde{t}^2 + g_{ij}dx^{\tilde{i}}dx^{\tilde{j}}. \tag{5.73}$$

この局所的な座標系は時間軸については時間一定面に対して垂直で,規格化されている(一般には空間座標は斜交座標).さてここで,

$$g_{0i} = g_{ij}\beta^j, \qquad \alpha = \sqrt{-(g_{00} - g_{ij}\beta^i\beta^j)} = \sqrt{-g_{00} + g_{0i}\beta^i} \tag{5.74}$$

となるような,α, β^i を導入する.$\gamma_{ij} = g_{ij}$ とすると,$ds^2 = g_{\mu\nu}dx^\mu dx^\nu$ は

$$ds^2 = -\alpha^2 dt^2 + \gamma_{ij}(dx^i + \beta^i dt)(dx^j + \beta^j dt) \tag{5.75}$$

と書ける.α を**ラプス関数** (lapse function),β^i は**シフトベクトル** (shift vector) である.(5.73) のような局所的な座標系は任意の座標系 x^μ から $d\tilde{t} = \alpha dt, dx^{\tilde{i}} = dx^i + \beta^i dt$ のように座標変換すればよいので,任意の反変ベクトル a^μ に対して変換則

$$a^{\tilde{0}} = \alpha a^0, \qquad a^{\tilde{i}} = a^i + \beta^i a^0 \tag{5.76}$$

が得られる.また,ここで $\dfrac{\partial}{\partial \tilde{t}} = \dfrac{1}{\alpha}\left(\dfrac{\partial}{\partial t} - \beta^i \dfrac{\partial}{\partial x^i}\right), \dfrac{\partial}{\partial x^{\tilde{i}}} = \dfrac{\partial}{\partial x^i}$ なので,任意の共変ベクトル a_μ について次の変換則が成り立つ.

$$a_{\tilde{0}} = \frac{1}{\alpha}(a_0 - \beta^i a_i), \qquad a_{\tilde{i}} = a_i. \tag{5.77}$$

基準観測者の 4 元速度 $N^\mu = \left(\dfrac{1}{\alpha}, -\dfrac{\beta^i}{\alpha}\right)$ を用いると,以下のようになる:

$$\begin{aligned} a^{\tilde{0}} &= \alpha a^0, & a^{\tilde{i}} &= a^i - \alpha N^i a^0, \\ a_{\tilde{0}} &= \frac{1}{\alpha}(a_0 + \alpha N^i a_i), & a_{\tilde{i}} &= a_i. \end{aligned} \tag{5.78}$$

$$\begin{aligned} a^0 &= \frac{1}{\alpha}a^{\tilde{0}}, & a^i &= a^{\tilde{i}} + N^i a^{\tilde{0}}, \\ a_0 &= \alpha(a_{\tilde{0}} - N^i a_{\tilde{i}}), & a_i &= a_{\tilde{i}}. \end{aligned} \tag{5.79}$$

ここで,N^i は $g_{00} = -\alpha^2(1 - (N)^2)$ をみたすことに注意.

$\tilde{a}^\dagger, \tilde{a}^\mu$ という記号の導入 　$N_\mu = (-\alpha, 0, 0, 0)$ は時間一定面の単位法線ベクトル,$\mathcal{P}_{\mu\nu} = g_{\mu\nu} + N_\mu N_\nu$ は時間一定面への射影テンソルである.一般に,任意のベクトル a^μ に対して次のようなスカラーおよびベクトルを対応させる[*7].

$$\tilde{a}^\dagger = -N_\mu a^\mu = -N^\mu a_\mu, \quad \tilde{a}^\mu = \mathcal{P}^\mu_\nu a^\nu. \tag{5.80}$$

ここで,a^μ は $a^\mu = \tilde{a}^\dagger N^\mu + \tilde{a}^\mu$ と展開できる.また,(5.79) より $\tilde{a}^\dagger = a^{\tilde{0}}$,$\tilde{a}^i = a^{\tilde{i}}$,$\tilde{a}^0 = 0$ である.すなわち,a^μ を基準観測者系で測った成分は $a^{\tilde{\mu}} = (\tilde{a}^\dagger, \tilde{a}^i)$ と書ける.$a^{\tilde{\mu}}$ をしばしば $\tilde{a}^\mu$ と書くことがある.

5.4.2　基準観測者系での計量およびレヴィ=チビタテンソル

時空の計量 $g_{\mu\nu}$ の空間成分を要素とする 3×3 の行列

$$(\gamma_{ij}) \equiv \begin{pmatrix} \gamma_{11} & \gamma_{12} & \gamma_{13} \\ \gamma_{21} & \gamma_{22} & \gamma_{23} \\ \gamma_{31} & \gamma_{32} & \gamma_{33} \end{pmatrix} \equiv \begin{pmatrix} g_{11} & g_{12} & g_{13} \\ g_{21} & g_{22} & g_{23} \\ g_{31} & g_{32} & g_{33} \end{pmatrix}$$

を考える.ここで,γ^{ij} は 3×3 の行列 $(\gamma_{ij}) = (g_{ij})$ の逆行列の要素である.また,(γ_{ij}) の行列式を $\gamma = \begin{vmatrix} \gamma_{11} & \gamma_{12} & \gamma_{13} \\ \gamma_{21} & \gamma_{22} & \gamma_{23} \\ \gamma_{31} & \gamma_{32} & \gamma_{33} \end{vmatrix}$ と書く.これを用いると,

$$g = -\alpha^2 \gamma \tag{5.81}$$

と書ける(章末問題 5.7).

基準観測者系の計量 $g_{\tilde{\mu}\tilde{\nu}}$ とその反変成分 $g^{\tilde{\mu}\tilde{\nu}}$ は (5.73) より,

$$(g_{\tilde{\mu}\tilde{\nu}}) = \begin{pmatrix} -1 & 0 & 0 & 0 \\ 0 & \gamma_{11} & \gamma_{12} & \gamma_{13} \\ 0 & \gamma_{21} & \gamma_{22} & \gamma_{23} \\ 0 & \gamma_{31} & \gamma_{32} & \gamma_{33} \end{pmatrix}, \quad (g^{\tilde{\mu}\tilde{\nu}}) = \begin{pmatrix} -1 & 0 & 0 & 0 \\ 0 & \gamma^{11} & \gamma^{12} & \gamma^{13} \\ 0 & \gamma^{21} & \gamma^{22} & \gamma^{23} \\ 0 & \gamma^{31} & \gamma^{32} & \gamma^{33} \end{pmatrix}. \tag{5.82}$$

[*7] テンソル $T^{\mu\nu}$ に対しては,スカラー $\tilde{T}^{\dagger\dagger} = T^{\mu\nu} N_\mu N_\nu$,共変ベクトル $\tilde{T}^\dagger_\mu = -\mathcal{P}_{\mu\sigma} N_\rho T^{\sigma\rho}$,共変テンソル $\tilde{T}_{\mu\nu} = \mathcal{P}_{\mu\sigma} \mathcal{P}_{\nu\rho} T^{\sigma\rho}$ を対応させる.すると,テンソル $T^{\mu\nu}$ は $T^{\mu\nu} = \tilde{T}^{\dagger\dagger} N^\mu N^\nu + \tilde{T}^{\mu\dagger} N^\nu + \tilde{T}^{\dagger\nu} N^\mu + \tilde{T}^{\mu\nu}$ と展開できる.また,$\tilde{T}^{0\dagger} = \tilde{T}^{\dagger 0} = 0$,$\tilde{T}^{i\dagger} = T^{\tilde{i}\tilde{0}}$,$\tilde{T}^{\dagger j} = T^{\tilde{0}\tilde{j}}$,$\tilde{T}^{00} = \tilde{T}^{0i} = \tilde{T}^{i0} = 0$,$\tilde{T}^{ij} = T^{\tilde{i}\tilde{j}}$ である.

すなわち，$g^{\tilde{0}\tilde{0}} = -1$, $g^{\tilde{0}\tilde{i}} = g^{\tilde{i}\tilde{0}} = 0$, $g^{\tilde{i}\tilde{j}} = \gamma^{ij}$ となる．また，$\tilde{g} = -\gamma$ である．

また，基準観測者座標系の 3 次元空間内で用いるレヴィ=チビタテンソルとして，次のような 3 階のレヴィ=チビタテンソルを導入する．

$$\epsilon^{\mu\nu\lambda} \equiv -N_\sigma \epsilon^{\sigma\mu\nu\lambda} = \frac{1}{\sqrt{\gamma}} \eta^{0\mu\nu\lambda}. \tag{5.83}$$

これがゼロでないのは μ, ν, λ がいずれもゼロでないときで，

$$\epsilon^{ijk} = \frac{1}{\sqrt{\gamma}} \eta^{0ijk} \tag{5.84}$$

である．また，この共変成分は $\epsilon_{\mu\nu\lambda} = -N^\sigma \epsilon_{\sigma\mu\nu\lambda}$ となるので，μ, ν, λ のいずれもゼロでないときは，

$$\epsilon_{ijk} = \sqrt{\gamma} \eta_{0ijk}. \tag{5.85}$$

ϵ^{ijk}, ϵ_{ijk} を用いると

$$F_{ij} = \alpha \epsilon_{ijk} B^k, \quad F^{ij} = \frac{1}{\alpha} \epsilon^{ijk} B_k \tag{5.86}$$

という磁場成分に関する黄金則というべき関係式を得る（章末問題 5.8）．

μ, ν, λ のいずれかがゼロのときで，$\epsilon_{\mu\nu\lambda} = -\sqrt{\gamma} \beta^i \eta_{i\mu\nu\lambda}$ となるが，この $\epsilon_{\mu\nu\lambda}$ はあまり使わない．

5.4.3 基準観測者系における電場と磁場

変換則（5.78）を用いると大局的座標の電場，磁場と基準観測者系で計った電場，磁場の関係が次のようになることが分かる．

$$B^{\tilde{i}} = {}^*F^{\tilde{0}\tilde{i}} = \alpha\, {}^*F^{0i} = \alpha B^i,$$
$$E_{\tilde{i}} = F_{\tilde{i}\tilde{0}} = \frac{1}{\alpha}(F_{i0} + \sum_j \alpha N^j F_{ij}) = \frac{1}{\alpha}\left[E_i + \sum_{j,k} \alpha^2 \epsilon_{ijk} N^j B^k\right]. \tag{5.87}$$

ここで，（5.86）を用いた．基準観測者系における電場，磁場の反変ベクトルと共変ベクトルの関係は（5.82）を用いて（章末問題 5.9），

$$E_{\tilde{i}} = \gamma_{ij} E^{\tilde{j}}, \quad B^{\tilde{i}} = \gamma^{ij} B_{\tilde{j}}. \tag{5.88}$$

5.4.4 ボイヤー–リンキスト座標における基準観測者系の規格化

前の小節で導入した基準観測者系は空間について一般には斜交座標で，さらに座標の目盛りは実際の長さを反映しない．空間が斜交座標であってもベクトルを表現するのに本質的な問題はないが，その成分は規格直交化した座標系のように直観的な取り扱いができないという不便さがある．

ボイヤー–リンキスト座標 x^μ ではもともと空間座標 x^i が直交しているので，その基準観測者系 $x^{\bar\mu}$ も直交系である．よって，基準観測者系 $x^{\bar\mu}$ を規格化すれば，成分を直観的に扱える規格直交化（orthonormalize）した基準観測者系 $x^{\hat\mu}$ が得られることになる．ボイヤー–リンキスト座標の計量 (2.37) の対角成分を $g_{00} = -h_0^2$, $g_{ii} = h_i^2$ とすると，$ds^2 = -(dx^{\bar 0})^2 + \sum_i h_i^2 (dx^{\bar i})^2$ であり，$dx^{\hat 0} = dx^{\bar 0}$, $dx^{\hat i} = h_i dx^{\bar i}$ とおくと，$ds^2 = -(dx^{\hat 0})^2 + \sum_i (dx^{\hat i})^2$ となり，規格直交化した基準座標系 $x^{\hat\mu}$ を得る．また，$\dfrac{\partial}{\partial x^{\hat 0}} = \dfrac{\partial}{\partial x^{\bar 0}}, \dfrac{\partial}{\partial x^{\hat i}} = \dfrac{1}{h_i}\dfrac{\partial}{\partial x^{\bar i}}$ なので，一般の 4 元ベクトル a^μ について

$$a^{\hat 0} = a^{\bar 0} = \alpha a^0, \qquad a^{\hat i} = h_i a^{\bar i} = h_i(a^i - \alpha N^i a^0),$$
$$a_{\hat 0} = a_{\bar 0} = \frac{1}{\alpha}(a_0 + \alpha N^i a_i), \qquad a_{\hat i} = \frac{1}{h_i} a_{\bar i} = \frac{1}{h_i} a_i \tag{5.89}$$

となる．

この局所座標系 $x^{\hat\mu}$ では，その定義された一点においてはミンコフスキー座標と同じように物理量を扱うことができる．しかし，その一点だけであるので，微分などはミンコフスキー座標のようには扱えないことに注意する必要がある．規格直交化した基準観測者の座標系を**基準観測者の固有座標系**（proper reference frame of normal observer）という．特に，ボイヤー–リンキスト座標では基準観測者の固有座標系を ZAMO（Zero-Angular Momentum Observer）系と呼ぶ[*8]．

(5.89) より電磁場の物理量について ZAMO 系 $x^{\hat\mu}$，基準観測者系 $x^{\bar\mu}$，ボイヤー–リンキスト座標 x^μ での値については次のような関係が得られる．

$$\hat\rho_{\rm e} = J^{\hat 0} = J^{\bar 0} = \alpha J^0, \tag{5.90}$$

[*8] Thorne, Price, Macdonald (1986) に倣う．Misner, Thorne, Wheeler (1973) では "orthonormal frames of locally nonrotating observers" と呼ばれている．

$$J^{\hat{i}} = h_i J^{\tilde{i}} = h_i (J^i - \alpha N^i J^0), \tag{5.91}$$

$$B^{\hat{i}} \equiv {}^*F^{\hat{0}\hat{i}} = h_i {}^*F^{\tilde{0}\tilde{i}} = \alpha h_i B^i, \tag{5.92}$$

$$E_{\hat{i}} \equiv F_{\hat{i}\hat{0}} = \frac{1}{h_i} F_{\tilde{i}\tilde{0}}$$

$$= \frac{1}{\alpha h_i}(E_i + \alpha^2 \epsilon_{ijk} N^j B^k), \tag{5.93}$$

$$A_{\hat{0}} = A_{\tilde{0}} = \frac{1}{\alpha}(A_0 + \alpha N^i A_i), \tag{5.94}$$

$$A_{\hat{i}} = \frac{1}{h_i} A_{\tilde{i}} = \frac{1}{h_i} A_i. \tag{5.95}$$

　ここで，規格直交化した基準観測者系の導入はボイヤー–リンキスト座標においてのみ行った．これは直観的な議論に役立つ表現である．しかし，そのままでの形でカー–シルト座標など一般座標系に用いることはできない．カー–シルト座標系において用いるためには，空間座標の規格直交化を行う必要がある．これは一般に簡単な表現にならないので，あまり用いられることはない．

5.4.5　一般相対論における磁力線

　特殊相対論における磁力線（磁束線）の描き方と注意点を前に述べた．ここでは一般相対論的な場合の磁力線の定義について述べる．

　一般相対論の場合も磁力線の定義は特殊相対論のところで述べた定義と同じでよいだろうか．ここではそのことについて確認してみる．ここで，4 元磁場の空間成分 B^i と磁力線に沿った無限小変位 dx^i が平行というのが特殊相対論の場合の定義と矛盾しないことを確認してみよう．一般座標 x^μ において磁場 B^i と dx^i が平行という条件から $dx^i \propto B^i, dx^0 = 0$（図 5.5）．その点での基準観測者系で磁場とその磁力線に沿った無限小変位との関係がどうなるかを見る．まず，磁場は基準観測者系では，$B^{\tilde{i}} = \alpha B^i$ となる．一方，$(dx^0, dx^i) = (0, dx^i)$ は，$dx^{\tilde{i}} = dx^i, dx^{\tilde{0}} = \alpha dx^0 = 0$ となり，$B^{\tilde{i}} \propto dx^{\tilde{i}}$ という関係が保たれていることが分かる．基準観測者系は局所的なミンコフスキー空間（空間座標が斜交座標となっている場合を含む）なので特殊相対論的な磁場の定義と一致する．これまでと同様に一般相対論においても磁力線を考えることができる．

　次に，系が軸対称のとき，$A_\phi =$ 一定の面は磁気面を表す，すなわち，そのような面は上で定義された磁力線に沿っていることを示す．任意の点 x^i において，そ

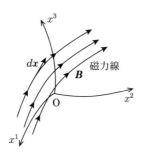

図 5.5 磁力線の定義．一般座標系 x^μ において，ある時刻 ($t = t$) での磁力線のある点での接線は，その点での磁場の方向と平行である．

こから少し離れた点 $x^i + B^i ds$ を考える．ここで，ds は微小なスカラー量である．この 2 点は磁力線で結ばれていると考えられるので，同一の磁気面上にある．その 2 点の A_ϕ の値の差は

$$A_\phi(x^i + B^i ds) - A_\phi(x^i) = (\partial_i A_\phi) B^i ds = ds(\partial_i A_\phi)\frac{1}{2}\epsilon^{0i\rho\sigma} F_{\rho\sigma}$$
$$= \frac{1}{2} ds \partial_i A_\phi \epsilon^{0ijk}(\partial_j A_k - \partial_k A_j) = (\partial_i A_\phi)\epsilon^{0ij\phi}(\partial_j A_\phi) ds = 0.$$

よって，$A_\phi =$ 一定という等値面に磁力線は沿っていることになる．また，系が軸対称なときは A_ϕ は磁気面として磁場を表現する有効な表示方法を与えてくれる．

5.5 マクスウェル方程式の 3 + 1 形式

5.5.1 電場に関するガウスの法則およびアンペールの法則

電場に関するガウスの法則とアンペールの法則 (5.60) を基準観測者系の物理量を用いて書き換えてみよう．基準観測者系 $x^{\tilde{\mu}}$ における電磁場テンソルおよび電流密度などは (5.79) により，

$$F^{0i} = \frac{1}{\alpha} F^{\tilde{0}\tilde{i}} = \frac{1}{\alpha} E^{\tilde{i}}, \tag{5.96}$$

$$F^{ij} = F^{\tilde{i}\tilde{j}} + N^i F^{\tilde{0}\tilde{j}} - N^j F^{\tilde{0}\tilde{i}} = \epsilon^{ijk}(B_{\tilde{k}} + \epsilon_{kmn} N^m E^{\tilde{n}}), \tag{5.97}$$

$$J^0 = \frac{1}{\alpha} J^{\tilde{0}} = \frac{1}{\alpha} \tilde{\rho}_e, \tag{5.98}$$

$$J^i = J^{\tilde{i}} + N^i J^{\tilde{0}} = J^{\tilde{i}} + N^i \tilde{\rho}_e. \tag{5.99}$$

(5.60) で $\nu = 0$ とすると，電場に関するガウスの法則に対する $3+1$ 形式

$$\frac{1}{\sqrt{\gamma}}\frac{\partial}{\partial x^i}(\sqrt{\gamma}E^{\tilde{i}}) = 4\pi\tilde{\rho}_e \tag{5.100}$$

を得る（章末問題 5.10）．また，$\nu = i$ とおくと，

$$\frac{\partial}{\partial t}E^{\tilde{i}} + 4\pi\alpha(J^{\tilde{i}} + \tilde{\rho}_e N^i) = \epsilon^{ijk}\frac{\partial}{\partial x^j}[\alpha(B_{\tilde{k}} + \epsilon_{kmn}N^m E^{\tilde{n}})] \tag{5.101}$$

とアンペールの法則に対応する $3+1$ 形式を得る．$\alpha = 1$，$N^m = 0$ のとき，特殊相対論の場合のアンペールの法則の式となる．

5.5.2 磁場のガウスの法則およびファラデーの法則

磁場に関するガウスの法則およびファラデーの法則の共変形式 (5.62) から基準観測者系の物理量を用いてその $3+1$ 形式を導く．

(5.62) を用いて導出を行う．まず，$\nu = 0$ とおくと (5.87) を用いて，

$$\frac{1}{\sqrt{\gamma}}\frac{\partial}{\partial x^i}(\sqrt{\gamma}B^{\tilde{i}}) = 0 \tag{5.102}$$

を得る．これは，磁場に関するガウスの法則の $3+1$ 形式である．

次に $\nu = i$ とおくと (5.87) より，

$$\frac{\partial}{\partial t}B^{\tilde{i}} = -\epsilon^{ijk}\frac{\partial}{\partial x^j}\left[\alpha(E_{\tilde{k}} - \epsilon_{kpq}N^p B^{\tilde{q}})\right] \tag{5.103}$$

を得る．これは，ファラデーの法則の $3+1$ 形式である．

5.5.3 電荷の保存則

電荷の保存則について述べる．(5.60) の両辺の発散をとると，

$$4\pi\nabla_\nu J^\nu = \nabla_\nu\nabla_\mu F^{\nu\mu} = \frac{1}{\sqrt{-g}}\partial_\nu[\partial_\mu(\sqrt{-g}F^{\nu\mu})] = 0. \tag{5.104}$$

よって，電荷の保存則の共変形式

$$\nabla_\mu J^\mu = \frac{1}{\sqrt{-g}}\partial_\mu(\sqrt{-g}J^\mu) = 0 \tag{5.105}$$

を得る．電荷の保存則の $3+1$ 形式はすぐに求められ次のようになる．

$$\frac{\partial}{\partial t}\tilde{\rho}_e + \frac{1}{\sqrt{\gamma}}\frac{\partial}{\partial x^i}(\alpha\sqrt{\gamma}(J^{\tilde{i}} + N^i\tilde{\rho}_e)) = 0. \tag{5.106}$$

5.5.4 ベクトルポテンシャル，スカラーポテンシャル

ここで，ベクトルポテンシャル，スカラーポテンシャルの与える電磁場の基準観測者系の成分を示しておく．$F_{\mu\nu} = \partial_\mu A_\nu - \partial_\nu A_\mu$ なので，(5.87) より

$$B^{\tilde{i}} = \alpha\epsilon^{0ijk}\partial_j A_k = \epsilon^{ijk}\partial_j A_k, \tag{5.107}$$

$$E_{\tilde{i}} = \frac{1}{\alpha}\left[\partial_i A_0 - \partial_0 A_i + \alpha N^j(\partial_i A_j - \partial_j A_i)\right]. \tag{5.108}$$

ここで，$A_\mu = (-\Phi, A_i)$ を定義にすることがある．

5.5.5 電磁場のエネルギー・運動量の式

電磁場のエネルギー運動量の方程式 (5.65) の $3+1$ 形式を求める．3 章の対称テンソル $T^{\mu\nu}$ について式 $\nabla_\nu T^{\mu\nu} = F^\mu$ の $3+1$ 形式 (3.81) を参考にして，(5.65) を $3+1$ 形式に分解すると，時間一定面の単位法線ベクトル N^μ およびその面への射影テンソル $\mathcal{P}^{\mu\nu}$ を用いて，

$$\tilde{F}^\dagger_{\rm EM} \equiv -F^\mu_{\rm EM}N_\mu = -T^{\mu\nu}_{{\rm EM};\nu}N_\mu = J^\nu F^\mu{}_\nu N_\mu, \tag{5.109}$$

$$\tilde{F}^{\rm EM}_i \equiv F^\mu_{\rm EM}\mathcal{P}_{i\mu} = T^{\mu\nu}_{{\rm EM};\nu}\mathcal{P}_{i\mu} = -J^\nu F^\mu{}_\nu \mathcal{P}_{i\mu}. \tag{5.110}$$

(5.109) は電磁エネルギーの式，(5.110) は電磁場の運動量の式を与える．また，同様に $T^{\mu\nu}_{\rm EM}$ を $3+1$ 形式に分解すると，

$$\tilde{u} \equiv \tilde{T}^{\dagger\dagger}_{\rm EM} = T^{\rho\sigma}_{\rm EM}N_\rho N_\sigma, \tag{5.111}$$

$$\tilde{S}_\mu \equiv \tilde{T}^\dagger_{{\rm EM}\mu} = -T^{\rho\sigma}_{\rm EM}\mathcal{P}_{\mu\rho}N_\sigma, \tag{5.112}$$

$$\tilde{T}^{\rm EM}_{\mu\nu} = T^{\rho\sigma}_{\rm EM}\mathcal{P}_{\mu\rho}\mathcal{P}_{\nu\sigma}. \tag{5.113}$$

ここで，$T^{\mu\nu}_{\rm EM} = \tilde{u}N^\mu N^\nu + \tilde{S}^\mu N^\nu + N^\mu \tilde{S}^\nu + \tilde{T}^{\mu\nu}_{\rm EM}$，さらに，$\tilde{u} = T^{\tilde{0}\tilde{0}}_{\rm EM}$，$\tilde{S}_i = T^{\tilde{0}}_{\tilde{i}{\rm EM}}$，$\tilde{T}^{\rm EM}_{ij} = T^{\rm EM}_{\tilde{i}\tilde{j}}$，$\tilde{F}^\dagger_{\rm EM} = F^{\tilde{0}}_{\rm EM}$，$\tilde{F}^{\rm EM}_i = F^{\rm EM}_{\tilde{i}}$ であることはすぐに確かめられる．(5.109) については両辺に α をかけた (3.82) により，

$$\alpha\tilde{F}^\dagger_{\rm EM} = \frac{\partial}{\partial t}\tilde{u} + \frac{1}{\sqrt{\gamma}}\frac{\partial}{\partial x^k}[\alpha\sqrt{\gamma}(\tilde{S}^k + \tilde{u}N^k)] + \frac{\partial\alpha}{\partial x^i}\tilde{S}^i - \alpha K_{ij}\tilde{T}^{ij}_{\rm EM}. \tag{5.114}$$

ここで，3 章の記号 $\rho_\mathrm{H} \to \tilde{u}$, $J^k \to \tilde{S}^k$, $S^{ij} \to \tilde{T}_\mathrm{EM}^{ij}$ と対応していることを用いた．また，$\beta^k = -\alpha N^k$ であり，$K_{ij} \equiv -N_{i;j} = \dfrac{1}{2\alpha}(^{(3)}\nabla_j \beta_i + {}^{(3)}\nabla_i \beta_j) = \dfrac{1}{2\alpha}(\gamma_{kj}\beta^k_{,i} + \gamma_{ik}\beta^k_{,j} + \gamma_{ij,k}\beta^k)$ は外部曲率 (extrinsic curvature) を与える対称テンソルである*9．ここで，$\alpha K_{ij}\tilde{T}_\mathrm{EM}^{ij} = -\left[\gamma_{jk}\dfrac{\partial}{\partial x^i}(\alpha N^k) + \dfrac{1}{2}\alpha N^k \dfrac{\partial \gamma_{ij}}{\partial x^k}\right]\tilde{T}_\mathrm{EM}^{ij}$ を用いると（章末問題 5.11），

$$\alpha \tilde{F}_\mathrm{EM}^\dagger = \frac{\partial}{\partial t}\tilde{u} + \frac{1}{\sqrt{\gamma}}\frac{\partial}{\partial x^i}[\alpha\sqrt{\gamma}(\tilde{S}^i + N^i \tilde{u})] + \frac{\partial \alpha}{\partial x^i}\tilde{S}^i$$
$$+ \left[\gamma_{jk}\frac{\partial}{\partial x^i}(\alpha N^k) + \frac{1}{2}\alpha N^k \frac{\partial \gamma_{ij}}{\partial x^k}\right]\tilde{T}_\mathrm{EM}^{ij} = -\alpha \tilde{J}^i \tilde{E}_i \quad (5.115)$$

となる．また，(5.110) については両辺に α をかけた (3.84) より，

$$\alpha \tilde{F}_i^\mathrm{EM} = \frac{\partial}{\partial t}\tilde{S}_i + {}^{(3)}\nabla_k[\alpha(\tilde{T}_{\mathrm{EM}i}^k + \tilde{S}_i N^k)] + \tilde{u}\frac{\partial \alpha}{\partial x^i} + \tilde{S}_k\,{}^{(3)}\nabla_i(\alpha N^k)$$
$$= -\alpha(\tilde{\rho}_\mathrm{e} E_{\tilde{i}} + \epsilon_{ijk}J^{\tilde{j}}B^{\tilde{k}}). \quad (5.116)$$

これは，(3.83) より，

$$\alpha \tilde{F}_i^\mathrm{EM} = \frac{\partial}{\partial t}\tilde{S}_i + \frac{1}{\sqrt{\gamma}}\frac{\partial}{\partial x^k}[\alpha\sqrt{\gamma}(\tilde{T}_{\mathrm{EM}i}^k + N^k \tilde{S}_i)] + \frac{\partial \alpha}{\partial x^i}\tilde{u}$$
$$+ \frac{\partial}{\partial x^i}(\alpha N^k)\tilde{S}_k - \frac{\alpha}{2}\frac{\partial \gamma_{jk}}{\partial x^i}\tilde{T}_\mathrm{EM}^{jk} = -\alpha(\tilde{\rho}_\mathrm{e} E_{\tilde{i}} + \epsilon_{ijk}J^{\tilde{j}}B^{\tilde{k}}) \quad (5.117)$$

なる $3+1$ 形式を得る．

例題 5.1 $\tilde{u} = T_\mathrm{EM}^{\tilde{0}\tilde{0}}$, $\tilde{S}_i = T_{\tilde{i}\mathrm{EM}}^{\tilde{0}}$, $\tilde{T}_{ij}^\mathrm{EM} = T_{\tilde{i}\tilde{j}}^\mathrm{EM}$, $\tilde{F}_\mathrm{EM}^\dagger = F_\mathrm{EM}^{\tilde{0}}$, $\tilde{F}_i^\mathrm{EM} = F_{\tilde{i}}^\mathrm{EM}$ であることを確かめてからそれらを用いて，$\tilde{u}$, $\tilde{S}^i$, $\tilde{F}_\mathrm{EM}^\dagger$, $\tilde{F}_i^\mathrm{EM}$ を $E_{\tilde{i}}$, $B^{\tilde{i}}$ を用いて表せ．ここで，$F^{\rho\sigma}F_{\rho\sigma} = 2(B^\rho B_\rho - E^\rho E_\rho)$ を用いる．

解答
$$\tilde{u} = T_\mathrm{EM}^{\tilde{0}\tilde{0}} = \frac{1}{8\pi}(E^{\tilde{i}}E_{\tilde{i}} + B^{\tilde{i}}B_{\tilde{i}}) = \frac{1}{8\pi}((\tilde{E})^2 + (\tilde{B})^2).$$
$$\tilde{S}_i = T_{\mathrm{EM}\tilde{i}}^{\tilde{0}} = \frac{1}{4\pi}\epsilon_{ijk}E^{\tilde{j}}B^{\tilde{k}}.$$
$$\tilde{T}_{ij}^\mathrm{EM} = T_{\tilde{i}\tilde{j}}^\mathrm{EM} = -\frac{1}{4\pi}(E_{\tilde{i}}E_{\tilde{j}} + B_{\tilde{i}}B_{\tilde{j}}) + \tilde{u}\gamma_{ij}.$$

---

*9 3 次元ベクトル A^i に対して $^{(3)}\nabla_j A^i = \partial_j A^i + {}^{(3)}\Gamma_{jk}^i A^k$ となる．$^{(3)}\nabla_i$ は 3 次元ベクトルの共変微分である．3 次元テンソル A_i^k に対して，$^{(3)}\nabla_k A_i^k = \dfrac{1}{\sqrt{\gamma}}\partial_k(\sqrt{\gamma}A_i^k) - {}^{(3)}\Gamma_{ij}^k A_k^j$ である．

$$\tilde{F}^\dagger_{\text{EM}} = F^{\tilde{0}}{}_{\text{EM}} = -f^{\tilde{0}}_{\text{L}} = -J^{\tilde{i}} E_{\tilde{i}}.$$

$$\tilde{F}^{\text{EM}}_{\tilde{i}} = -f^{\text{L}}_{\tilde{i}} = -(\tilde{\rho}_e E_{\tilde{i}} + \epsilon_{ijk} J^{\tilde{j}} B^{\tilde{k}}).$$

■

5.5.6 一般相対論的マクスウェル方程式の3次元ベクトル表示

相対論的な計算はベクトル成分，テンソル成分を用いて行うのが正確であるが，多少直観的な議論をするときにまどろっこしい．ここでは，利用に注意を要するが，非相対論の場合と同じような3次元ベクトル表示について述べる．

基準観測者の座標系で定義された任意の3元ベクトル場 $\tilde{a}$ と任意のスカラー場 ϕ の微分演算子を次のように定義する．

$$\nabla \cdot \tilde{a} = \frac{1}{\sqrt{\gamma}} \sum_i \frac{\partial}{\partial x^i} \left(\sqrt{\gamma} \tilde{a}^i \right), \tag{5.118}$$

$$(\nabla \phi)_i = \frac{\partial \phi}{\partial x^i}, \tag{5.119}$$

$$(\nabla \times \tilde{a})^i = \sum_{j,k} \epsilon^{ijk} \frac{\partial}{\partial x^j} \tilde{a}^k. \tag{5.120}$$

以上のような3元ベクトル場，スカラー場の微分を用いるとマクスウェル方程式 (5.100)，(5.101)，(5.102)，(5.103)，(5.106)，(5.107)，(5.108) は次のように3元ベクトル形式で書くことができる．

$$\nabla \cdot \tilde{\boldsymbol{E}} = 4\pi \tilde{\rho}_e, \tag{5.121}$$

$$4\pi\alpha(\tilde{\boldsymbol{J}} + \tilde{\rho}_e \boldsymbol{N}) + \frac{\partial \tilde{\boldsymbol{E}}}{\partial t} = \nabla \times [\alpha(\tilde{\boldsymbol{B}} + \boldsymbol{N} \times \tilde{\boldsymbol{E}})], \tag{5.122}$$

$$\nabla \cdot \tilde{\boldsymbol{B}} = 0, \tag{5.123}$$

$$\frac{\partial \tilde{\boldsymbol{B}}}{\partial t} = -\nabla \times [\alpha(\tilde{\boldsymbol{E}} - \boldsymbol{N} \times \tilde{\boldsymbol{B}})], \tag{5.124}$$

$$\frac{\partial}{\partial t} \tilde{\rho}_e = -\nabla \cdot [\alpha(\tilde{\boldsymbol{J}} + \tilde{\rho}_e \boldsymbol{N})]. \tag{5.125}$$

$$\tilde{\boldsymbol{B}} = \nabla \times \boldsymbol{A}, \tag{5.126}$$

$$\tilde{\boldsymbol{E}} = \frac{1}{\alpha}[-\nabla \Phi - \frac{\partial}{\partial t} \boldsymbol{A} + \alpha(\boldsymbol{N}\nabla) \cdot \boldsymbol{A} - \alpha(\boldsymbol{N} \cdot \nabla)\boldsymbol{A}]. \tag{5.127}$$

ここで，$\boldsymbol{N}$ は成分 N^i を持つ3元ベクトル $\boldsymbol{N} = (N^1, N^2, N^3)$，また $\{(\boldsymbol{N}\nabla) \cdot \boldsymbol{A}\}_i = N^j \nabla_i A_j$ とした（章末問題 5.12）．これらの方程式は特殊相対論的マクス

ウェル方程式に似ている．違いは，ラプス関数 α と基準観測者の 4 元速度 $\boldsymbol{N}$ のみである．

ここで，この方程式の各式について説明を加える．この方程式を見ればブラックホールのまわりで電磁場がおおよそどのように振る舞うかを思い浮かべることができる．

(5.121)，(5.123) は電場および磁場のガウスの法則である．ここで，湧き出しの因子に α は掛からない．これは，磁束や電束の湧き出しに重力による時間の遅れが関係ないためである．

(5.122) はアンペールの法則を表す式である．ここで，重力赤方偏移による時間の遅れにより全電流 $\tilde{\boldsymbol{J}} + \tilde{\rho}_e \boldsymbol{N}$ にラプス関数 α が掛かっている．電流や変位電流により誘導される磁場は $\tilde{\boldsymbol{B}}$ ではなく，$\alpha(\tilde{\boldsymbol{B}} + \boldsymbol{N} \times \tilde{\boldsymbol{E}})$ であることに注意したい．

(5.124) はファラデーの法則を表す式である．ここで，電場 $\tilde{\boldsymbol{E}}$ ではなく，$\alpha(\tilde{\boldsymbol{E}} - \boldsymbol{N} \times \tilde{\boldsymbol{B}})$ が磁場 $\tilde{\boldsymbol{B}}$ の時間変動で誘導されることが分かる．

5.5.7 ボイヤー–リンキスト座標での 3 + 1 形式

ボイヤー–リンキスト座標のときは，基準観測者の固有座標（すなわち，ZAMO 系）が容易に与えられるので，ZAMO 系による 3 + 1 形式を示しておく．このとき $i \neq j$ のとき $g_{ij} = 0$ であるので，$g_{ii} = h_i^2$ として，$\gamma = h_1^2 h_2^2 h_3^2$ と書ける．(5.89) より，任意のベクトル a^μ について，その ZAMO 系とその固有座標系でのベクトル $\tilde{a}^\mu$, $\hat{a}^\mu$ に (5.78)，(5.89) という関係があるので，

$$\hat{E}^i = h_i \tilde{E}^i, \qquad \hat{E}_i = \frac{1}{h_i} \tilde{E}_i, \qquad \hat{B}^i = h_i \tilde{B}^i, \qquad \hat{B}_i = \frac{1}{h_i} \tilde{B}_i, \qquad (5.128)$$

$$\hat{J}^i = h_i \tilde{J}^i, \qquad \hat{J}_i = \frac{1}{h_i} \tilde{J}_i, \qquad \hat{\rho}_e = \tilde{\rho}_e \qquad (5.129)$$

となる．これより，(5.100) は

$$4\pi \hat{\rho}_e = \sum_i \frac{1}{h_1 h_2 h_3} \frac{\partial}{\partial x^i} \left(\frac{h_1 h_2 h_3}{h_i} \hat{E}_i \right) \qquad (5.130)$$

となる．(5.101) の両辺に h_i を掛けて，$\hat{N}^i = h_i N^i = (0, 0, h_\phi \omega / \alpha)$ として，

$$4\pi \alpha (\hat{J}^i + \hat{\rho}_e \hat{N}^i) + \frac{\partial \hat{E}^i}{\partial t} = \sum_{j,k} \frac{h_i}{h_1 h_2 h_3} \hat{\epsilon}^{ijk} \frac{\partial}{\partial x^j} \left[\alpha h_k \left(\hat{B}_k + \sum_{l,m} \hat{\epsilon}_{klm} \hat{N}^l \hat{E}^m \right) \right]. \qquad (5.131)$$

(5.102) は

$$\sum_i \frac{1}{h_1 h_2 h_3} \frac{\partial}{\partial x^i} \left(\frac{h_1 h_2 h_3}{h_i} \hat{B}^i \right) = 0. \tag{5.132}$$

(5.103) の両辺に h_i を掛けて,

$$\frac{\partial \hat{B}_i}{\partial t} = \frac{-h_i}{h_1 h_2 h_3} \sum_{j,k} \hat{\epsilon}^{ijk} \frac{\partial}{\partial x^j} \left[\alpha h_k (\hat{E}_k - \sum_{l,m} \hat{\epsilon}^{klm} \hat{N}^l \hat{B}_m) \right]. \tag{5.133}$$

(5.106) は

$$\frac{\partial \hat{\rho}_{\rm e}}{\partial t} = -\sum_i \frac{1}{h_1 h_2 h_3} \frac{\partial}{\partial x^i} \left(\alpha \frac{h_1 h_2 h_3}{h_i} (\hat{J}^i + \hat{\rho}_{\rm e} \hat{N}^i) \right). \tag{5.134}$$

(5.107) の両辺に h_i を掛けて,

$$\hat{B}^i = \sum_{j,k} \hat{\epsilon}^{ijk} \frac{h_i}{h_1 h_2 h_3} \frac{\partial}{\partial x^j} A_k \tag{5.135}$$

(5.108) の両辺を h_i で割って,

$$\hat{E}_i = \frac{1}{\alpha h_i} \left[-\frac{\partial \Phi}{\partial x^i} - \frac{\partial A_i}{\partial t} + \sum_k \alpha N^k \left(\frac{\partial A_k}{\partial x^i} - \frac{\partial A_i}{\partial x^k} \right) \right]. \tag{5.136}$$

ここで, $\hat{\epsilon}_{ijk} = \hat{\epsilon}^{ijk} = \hat{\epsilon}^{0ijk} = \eta^{0ijk}$ は特殊相対論のところで用いた通常のレヴィ＝チビタ記号に一致する. また, 磁場 $\hat{B}^i$, 電場 $\hat{E}^i$, 電流 $\hat{J}^i$ などは規格直交化された基準観測者系の成分であるのでその大きさや方向はミンコフスキー時空のときと同じように取り扱うことができる. たとえば, $\hat{B}^i = \hat{B}_i$, $\hat{E}^i = \hat{E}_i$, $\hat{J}^i = \hat{J}_i$ とできる. そのため, この方程式はもとの 3 + 1 形式の方程式よりも取り扱いやすい. しかし, このような簡単な扱いができるのは $g_{ij} = 0$ ($i \neq j$) のものに限られる.

次に, 運動量とエネルギーの式について述べる. (5.89) を用いて, エネルギーの式 (5.115) および運動量の式 (5.117) はそれぞれ,

$$\frac{\partial}{\partial t} \hat{u} + \frac{1}{h_1 h_2 h_3} \frac{\partial}{\partial x^i} \left[\frac{\alpha h_1 h_2 h_3}{h_i} (\hat{S}^i + \hat{N}^i \hat{u}) \right] + \frac{1}{h_i} \frac{\partial \alpha}{\partial x^i} \hat{S}^i$$
$$- \frac{\alpha}{h_i h_j} \hat{N}^i \left(\frac{\partial h_i}{\partial x^j} \hat{T}_{\rm EM}^{ij} - \frac{\partial h_j}{\partial x^i} \hat{T}_{\rm EM}^{jj} \right) + \frac{1}{h_i} \frac{\partial}{\partial x^i} (\alpha \hat{N}^j) \hat{T}_{\rm EM}^{ij} = -\alpha \hat{J}^i \hat{E}_i, \tag{5.137}$$
$$\frac{\partial}{\partial t} \hat{S}^i + \frac{1}{h_1 h_2 h_3} \frac{\partial}{\partial x^i} \left[\frac{\alpha h_1 h_2 h_3}{h_j} (\hat{T}_{\rm EM}^{ij} + \hat{N}^j \hat{S}^i) \right] + \frac{1}{h_i} \frac{\partial \alpha}{\partial x^i} \hat{u}$$
$$+ \frac{\alpha}{h_i h_j} \left[\frac{\partial h_i}{\partial x^j} (\hat{T}_{\rm EM}^{ij} + \hat{N}^j \hat{S}^i) - \frac{\partial h_j}{\partial x^i} (\hat{T}_{\rm EM}^{jj} + \hat{N}^j \hat{S}^j) \right] + \frac{1}{h_i} \frac{\partial}{\partial x^i} (\alpha \hat{N}^j) \hat{S}^j$$

$$= -\alpha(\hat{\rho}_e \hat{E}_i + \hat{\epsilon}_{ijk}\hat{J}^j \hat{B}^k) \tag{5.138}$$

となる．ここで，電磁場のエネルギー密度 $\hat{u} = T_{\rm EM}^{\hat{0}\hat{0}} = ((\hat{B}))^2 + (\hat{E})^2)/8\pi$，ポインティングフラックス $\hat{S}^i = T_{\rm EM}^{\hat{i}\hat{0}} = S^{\hat{i}} = \hat{\epsilon}^{ijk}\hat{E}_j\hat{B}_k/4\pi$，マクスウェル応力テンソルの逆符号 $\hat{T}_{\rm EM}^{ij} = T_{\rm EM}^{\hat{i}\hat{j}} = -\dfrac{1}{4\pi}(\hat{E}^i\hat{E}^j + \hat{B}^i\hat{B}^j) + \dfrac{1}{8\pi}((\hat{B}))^2 + (\hat{E})^2)\delta^{ij}$ である．$(\hat{E})^2 \equiv (\hat{E}^1)^2 + (\hat{E}^2)^2 + (\hat{E}^3)^2$, $(\hat{B})^2 \equiv (\hat{B}^1)^2 + (\hat{B}^2)^2 + (\hat{B}^3)^2$ である．ZAMO 系で観測される物理量の間にはミンコフスキー時空での関係式がそのまま成り立ち，方程式は直観的により理解されやすい．(5.137)，(5.138) は特殊相対論の場合の電磁エネルギーおよび電磁場の運動量の式 (5.3)，(5.4) に重力の項 ((5.137)，(5.138) の左辺第 3 項)，空間の引きずり効果のシアー（ずれ）の項（同左辺第 5 項）が加えられている．ラプス関数 α は時間の遅れを示すと同時に単位体積当たりの重力ポテンシャルとしての意味をもつことが分かる．

5.6 電磁場のエネルギー角運動量の保存則

自転するブラックホールのまわりのエネルギーおよび角運動量の保存の式を与える．ボイヤー–リンキスト座標，カー–シルト座標のいずれの場合でも，キリングベクトルは $\chi^\nu = (1,0,0,0)$, $\eta^\nu = (0,0,0,1)$ である．一般にエネルギー運動量（対称）テンソル $T^{\mu\nu}$ に対して $\nabla_\mu T^{\mu\nu} = F^\nu$ が成り立つとき，任意のキリングベクトル ξ^ν は保存則

$$\nabla_\mu(\xi_\nu T^{\mu\nu}) = \xi_\mu F^\mu \tag{5.139}$$

を与える．$T^{\mu\nu}$ が電磁場のエネルギー・運動量テンソルのときは，F^μ は 4 元ローレンツ力 $f_{\rm L}^\mu$ により $F^\mu = -f_{\rm L}^\mu = -J^\nu F^\mu{}_\nu$ となる．ここで，$C^\mu = \xi_\nu T^{\mu\nu}$ とおくと，

$$\nabla_\mu C^\mu = \frac{1}{\sqrt{-g}}\frac{\partial}{\partial x^\mu}\left(\sqrt{-g}C^\mu\right) = \xi_\mu F^\mu. \tag{5.140}$$

ここで，基準の観測者の計る C^μ の時間成分は

$$C^{\hat{0}} = \tilde{C}^\dagger = -C^\nu N_\nu = \alpha C^0 \tag{5.141}$$

であるので，保存方程式

$$\frac{\partial}{\partial t}\tilde{C}^{\dagger} + \frac{1}{\sqrt{\gamma}}\frac{\partial}{\partial x^{i}}(\sqrt{\gamma}\alpha C^{i}) = \alpha\xi_{\mu}F^{\mu} \tag{5.142}$$

が得られる．$\tilde{C}^{\dagger}$ が保存量密度，C^i が保存量の流束密度，右辺は保存量の湧き出し密度を与える．

5.6.1 電磁場のエネルギー保存則

キリングベクトル $\xi^{\nu} = \chi^{\nu}$ を使うと，$u^{\infty} = -\tilde{C}_{\text{EM}}^{\dagger}$，$S^i = -C_{\text{EM}}^i$ としてエネルギー保存則

$$\frac{\partial u^{\infty}}{\partial t} + \frac{1}{\sqrt{\gamma}}\frac{\partial}{\partial x^{i}}(\sqrt{\gamma}\alpha S^{i}) = -\alpha F_0 = -\alpha J^i E_i, \tag{5.143}$$

を得る．ここで，

$$-\chi^{\mu}F_{\mu}^{\text{EM}} = -F_0^{\text{EM}} = J^{\sigma}F_{0\sigma} = J^i F_{0i} = -J^i E_i \tag{5.144}$$

を用いた．これは電磁エネルギーがジュール熱など熱エネルギーや力学的エネルギーに変換された分だけ電磁エネルギーが失われることに対応する．$-F_0^{\text{EM}}$ は物質により電磁場がされる仕事の密度を表すので，(5.143) は電磁エネルギーの保存を示している．u^{∞} は**無限遠での電磁エネルギー密度**（electromagnetic energy-at-infinity density），$\boldsymbol{S} = (S^1, S^2, S^3)$ は電磁エネルギー流束密度（electromagnetic energy flux density）である．

$\chi^{\tilde{0}} = \alpha$，$\chi^{\tilde{i}} = -\alpha N^i$ であるので，

$$u^{\infty} = -\tilde{C}_{\text{EM}}^{\dagger} = \alpha(\tilde{u} + N^i S_{\tilde{i}}). \tag{5.145}$$

ここで，$\tilde{u} = -T_{\text{EM}}{}^{\tilde{0}}{}_{\tilde{0}}$，$\tilde{S}_i = T_{\text{EM}}{}^{\tilde{0}}{}_{\tilde{i}}$ はそれぞれ基準観測者系でみたエネルギー密度，運動量密度である（章末問題 5.13）．電磁場の場合は $\tilde{u} = \frac{1}{8\pi}E_{\tilde{i}}E^{\tilde{i}} + \frac{1}{8\pi}B_{\tilde{i}}B^{\tilde{i}}$，$S_{\tilde{i}} = \frac{1}{4\pi}\epsilon_{ijk}E^{\tilde{j}}B^{\tilde{k}}$ となる．ここで，

$$S^i = -\chi^{\nu}T_{\text{EM}}{}^i{}_{\nu} = -T_{\text{EM}}{}^i{}_0 = \frac{1}{4\pi}F_{j0}F^{ij}. \tag{5.146}$$

また，$E_{\mu} = F_{\mu 0}$，$\frac{1}{\alpha}\epsilon^{ijk}B_k = F^{ij}$ であるので，

$$S^i = \frac{1}{4\pi}\frac{1}{\alpha}\epsilon^{ijk}E_j B_k \tag{5.147}$$

とできる．これは形式的にはポインティングフラックスに対応する．

次に，各物理量を基準の観測者の見る成分で書くと，

$$E_i = \alpha(E_{\tilde{i}} - \epsilon_{ijk}N^j B^{\tilde{k}}), \tag{5.148}$$

$$B_i = \alpha(B_{\tilde{i}} + \epsilon_{ijk}N^j E^{\tilde{k}}). \tag{5.149}$$

また，(5.147)，(5.148)，(5.149) より，

$$S^i = \frac{1}{4\pi\alpha}\epsilon^{ijk}E_j B_k = \frac{1}{4\pi}\epsilon^{ijk}\alpha(E_{\tilde{j}} - \epsilon_{jmn}N^m B^{\tilde{n}})(B_{\tilde{k}} + \epsilon_{kpq}N^p E^{\tilde{q}}). \tag{5.150}$$

5.6.2　電磁場の角運動量保存則

キリングベクトル $\xi^\nu = \eta^\nu$ を使うと，$M^\mu_{\mathrm{EM}} = C^\mu_{\mathrm{EM}}$，$l_{\mathrm{EM}} = \tilde{C}^\dagger_{\mathrm{EM}}$ として角運動量の保存則

$$\frac{\partial l_{\mathrm{EM}}}{\partial t} + \frac{1}{\sqrt{\gamma}}\frac{\partial}{\partial x^i}(\sqrt{\gamma}\alpha M^i_{\mathrm{EM}}) = \alpha F^{\mathrm{EM}}_\phi = -\alpha(\tilde{\rho}_e E_{\tilde{\phi}} + \epsilon_{\tilde{\phi}\tilde{i}\tilde{j}}J^{\tilde{i}}B^{\tilde{j}}) \tag{5.151}$$

を得る．ここで，

$$F^{\mathrm{EM}}_\phi = -J^\sigma F_{\phi\sigma} = -J^{\tilde{\sigma}}F_{\tilde{\phi}\tilde{\sigma}} = -(\tilde{\rho}_e E_{\tilde{\phi}} + \epsilon_{\tilde{\phi}\tilde{i}\tilde{j}}J^{\tilde{i}}B^{\tilde{j}}) \tag{5.152}$$

を用いた．$l_{\mathrm{EM}} = \alpha T_{\mathrm{EM}}{}^0{}_\phi = T_{\mathrm{EM}}{}^{\tilde{0}}{}_{\tilde{\phi}}$ は電磁場の角運動量密度，$M^i_{\mathrm{EM}} = T_{\mathrm{EM}}{}^i{}_\phi = T_{\mathrm{EM}}{}^{\tilde{i}}{}_{\tilde{\phi}} + N^i T_{\mathrm{EM}}{}^{\tilde{0}}{}_{\tilde{\phi}} = T_{\mathrm{EM}}{}^{\tilde{i}}{}_{\tilde{\phi}} + N^i l_{\mathrm{EM}}$ は電磁場の角運動量流束密度である．

さらに，$T^{\mu\nu}_{\mathrm{EM}}$ が電磁場のエネルギー運動量テンソルのときは，例題 5.1 を参考にして，

$$l_{\mathrm{EM}} = \frac{1}{4\pi}\epsilon_{\tilde{\phi}\tilde{j}\tilde{k}}E^{\tilde{j}}B^{\tilde{k}} = S_{\tilde{\phi}}, \tag{5.153}$$

$$M^i_{\mathrm{EM}} = \left(\frac{(\tilde{B})^2}{8\pi} + \frac{(\tilde{E})^2}{8\pi}\right)\delta^i_\phi + \frac{1}{4\pi}\left(-B^{\tilde{i}}B_{\tilde{\phi}} - E^{\tilde{i}}E_{\tilde{\phi}}\right) + N^i S_{\tilde{\phi}}. \tag{5.154}$$

ここでは基準観測者の 3 次元空間での基底として，座標 x^μ の座標基底をそのまま使っている．その座標は一般に斜交座標であり，その座標基底の大きさは単位長さとなっていないので，ベクトルの計算をするのには不便なことがある．ボイヤーリンキスト座標のときは，ZAMO 系の成分を用いて書ける．次の例題でボイヤーリンキスト座標の ZAMO 系の成分を用いた保存方程式を示す．

例題 5.2 ボイヤーリンキスト座標において，電磁場のエネルギーおよび運動量の保存則の 3 + 1 形式を ZAMO 系の量を用いて書け．

解答 (5.89) より，

$$\hat{\rho}_e = J^{\hat{0}} = J^{\tilde{0}} = \tilde{\rho}_e, \quad l_{EM} = S_{\tilde{\phi}} = h_\phi S_{\hat{\phi}}. \tag{5.155}$$

ボイヤーリンキスト座標の場合は $N^r = N^\theta = 0$, $N^\phi = \dfrac{\omega}{\alpha}$ であるので (5.145) より，

$$u^\infty = \alpha \left(\frac{1}{8\pi} \hat{E}^2 + \frac{1}{8\pi} \hat{B}^2 \right) + \omega l_{EM} \tag{5.156}$$

となる．ここで，S^i を 3 次元ベクトルとしてその大きさを規格化し，$\hat{S}^i = h_i S^i$ とすると[*10]，電磁場のエネルギー保存則は

$$\frac{\partial u^\infty}{\partial t} + \frac{1}{h_1 h_2 h_3} \frac{\partial}{\partial x^i} \left(\frac{h_1 h_2 h_3}{h_i} \alpha \hat{S}^i \right)$$
$$= -\alpha F_0 = -\alpha (J^{\hat{i}} + \hat{\rho}_e \hat{N}^i)(E_{\hat{i}} - \hat{\epsilon}_{ijk} \hat{N}^j B^{\hat{k}}). \tag{5.157}$$

ここで，$\hat{S}^i$ は 3 次元ベクトル S^i を規格化したものであり，4 次元ベクトルの ZAMO 系の成分 $S^{\hat{i}}$ ではない．電磁場の ZAMO 系の成分と次のような関係にある．

$$\hat{S}^i = h_i S^i = \frac{1}{4\pi} \alpha \hat{\epsilon}^{ijk}(E_{\hat{j}} - \hat{\epsilon}_{jlm} \hat{N}^l B^{\hat{m}})(B_{\hat{k}} + \hat{\epsilon}_{kpq} \hat{N}^p E^{\hat{q}}). \tag{5.158}$$

同様に角運動量の保存則も，ボイヤーリンキスト座標の場合，ZAMO 系の成分で次のように書かれる．3 次元ベクトル M_{EM}^i を規格化して，$\hat{M}_{EM}^i = h_i M_{EM}^i$ として，

$$\frac{\partial l_{EM}}{\partial t} + \frac{1}{h_1 h_2 h_3} \frac{\partial}{\partial x^i} \left(\frac{h_1 h_2 h_3}{h_i} \alpha \hat{M}_{EM}^i \right) = \alpha F_\phi^{EM} = -\alpha h_\phi (\hat{\rho}_e E_{\hat{\phi}} + \hat{\epsilon}_{\phi ij} J^{\hat{i}} B^{\hat{j}}). \tag{5.159}$$

ここで，$\hat{M}_{EM}^i$ は 3 次元ベクトル M_{EM}^i を規格化したものであり，4 次元ベクトルの ZAMO 系の成分 $M_{EM}^{\hat{i}}$ とは異なる．電磁場の ZAMO 系の成分と次のような関係にある．

[*10] ZAMO 系の基底ベクトル $e_{\hat{\mu}}$ の $e_{\hat{i}}$ は 3 次元空間の規格化された基底として使うことができる．ボイヤーリンキスト座標の座標基底 e_μ と $e_{\hat{i}} = h_i e_i$ という関係にあるので，$\boldsymbol{S} = S^i e_i = \hat{S}^i e_{\hat{i}} = S^i h_i e_i$ より $\hat{S}^i = h_i S^i$.

$$\begin{aligned}\hat{M}^i_{\text{EM}} &= h_i M^i_{\text{EM}} = h_i(T^{\tilde{i}}_{\text{EM }\tilde{\phi}} + N^i S_{\tilde{\phi}}) = h_\phi(T^{\hat{i}}_{\text{EM }\hat{\phi}} + \hat{N}^i S_{\hat{\phi}}) \\ &= h_\phi \left[\frac{1}{8\pi}((\hat{B})^2 + (\hat{E})^2)\delta^i_\phi - \frac{1}{4\pi}(\hat{E}^i \hat{E}_\phi + \hat{B}^i \hat{B}_\phi) + \hat{N}^i S_{\hat{\phi}} \right]. \quad (5.160)\end{aligned}$$

∎

Chapter 5 の章末問題

問題 5.1 式 (5.25) を示せ.

問題 5.2 式 (5.45) を導け.

問題 5.3 式 (5.48), (5.49) を導け.

問題 5.4 電磁場の 4 元エネルギー運動量テンソル $T_{\mathrm{EM}}^{\mu\nu}$ について次の式を導け.

$$T_{\mathrm{EM}0}^0 = -\frac{1}{8\pi}((B)^2 + (E)^2),$$

$$T_{\mathrm{EM}i}^0 = \frac{1}{4\pi}\epsilon_{ijk}E^j B^k,$$

$$T_{\mathrm{EM}j}^i = \frac{1}{4\pi}\left[-E^i E_j - B^i B_j + \frac{1}{2}((B)^2 + (E)^2)\delta_j^i\right].$$

問題 5.5 一様な磁場に沿って伝播するフォースフリー磁場の波に対応する解 (5.52) がマクスウェル方程式, およびフォースフリー条件を満たすことを確かめよ.

問題 5.6 (5.71) を導け.

問題 5.7 $g = -\alpha^2 \gamma$ を導け.

問題 5.8 (5.86) を示せ.

問題 5.9 (5.88) を導け.

問題 5.10 マクスウェル方程式の 3 + 1 形式 (5.100), (5.101), (5.102), (5.103) を導け.

問題 5.11 (5.115) の導出で用いた $\alpha K_{ij}\tilde{T}_{\mathrm{EM}}^{ij} = -\left[\gamma_{jk}\dfrac{\partial}{\partial x^i}(\alpha N^k) + \dfrac{1}{2}\alpha N^k \dfrac{\partial \gamma_{ij}}{\partial x^k}\right]\tilde{T}_{\mathrm{EM}}^{ij}$ を導け.

問題 5.12 スカラーポテンシャル, ベクトルポテンシャルで基準観測者系の電場を与える (5.127) を導け.

問題 5.13 無限遠点でのエネルギー密度 u^∞ を与える (5.145) を導け.

Chapter 6
相対論的電磁流体力学

　宇宙には相対論的宇宙ジェットのようなブラックホールのまわりの激しい現象により引き起こされると考えられる現象がある．第1章で述べたように，その激しい現象においてブラックホールまわりでのプラズマと磁場の相互作用が少なからず重要な役割を担っていると考えられている．磁場とプラズマが相互作用するブラックホールまわりの領域を**ブラックホール磁気圏**（black-hole magnetosphere）とよぶ（図6.1）．

　ブラックホールそのものは磁場を生成・維持することはないので，磁場はブラックホールまわりの降着円盤やコロナのプラズマの電流により担われる．ブラックホールが自転している場合，エルゴ領域を横切る磁力線とプラズマの相互作用が激しい現象を引き起こす可能性がある．ここでは，磁場と相互作用する光速度に近い速さで運動するプラズマやブラックホール近傍のプラズマを取り扱う**相対論的電磁流体力学**（relativistic magnetohydrodynamics, 略してRMHD）を紹介する．光速度よりも十分遅い運動をするプラズマやあるいはプラズマが自転しないブラックホール（シュバルツシルト ブラックホール）のまわりにある場合は擬ニュートンポテンシャル（Paczynski-Wiita potential）を用いた非相対論的MHD近似がある程度有効である（Paczynski, Wiita 1980; Machida, Matsumoto 2003）．しかし，プラズマが光速度に近い速度で運動しているときや，ブラックホールが自転し，空間の引きずり効果が無視できない場合は，非相対論的取り扱いで代用することは

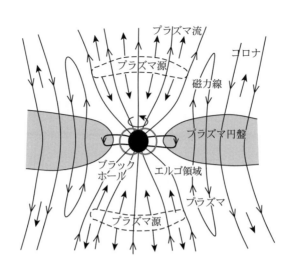

図 **6.1** ブラックホール磁気圏のイメージ.

できなくなる.そのような場合はこの RMHD の取り扱いが必要とされる.特に,一般相対論的な MHD は**一般相対論的 MHD**(general relativistic MHD, 略して GRMHD)という.この章では GRMHD の一般論を述べる.ブラックホール磁気圏に関連した GRMHD の具体的な話題については 7 章で取り上げる.

GRMHD の方程式はプラズマ・電磁場の保存則とマクスウェル方程式,経験則であるオームの法則とプラズマの状態方程式から成る.一般相対論的マクスウェル方程式についてはすでに前章で述べた.また,プラズマの状態方程式については簡単のためここでは相対論的理想気体の状態方程式を用いる.

まずは,特殊相対論的 MHD からはじめよう.

6.1　特殊相対論的 MHD 方程式

重力のない平坦な時空,すなわちミンコフスキー時空 $x^\mu = (t, x, y, z)$ での特殊相対論的 MHD 方程式を考える.この節ではマクスウェル方程式以外の特殊相対論的 MHD 方程式を示す.ここでの座標変換はローレンツ変換に限られる.

6.1.1　プラズマの連続の方程式と状態方程式

プラズマは 2 種類以上の粒子(電子,核子,イオンなど)から構成されている.プラズマの連続の方程式はプラズマを構成する各種粒子の粒子数がそれぞれ保存す

るとして
$$\partial_\mu(\rho u^\mu) = 0 \tag{6.1}$$
と与えられる．ここで，ρ はプラズマの静止座標系でみたプラズマの質量密度（プラズマ静止質量密度，proper mass density）で u^μ は 4 元速度である[*1],[*2]（Koide 2009, 2010; Meier 2004; Meier 2012）．

プラズマの状態方程式についてはプラズマが一つの温度 T で特徴づけられるとして，1 種類の粒子から成る温度 T の相対論的理想気体についての状態方程式 (3.6) あるいはポリトロープの式
$$p = K\rho^\Gamma \tag{6.2}$$
などを用いる（3 章参照）．ここで，K, Γ は定数である．Γ はポリトロープ指数（polytropic index）と呼ぶ．このときのエンタルピー密度は，
$$h = e' + p = \rho + \frac{p}{\Gamma - 1} + p = \rho + \frac{\Gamma}{\Gamma - 1} p \tag{6.3}$$
である．e' はプラズマ静止系でみた内部エネルギー密度で，$e' = \rho + p/(\Gamma - 1)$ となる[*3]．

6.1.2 プラズマと電磁場のエネルギー運動量保存

電磁場中にプラズマがあると，一般にプラズマは電磁場からの力（ローレンツ力）を受ける．このローレンツ力密度 f_L^μ の 4 元力をまずは求めてみよう．重力のない平坦な時空での（3 元）ローレンツ力密度は
$$\boldsymbol{f}_\mathrm{L} = \rho_\mathrm{e} \boldsymbol{E} + \boldsymbol{J} \times \boldsymbol{B}$$

[*1] 3 章では ρ は流体のエネルギー密度（内部エネルギーも含む）として用いられているが，ここでは 3 章で mn と記されていた量を ρ と書く．

[*2] プラズマの静止質量密度 ρ は各種の粒子の静止質量密度 $m_1 \gamma'_1 n_1, m_2 \gamma'_2 n_2, \cdots$ をプラズマを構成する粒子の全種類について総和したもの $\rho = m_1 n_1 \gamma'_1 + m_2 n_2 \gamma'_2 + \cdots$ である．ここで，$n_1, n_2, \cdots$ は質量 $m_1, m_2, \cdots$ の各種粒子の静止粒子数密度であり，$\gamma'_1, \gamma'_2, \cdots$ はプラズマの静止系でみた質量 $m_1, m_2, \cdots$ の各種粒子のローレンツ因子である．ローレンツ収縮のために，各種粒子の密度がローレンツ因子分だけ増大する．

[*3] e' は 3 章で ρ と書かれたものに相当する．また 3 章の h は 1 粒子あたりのエンタルピーであったが，プラズマの場合 1 粒子あたりというのは意味を持たせることはできないので，ここでは単位体積当たりのエンタルピーとする．

と書かれる．これを成分で書くと，
$$f_{\rm L}^i = \rho_e E^i + \epsilon^{ijk} J_j B_k = J^0 F^i{}_0 + J^j F^i{}_j = J^\nu F^i{}_\nu.$$
さらに，この式で i を 0 にすると，
$$J^\nu F^0{}_\nu = J^i F^0{}_i = J^i E_i = \boldsymbol{J} \cdot \boldsymbol{E} \equiv f_{\rm L}^0$$
は単位時間あたり単位体積あたりに発生するジュール熱あるいは電磁場がプラズマにする仕事に当たる．したがって，
$$f_{\rm L}^\mu = J^\nu F^\mu{}_\nu \tag{6.4}$$
と置くことができる．この表式は 5 章で求めた 4 元ローレンツ力密度（5.50）と同じである．非相対論的 MHD の場合は電荷分離にともなう $\rho_e \boldsymbol{E}$ の項は無視するが，相対論では無視できない．

プラズマにはこのローレンツ力が働くので，そのエネルギー運動量の保存則は次のようになる．
$$\partial_\nu T_{\rm hyd}^{\mu\nu} = f_{\rm L}^\mu = J^\nu F^\mu{}_\nu. \tag{6.5}$$
ここで，$T_{\rm hyd}^{\mu\nu} = h u^\mu u^\nu + p \eta^{\mu\nu}$ は第 3 章で与えられた流体力学的なエネルギー運動量テンソルである．
$T_{\rm EM}^{\mu\nu} = \dfrac{1}{4\pi} \left(F^{\mu\sigma} F^\nu{}_\sigma - \dfrac{1}{4} \eta^{\mu\nu} F^{\rho\sigma} F_{\rho\sigma} \right)$ を電磁場のエネルギー・運動量テンソルとして，電磁場のエネルギー・運動量の保存則（5.47）は特殊相対論のとき，
$$\partial_\nu T_{\rm EM}^{\mu\nu} = -J^\sigma F^\mu{}_\sigma \tag{6.6}$$
となる．(6.5) より，$T^{\mu\nu} = T_{\rm hyd}^{\mu\nu} + T_{\rm EM}^{\mu\nu}$ として，
$$\partial_\nu T^{\mu\nu} = 0 \tag{6.7}$$
となる．$T^{\mu\nu}$ はプラズマと電磁場のエネルギー運動量テンソルの和であり，(6.7) はその保存則となる．

6.1.3 オームの法則の共変形式

ここで経験則であるオームの法則の共変形式を示す．静止したプラズマに電場 $\boldsymbol{E}$ を印加するときプラズマに流れる電流の電流密度を $\boldsymbol{J}$ として，**オームの法則**（Ohm law）は

$$E = \eta J \tag{6.8}$$

で与えられる．ここで，η は**電気抵抗率**（electric resistivity）であり，プラズマの種類や状態により決まる．等方なプラズマでは η はスカラーであるが，非等方的な場合は一般にテンソルとなる．ここでは，スカラーの場合のみを扱う．このオームの法則は経験則であり成り立つ場合は限られるが，本巻ではこの法則が成り立つようなプラズマを考える．

慣性座標系 $x^\mu = (t, x, y, z)$ で電気抵抗率 $\eta(x^\mu)$ のプラズマを考える．その慣性座標系で点 x^μ でのプラズマの 4 元速度を u^μ とする．ここで，任意の点 x^μ でのプラズマ静止慣性系 $x^{\mu'}$ を考える．すなわち，この慣性系 $x^{\mu'}$ はもとの慣性座標系 x^μ に対して 4 元速度 u^μ で等速度運動する慣性座標系である．このときプラズマ静止慣性座標 $x^{\mu'}$ でみたときの電場 $E' = (E_{1'}, E_{2'}, E_{3'})$ と電流密度 $J' = (J^{1'}, J^{2'}, J^{3'})$ はオームの法則により

$$E_{i'} = E^{i'} = \eta J^{i'} \tag{6.9}$$

となる．電磁場テンソル $F_{\mu\nu}$ を用いて書き直すと，プラズマの静止系では $u^{0'} = 1$, $u^{i'} = 0$ であるので，

$$u^{0'} F_{i'0'} = \eta (J^{i'} - \rho'_e u^{i'}). \tag{6.10}$$

ここで，ρ'_e は静止座標系でみたときの電荷密度である．よって，

$$u^{\mu'} F^{\nu'}{}_{\mu'} = \eta [J^{\nu'} + (J_{\mu'} u^{\mu'}) u^{\nu'}] \tag{6.11}$$

と書ける（章末問題 6.1）．実際，この式はプラズマ静止系 $x^{\mu'}$ では (6.9) になることがすぐに確認できる．これは共変な形をしているので，ただちにもとの慣性座標系 x^μ でのオームの法則

$$u^\mu F^\nu{}_\mu = \eta [J^\nu + (J_\mu u^\mu) u^\nu] \tag{6.12}$$

を得る．ここで，η をゼロとした条件 $u^\mu F^\nu{}_\mu = 0$ を**理想 MHD 条件**（ideal MHD condition）という．

6.2　特殊相対論的 MHD 方程式の $3+1$ 形式

MHD 方程式は連続の式，エネルギー運動量の保存式，マクスウェル方程式，プラズマの状態方程式，オームの法則などの電磁場の条件式からなる．マクスウェル

方程式以外の特殊相対論的 MHD 方程式の共変形式を前節で示した．この節ではマクスウェル方程式以外の特殊相対論的 MHD 方程式を $3+1$ 形式で示す．

6.2.1 連続の式

プラズマの 3 元速度を $\boldsymbol{v} = (v^x, v^y, v^z)$ とすると，$u^\mu = (\gamma, \gamma v^x, \gamma v^y, \gamma v^z)$ と書ける．ここで，$(v)^2 = (v^x)^2 + (v^y)^2 + (v^z)^2$ として，$\gamma = 1/\sqrt{1-(v)^2}$ はローレンツ因子である．

連続の式 (6.1) の $3+1$ 形式は，

$$\frac{\partial}{\partial t}(\gamma\rho) = -\frac{\partial}{\partial x^i}(\gamma\rho v^i). \tag{6.13}$$

もちろん，ここでは $v^1 = v^x$, $v^2 = v^y$, $v^3 = v^z$ である．連続の方程式については，流体力学方程式と変わらない．3 次元ベクトルで書くと，

$$\frac{\partial}{\partial t}(\gamma\rho) = -\nabla \cdot (\gamma\rho\boldsymbol{v}). \tag{6.14}$$

6.2.2 プラズマの流体力学的エネルギー運動量の式

(6.5) において，$\mu = 0$ とおくと，プラズマのエネルギーの時間発展の式

$$\frac{\partial}{\partial t}(h\gamma^2 - p) = -\frac{\partial}{\partial x^i}(h\gamma^2 v^i) + J^i E_i \tag{6.15}$$

を得る．左辺の $h\gamma^2 - p$ はプラズマの全エネルギー密度である．右辺の第 1 項はプラズマのエネルギーの輸送を表している．右辺の第 2 項は電磁場とのエネルギーのやり取りを表す．

プラズマのエネルギーとして，静止質量エネルギー密度を差し引いた流体力学的エネルギー密度 $\epsilon_{\mathrm{hyd}} = h\gamma^2 - p - \gamma\rho$ として，3 元ベクトルで書くと，

$$\frac{\partial}{\partial t}\epsilon_{\mathrm{hyd}} = -\nabla \cdot [(\epsilon_{\mathrm{hyd}} + p)\boldsymbol{v}] + \boldsymbol{J} \cdot \boldsymbol{E} \tag{6.16}$$

となる．

(6.5) において $\mu = i$ とおくと，プラズマの運動方程式

$$\frac{\partial}{\partial t}(h\gamma^2 v^i) = -\frac{\partial}{\partial x^j}(h\gamma^2 v^i v^j) - \frac{\partial}{\partial x^i}p + f^i_{\mathrm{L}} \tag{6.17}$$

を得る．左辺の $h\gamma^2 v^i$ はプラズマの全運動量密度である．右辺の第 1 項はプラズ

マの運動量の輸送を表している．第 2 項は圧力勾配，第 3 項は電磁場からプラズマの受ける力，すなわちローレンツ力密度である．3 元ベクトルで書くと，

$$\frac{\partial}{\partial t}(h\gamma^2 \boldsymbol{v}) = -\nabla \cdot (h\gamma^2 \boldsymbol{v}\boldsymbol{v}) - \nabla p + \rho_{\mathrm{e}} \boldsymbol{E} + \boldsymbol{J} \times \boldsymbol{B} \tag{6.18}$$

となる．

6.2.3 プラズマと電磁場のエネルギー運動量保存則

（6.7）において，$\mu = 0$ とおくと，プラズマと電磁場のエネルギーの保存則の 3 + 1 形式

$$\frac{\partial}{\partial t}T^{00} = -\frac{\partial}{\partial x^i}T^{0i} \tag{6.19}$$

となる．左辺の $T^{00} = T^{00}_{\mathrm{hyd}} + T^{00}_{\mathrm{EM}} = h\gamma^2 - p + u$ はプラズマと電磁場の全エネルギー密度である．ここで，$u = \dfrac{B^2}{8\pi} + \dfrac{E^2}{8\pi}$ は電磁場のエネルギー密度である．右辺はプラズマのエネルギーの輸送を表している．ここで，$T^{0i} = h\gamma^2 v^i + \dfrac{1}{4\pi}\epsilon^{ijk}E_j B_k$ はエネルギー流束密度である．

プラズマ・電磁場のエネルギーとして，プラズマの静止質量エネルギー密度を差し引いたエネルギー密度 $\epsilon = T^{00} - \gamma\rho = h\gamma^2 - p + u - \gamma\rho$，プラズマ・電磁場のエネルギー流束密度を $Q^i = T^{0i}$ として 3 元ベクトルで書くと，

$$\frac{\partial}{\partial t}\epsilon = -\frac{\partial}{\partial x^i}(Q^i - \rho\gamma v^i) = -\nabla \cdot (\boldsymbol{Q} - \rho\gamma \boldsymbol{v}) \tag{6.20}$$

となる．ここで，$\boldsymbol{Q} = (Q^1, Q^2, Q^3) = h\gamma^2 \boldsymbol{v} + \dfrac{1}{4\pi}\boldsymbol{E} \times \boldsymbol{B}$ で，$\boldsymbol{S} = \dfrac{1}{4\pi}\boldsymbol{E} \times \boldsymbol{B}$ はポインティングベクトルである．

（6.7）において $\mu = i$ とおくと，プラズマ・電磁場の運動量保存則の 3 + 1 形式

$$\frac{\partial}{\partial t}Q^i = -\frac{\partial}{\partial x^j}T^{ij} \tag{6.21}$$

となる．ここで，左辺の Q^i はプラズマ・電磁場の全運動量密度である．右辺は応力勾配である．3 元ベクトルで書くと，$T^{ij} = h\gamma^2 v^i v^j + p\delta^{ij} - \dfrac{1}{4\pi}E^i E^j - \dfrac{1}{4\pi}B^i B^j + u\delta^{ij}$ なので，

$$\frac{\partial}{\partial t}\boldsymbol{Q} = -\nabla \cdot \left[h\gamma^2 \boldsymbol{vv} + p\boldsymbol{I} - \frac{1}{4\pi}\boldsymbol{EE} - \frac{1}{4\pi}\boldsymbol{BB} + u\boldsymbol{I} \right] \tag{6.22}$$

となる．ここで，$\boldsymbol{I}$ は 3×3 の単位行列である．この式は非相対論の運動量保存の式と似ている．違いはローレンツ因子 γ，非相対論的な MHD の場合は，電場の項は無視できたが，相対論の場合は無視できないことである．

6.2.4 オームの法則

オームの法則の共変形式 (6.12) において，$\nu = i$ とおくと，

$$E_i + \epsilon_{ijk} v^j B^k = \frac{\eta}{\gamma}(J^i - \rho_{\mathrm{e}}' \gamma v^i) \tag{6.23}$$

となる．3 元ベクトル形式で書くと，

$$\boldsymbol{E} + \boldsymbol{v} \times \boldsymbol{B} = \frac{\eta}{\gamma}(\boldsymbol{J} - \rho_{\mathrm{e}}' \gamma \boldsymbol{v}). \tag{6.24}$$

理想 MHD 条件は $\eta = 0$ として，

$$\boldsymbol{E} + \boldsymbol{v} \times \boldsymbol{B} = 0. \tag{6.25}$$

6.3 ミンコフスキー時空における磁場の凍結

電気抵抗が無視できる理想 MHD プラズマにおける，**磁束のプラズマへの凍り付き（凍結）**（magnetic frozen-in）について述べる．電気抵抗が無視できるとして $\eta = 0$ としたオームの法則 $\boldsymbol{E} + \boldsymbol{v} \times \boldsymbol{B} = \boldsymbol{0}$ をファラデーの法則の式 (5.2) に代入すると，

$$\frac{\partial \boldsymbol{B}}{\partial t} = \nabla \times (\boldsymbol{v} \times \boldsymbol{B}) \tag{6.26}$$

となる．これは，非相対論的 MHD で磁場の凍結について議論する際に用いられる式と同じであり（宮本 (2014) を参照），特殊相対論の場合も同様に磁力線はプラズマを横切れないことを示唆している．以下に，特殊相対論での磁場の凍り付きの説明を行う．

任意の時刻 t における任意の互いに近傍の 2 点 $\boldsymbol{r}$，$\boldsymbol{r} + d\boldsymbol{l}$ にあるプラズマ要素を考える（図 6.2）．その 2 点のプラズマ要素が時刻 $t + dt$ に $\boldsymbol{r}'$，$\boldsymbol{r}' + d\boldsymbol{l}'$ に移動したとすると

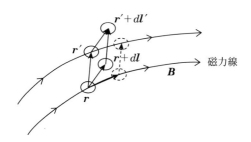

図 6.2 磁場の凍結の 3 次元空間で微小距離間だけ離れたプラズマ要素での磁気凍結の説明．破線の楕円は同じ磁力線に貫かれたプラズマ要素．

$$r' = r + v(r,t)dt, \qquad r' + dl' = r + dl + v(r+dl, t)dt.$$

よって，$dl' - dl = v(r+dl, t)dt - v(r,t)dt = (dl \cdot \nabla)v dt$. すなわち，

$$\frac{d(dl)}{dt} = (dl \cdot \nabla)v. \tag{6.27}$$

次に，$dl \times B$ の時間変化を考える．その時間変化は $\frac{d}{dt}(dl \times B) = [(dl \cdot \nabla)v] \times B + dl \times [(B \cdot \nabla)v - (\nabla \cdot v)B]$．また，$[(dl \cdot \nabla)v] \times B + dl \times [(B \cdot \nabla)v] = -[(dl \times B) \times \nabla] \times v$ なので，

$$\frac{d}{dt}(dl \times B) = -[(dl \times B) \times \nabla] \times v - (dl \times B)(\nabla \cdot v) \tag{6.28}$$

となる（章末問題 6.2）．

互いに近傍の 2 つのプラズマ要素が同じ磁力線上にあるときは dl と B は平行にあるので，$dl \times B = 0$ となる．式 (6.28) より，ある時刻で $dl \times B = 0$ であれば，常に $dl \times B = 0$ となることが分かる．すなわち，2 つのプラズマ要素は常に磁力線と平行で，同じ磁力線でつながれていると見なすことができる．

さらに，有限な距離はなれた 2 点 r_A, r_B にあるプラズマ要素についてもその 2 つの位置ベクトルを通る磁力線を十分小さく分ければ，

$$r_B - r_A = \sum_i dl_i \tag{6.29}$$

と微小ベクトルの和として表すことができる（図 6.3）．近傍にある隣り合うプラズマ要素は同じ磁力線上にあるので，結局その両端に当たる有限距離はなれたプラ

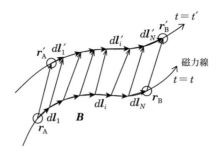

図 **6.3** 磁場の凍結の 3 次元空間で有限距離だけ離れたプラズマ要素での説明．下の線は時刻 $t=t$ での磁力線，上の線は時刻 $t=t'$ での磁力線を示す．

ズマ要素どうしも同じ磁力線上にあることが分かる．以上により，特殊相対論的MHDの場合も理想MHDプラズマでは磁気凍結の概念がそのまま成り立つことが分かる．すなわち，磁力線に沿ってはプラズマは自由に動くことができるが，磁力線に垂直方向にはプラズマと磁力線は一緒に動く（図6.4）

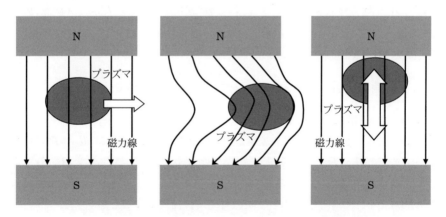

図 **6.4** 理想 MHD 条件の下での磁場のプラズマへの凍結のイメージ．（左図，中央図）磁力線をプラズマが横切る方向に運動すると，磁気凍結により磁力線は曲げられる．（右図）磁力線と平行方向にプラズマが動いても，磁力線は影響をうけない．

6.4 相対論的 MHD 波動現象

ここでは，平坦な時空での一様な磁場中の一様なプラズマ中を伝播する MHD 波についてまとめる．座標はプラズマ静止系を取る．一様プラズマの密度を ρ_0，圧力を p_0，エンタルピー密度を h_0，一様磁場を $\boldsymbol{B}_0$ とする．まずは，特殊相対論的な理想 MHD 波について述べる．その波による各物理量の摂動を考え，$\rho = \rho_0 + \rho_1$, $p = p_0 + p_1$, $h = h_0 + h_1$, $\boldsymbol{B} = \boldsymbol{B}_0 + \boldsymbol{B}_1$ とする．また，プラズマの変化は可逆過程として，$p = p(\rho)$ とする[*4]．このように仮定するとプラズマは断熱過程として扱っていることになる．

一様な磁場がある場合のプラズマを伝わる MHD 波を調べる．ここで，一様磁場が z 方向を向いているとし $\boldsymbol{B}_0 = B_0 \boldsymbol{e}_z$ としても一般性は失われない．ここで，速度 $\boldsymbol{v}$，電場 $\boldsymbol{E}$，電荷 ρ_e，電流 $\boldsymbol{J}$ は平衡状態ではゼロで，波の摂動としてのみ現れる．波の摂動についての線形方程式は (6.14), (6.18), (5.1), (5.2), (6.25) より次のようになる．

$$\frac{\partial \rho_1}{\partial t} = -\rho_0 \nabla \cdot \boldsymbol{v}, \tag{6.30}$$

$$h_0 \frac{\partial}{\partial t} \boldsymbol{v} = -\left(\frac{dp}{d\rho}\right)_0 \nabla \rho_1 + \boldsymbol{J} \times \boldsymbol{B}_0, \tag{6.31}$$

$$\frac{\partial \boldsymbol{B}_1}{\partial t} = -\nabla \times \boldsymbol{E}, \tag{6.32}$$

$$4\pi \boldsymbol{J} + \frac{\partial \boldsymbol{E}}{\partial t} = \nabla \times \boldsymbol{B}_1, \tag{6.33}$$

$$\boldsymbol{E} = -\boldsymbol{v} \times \boldsymbol{B}_0. \tag{6.34}$$

摂動量についてローレンツ因子を $\gamma = 1$ とした．これらの連立 1 次方程式を $\boldsymbol{v}$ のみの式にすると，

$$\frac{\partial^2}{\partial t^2}\boldsymbol{v} - v_\mathrm{A}^2 \boldsymbol{e}_z \frac{\partial^2}{\partial t^2} v_z = v_\mathrm{f}^2 \nabla(\nabla \cdot \boldsymbol{v}) + v_\mathrm{A}^2 \left[\frac{\partial^2}{\partial z^2}\boldsymbol{v} - \nabla \frac{\partial}{\partial z} v_z - \boldsymbol{e}_z \frac{\partial}{\partial z}\nabla \cdot \boldsymbol{v}\right], \tag{6.35}$$

となる（章末問題 6.3）．ここで，

[*4] ρ が増大（あるいは減少）し，再び減少（増大）して元の密度に戻ったとき同じ圧力になるためには系は可逆過程で変化する系でなくてはならない．

$$v_{\rm A}^2 \equiv \frac{B_0^2}{4\pi h_0 + B_0^2}, \tag{6.36}$$

$$v_{\rm f}^2 \equiv \frac{B_0^2 + 4\pi\rho_0 \left(\frac{dp}{d\rho}\right)_0}{4\pi h_0 + B_0^2} = v_{\rm A}^2 + (1 - v_{\rm A}^2)v_{\rm s}^2. \tag{6.37}$$

ただし，$v_{\rm s} = \left[\frac{\rho_0}{h_0}\left(\frac{dp}{d\rho}\right)_0\right]^{1/2}$ は音速である．$\bar{\bm{v}} = (\bar{v}_x, \bar{v}_y, \bar{v}_z)$ を定ベクトルとして，$\bm{v} = \bar{\bm{v}}\exp(i\bm{k}\cdot\bm{x} - i\omega t)$ とおくと，

$$[(\omega^2 - v_{\rm A}^2 k_{//}^2)\bm{I} - v_{\rm f}^2 \bm{k}\bm{k} + v_{\rm A}^2 k_{//}(\bm{k}\bm{e}_z + \bm{e}_z\bm{k}) - \omega^2 v_{\rm A}^2 \bm{e}_z \bm{e}_z] \cdot \bar{\bm{v}} = \bm{0}. \tag{6.38}$$

ここで，$\bm{k} = k_{//}\bm{e}_z + k_\perp \bm{e}_y$ とおいた．これを行列の積で書くと，

$$\begin{pmatrix} \omega^2 - v_{\rm A}^2 k_{//}^2 & 0 & 0 \\ 0 & \omega^2 - v_{\rm A}^2 k_{//}^2 - v_{\rm f}^2 k_\perp^2 & -(v_{\rm f}^2 - v_{\rm A}^2)k_\perp k_{//} \\ 0 & -(v_{\rm f}^2 - v_{\rm A}^2)k_\perp k_{//} & (1 - v_{\rm A}^2)(\omega^2 - v_{\rm s}^2 k_{//}^2) \end{pmatrix} \begin{pmatrix} \bar{v}_x \\ \bar{v}_y \\ \bar{v}_z \end{pmatrix} = \bm{0}. \tag{6.39}$$

まず，プラズマの x 方向への振動の成分は他の成分と独立となっている．これは，$\bm{k}$ と $\bm{B}$ を含む平面に垂直な x 方向のプラズマの振動についての基本モードを示している．その分散は

$$\omega^2 = v_{\rm A}^2 k_{//}^2 \tag{6.40}$$

である．これは**アルベーン波**（Alfvén wave）あるいは**シアー・アルベーン波**（shear Alfvén wave）とよばれる磁力線に沿って伝搬する波である（図 6.5）．$v_{\rm A}$ は相対論的な**アルベーン速度**（Alfvén speed）である．非相対論的なアルベーン速度と比べると，分母で $\rho \to h + \frac{B^2}{4\pi}$ となることが分かる．これは相対論の場合，磁気エネルギー（エンタルピー）が慣性をもつということで解釈できる．

(6.39) の他の 0 でない行列の要素に目を向けると，$\bm{k}$ と $\bm{B}$ を含む平面内のプラズマの振動について 2 つの基本モードがあることが分かる．その 2 つのモードの分散関係は，

$$\omega^4 - [v_{\rm f}^2 k^2 + v_{\rm A}^2 v_{\rm s}^2 k_{//}^2]\omega^2 + v_{\rm s}^2 v_{\rm A}^2 k_{//}^2 k^2 = 0 \tag{6.41}$$

となる．2 つのモードの伝播速度は

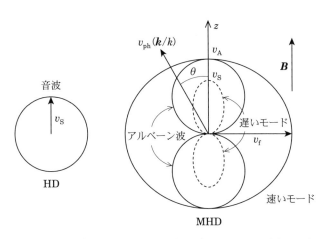

図 6.5 プラズマ中に現れる波の速さ（$v_A > v_s$ の場合）．中心からある方向の曲線までの距離がその方向に伝わる波の伝播速度の大きさ v_{ph} を示している．HD：磁場がない場合のプラズマ中を伝わる波は音波のみである．MHD：プラズマに磁場が縦上方向に掛かっているときの 3 種類の MHD 波（アルベーン波，磁気音波の速いモードと遅いモード）．

$$v_{ph}^2 = \frac{\omega^2}{k^2} = \frac{v_f^2}{2}\left[1 + v_c^2\cos^2\theta \pm \sqrt{(1+v_c^2\cos^2\theta)^2 - 4\frac{v_A^2 v_s^2}{v_f^4}\cos^2\theta}\right] \quad (6.42)$$

となる．ここで，B と k のなす角度を θ，$v_c = \dfrac{v_A v_s}{v_f}$ である．v_c は**カスプ速度**（cusp speed）とよばれ，$v_A, v_s \leqq v_f$ なので，一般に $v_c \leqq v_A, v_s$ である．複号 $\pm$ は異なった 2 つの基本モードに対応する．それらはそれぞれの伝播速度にちなんで，**速いモード**（fast mode）と**遅いモード**（slow mode）とよばれている（図 6.5）．これらの速いモードと遅いモードの波は磁場を斜めに伝播し，**磁気音波**（magnetic-acoustic wave）とよばれている．その伝播速度は図 6.5 に示すように伝播方向によって違っていて，波の伝播方向 k が磁力線に垂直のときに最大となり，その最高速度は v_f である．その速度 v_f を**磁気音速**（magneto-acoustic speed）という．非相対論的極限 $p_0 \ll \rho_0$，$\dfrac{B_0^2}{4\pi} \ll \rho_0$ では $p_0, \dfrac{B_0^2}{4\pi} \ll h_0$ となり，

$$v_A \to \sqrt{\frac{B_0^2}{4\pi\rho_0}}, \quad v_f \to \sqrt{\frac{B_0^2}{4\pi\rho_0} + \left(\frac{dp}{d\rho}\right)_0}$$

となる．すなわち，磁気音速についても

相対論的補正は分母の $\rho_0 \to h_0 + \dfrac{B_0^2}{4\pi}$ である．これも，慣性をエネルギー（エンタルピー）が担うとして解釈できる．一方，超相対論的極限，$\dfrac{B_0^2}{4\pi} \gg \rho_0$ では，$v_\mathrm{A} \to 1$, $v_\mathrm{f} \to 1$, $v_\mathrm{c} \to v_\mathrm{s}$, となる．

プラズマにポリトロープの式 (6.2) が成り立つとき，

$$v_\mathrm{s} = \sqrt{\Gamma \frac{p_0}{h_0}} = \sqrt{\frac{\Gamma(\Gamma-1)p_0}{(\Gamma-1)\rho_0 + \Gamma p_0}}, \tag{6.43}$$

$$v_\mathrm{A} = \sqrt{\frac{B_0^2}{4\pi h_0 + B_0^2}}, \tag{6.44}$$

$$v_\mathrm{f} = \sqrt{\frac{B_0^2 + 4\pi \Gamma p_0}{4\pi h_0 + B_0^2}} \tag{6.45}$$

となる．音速 v_s の超相対論的極限 $p_0 \gg \rho_0$ は，$v_\mathrm{s} \to \sqrt{\Gamma - 1}$ となる．$\Gamma = \dfrac{4}{3}$ のときは，$v_\mathrm{s} \to \dfrac{1}{\sqrt{3}}$ となる．

6.5　相対論的磁気拡散

プラズマは一様，定常とし，磁場に空間的な変化がある場合を考える．重力はないとする[*5]．ここでは磁場と圧力がつり合ってプラズマは平衡であるとする．解くべき方程式はマクスウェル方程式とオームの法則の連立式で，

$$\frac{\partial \boldsymbol{B}}{\partial t} = -\nabla \times \boldsymbol{E}, \qquad \nabla \cdot \boldsymbol{B} = 0, \tag{6.46}$$

$$4\pi \boldsymbol{J} + \frac{\partial \boldsymbol{E}}{\partial t} = \nabla \times \boldsymbol{B}, \qquad 4\pi \rho_\mathrm{e} = \nabla \cdot \boldsymbol{E}, \tag{6.47}$$

$$\boldsymbol{E} + \boldsymbol{v} \times \boldsymbol{B} = \frac{\eta}{\gamma}(\boldsymbol{J} - \rho'_\mathrm{e} \gamma \boldsymbol{v}). \tag{6.48}$$

ここで，プラズマの静止系に乗る（$\boldsymbol{v} = \boldsymbol{0}$）とオームの法則は，$\boldsymbol{E} = \eta \boldsymbol{J}$ となる．以下本節では，η は一様とする．

非相対論の場合，すなわち変位電流の項を無視するとき，磁場の時間変動の方程

[*5] ただ，磁場非一様性による加速はありえる．

式は拡散方程式,
$$\frac{\partial \boldsymbol{B}}{\partial t} = \frac{\eta}{4\pi} \nabla^2 \boldsymbol{B} \tag{6.49}$$
になる.磁場がゼロでない領域が局在化した初期条件でこの方程式の解は瞬時に磁場がゼロでない領域が無限遠方まで広がる(章末問題 6.4).このことは情報が光速度を超えて伝わることになり,因果律を満たさない.

次に,相対論の場合について考えよう.相対論の場合は変位電流の項が無視できないので,磁場の方程式は
$$\frac{\partial \boldsymbol{B}}{\partial t} = \frac{\eta}{4\pi} \left(\nabla^2 \boldsymbol{B} - \frac{\partial^2 \boldsymbol{B}}{\partial t^2} \right), \tag{6.50}$$
となる.これは電信方程式となっていて,分散関係は $\eta' = \eta/4\pi$ として
$$-i\omega = \eta'(-k^2 + \omega^2). \tag{6.51}$$
ここで,$\eta' k < \frac{1}{2}$ であれば減衰することを示していて,$-i\omega = -\frac{1}{2\eta'}[1-(1-4\eta'^2 k^2)^{1/2}]$ が減衰の小さいモードの減衰率 $\frac{1}{\tau}$ を与える.対応する複素数解の実部を取ると $\boldsymbol{B} = \boldsymbol{B}_0 e^{-\frac{1}{2\eta'}[1-(1-4\eta'^2 k^2)^{1/2}]t} \cos kx$. $\eta' k \ll 1$ のとき,$\frac{1}{\tau} \approx \eta' k^2$ となり,非相対論の場合に一致する.$\eta' k < \frac{1}{2}$ のときは,$4\pi\eta'$ よりも長い波長の波しかないので,これらの波の重ね合わせによって局在化した初期磁場配位を構成できず光速度を超えて磁場の変動が伝わるような非相対論の場合に見られた現象は起きない.すなわち,この場合は磁気拡散が因果律を破ることはない.

一方,$\eta' k > \frac{1}{2}$ の分散関係は,$-i\omega = -\frac{1}{2\eta'} \pm \frac{i}{2\eta'}(4\eta'^2 k^2 - 1)^{1/2}$ となる(図 6.6).対応する実数解は $\boldsymbol{B} = \boldsymbol{B}_0 e^{-\frac{t}{2\eta'}} \cos\left[kx \pm \frac{1}{2\eta'}(4\eta'^2 k^2 - 1)^{1/2} t \right]$ となる.これは減衰する電磁波である.この減衰する電磁波の群速度は,
$$v_{\mathrm{g}} = \frac{\partial \omega}{\partial k} = \frac{\eta' k}{\sqrt{(\eta' k)^2 - 1/4}} > 1 \tag{6.52}$$
となり,常に光速度を超える.ただ,これは情報が光速度を超えて伝播することを意味しない(章末問題 6.5).

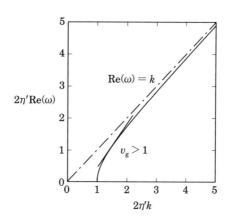

図 **6.6** 電気抵抗が有限のプラズマ中を伝播する電磁波の分散関係. 伝播しえる電磁波の波数は $k > 1/(2\eta')$ に限られる.

6.6 GRMHD 方程式の共変形式

6.1 節で特殊相対論的に共変なプラズマと電磁場にかかわる保存則およびオームの法則の方程式系を示した. これらの方程式系は $\eta_{\mu\nu}$ を $g_{\mu\nu}$, ∂_μ を ∇_μ に置き換えれば, そのまま一般相対論的に共変な方程式となる.

連続の式:

$$\nabla_\mu(\rho u^\mu) = \frac{1}{\sqrt{-g}}\partial_\mu(\sqrt{-g}\rho u^\mu) = 0. \tag{6.53}$$

エネルギー・運動量保存則:

$$\nabla_\mu T^{\mu\nu} = 0. \tag{6.54}$$

ここで, $T^{\mu\nu} = T^{\mu\nu}_{\text{hyd}} + T^{\mu\nu}_{\text{EM}}$, $T^{\mu\nu}_{\text{hyd}} = hu^\mu u^\nu + pg^{\mu\nu}$, $T^{\mu\nu}_{\text{EM}} = \frac{1}{4\pi}\left\{F^{\mu\rho}F^\nu{}_\rho - \frac{1}{4}g^{\mu\nu}(F^{\lambda\kappa}F_{\lambda\kappa})\right\}$ である.

流体力学的なエネルギー・運動量の保存則:

$$\nabla_\mu T^{\mu\nu}_{\text{hyd}} = f^\nu_{\text{L}}. \tag{6.55}$$

オームの法則:

$$u^\mu F^\nu{}_\mu = \eta[J^\nu + (J_\mu u^\mu)u^\nu]. \tag{6.56}$$

さらに，5章で述べたマクスウェルの方程式の共変形式

$$\nabla_\mu F^{\mu\nu} = \frac{1}{\sqrt{-g}}\partial_\mu(\sqrt{-g}F^{\mu\nu}) = -4\pi J^\nu, \tag{6.57}$$

$$\nabla_\mu {}^*F^{\mu\nu} = \frac{1}{\sqrt{-g}}\partial_\mu(\sqrt{-g}\,{}^*F^{\mu\nu}) = 0, \quad \text{あるいは,}$$

$$\nabla_\lambda F_{\mu\nu} + \nabla_\mu F_{\nu\lambda} + \nabla_\nu F_{\lambda\mu} = \partial_\lambda F_{\mu\nu} + \partial_\mu F_{\nu\lambda} + \partial_\nu F_{\lambda\mu} = 0 \tag{6.58}$$

を加え，最後にプラズマの状態方程式を課す．プラズマの状態方程式は一般にエンタルピー密度 h により与えられる．ポリトロープの場合は (6.3) を使う．

以上の方程式系を一般相対論的 MHD 方程式（general relativistic MHD equations, 略して GRMHD 方程式）という．

6.7　GRMHD 方程式の $3+1$ 形式

前節で GRMHD 方程式の共変形式を導入した．GRMHD 方程式はプラズマと電磁場の保存則，オームの法則，プラズマの状態方程式およびマクスウェル方程式からなる．これらの方程式は共変形式で書かれているために，座標系を気にすることなく用いることができ，ブラックホールまわりの現象を取り扱う盤石な基盤を与えてくれる．しかし，共変形式では現象は 4 次元空間の世界線や分布として表されるので，そのままではわれわれの感覚と離れていて取り扱いにくい．そこで，われわれが通常無意識のうちに行っているように，時間と空間を分けて現象を捉える．そのような方程式は $3+1$ 形式で与えられる．マクスウェル方程式の $3+1$ 形式は前章で詳しく述べたので，ここではそれ以外の方程式について述べる．

6.7.1　連続の式

ここで連続の式の $3+1$ 形式を導く．4 元速度 u^μ は反変ベクトルなので，基準観測者系での 4 元速度は，

$$u^{\tilde{0}} = \alpha u^0, \quad u^{\tilde{i}} = u^i - \alpha N^i u^0, \tag{6.59}$$

となる．これを用いて連続の式の共変形式を書き直すと，

$$\frac{\partial}{\partial t}(\rho u^{\tilde{0}}) = -\frac{1}{\sqrt{\gamma}}\partial_i\left[\alpha\sqrt{\gamma}\rho(u^{\tilde{i}} + N^i u^{\tilde{0}})\right]. \tag{6.60}$$

ここで，$\gamma_{\rm L} = u^{\tilde{0}}$, $v^{\tilde{i}} = u^{\tilde{i}}/u^{\tilde{0}}$ とおくと，

$$\frac{\partial}{\partial t}(\gamma_{\rm L}\rho) = -\frac{1}{\sqrt{\gamma}}\partial_i\left[\alpha\sqrt{\gamma}\gamma_{\rm L}\rho(v^{\tilde{i}} + N^i)\right] \tag{6.61}$$

となる．これは連続の式の 3+1 形式である．前章で述べたように，基準観測者系での成分はミンコフスキー時空での取り扱いと同じとなり，例えばローレンツ因子は $\gamma_{\rm L} = 1/\sqrt{1-(\tilde{v})^2}$ とできる．以降，計量の行列式 $\gamma = \det(\gamma_{ij})$ と区別するために，ローレンツ因子は $\gamma_{\rm L}$ と書く．

方程式に現れるプラズマの静止質量密度はローレンツ収縮のため $\gamma_{\rm L}\rho$ となっている．また，ブラックホールの自転にともなう空間の引きずり効果により，慣性系である基準観測者系が回転し，その速度 $\boldsymbol{N}$ だけ慣性系からみた速度 $\tilde{v}$ に加える必要がある．また，時間が重力赤方偏移 α だけ遅れて進むので，因子 α が方程式に現れる．

6.7.2　オームの法則

エネルギー保存則および運動量保存則の 3+1 形式の導出は少しばかり難しいので，先にオームの法則の 3+1 形式を示す．

オームの法則（6.56）には（共変）微分が入っていないために，基準観測者系を用いて直ちに，

$$u^{\tilde{\mu}}F_{\tilde{\nu}\tilde{\mu}} = \eta g_{\tilde{\mu}\tilde{\nu}}(J^{\tilde{\mu}} - \rho'_{\rm e}u^{\tilde{\mu}}) \tag{6.62}$$

と書ける．η はプラズマ静止系での電気抵抗率でスカラーである（一般にはプラズマに異方性がある場合は $\eta g_{\mu\nu}$ の部分が変わる）．ここで，$\rho'_{\rm e}$ はプラズマ静止系での電荷密度（固有電荷密度, proper electric density）である．$\nu = i$ とおくと，

$$u^{\tilde{0}}E_{\tilde{i}} + \epsilon_{\tilde{i}\tilde{j}\tilde{k}}u^{\tilde{j}}B^{\tilde{k}} = \eta\gamma_{\tilde{i}\tilde{j}}(J^{\tilde{j}} - \rho'_{\rm e}u^{\tilde{j}}) \tag{6.63}$$

となる．

これは，3 元ベクトルで書くと，$\tilde{\boldsymbol{J}} = J^{\tilde{i}}\boldsymbol{e}_{\tilde{i}} = J_{\tilde{i}}\boldsymbol{e}^{\tilde{i}}$, $\boldsymbol{e}_{\tilde{i}} = \gamma_{ij}\boldsymbol{e}^{\tilde{j}}$ などを用いて，

$$\tilde{\boldsymbol{E}} + \tilde{\boldsymbol{v}} \times \tilde{\boldsymbol{B}} = \frac{\eta}{\gamma_{\rm L}}(\tilde{\boldsymbol{J}} - \rho'_{\rm e}\gamma_{\rm L}\tilde{\boldsymbol{v}}). \tag{6.64}$$

ここで，$\gamma_{\rm L} = u^{\tilde{0}} = \dfrac{1}{\sqrt{1-(\tilde{v})^2}}$, $\tilde{\boldsymbol{v}} = \dfrac{\tilde{\boldsymbol{u}}}{\gamma_{\rm L}}$ である．(6.62) で $\nu = 0$ とすると，

ローレンツ変換 $\rho'_e = \gamma_L(\tilde{\rho}_e - \tilde{\boldsymbol{v}} \cdot \tilde{\boldsymbol{J}})$ より $\tilde{\rho}_e = \dfrac{1}{\gamma_L}\rho'_e + \tilde{\boldsymbol{v}} \cdot \tilde{\boldsymbol{J}}$ なので,

$$\tilde{\boldsymbol{v}} \cdot \tilde{\boldsymbol{E}} = \frac{\eta}{\gamma_L}(\tilde{\boldsymbol{v}} \cdot \tilde{\boldsymbol{J}} - \rho'_e \gamma_L \tilde{v}^2)$$

となるが,これは (6.64) から導かれる.すなわち,この $\nu = 0$ から出てくる式は独立な式ではない.

6.7.3 エネルギー運動量の式の $3+1$ 形式

電磁場中のプラズマのエネルギー運動量の保存方程式 (6.54) の $3+1$ 形式について述べる.このとき,エネルギー運動量テンソルとしてはプラズマの流体力学的なもの $T^{\mu\nu}_{\text{hyd}}$ と電磁場のもの $T^{\mu\nu}_{\text{EM}}$ の和 $T^{\mu\nu} = T^{\mu\nu}_{\text{hyd}} + T^{\mu\nu}_{\text{EM}}$ となる.

5章と同様に (3.81) を参考にして, (6.54) を $3+1$ 形式に分解すると,時間一定面の単位法線ベクトル N^μ およびその面への射影テンソル $\mathcal{P}^{\mu\nu}$ を用いて,

$$\tilde{F}^\dagger \equiv -F^\mu N_\mu = -T^{\mu\nu}_{;\nu} N_\mu = 0, \tag{6.65}$$

$$\tilde{F}_i \equiv F^\mu \mathcal{P}_{i\mu} = T^{\mu\nu}{}_{;\nu}\mathcal{P}_{i\mu} = 0. \tag{6.66}$$

(6.65) はエネルギーの式,(6.66) は運動量の式を与える.また,同様に $T^{\mu\nu}$ を $3+1$ 形式に分解すると,

$$\tilde{e} = \tilde{T}^{\dagger\dagger} = T^{\rho\sigma} N_\rho N_\sigma, \tag{6.67}$$

$$\tilde{Q}_\mu = \tilde{T}^\dagger_\mu = -T^{\rho\sigma}\mathcal{P}_{\mu\rho} N_\sigma, \tag{6.68}$$

$$\tilde{T}_{\mu\nu} = T^{\rho\sigma}\mathcal{P}_{\mu\rho}\mathcal{P}_{\nu\sigma}. \tag{6.69}$$

ここで,$T^{\mu\nu} = \tilde{e} N^\mu N^\nu + \tilde{Q}^\mu N^\nu + N^\mu \tilde{Q}^\nu + \tilde{T}^{\mu\nu}$,さらに,$\tilde{e} = T^{\tilde{0}\tilde{0}}$,$\tilde{Q}_i = T^{\tilde{0}}_{\tilde{i}}$,$\tilde{T}_{ij} = T_{\tilde{i}\tilde{j}}$,$\tilde{F}^\dagger = F^{\tilde{0}}$,$\tilde{F}_i = F_{\tilde{i}}$ であることはすぐに確かめられる.(6.65) については (5.114) と同様に,両辺に α をかけた (3.82) により,

$$\alpha \tilde{F}^\dagger = \frac{\partial}{\partial t}\tilde{e} + \frac{1}{\sqrt{\gamma}}\frac{\partial}{\partial x^k}[\alpha\sqrt{\gamma}(\tilde{Q}^k + \tilde{e} N^k)] + \frac{\partial \alpha}{\partial x^i}\tilde{Q}^i - \alpha K_{ij}\tilde{T}^{ij} = 0. \tag{6.70}$$

ここで,3章の記号と $\rho_H \longrightarrow \tilde{e}$,$J^k \longrightarrow \tilde{Q}^k$,$S^{ij} \longrightarrow \tilde{T}^{ij}$ と対応していることを用いた.$\tilde{T}^{ij}$ の対称性より,(6.70) の右辺の最後の項は

$$-\alpha K_{ij}\tilde{T}^{ij} = -\frac{1}{2}({}^{(3)}\nabla_i\beta_j + {}^{(3)}\nabla_j\beta_i)\tilde{T}^{ij} = -{}^{(3)}\nabla_i\beta_j\tilde{T}^{ij} = {}^{(3)}\nabla_i(\alpha N^j)\tilde{T}^i{}_j \tag{6.71}$$

とできる.またこの式は (5.114) を変形した (5.115) と同様に

$$\alpha\tilde{F}^{\dagger} = \frac{\partial}{\partial t}\tilde{e} + \frac{1}{\sqrt{\gamma}}\frac{\partial}{\partial x^i}[\alpha\sqrt{\gamma}(\tilde{Q}^i + N^i\tilde{e})] + \frac{\partial\alpha}{\partial x^i}\tilde{Q}^i$$
$$+ \left[\gamma_{jk}\frac{\partial}{\partial x^i}(\alpha N^k) + \frac{1}{2}\alpha N^k\frac{\partial}{\partial x^k}\gamma_{ij}\right]\tilde{T}^{ij} = 0 \tag{6.72}$$

となる.(6.66) については (5.116) と同様に,両辺に α をかけた (3.84) より,

$$\alpha\tilde{F}_i = \frac{\partial}{\partial t}\tilde{Q}_i + {}^{(3)}\nabla_k[\alpha(\tilde{T}^k{}_i + \tilde{Q}_i N^k)] + \tilde{e}\frac{\partial\alpha}{\partial x^i} + \tilde{Q}_k\,{}^{(3)}\nabla_i(\alpha N^k). \tag{6.73}$$

これは,(3.83) より,

$$\alpha\tilde{F}_i = \frac{\partial}{\partial t}\tilde{Q}_i + \frac{1}{\sqrt{\gamma}}\frac{\partial}{\partial x^k}[\alpha\sqrt{\gamma}(\tilde{T}^k{}_i + N^k\tilde{Q}_i)] + \frac{\partial\alpha}{\partial x^i}\tilde{e}$$
$$+ \frac{\partial}{\partial x^i}(\alpha N^k)\tilde{Q}_k - \frac{\alpha}{2}\frac{\partial\gamma_{jk}}{\partial x^i}\tilde{T}^{jk} = 0 \tag{6.74}$$

なる $3+1$ 形式を得る.

次の例題で $\tilde{e}$, $\tilde{Q}^i$, $\tilde{T}^{ij}$ の具体的な表式を見てみよう.ただし,$\tilde{e}$, $\tilde{Q}^i$, $\tilde{T}^{ij}$ の流体成分は $\rho_{\rm H}$, $\tilde{P}^i$, $\tilde{T}^{ij}_{\rm hyd}$ と書く[*6].

例題 6.1 $\tilde{e} = T^{\tilde{0}\tilde{0}}$, $\tilde{Q}^i = T^{\tilde{0}\tilde{i}}$, $\tilde{T}^{ij} = T^{\tilde{i}\tilde{j}}$ であることを用いて,$\tilde{e}$, $\tilde{Q}^i$, $\tilde{T}^{ij}$ を p, h, $\gamma_{\rm L}$, $u^{\tilde{i}}$, $E_{\tilde{i}}$, $B^{\tilde{i}}$ などにより表せ.

解答 基本観測者系 $x^{\tilde{\mu}}$ では $g_{\tilde{i}\tilde{0}} = g_{\tilde{0}\tilde{i}} = 0$ であるので,$\tilde{e}, \tilde{Q}^i, \tilde{T}^{ij}$ は 6.2.3 節の特殊相対論的保存量の密度 $\epsilon + \gamma_{\rm L}\rho, Q^i, T^{ij}$ に似た表式を得る:

$$\tilde{e} = T^{\tilde{0}\tilde{0}} = T^{\tilde{0}\tilde{0}}_{\rm hyd} + T^{\tilde{0}\tilde{0}}_{\rm EM} = \rho_{\rm H} + \tilde{u} = \gamma_{\rm L}^2 h - p + \frac{1}{8\pi}((\tilde{E})^2 + (\tilde{B})^2).$$

$$\tilde{Q}^i = T^{\tilde{0}\tilde{i}} = T^{\tilde{0}\tilde{i}}_{\rm hyd} + T^{\tilde{0}\tilde{i}}_{\rm EM} = \tilde{P}^i + \tilde{S}^i = h\gamma_{\rm L}u^{\tilde{i}} + \frac{1}{4\pi}\epsilon^{ijk}E_{\tilde{j}}B_{\tilde{k}}.$$

$$\tilde{T}^{ij} = T^{\tilde{i}\tilde{j}} = T^{\tilde{i}\tilde{j}}_{\rm hyd} + T^{\tilde{i}\tilde{j}}_{\rm EM}$$
$$= hu^{\tilde{i}}u^{\tilde{j}} + p\gamma^{ij} - \frac{1}{4\pi}(E^{\tilde{i}}E^{\tilde{j}} + B^{\tilde{i}}B^{\tilde{j}}) + \tilde{u}\gamma^{ij}. \blacksquare$$

[*6] $\rho_{\rm H}$ は 3 章と一致するが,$\tilde{P}^i$, $\tilde{T}^{ij}_{\rm hyd}$ は 3 章の J^i, S^{ij} に対応する.

6.7.4　GRMHD 方程式の 3 + 1 形式のベクトル表示

相対論的な計算はベクトル成分，テンソル成分を用いて行うのが最も適切であるが，多少直観的な議論をするときにまどろっこしい．利用に注意を要するが，前章 (5.118) – (5.120) で定義した 3 元ベクトル場，スカラー場の微分を用いて示された GRMHD 方程式のベクトル形式を示す．ここで，GRMHD 方程式の保存型 3 + 1 形式で慣習的に用いられる変数で書いたほうが見やすくなる．基準観測者系でみた静止質量密度を $\tilde{\rho}_{\mathrm{m}} = \gamma_{\mathrm{L}}\rho$，エネルギー密度 $\tilde{e}$ から静止質量密度 $\tilde{\rho}_{\mathrm{m}}$ を引いた量を $\tilde{\epsilon}$ などと書き直すことにする．GRMHD 方程式はこれまで述べた連続の式，エネルギー運動量の保存式，マクスウェル方程式，オームの法則とプラズマの状態方程式からなる．ここでは，プラズマの状態方程式以外の式について示す．(6.61), (6.73), (6.70), (6.71), (5.121) – (5.124), (6.64) により

$$\frac{\partial \tilde{\rho}_{\mathrm{m}}}{\partial t} = -\nabla \cdot [\alpha \tilde{\rho}_{\mathrm{m}}(\tilde{\boldsymbol{v}} + \boldsymbol{N})], \tag{6.75}$$

$$\frac{\partial \tilde{\boldsymbol{Q}}}{\partial t} = -\nabla \cdot [\alpha(\tilde{\mathbf{T}} + \boldsymbol{N}\tilde{\boldsymbol{Q}})] - \alpha(\tilde{\epsilon} + \tilde{\rho}_{\mathrm{m}})\nabla(\ln \alpha) - \tilde{\boldsymbol{Q}} \cdot [\nabla(\alpha \boldsymbol{N})], \tag{6.76}$$

$$\frac{\partial \tilde{\epsilon}}{\partial t} = -\nabla \cdot [\alpha(\tilde{\boldsymbol{Q}} - \tilde{\rho}_{\mathrm{m}}\tilde{\boldsymbol{v}} + \tilde{\epsilon}\boldsymbol{N})] - \alpha\nabla(\ln \alpha) \cdot \tilde{\boldsymbol{Q}} - \tilde{\mathbf{T}} : [\nabla(\alpha \boldsymbol{N})], \tag{6.77}$$

$$4\pi \tilde{\rho}_{\mathrm{e}} = \nabla \cdot \tilde{\boldsymbol{E}}, \tag{6.78}$$

$$4\pi\alpha(\tilde{\boldsymbol{J}} + \tilde{\rho}_{\mathrm{e}}\boldsymbol{N}) + \frac{\partial \tilde{\boldsymbol{E}}}{\partial t} = \nabla \times [\alpha(\tilde{\boldsymbol{B}} + \boldsymbol{N} \times \tilde{\boldsymbol{E}})], \tag{6.79}$$

$$\nabla \cdot \tilde{\boldsymbol{B}} = 0, \tag{6.80}$$

$$\frac{\partial \tilde{\boldsymbol{B}}}{\partial t} = -\nabla \times [\alpha(\tilde{\boldsymbol{E}} - \boldsymbol{N} \times \tilde{\boldsymbol{B}})], \tag{6.81}$$

$$\tilde{\boldsymbol{E}} + \tilde{\boldsymbol{v}} \times \tilde{\boldsymbol{B}} = \frac{\eta}{\gamma_{\mathrm{L}}}(\tilde{\boldsymbol{J}} - \rho'_{\mathrm{e}}\gamma_{\mathrm{L}}\tilde{\boldsymbol{v}}), \tag{6.82}$$

となる[*7]．ここで，$\tilde{\boldsymbol{Q}} = (\tilde{Q}^1, \tilde{Q}^2, \tilde{Q}^3) = h\gamma_{\mathrm{L}}\tilde{\boldsymbol{v}} + \tilde{\boldsymbol{E}} \times \tilde{\boldsymbol{B}}$, $\tilde{\mathbf{T}} = p\boldsymbol{\gamma} + \gamma_{\mathrm{L}}^2\tilde{\boldsymbol{v}}\tilde{\boldsymbol{v}} + \frac{1}{8\pi}((\tilde{E})^2 + (\tilde{B})^2)\boldsymbol{\gamma} - \frac{1}{4\pi}(\tilde{\boldsymbol{E}}\tilde{\boldsymbol{E}} + \tilde{\boldsymbol{B}}\tilde{\boldsymbol{B}})$ である．$\tilde{\boldsymbol{Q}}$ は基準観測者系で見たプラズマと電磁場のエネルギー流束密度，$\tilde{\epsilon}$ はエネルギー密度，$\tilde{\rho}_{\mathrm{m}}$ はプラズマの静止質量密度である．ここで，$\boldsymbol{\gamma}$ は計量 γ_{ij} を要素とする 3×3 のテンソルである．

これらの方程式は非相対論的な保存型 MHD 方程式に似ている．違いは，ラプ

[*7] テンソルの内積は $(\boldsymbol{Q} \cdot \boldsymbol{\sigma})_i = \sum_j Q^j \sigma_{ij}$, $\mathbf{T} : \boldsymbol{\sigma} = \sum_{ij} T^{ij}\sigma_{ij}$ である．

ス関数 α と基準観測者の 4 元速度の空間成分 N に関する項のみである．すなわち，(6.76)，(6.77) の $-\alpha\nabla(\ln\alpha)$ の項を除いて $\alpha = 1$, $N = 0$（したがって，$\sigma = \nabla(\alpha N) = 0$），$\tilde{\rho}_m = \rho$, $\gamma_L = 1$, $\rho_e = 0$ とし (6.79) の変位電流の項を無視すれば，非相対論的 MHD 方程式に一致する．ここで，$-\alpha\nabla(\ln\alpha)$ は非相対論の重力加速度に相当し，$\ln\alpha$ は単位質量あたりの重力ポテンシャルに当たる．N は空間の引きずり効果でブラックホールの自転方向に引きずられる基準観測者系の速度を表す．運動量の輸送を表す項 $\nabla \cdot [\alpha(\mathbf{T} + \mathbf{N}\mathbf{Q})]$ は座標系の座標軸が曲がっていることに起因する遠心力の項 $\left(\frac{1}{2}g_{\phi\phi,r}\tilde{T}^{\phi\phi}\right)$ を含んでいる．ここで，章末問題 6.7 で示すように基準観測者系は回転しないので，コリオリ力は現れない．因子 $\sigma = \nabla(\alpha N)$ の項は空間の引きずりのシアー（shear）により生じる効果を表す．

(6.75) より，運動している流体の粒子密度はローレンツ収縮のために $\tilde{\rho}_m = \gamma_L \rho$ となることが分かる．また，基準観測者系は速度 N でブラックホールの自転方向に引きずられて回転しているので，粒子の輸送速度は $\tilde{v} + N$ となる．自転するブラックホールのまわりの空間は速度 N で引きずられていると考えることができる．その引きずられる空間の速さ $N = \sqrt{\gamma_{ij}N^i N^j}$ が光速度 1 を超える領域が**エルゴ領域**（ergosphere）である．その領域内では粒子は光速度を超えることがない限り静止することはできない[*8]．この領域にプラズマと磁場があると激しい現象を起こす（7.8，7.9 節を参照）．さらに，湧き出しの因子に α が掛かっているが，これは重力による時間の遅れに起因する．

(6.76) より，応力あるいは運動量の輸送が $\tilde{\mathbf{T}} + N\tilde{\mathbf{Q}}$ で与えられることが分かる．$\tilde{\mathbf{T}} + N\tilde{\mathbf{Q}}$ に α がかかるのは重力による時間の遅れのためである．また，ラプス関数の対数 $\ln\alpha$ は単位質量（エネルギー）当たりの重力ポテンシャルに相当する．ここで，重力により引きつけられるのは質量のあるものばかりではなく，エネルギー（熱エネルギー，電気および磁気エネルギー）を持つだけでも重力の影響を受けることが分かる．右辺第 3 項は空間の引きずりのシアーがあるところを運動量のあるものが横切ると力が生じることを示している．第 1 項は遠心力などの見かけの力を含む（章末問題 6.7）．この場合も基準観測者系は回転しないので，コリオリ力は出てこない．

(6.77) はエネルギー保存の式である．その右辺第 2 項から静止質量エネルギー

[*8] このことは，$g_{00} = \alpha^2((N)^2 - 1)$ という恒等式からも分かる．

を含むエネルギーがブラックホールに向かって落下することにより重力エネルギーが解放される．第3項から空間の引きずりのシアーを運動量流束が横切ると重力エネルギーが解放されることが分かる．

(6.82) はスカラー電気抵抗 η のある場合のオームの法則である．ここでは，ホール効果や熱電効果は無視している．この式には空間あるいは時間微分の項がないので，完全にミンコフスキー時空の場合に一致する．

6.7.5 ボイヤー–リンキスト座標での GRMHD 方程式

ボイヤー–リンキスト座標のとき，ZAMO 系の成分を用いて書かれた 3 + 1 形式の GRMHD 方程式を示す．一般に，基準観測者系から ZAMO 系への変換は (5.89) を用いる．

まず，連続の式は (6.61) より $\tilde{u}^i = \frac{1}{h_i}\hat{u}^i = \frac{1}{h_i}\gamma_L \hat{v}^i$, $\gamma_L = u^{\hat{0}}$ を用いて，

$$\frac{\partial \hat{\rho}_m}{\partial t} = -\frac{1}{h_1 h_2 h_3}\sum_i \frac{\partial}{\partial x^i}\left[\frac{\alpha h_1 h_2 h_3}{h_i}\hat{\rho}_m(\hat{v}^i + \hat{N}^i)\right]. \tag{6.83}$$

プラズマおよび電磁場の全エネルギー・運動量は保存するとして $F^0 = 0$, $F^i = 0$ とする．(6.74)，(6.72) より（章末問題 6.6）

$$\frac{\partial \hat{Q}^i}{\partial t} = -\frac{1}{h_1 h_2 h_3}\sum_j \frac{\partial}{\partial x^j}\left[\frac{\alpha h_1 h_2 h_3}{h_j}(\hat{T}^{ij} + \hat{N}^j \hat{Q}^i)\right] - (\hat{\epsilon} + \hat{\rho}_m)\frac{1}{h_i}\frac{\partial \alpha}{\partial x^i}$$
$$- \alpha \sum_j \frac{1}{h_i h_j}\left[\frac{\partial h_i}{\partial x^j}(\hat{T}^{ij} + \hat{N}^j \hat{Q}^i) - \frac{\partial h_j}{\partial x^i}(\hat{T}^{jj} + \hat{N}^j \hat{Q}^j)\right] - \sum_j \hat{Q}^j \sigma_{ji}, \tag{6.84}$$

$$\frac{\partial \hat{\epsilon}}{\partial t} = -\frac{1}{h_1 h_2 h_3}\sum_i \frac{\partial}{\partial x^i}\left[\frac{\alpha h_1 h_2 h_3}{h_i}(\hat{Q}^i - \hat{\rho}_m \hat{v}^i + \hat{N}^i \hat{\epsilon})\right] - \sum_i \frac{1}{h_i}\frac{\partial \alpha}{\partial x^i}\hat{Q}^i$$
$$+ \alpha \sum_{i,j}\frac{1}{h_i h_j}\hat{N}^i\left[\frac{\partial h_i}{\partial x^j}\hat{T}^{ij} - \frac{\partial h_j}{\partial x^i}\hat{T}^{jj}\right] - \sum_{i,j}\sigma_{ji}\hat{T}^{ij}. \tag{6.85}$$

ここで，$\hat{e} = \hat{\epsilon} + \hat{\rho}_m = h\gamma_L^2 - p + \frac{1}{8\pi}(\hat{E}^2 + \hat{B}^2)$, $\hat{Q}^i = \hat{T}^{0i} = h\gamma_L \hat{v}^i + \frac{1}{4\pi}\hat{\epsilon}^{ijk}\hat{E}_j \hat{B}_k$, $\hat{T}^{ij} = p\delta^{ij} + h\gamma_L^2 \hat{v}^i \hat{v}^j - \frac{1}{4\pi}(\hat{E}^i \hat{E}^j + \hat{B}^i \hat{B}^j) + \frac{1}{8\pi}((\hat{E})^2 + (\hat{B})^2)\delta^{ij}$, $\sigma_{ij} \equiv \frac{1}{h_j}\frac{\partial \alpha \hat{N}^i}{\partial x^j}$, $\hat{N}^i = h_i N^i$ である．$\hat{\epsilon}^{ijk} = \epsilon^{\hat{i}\hat{j}\hat{k}}$ は素朴なレヴィ=チビタ記号と一

致する．運動方程式（6.84）とエネルギーの式（6.85）において座標軸の湾曲による見かけの力に相当する項がそれぞれ右辺第 3 項に見られる（章末問題 6.7）．ここで（6.84）の右辺第 3 項を αf^i_{curv} として，$f^i_{\text{curv}} = \sum_j \dfrac{1}{h_i h_j}[h_{j,i}(\hat{T}^{jj} + \hat{N}^j \hat{Q}^j) - h_{i,j}(\hat{T}^{ij} + \hat{N}^j \hat{Q}^i)]$ とすると，(6.85) の第 3 項は $-\alpha \sum_i \hat{N}^i f^i_{\text{curv}}$ と書ける．f^r_{curv} の $\hat{T}^{\phi\phi}$ の項が遠心力の項にあたる．それに対し，その直後の $\hat{N}^j \hat{Q}^j$ の項は $\hat{N}^j$ と $\hat{Q}^j$ が逆符号のとき遠心力と逆のみかけの力が働くことを示している．ただ，これらの表式の右辺は空間 3 次元共変形式となっていないので，座標系に依存し項分けおよび各項の解釈は恣意的なものであるが，直観的に理解しやすく計算もしやすい．実際，これらの式は 7.8 節で述べる初期の GRMHD 数値シミュレーションで用いられた（Koide ら 2002, Koide 2003, Koide, Kudoh, Shibata 2006, Koide 2009）．そこで用いられた GRMHD 方程式を以下に示す．

オームの法則（6.63）は
$$\hat{E}_i + \sum_{j,k} \hat{\epsilon}_{ijk} \hat{v}^j \hat{B}_k = \frac{\eta}{\gamma_{\text{L}}}(\hat{j}^i - \rho'_{\text{e}} \gamma_{\text{L}} \hat{v}^i). \tag{6.86}$$

マクスウェル方程式の 3+1 形式は（5.130），（5.131），（5.132），（5.133）より
$$4\pi \hat{\rho}_{\text{e}} = \sum_i \frac{1}{h_1 h_2 h_3} \frac{\partial}{\partial x^i}\left(\frac{h_1 h_2 h_3}{h_i} \hat{E}_i\right). \tag{6.87}$$

$$4\pi\alpha(\hat{J}^i + \hat{\rho}_{\text{e}} \hat{N}^i) + \frac{\partial \hat{E}_i}{\partial t} = \sum_{j,k} \frac{h_i}{h_1 h_2 h_3} \hat{\epsilon}^{ijk} \frac{\partial}{\partial x^j}\left[\alpha h_k\left(\hat{B}_k + \sum_{l,m} \hat{\epsilon}_{klm} \hat{N}^l \hat{E}_k\right)\right], \tag{6.88}$$

$$\sum_i \frac{1}{h_1 h_2 h_3} \frac{\partial}{\partial x^i}\left(\frac{h_1 h_2 h_3}{h_i} \hat{B}_i\right) = 0, \tag{6.89}$$

$$\frac{\partial \hat{B}_i}{\partial t} = \frac{-h_i}{h_1 h_2 h_3} \sum_{j,k} \hat{\epsilon}^{ijk} \frac{\partial}{\partial x^j}\left[\alpha h_k (\hat{E}_k - \sum_{l,m} \hat{\epsilon}^{klm} \hat{N}^l \hat{B}_m)\right], \tag{6.90}$$

電荷保存則（5.134）は，
$$\frac{\partial \hat{\rho}_{\text{e}}}{\partial t} = -\sum_i \frac{1}{h_1 h_2 h_3} \frac{\partial}{\partial x^i}\left[\alpha \frac{h_1 h_2 h_3}{h_i}(\hat{J}^i + \hat{\rho}_{\text{e}} \hat{N}^i)\right]. \tag{6.91}$$

6.7.6　理想 GRMHD と抵抗性 GRMHD

オームの法則（6.82）で電気抵抗をゼロ（$\eta = 0$）とした理想 MHD 条件（$\eta = 0$）

を課した GRMHD 方程式を**理想 GRMHD 方程式**（ideal GRMHD equations）という．対して，η がゼロでない方程式を**抵抗性 GRMHD 方程式**（resistive GRMHD equations）という．理想 GRMHD の場合，アンペールの法則は他の式と独立で，単に電流密度 J^i を計算する式となり，連立させて解く必要はなくなる．一方，抵抗性 GRMHD のときはすべての方程式を連立させて解く必要がある．

理想 MHD 条件 $\tilde{\boldsymbol{E}} + \tilde{\boldsymbol{v}} \times \tilde{\boldsymbol{B}} = \boldsymbol{0}$ を満たす場合，$\tilde{v} < 1$ であるので，電磁場 $\tilde{\boldsymbol{E}}$，$\tilde{\boldsymbol{B}}$ は $\tilde{\boldsymbol{E}} \cdot \tilde{\boldsymbol{B}} = 0$, $(\tilde{B})^2 - (\tilde{E})^2 \geqq 0$ を満たす（等号は $\tilde{B} = 0$ のときのみ成立）．(5.43), (5.44) より $^*F^{\lambda\kappa}F_{\lambda\kappa} = -4\boldsymbol{E}\cdot\boldsymbol{B}$, $F^{\lambda\kappa}F_{\lambda\kappa} = 2\{(B)^2 - (E)^2\}$ はスカラーなので，この条件は座標系に依らず

$$-\frac{1}{4}{}^*F^{\lambda\kappa}F_{\lambda\kappa} = \boldsymbol{E}\cdot\boldsymbol{B} = 0, \qquad \frac{1}{2}F^{\lambda\kappa}F_{\lambda\kappa} = (B)^2 - (E)^2 \geqq 0 \qquad (6.92)$$

となることが分かる．(6.92) の右の式はフォースフリー電磁場の説明（5.2 節の後半）の際に述べた縮退性の条件 (5.59) に一致している．

6.8 理想 GRMHD のプラズマの挙動

6.8.1 磁場の凍結

6.3 節で述べたように理想 MHD では特殊相対論の場合も磁力線はプラズマに凍結しているとみなせる．電気抵抗が無視できる場合，$\eta = 0$ としたオームの法則 $\tilde{\boldsymbol{E}} + \tilde{\boldsymbol{v}} \times \tilde{\boldsymbol{B}} = \boldsymbol{0}$ をファラデーの法則の式 (6.81) に代入すると，

$$\frac{\partial \tilde{\boldsymbol{B}}}{\partial t} = \nabla \times [\alpha(\tilde{\boldsymbol{v}} + \tilde{\boldsymbol{N}}) \times \tilde{\boldsymbol{B}}] \qquad (6.93)$$

となる．これは特殊相対論的 MHD のところで述べた磁気凍結の方程式と似ている．すなわち，磁力線は速度 $\alpha(\tilde{\boldsymbol{v}} + \tilde{\boldsymbol{N}})$ で移動することを示唆している．6.7.4 節で議論したように，プラズマは空間の引きずり効果と重力による時間の遅れにより，ブラックホールの遠方から見ると $\alpha(\tilde{\boldsymbol{v}} + \tilde{\boldsymbol{N}})$ の速度で運動するように見える．すなわち，この方程式は一般相対論の場合も同様に磁力線はプラズマに凍結していることを示唆している．

それでは，特殊相対論で得られた磁場とプラズマの凍結の概念の導出は一般相対論でもそのまま成り立つであろうか．確かに，任意の点での局所慣性系において特殊相対論の議論がそのまま成り立つので，その座標系では磁場とプラズマの凍結の

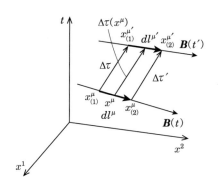

図 6.7 4 次元空間での磁場の凍結の説明.

概念はそのまま成り立つ．しかし，それを元の座標に戻したとき，磁力線の両端の時間が同時刻と必ずしもならないので，そのまま一般相対論でもその概念が成り立つとは限らない．そこで，ここでは共変形式を用いて磁場とプラズマの凍結を議論する．

6.3 節で述べた特殊相対論での議論をふまえて，4 次元空間での磁力線の凍結の概念を導入する．図 6.7 のように 4 次元時空において，ある時刻のある 1 本の磁力線上の互いに近傍の 2 点 $x_{(1)}^\mu$, $x_{(2)}^\mu$ を考える．この 2 つを結ぶ微小変位を dl^μ とする：$dl^\mu = x_{(2)}^\mu - x_{(1)}^\mu$．ここで，$dl^0 = 0$ である．また，$d\bm{l} = dl^i \bm{e}_i$ は磁力線に平行なので $d\bm{l} \times \bm{B} = \bm{0}$．すなわち，$\alpha \epsilon_{ijk} dl^j B^k = dl^j F_{ij} = dl^\mu F_{i\mu} = 0$ である．また，理想 MHD のときは，$\bm{E} + \bm{v} \times \bm{B} = \bm{0}$ なので，電場 $\bm{E}$ と磁場 $\bm{B}$ は直交する．よって，電場 $\bm{E}$ と $d\bm{l}$ は直交する．すなわち，$d\bm{l} \cdot \bm{E} = dl^i E_i = dl^i F_{i0} = dl^\mu F_{\mu 0} = -dl^\mu F_{0\mu} = 0$ となる．以上より理想 MHD の場合，磁力線に平行な dl^μ は $dl^\mu F_{\nu\mu} = 0$ を満たす．

点 $x_{(1)}^\mu$, $x_{(2)}^\mu$ にあるプラズマがそれぞれ固有時間 $\Delta\tau$, $\Delta\tau'$ 後に移動する場所は $x = x_{(1)}^\mu$ として

$$x_{(1)}^{\mu\prime} = x_{(1)}^\mu + u^\mu(x_{(1)})\Delta\tau = x^\mu + u^\mu(x)\Delta\tau,$$
$$x_{(2)}^{\mu\prime} = x_{(2)}^\mu + u^\mu(x_{(2)})\Delta\tau' = x^\mu + dl^\mu + u^\mu(x+dl)\Delta\tau'$$

となる．ここで，同時刻となるように固有時の調整が必要となる．$x_{(1)}^{0\prime} = x_{(2)}^{0\prime}$ となるべきなので，$u^0(x+dl)\Delta\tau' = u^0(x)\Delta\tau$ を満たすものとする．固有時間 $\Delta\tau$

後にある 2 つのプラズマ要素を結ぶ微小変位は

$$dl^{\mu'} = x^{\mu'}_{(2)} - x^{\mu'}_{(1)} = dl^\mu + dl^\alpha \partial_\alpha u^\mu \Delta\tau + u^\mu(x)(\Delta\tau' - \Delta\tau)$$

とできる．よって，

$$\frac{d}{d\tau}(dl^\mu) = dl^\alpha \partial_\alpha u^\mu - u^\mu \left(1 - \frac{d\tau'}{d\tau}\right) \tag{6.94}$$

となる．一方，$\frac{d}{d\tau} = u^\mu \partial_\mu$ と理想 MHD の条件 $u^\mu F_{\mu\nu} = 0$ を用いると，

$$\frac{d}{d\tau}F_{\mu\nu} = u^\alpha \partial_\alpha(\partial_\mu A_\nu - \partial_\nu A_\mu) = (\partial_\mu u^\alpha)F_{\nu\alpha} - (\partial_\nu u^\alpha)F_{\mu\alpha} \tag{6.95}$$

となる（章末問題 6.8）．したがって，

$$\frac{d}{d\tau}(dl^\mu F_{\mu\nu}) = -(\partial_\nu u^\beta)(dl^\alpha F_{\alpha\beta}). \tag{6.96}$$

よって，同時刻で同じ磁力線上にある近傍の 2 つのプラズマ要素の間の位置ベクトルの差 dl^μ は $dl^\mu F_{\mu\nu} = 0$ を満たすが，それは時間が経っても変化しない．すなわち，いつまでも同じ磁力線の上にあることが分かる．有限距離はなれたプラズマ要素の場合も 6.3 節で述べた話がそのまま一般相対論の場合も用いることができる．以上より一般相対論の場合も磁場のプラズマへの凍結が保証されることが分かる．

6.8.2　空間の引きずり Ω 効果

この節では簡単のためにボイヤー−リンキスト座標 $(x^0, x^1, x^2, x^3) = (t, r, \theta, \phi)$ を用いて議論する．式 (6.90) と理想 MHD 条件 $\hat{E}_i + \hat{\epsilon}_{ijk}\hat{v}^j\hat{B}^k = 0$ を用いると，

$$\frac{\partial \hat{B}_i}{\partial t} = \frac{h_i}{h_1 h_2 h_3} \sum_{j,k} \hat{\epsilon}_{ijk} \frac{\partial}{\partial x^j} \left[\alpha h_k \sum_{l,m} \hat{\epsilon}^{klm}(\hat{v}^l + \hat{N}^l)\hat{B}_m\right] \tag{6.97}$$

となる．磁場は軸対称で初期に $\hat{\boldsymbol{v}} = \boldsymbol{0}$ とすると，短い時間ではこの式は

$$\frac{\partial \hat{B}^\phi}{\partial t} = f_r \hat{B}^r + f_\theta \hat{B}^\theta \tag{6.98}$$

とできる (Koide 2003)．ここで，$\nabla \cdot \boldsymbol{B} = \frac{1}{\sqrt{\gamma}}\left[\frac{\partial}{\partial r}(h_\theta h_\phi \hat{B}^r) + \frac{\partial}{\partial \theta}(h_\phi h_r \hat{B}^\theta)\right] = 0$ を用いた．$\omega = \alpha \hat{N}^\phi / h_\phi = 2Mar/\Sigma^2$，$\Sigma^2 = (r^2 + a^2)^2 - \Delta a^2 \sin^2\theta$，$\Delta = r^2 - 2Mr + a^2$ として，

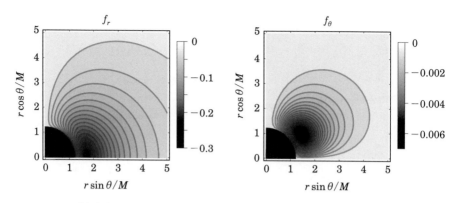

図 **6.8** $a_* = 0.98$ のときの空間の引きずり Ω 効果の係数 $f_r(r,\theta)$, $f_\theta(r,\theta)$.

$$f_r = \frac{h_\phi}{h_r}\frac{\partial}{\partial r}\left(\frac{\alpha \hat{N}^\phi}{h_\phi}\right) = \frac{h_\phi}{h_r}\frac{\partial \omega}{\partial r} < 0,$$

$$f_\theta = \frac{h_\phi}{h_\theta}\frac{\partial}{\partial \theta}\left(\frac{\alpha \hat{N}^\phi}{h_\phi}\right) = \frac{h_\phi}{h_r}\frac{\partial \omega}{\partial \theta} \quad (6.99)$$

となる（章末問題 6.9）．これは磁場のポロイダル成分があると，方位角成分が生成されることを示している（図 6.8）．このように空間の引きずり効果によって磁場のポロイダル成分から方位角成分が生成される現象を $\alpha\Omega$ ダイナモの Ω 効果に似ていることから**空間の引きずり Ω 効果**（frame-dragging Ω effect）という．

6.9 GRMHD における保存則

電磁場とプラズマのエネルギー運動量の保存則について全エネルギーに相当する無限遠でのエネルギー（energy-at-infinity）と全角運動量（total angular momentum）を導入する．エネルギー運動量テンソルとしてプラズマの流体力学的なもの $T^{\mu\nu}_{\rm hyd}$ と電磁場のもの $T^{\mu\nu}_{\rm EM}$ の和 $T^{\mu\nu} = T^{\mu\nu}_{\rm hyd} + T^{\mu\nu}_{\rm EM}$ を考え，保存則は $\nabla_\nu T^{\mu\nu} = F^\mu = 0$ を用いる．まず，無限遠でのエネルギーについて 5.6 節と同様に示す．

6.9.1 エネルギー保存則

キリングベクトル $\xi^\nu = \chi^\nu = (1,0,0,0)$ を使うと，$e^\infty = -\chi_{\tilde{\nu}}T^{\tilde{0}\tilde{\nu}}$, $Q^i = -\chi_\nu T^{i\nu}$, $F^\mu = 0$ として（5.142）より

$$\frac{\partial e^\infty}{\partial t} + \frac{1}{\sqrt{\gamma}} \frac{\partial}{\partial x^i}(\sqrt{\gamma}\alpha Q^i) = 0 \tag{6.100}$$

という保存方程式を得る．(6.100) はエネルギーの保存則を示していて，e^∞ は全エネルギーに相当する**無限遠でのエネルギー密度**（energy-at-infinity density），Q^i はエネルギー流束密度である．$\chi^{\tilde{0}} = \alpha$, $\chi^{\tilde{i}} = -\alpha N^i$ であるので，

$$e^\infty = \alpha(\tilde{e} + N^i Q_{\tilde{i}}). \tag{6.101}$$

ここで，$\tilde{e} = -T^{\tilde{0}}_{\tilde{0}}$, $Q_{\tilde{i}} = T^{\tilde{0}}_{\tilde{i}}$ はそれぞれ基準観測者系でみたエネルギー密度，運動量密度である．すると，無限遠でのエネルギー密度の流体成分と電磁成分はすぐに具体的に書けて，

$$e^\infty = e^\infty_{\text{hyd}} + u^\infty = \alpha(h\gamma_L^2 - p) + \alpha h\gamma_L^2 N^i v_{\tilde{i}} + \alpha \tilde{u} + \frac{1}{4\pi}\alpha\epsilon_{ijk}N^i E^{\tilde{j}} B^{\tilde{k}} \tag{6.102}$$

となる（章末問題 6.10）．エネルギー流束密度については (5.150) と章末問題 6.10 により，

$$\begin{aligned} Q^i &= P^i + S^i \\ &= \alpha h\gamma_L^2(1 + N^j v_{\tilde{j}})(v^{\tilde{i}} + N^i) \\ &\quad + \frac{1}{4\pi}\alpha\epsilon^{ijk}(E_{\tilde{j}} - \epsilon_{jmn}N^m B^{\tilde{n}})(B_{\tilde{k}} + \epsilon_{kpq}N^p E^{\tilde{q}}). \end{aligned} \tag{6.103}$$

ここで，P^i はエネルギー流束密度の流体成分である．

6.9.2 角運動量保存則

キリングベクトル $\xi^\nu = \eta^\nu = (0,0,0,1)$ を使うと，$l = \eta_\nu T^{\tilde{0}\nu}, M^i = \eta_\nu T^{i\nu}$ として

$$\frac{\partial l}{\partial t} + \frac{1}{\sqrt{\gamma}}\frac{\partial}{\partial x^i}(\sqrt{\gamma}\alpha M^i) = 0 \tag{6.104}$$

という保存方程式を得る．l は全角運動量密度，M^i は全角運動量流束密度である．$\eta^{\tilde{0}} = 0$, $\eta^{\tilde{i}} = \delta^i_\phi$ なので，

$$l = T^{\tilde{0}}_{\tilde{\phi}}. \tag{6.105}$$

よって，全角運動量密度の具体的な表式は

$$l = l_{\text{hyd}} + l_{\text{EM}} = h\gamma_L^2 v_{\tilde\phi} + \frac{1}{4\pi}\epsilon_{\phi ij}E^{\tilde i}B^{\tilde j}. \tag{6.106}$$

一方，全角運動量流束密度は (5.154) と章末問題 6.10 より，

$$\begin{aligned}M^i &= M_{\text{hyd}}^i + M_{\text{EM}}^i \\ &= p\delta^i_\phi + h\gamma_L^2 v^{\tilde i}v_{\tilde\phi} + N^i l_{\text{hyd}} + \frac{1}{4\pi}\left(-E^{\tilde i}E_{\tilde\phi} - B^{\tilde i}B_{\tilde\phi}\right) + \tilde u \delta^i_\phi + N^i S_{\tilde\phi}.\end{aligned} \tag{6.107}$$

次の例題でボイヤー–リンキスト座標の ZAMO 系成分を用いた保存方程式を示す．

例題 6.2 ボイヤー–リンキスト座標において，エネルギーおよび運動量の保存則の 3 + 1 形式を ZAMO 系の成分を用いて書け．

解答 5.6.2 節の例題 5.2 と同様にして，ZAMO 系の成分で書かれたエネルギー保存則は

$$\frac{\partial e^\infty}{\partial t} + \frac{1}{h_1 h_2 h_3}\frac{\partial}{\partial x^i}\left(\frac{h_1 h_2 h_3}{h_i}\alpha \hat Q^i\right) = 0 \tag{6.108}$$

と書ける．ここで，$\hat N^i = h_i N^i$ なので

$$\begin{aligned}e^\infty &= \alpha \tilde e + \omega l \\ &= e^\infty_{\text{hyd}} + u^\infty \\ &= \alpha(h\gamma_L^2 - p) + \alpha h\gamma_L^2 \hat N^i v_{\hat i} + \alpha \hat u + \frac{\alpha}{4\pi}\hat\epsilon_{ijk}\hat N^i E^{\hat j}B^{\hat k},\end{aligned} \tag{6.109}$$

$$\begin{aligned}\hat Q^i &= h_i Q^i = \hat P^i + \hat S^i \\ &= \alpha h\gamma_L^2(1 + \hat N^j v_{\hat j})(v^{\hat i} + \hat N^i) \\ &\quad + \frac{1}{4\pi}\alpha \hat\epsilon^{ijk}(E_{\hat j} - \hat\epsilon_{jlm}\hat N^l B^{\hat m})(B_{\hat k} + \hat\epsilon_{kpq}\hat N^p E^{\hat q}).\end{aligned} \tag{6.110}$$

同様に角運動量の保存則も，ZAMO 系の成分で次のように書かれる．

$$\frac{\partial l}{\partial t} + \frac{1}{h_1 h_2 h_3}\frac{\partial}{\partial x^i}\left(\frac{h_1 h_2 h_3}{h_i}\alpha \hat M^i\right) = 0. \tag{6.111}$$

ここで，

$$l = l_{\text{hyd}} + l_{\text{EM}} = h_\phi\left(h\gamma_L^2 v_{\hat\phi} + \frac{1}{4\pi}\hat\epsilon_{\phi ij}E^{\hat i}B^{\hat j}\right), \tag{6.112}$$

6.9 GRMHD における保存則

$$\begin{aligned}\hat{M}^i &= h_i M^i = \hat{M}^i_{\text{hyd}} + \hat{M}^i_{\text{EM}} \\ &= h_\phi \left[p\delta^i_{\hat{\phi}} + h\gamma^2_{\text{L}} v^{\hat{i}} v_{\hat{\phi}} + \hat{N}^i P_{\hat{\phi}} + \frac{1}{8\pi}((\hat{B})^2 + (\hat{E})^2)\delta^i_{\hat{\phi}} \right.\\ &\quad \left. - \frac{1}{4\pi}(E^{\hat{i}} E_{\hat{\phi}} + B^{\hat{i}} B_{\hat{\phi}}) + \hat{N}^i \hat{S}_\phi \right]. \end{aligned} \quad (6.113)$$

∎

Chapter 6 の章末問題

問題 6.1 (6.11) を導け.

問題 6.2 (6.28) を示すために用いた次の 2 つの式を示せ.
(a) $\dfrac{d}{dt}(d\boldsymbol{l} \times \boldsymbol{B}) = [(d\boldsymbol{l} \cdot \nabla)\boldsymbol{v}] \times \boldsymbol{B} + d\boldsymbol{l} \times [(\boldsymbol{B} \cdot \nabla)\boldsymbol{v} - (\nabla \cdot \boldsymbol{v})\boldsymbol{B}]$.
(b) $[(d\boldsymbol{l} \cdot \nabla)\boldsymbol{v}] \times \boldsymbol{B} + d\boldsymbol{l} \times [(\boldsymbol{B} \cdot \nabla)\boldsymbol{v}] = -[(d\boldsymbol{l} \times \boldsymbol{B}) \times \nabla] \times \boldsymbol{v}$.

問題 6.3 (6.35) を導け.

問題 6.4 磁場 $\boldsymbol{B} = (0, B_y(x), 0)$ の非相対論的な磁気拡散現象について,初期条件が

$$B_y(x) = \begin{cases} B_0 > 0 & (-l < x < l) \\ 0 & (\text{その他}) \end{cases}$$

のとき,(6.49) の解を求めよ.ここで,B_0 は正の定数.

問題 6.5 一様な電気抵抗のプラズマ中を伝播する電磁波の群速度 (6.52) を導け.

問題 6.6 (6.84),(6.85) を導出せよ.

問題 6.7 ミンコフスキー時空 (t, r, θ, z) において,z 軸のまわりに一定の角速度 Ω で左回転する回転座標系 (t', r', θ', z') を考える(図 6.9).このときの,(6.84) の $\dfrac{1}{h_i}\dfrac{\partial \alpha'}{\partial x^i}$ および見かけの力 $f_{\text{curv}}^{i'}$ を示せ.

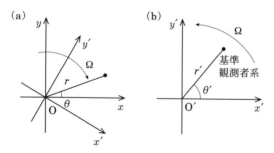

図 **6.9** ミンコフスキー座標系 (a) と回転座標系 (b).

問題 6.8 (6.95) を導出せよ.

問題 6.9 (6.98) を導け.

問題 6.10 (6.102),(6.103),(6.106),(6.107) の流体力学的成分を求めよ.

問題 6.11 流体力学的なエネルギー $e_{\text{hyd}}^{\infty} = \alpha(h\gamma_{\text{L}}^2 - p) + \alpha h \gamma_{\text{L}}^2 N^i v_{\tilde{i}}$ がエルゴ領域の外では正となることを示せ.ただし,流体ガスではポリトロープの式が成り立ち,指数 Γ は $1 < \Gamma < 2$ とする.

Chapter 7
ブラックホール周辺の電磁場プラズマの挙動

　ここでは，ブラックホール磁気圏の電磁場とプラズマの解析解およびシミュレーションによる数値解を紹介する．ブラックホール磁気圏では磁場とプラズマの相互作用はしばしば激しい時間変動をともなう現象を引き起こすが，まず解析的に取り扱うことができる軸対称で定常な解を紹介する．時間変動をともなう現象については数値シミュレーションを使う手法が必要となるが，それについては本章の最後の2節で述べる．解析解のはじめにプラズマの影響が前面に現れない真空中およびフォースフリーの電磁場について述べる．

7.1　ブラックホールまわりの真空磁場

7.1.1　真空中のブラックホールまわりの放射状磁場

　シュバルツシルトブラックホールのまわりの球対称放射状磁場を考える．シュバルツシルト計量 (2.24) はラプス関数を $\alpha = (1 - 2M/r)^{1/2}$ として，$h_r = 1/\alpha$, $h_\theta = r$, $h_\phi = r\sin\theta$. このときの磁場の成分を $\hat{B}^r = \hat{B}^r(r)$, $\hat{B}^\theta = 0$, $\hat{B}^\phi = 0$ とおくと，磁場に関するガウスの法則 (5.132)，すなわち $\dfrac{\partial}{\partial r}(r^2 \hat{B}^r) = 0$ を満たす磁場の r 成分は

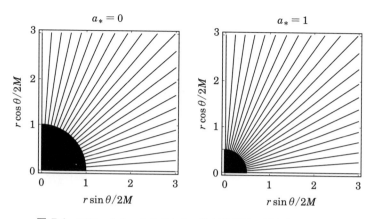

図 7.1 ブラックホールのまわりの放射状磁場．(左図) シュバルツシルトブラックホール ($a_* = 0$)．(右図) カーブラックホール ($a_* = 1$)．

$$\hat{B}^r = \frac{Q_\mathrm{m}}{r^2} \tag{7.1}$$

となる．ここで，Q_m は定数で磁気単極子の磁荷に対応する．(5.131) より $\hat{j}^i = 0$, $\hat{\rho}_\mathrm{e} = 0$, $\hat{E}_i = 0$ とできるので，この解はブラックホールを磁気単極子としたときの放射状磁場の定常真空解である (図 7.1 (左))．このときのベクトルポテンシャルは (5.135) より，

$$A_\phi = Q_\mathrm{m}(1 - \cos\theta), \qquad A_\mu = 0 \quad (\mu \neq \phi) \tag{7.2}$$

のように与えられる．ただ，単極子というのは実際には考えにくいので，赤道面を境として上下（南北）に方向の異なる放射状磁場を考える（図 7.4 参照）．このような磁場は**分割単極子磁場** (split monopole magnetic field) と呼ばれている．

自転するブラックホール（質量 M，自転パラメータ $a_* \neq 0$）のまわりのボイヤー–リンキスト座標に対して (7.1) を一般化して，真空中の静磁場ではないが，(5.132) を満たす放射状の磁場を次のように与えることがある．

$$\hat{B}^r = \frac{Q_\mathrm{m}}{\sqrt{\Sigma^2}}, \qquad \hat{B}^\theta = 0, \qquad \hat{B}^\phi = 0. \tag{7.3}$$

ここで，$a = a_* M$ として $\Sigma^2 = (r^2 + a^2)^2 - a^2 \Delta \sin^2\theta$, $\Delta = r^2 - 2Mr + a^2$．$a_* = 0$ のとき，(7.1) に一致する．このときのベクトルポテンシャルは (5.135)

より，(7.2) で与えられることが分かる．$a_* \neq 0$ のとき，この表式の与える磁場は真空では変位電流があることになり定常解ではないが，自転するブラックホールまわりの分割単極子磁場を与えるときに用いることがある（図 7.1（右））．

7.1.2 真空中ブラックホールのまわりの一様磁場

ここでは，ワルド（Wald 1974）にしたがい真空中でのブラックホールまわりでの一様磁場の与え方について述べる．真空中の定常な電磁場 $F_{\mu\nu}$ についてのマクスウェル方程式は (5.60)，(5.62) より，

$$F^{\mu\nu}{}_{;\nu} = 0, \qquad {}^*F^{\mu\nu}{}_{;\nu} = 0 \tag{7.4}$$

である．キリングベクトル ξ^μ を考えると，次に示すように $A^\mu = \xi^\mu$ で与えられる電磁場は真空定常のマクスウェル方程式を満たす．キリングベクトル ξ^μ はキリング方程式

$$\mathcal{L}_\xi g_{\mu\nu} = \xi_{\mu;\nu} + \xi_{\nu;\mu} = 0 \tag{7.5}$$

を満たす．ここで，$\mathcal{L}_\xi$ はリー微分演算子である（2 章の章末問題 2.5）．このキリングベクトル ξ^μ を 4 元ベクトルポテンシャル A^μ とする電磁場は $F_{\mu\nu} = A_{\nu;\mu} - A_{\mu;\nu} = -2\xi_{\mu;\nu}$ で与えられる．ここで，$F_{\mu\nu} = A_{\nu;\mu} - A_{\mu;\nu}$ なので，${}^*F^{\mu\nu}{}_{;\nu} = 0$ は自動的に満たされる．リーマンの曲率テンソルの定義より

$$-\xi^\lambda R_{\lambda\mu\nu\sigma} = \xi_{\mu;\nu;\sigma} - \xi_{\mu;\sigma;\nu} \tag{7.6}$$

が成り立つ[*1]．このリーマンの曲率テンソルの定義式の添字 μ, ν, σ をサイクリックにまわした 3 つの式の辺々を足したものは

$$2\xi_{\mu;\nu;\sigma} - 2\xi_{\mu;\sigma;\nu} - 2\xi_{\sigma;\nu;\mu} = -\xi^\lambda (R_{\lambda\mu\nu\sigma} + R_{\lambda\nu\sigma\mu} + R_{\lambda\sigma\mu\nu}) \tag{7.7}$$

となる．ここで，ビアンキの恒等式 $R_{\lambda\mu\nu\sigma} + R_{\lambda\nu\sigma\mu} + R_{\lambda\sigma\mu\nu} = 0$ を用いて (7.7) の右辺はゼロになり，(7.5)，(7.6) を用いると

$$\xi^{\mu;\nu}{}_{;\nu} = \xi^\lambda R_{\lambda\nu}{}^{\mu\nu} = R^\mu{}_\lambda \xi^\lambda \tag{7.8}$$

となる．真空の時空では空間の曲率はゼロなので $R_{\mu\nu} = 0$ より，$\xi^{\mu;\nu}{}_{;\nu} = 0$．すなわち，

[*1] リーマンの曲率テンソルについては以下のような対称性がある：$R_{\alpha\beta\mu\nu} = -R_{\beta\alpha\mu\nu}$, $R_{\alpha\beta\mu\nu} = -R_{\alpha\beta\nu\mu}$, $R_{\alpha\beta\mu\nu} = R_{\mu\nu\alpha\beta}$.

$$F^{\mu\nu}{}_{;\nu} = -2\xi^{\mu;\nu}{}_{;\nu} = 0 \tag{7.9}$$

を得る．よって，$A^\mu = \xi^\mu$ は真空定常電磁場を与えることが分かる．

具体的に自転パラメータ a_* のブラックホールのボイヤー–リンキスト座標でベクトルポテンシャルが $A^\mu = \xi^\mu$ で与えられた場合，無限遠での電磁場を調べることによりブラックホールの電荷 Q_e と磁荷 Q_m および印加されている外場を求めることができる．これにより次のことが分かる（章末問題 7.1, 7.2）：

(a) 回転軸キリングベクトル（axial Killing vector），$\xi^\mu = \eta^\mu = (0,0,0,1)$ のとき，外場は対称軸方向の強さ 2 の一様磁場で，中心ブラックホールの磁荷はゼロ，電荷は $16\pi Ma$．

(b) 時間移動キリングベクトル（time-translation Killing vector）$\xi^\mu = \chi^\mu = (1,0,0,0)$ のとき，外場はゼロで，中心ブラックホールの磁荷はゼロ，電荷は $-8\pi M$．

ブラックホールが一様な磁場中にあるとき，その一様な磁場を与える表式を考える．それは次のような条件を満たすものといえる（Wald 1974）．

(1) A_μ はマクスウェル方程式の定常，軸対称解．
(2) A_μ はブラックホールの地平面の外で特異点を持たない．
(3) ブラックホールの十分遠方では強さ B_0 の一様な磁場に漸近的に一致．
(4) ブラックホールの電荷や磁荷はゼロ．

(1) から (4) の条件を満たす解 A_μ が一つ見つかると，解の一意性の定理により，それは唯一の解であることが示されている（J. Ipser 1971）．ここで，

$$A_\mu = \frac{B_0}{2}(\eta_\mu + 2a\chi_\mu) = \frac{B_0}{2}(g_{\mu 3} + 2a g_{\mu 0}) \tag{7.10}$$

がそれらの条件を満たす（章末問題 7.3）．すなわち，このベクトルポテンシャルがブラックホールのまわりの一様磁場を与える．さて，以上はボイヤー–リンキスト座標の場合について求めたのだが，この表式はカー–シルド座標の場合についてもそのまま用いることができる（章末問題 7.4）．すなわち，ボイヤー–リンキスト座標，カー–シルド座標いずれの場合もブラックホールまわりの一様磁場はベクトルポテンシャルを用いて

$$A_\mu = \frac{B_0}{2}(g_{\mu\phi} + 2a g_{\mu t}), \tag{7.11}$$

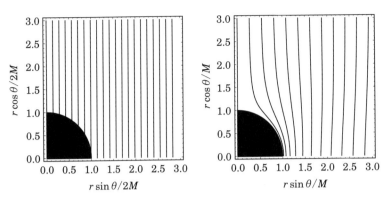

図 7.2 （左）シュバルツシルトブラックホールのまわりの一様磁場（$a_* = 0$）．（右）自転するブラックホールのまわりの一様磁場（$a_* = 1$）．

で与えられる（Wald 1974）．この解は**ワルド解**（Wald solution）とよばれている．ここで，B_0 は磁場の強さを表す定数である．ボイヤー–リンキスト座標では

$$\hat{B}^r_{\rm BL} = \hat{B}^{\rm BL}_r = B_0 \frac{\cos\theta}{\sqrt{\Sigma^2}} \left[\Delta + \frac{2Mr(r^4 - a^4)}{\rho^4}\right], \tag{7.12}$$

$$\hat{B}^\theta_{\rm BL} = \hat{B}^{\rm BL}_\theta$$
$$= -B_0 \sqrt{\frac{\Delta}{\Sigma^2}} \sin\theta [r - M + \frac{M}{\rho^4}\{(r^2 + a^2)\rho^2 + 2a^2\cos^2\theta(r^2 - a^2)\}] \tag{7.13}$$

となる．ここで，$\rho^2 = r^2 + a^2\cos^2\theta$ である．

図 7.2 はボイヤー–リンキスト座標での自転パラメータが $a_* = 0$（シュバルツシルトブラックホール）と $a_* = 1$（最速で自転するカーブラックホール）のブラックホールまわりの一様磁場の磁力線を示している．シュバルツシルトブラックホールの場合は磁力線は等間隔に並んだ直線で，ブラックホール地平面を横切っている．しかし，最速で自転するカーブラックホールのときは，磁力線はブラックホール地平面を避けるように湾曲し，地平面を横切らない．これは，超伝導物質を磁場の中に入れたとき磁力線が超伝導物質を避けるように曲がるマイスナー効果に似ている．しかし，自転するブラックホールのまわりの一様磁場の磁力線が地平面から排斥される現象は超伝導のマイスナー効果とは物理的に違ったもので，実際，ブ

ラックホールのまわりにプラズマがあれば一様磁場は崩れ，磁力線は地平面を横切ることになる．

7.2 一般相対論的グラド–シャフラノフ方程式

真空でない場合すなわちプラズマがあるときの電磁場の軸対称な平衡の取り扱いについて述べる．このとき，磁気面は軸対称定常でベクトルポテンシャルの方位角成分 $\Psi = A_\phi$ の等値面として与えられる．定常軸対称のプラズマ平衡状態および磁気配位を求めるのに，この Ψ をまず決めることが必要となる．

平衡なプラズマと磁場の Ψ の閉じた方程式は制御熱核融合をめざすトカマク装置のプラズマにおいて導入されグラド–シャフラノフ方程式と呼ばれている．ブラックホールのまわりで定常状態にある軸対称なプラズマと磁場においても同様な Ψ の閉じた方程式が考えられる．そのような方程式を一般相対論的グラド–シャフラノフ方程式あるいは単に**グラド–シャフラノフ方程式**（Grad–Shafranov equation）という[*2]．

ボイヤー–リンキスト座標 $x^\mu = (t, x^i) = (t, x^1, x^2, x^3) = (t, r, \theta, \phi)$ におけるグラド–シャフラノフ方程式を導くために磁気面（$\Psi = $（一定））に沿った座標 Υ の軸をもつ局所座標系 $X^\mu = (t, \Upsilon, \Psi, \phi) = (t, \Upsilon, A_\phi, \phi)$ を暫定的に導入する（図7.3）．ここで，Υ は磁気面と子午面（$\phi = $ 一定）の交線に沿っての座標である．この座標系が空間直交になるように，Υ の目盛りを調整して設定し，線要素が

$$ds^2 = -h_0^2 dt^2 + h_\Upsilon^2 d\Upsilon^2 + h_\Psi^2 d\Psi^2 + h_\phi^2 d\phi^2 - 2h_\phi^2 \omega d\phi dt \tag{7.14}$$

となるとする．この局所座標系の方位角座標 ϕ はボイヤー–リンキスト座標の ϕ と同じで h_ϕ も同じなので，h_ϕ については特別に $R = h_\phi = \sqrt{\Sigma^2/\rho^2} \sin\theta$ と書く．同様に時刻 t についても局所座標系とボイヤーリンキスト座標系では同じなので，$\omega = -g_{t\phi}/g_{tt}$ も同じで，$\omega = 2aMr/\Sigma^2$ である．ブラックホール地平面の外の空間を多数の（無限個でもよい）空間直交座標系 X^i で覆うものとする．

まず，軸対称定常のみを仮定する場合の電磁場を与える方程式を求める．ここではフォースフリー条件は用いず，ローレンツ力を一般に $f_L^{\hat{i}} = \hat{\rho}_e E^{\hat{i}} + \hat{\epsilon}^{ijk} J_{\hat{j}} B_{\hat{k}}$ とする．

[*2] 略して，**GS 方程式**と呼ばれることも多い．

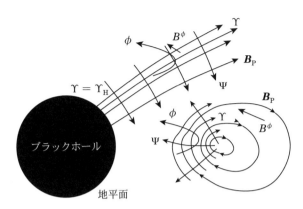

図 7.3 定常軸対称なブラックホール磁気圏の磁気面と局所空間直交座標系 $X^i = (\Upsilon, \Psi, \phi)$ の設定イメージ．ブラックホール磁気圏を多数の局所空間直交座標系で覆い尽くす．

基礎となる方程式は局所座標系 $X^\mu = (t, \Upsilon, \Psi, \phi)$ でマクスウェル方程式の ZAMO 系成分を用いた $3+1$ 形式である．すなわち，時間変化がないとき (5.130) – (5.133) より

$$0 = \sum_i \frac{1}{h_1 h_2 h_3} \frac{\partial}{\partial x^i} \left(\frac{h_1 h_2 h_3}{h_i} \hat{B}^i \right), \tag{7.15}$$

$$0 = \frac{\partial \hat{B}^i}{\partial t} = -\sum_{j,k} \frac{h_i}{h_1 h_2 h_3} \hat{\epsilon}^{ijk} \frac{\partial}{\partial x^j} \left[\alpha h_k \left(\hat{E}_k - \sum_{l,m} \hat{\epsilon}^{klm} \hat{N}^l \hat{B}^m \right) \right], \tag{7.16}$$

$$4\pi \hat{\rho}_e = \sum_i \frac{1}{h_1 h_2 h_3} \frac{\partial}{\partial x^i} \left(\frac{h_1 h_2 h_3}{h_i} \hat{E}_i \right), \tag{7.17}$$

$$4\pi \alpha (\hat{J}^i + \hat{\rho}_e \hat{N}^i) = \sum_{j,k} \frac{h_i}{h_1 h_2 h_3} \hat{\epsilon}^{ijk} \frac{\partial}{\partial x^j} \left[\alpha h_k \left(\hat{B}^k + \sum_{l,m} \hat{\epsilon}^{klm} \hat{N}^l \hat{E}_m \right) \right]. \tag{7.18}$$

座標系 (Υ, Ψ, ϕ) では (5.135) より，$\hat{B}^i = \sum_{j,k} \frac{1}{h_j h_k} \hat{\epsilon}^{0ijk} \frac{\partial}{\partial x^j} A_k$ なので，軸対称を仮定すると

$$\hat{B}^\Upsilon = \frac{1}{h_\Psi h_\phi} \frac{\partial A_\phi}{\partial \Psi} - \frac{1}{h_\phi h_\Psi} \frac{\partial A_\Psi}{\partial \phi} = \frac{1}{h_\Psi h_\phi} \frac{\partial \Psi}{\partial \Psi} = \frac{1}{h_\Psi h_\phi}, \tag{7.19}$$

$$\hat{B}^\Psi = \frac{1}{h_\phi h_\Upsilon} \frac{\partial A_\Upsilon}{\partial \phi} - \frac{1}{h_\phi h_\Psi} \frac{\partial A_\phi}{\partial \Upsilon} = \frac{1}{h_\Psi h_\phi} \frac{\partial \Psi}{\partial \Upsilon} = 0, \tag{7.20}$$

$$\hat{B}^\phi = \frac{1}{h_\Upsilon h_\Psi}\left(\frac{\partial A_\Psi}{\partial \Upsilon} - \frac{\partial A_\Upsilon}{\partial \Psi}\right). \tag{7.21}$$

フォースフリー条件を仮定しない一般の場合はローレンツ力の方位角成分はゼロとは限らないので，$\hat{f}_{\rm L}^\phi = \hat{\rho}_e \hat{E}^\phi + \hat{J}^\Upsilon \hat{B}^\Psi - \hat{J}^\Psi \hat{B}^\Upsilon = -\hat{J}^\Psi \hat{B}^\Upsilon$ として，$\hat{J}^\Psi = -\dfrac{\hat{f}_{\rm L}^\phi}{\hat{B}^\Upsilon} = -h_\Psi h_\phi \hat{f}_{\rm L}^\phi$. ここで，

$$\hat{E}_\phi = 0 \tag{7.22}$$

を用いた（章末問題 7.5）．この式と (7.18) の Ψ 成分より，$-4\pi\alpha h_\Psi h_\phi \hat{f}_{\rm L}^\phi = -\dfrac{1}{h_\phi h_\Upsilon}\dfrac{\partial}{\partial \Upsilon}(\alpha h_\phi \hat{B}^\phi)$．ここで，$\hat{f}_{\rm L}^\phi = \dfrac{1}{4\pi\alpha h_\Psi h_\phi^2 h_\Upsilon}\dfrac{\partial}{\partial \Upsilon}\Lambda(\Upsilon, \Psi)$ とすると，$\dfrac{\partial}{\partial \Upsilon}(\alpha h_\phi \hat{B}^\phi - \Lambda) = 0$ となるので，I を Ψ の任意の関数として，

$$\alpha h_\phi \hat{B}^\phi = \Lambda(\Upsilon, \Psi) + I(\Psi). \tag{7.23}$$

プラズマに電気抵抗はなく，また電荷に質量はないものとすると磁場の方向に電場があってもすぐにそこに電荷が集まり打ち消してしまうので，一般に $\hat{E}^\Upsilon = 0$ とすることができる．すると，(7.16) の方位角成分の式により $\dfrac{\partial}{\partial \Upsilon}[\alpha h_\Psi(\hat{E}_\Psi - \hat{N}^\phi \hat{B}^\Upsilon)] = 0$ を得る．すなわち，$\Omega_{\rm F}$ を Ψ の任意の関数として，$\alpha h_\Psi(\hat{E}_\Psi - \hat{N}^\phi \hat{B}^\Upsilon) = -\Omega_{\rm F}(\Psi)$ とできる．ここで，(7.19) および $\omega = \dfrac{\alpha \hat{N}^\phi}{h_\phi}$ を用いて，

$$\hat{E}_\Psi = -\frac{h_\phi}{\alpha}(\Omega_{\rm F} - \omega)\hat{B}^\Upsilon. \tag{7.24}$$

これは，

$$\hat{\boldsymbol{v}}_{\rm F} = \frac{h_\phi}{\alpha}(\Omega_{\rm F} - \omega)\boldsymbol{e}_{\hat{\phi}}, \quad \hat{\boldsymbol{B}}_{\rm P} = \hat{B}^\Upsilon \boldsymbol{e}_{\hat{\Upsilon}} \tag{7.25}$$

として $\hat{\boldsymbol{E}} = -\hat{\boldsymbol{v}}_{\rm F} \times \hat{\boldsymbol{B}}_{\rm P}$ と書くことができる．

ローレンツ力の Ψ 成分を取ると，$\hat{f}_{\rm L}^\Psi = \hat{\rho}_e \hat{E}_\Psi + \hat{J}^\phi \hat{B}^\Upsilon - \hat{J}^\Upsilon \hat{B}^\phi$ なので，

$$\hat{J}^\phi = \frac{1}{\hat{B}^\Upsilon}(\hat{J}^\Upsilon \hat{B}^\phi - \hat{\rho}_e \hat{E}_\Psi + f_{\rm L}^\Psi) \tag{7.26}$$

となる. (7.18) の方位角成分の式 $4\pi\alpha(\hat{J}^\phi + \hat{\rho}_e \hat{N}^\phi) = -\dfrac{1}{h_\Upsilon h_\Psi}\dfrac{\partial}{\partial\Psi}[\alpha h_\Upsilon(\hat{B}^\Upsilon - \hat{N}^\phi \hat{E}_\Psi)]$ に (7.26) を代入すると

$$4\pi\alpha\left[\frac{\hat{B}^\phi}{\hat{B}^\Upsilon}\hat{J}^\Upsilon - \hat{\rho}_e\left(\frac{\hat{E}_\Psi}{\hat{B}^\Upsilon} - \hat{N}^\phi\right) + \frac{\hat{f}_L^\Psi}{\hat{B}^\Upsilon}\right] = -\frac{1}{h_\Upsilon h_\Psi}\frac{\partial}{\partial\Psi}[\alpha h_\Upsilon(\hat{B}^\Upsilon - \hat{N}^\phi \hat{E}_\Psi)]. \tag{7.27}$$

3次元空間でのスカラー場 ϕ, ベクトル場 $\boldsymbol{a} = (a^1, a^2, a^3)$ の勾配および発散がそれぞれ

$$(\nabla\phi)_{\hat{i}} = \frac{1}{h_i}\frac{\partial\phi}{\partial x^i}, \qquad \nabla\cdot\boldsymbol{a} = \frac{1}{h_1 h_2 h_3}\frac{\partial}{\partial x^i}\left(\frac{h_1 h_2 h_3}{h_i}a^{\hat{i}}\right)$$

で与えられることを用い, いくらかの計算をすると以下の式を得る (章末問題 7.6):

$$\alpha R^2 \nabla\cdot\left[\frac{\alpha}{R^2}\left\{1 - \frac{R^2}{\alpha^2}(\Omega_F - \omega)^2\right\}\nabla\Psi\right] + \frac{1}{2}\frac{\partial}{\partial\Psi}(I+\Lambda)^2$$
$$+ R^2(\Omega_F - \omega)\frac{d\Omega_F}{d\Psi}|\nabla\Psi|^2 + 4\pi(\alpha R)^2 h_\Psi \hat{f}_L^\Psi = 0. \tag{7.28}$$

この式は $\hat{f}_L^\Psi$ の項を除いて, 3次元空間座標において共変な形となっているので, 今まで用いてきた空間座標系 (Υ, Ψ, ϕ) にかかわらず, 一般の方位角座標 ϕ を含む 3次元座標系 $(x_1, x_2, x_3) = (x_1, x_2, \phi)$ でも成り立つ.

フォースフリーの場合は $\hat{f}_L^\Psi = 0$, $\Lambda = 0$ として,

$$\alpha R^2 \nabla\cdot\left[\frac{\alpha}{R^2}\left\{1 - \frac{R^2}{\alpha^2}(\Omega_F - \omega)^2\right\}\nabla\Psi\right] + \frac{1}{2}\frac{dI^2}{d\Psi} + R^2(\Omega_F - \omega)\frac{d\Omega_F}{d\Psi}|\nabla\Psi|^2 = 0 \tag{7.29}$$

となる. これを成分で書くと,

$$L(\Psi) + \frac{1}{2}\frac{dI^2}{d\Psi} + R^2(\Omega_F - \omega)\frac{d\Omega_F}{d\Psi}\sum_i\left(\frac{1}{h_i}\frac{\partial\Psi}{\partial x^i}\right)^2 = 0. \tag{7.30}$$

ここで,

$$L(\Psi) \equiv \alpha R^2 \sum_i \frac{1}{h_1 h_2 h_3}\frac{\partial}{\partial x^i}\left[\frac{h_1 h_2 h_3}{h_i}\frac{\alpha}{R^2}\left\{1 - \frac{R^2}{\alpha^2}(\Omega_F - \omega)^2\right\}\frac{1}{h_i}\frac{\partial\Psi}{\partial x^i}\right]. \tag{7.31}$$

これはフォースフリーの場合の**グラド–シャフラノフ方程式**である. フォースフ

リーでない場合（$\hat{f}_L^\Psi \neq 0$）で，プラズマの圧力勾配などがある（$\Lambda \neq 0$）とこの式は複雑になる．プラズマの圧力が無視できない場合については 7.5 節で述べる．

7.3 フォースフリー定常磁場

ブラックホールのまわりの定常磁場を得るために，フォースフリーのグラド–シャフラノフ方程式の解について述べる．この定常解はブラックホールのまわりの降着円盤を横切らない磁場について与えられた（Blandford, Znajek 1977）．それはブラックホールの自転が非常に遅い場合の放射状の磁場定常解を与える．この解は，**ブランドフォード–ナエク解**と呼ばれ，後で述べるブラックホールの回転エネルギーの引抜きを示唆する．ただ，その解のままではブラックホールが単極子磁荷を持っていることになるので，物理的解とは言い難い．通常，赤道面に電流シートがあって，それを境として上半球と下半球で異なる磁荷を持つ解として再構成されて使われる（図 7.4）．このような磁場を**分割単極子磁場**（split-monopole field）という．

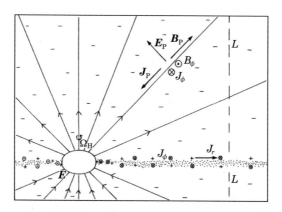

図 7.4 ブランドフォード–ナエク解．ブラックホールの自転が非常に遅い場合の分割単極子磁場での電磁場の様子（Blandford, Znajek（1977）より転載）．

7.3.1 ブランドフォード–ナエク解

自転するブラックホールのまわりのフォースフリー条件下のグラド–シャフラノフ方程式の解はブラックホールの自転が非常に小さいという極限のもとにブランドフォード (Blandford) とナエク (Znajek) によって与えられた (Blandford, Znajek 1977). フォースフリーのグラド–シャフラノフ方程式は (7.30), (7.31) で与えられる. ここで, 自転パラメータが $a_* = 0$ の場合, すなわち, シュバルツシルトブラックホールの場合の解 $\Psi = X$ を第 0 次近似としてブラックホールの自転が非常に遅い場合 ($|a/M| \ll 1$) の解を求める. その最も簡単な解のひとつはブランドフォード–ナエク解 (Blandford–Znajek solution) とよばれ,

$$\Psi \approx C\left[-\cos\theta + \left(\frac{a}{M}\right)^2 f(r)\sin^2\theta\cos\theta\right] \tag{7.32}$$

のように書ける. ここで, C は定数, $f(r)$ は (7.55) で与えられる. 以降, この解の導出を行う.

$a = 0$ のボイヤー–リンキスト座標のときの演算子 L を L_0 と書くことにすると, この場合は電流はゼロ, 空間の引きずり効果による誘導電場もないことから,

$$L_0(X) = 0. \tag{7.33}$$

$a = 0$ のときの物理量を 0 次として各物理量を微小量 a/M で展開し,

$$\Psi = X + \left(\frac{a}{M}\right)^2 x + O\left(\frac{a^4}{M^4}\right), \tag{7.34}$$

$$I = \alpha R \hat{B}^\phi = \frac{a}{M^2} Y(X) + O\left(\frac{a^3}{M^3}\right), \tag{7.35}$$

$$\Omega_{\mathrm{F}} = \frac{a}{M^2} W + O\left(\frac{a^3}{M^3}\right), \tag{7.36}$$

$$\omega = \frac{a}{M^2} w^\phi(r,\theta) + O\left(\frac{a^3}{M^3}\right), \tag{7.37}$$

$$L(\Psi) = L_0(X) + \left(\frac{a}{M}\right)^2 L_1(X) + \left(\frac{a}{M}\right)^2 L_0(x) + O\left(\frac{a^4}{M^4}\right)$$
$$= \left(\frac{a}{M}\right)^2 [L_0(x) + L_1(X)] + O\left(\frac{a^4}{M^4}\right) \tag{7.38}$$

とする. フォースフリーのグラド–シャフラノフ方程式 (7.30) は

$$L_0(x) = -L_1(X) - \frac{\alpha_0 R_0^2}{M^2}\left[\frac{1}{2\alpha_0 R_0^2}\frac{dY^2(X)}{dX} + \frac{W - w_0^\phi}{\alpha_0}\frac{dW(X)}{dX}|\nabla X|^2\right]$$

$$\equiv S(X). \tag{7.39}$$

$a_* = 0$ の場合の値であることを示すのに添字「0」を付している．ここで，$\Omega_{\mathrm{H}} = \omega^{\phi}(r_{\mathrm{H}}, \theta)$ として，ブラックホール地平面での条件（Znajek 1977）

$$\frac{\alpha_{\mathrm{H}} \hat{B}_{\mathrm{H}}^{\phi}}{\hat{B}_{\mathrm{P}}} = \alpha_{\mathrm{H}} \hat{v}_{\mathrm{FH}}^{\phi} = R_{\mathrm{H}}(\Omega_{\mathrm{F}} - \Omega_{\mathrm{H}}) \tag{7.40}$$

を用いる（章末問題 7.7）．ここで，地平面での値を示すのに，その各物理量に添字「H」を付した．すると，磁場のポロイダル成分 $\hat{B}_{\mathrm{P}}$ が

$$\hat{B}_{\mathrm{P}} = \sqrt{(\hat{B}^1)^2 + (\hat{B}^2)^2} = \frac{1}{R}\sqrt{\left(\frac{1}{h_1}\frac{\partial A_3}{\partial x^1}\right)^2 + \left(\frac{1}{h_2}\frac{\partial A_3}{\partial x^2}\right)^2} = \frac{1}{R}|\nabla \Psi| \tag{7.41}$$

で与えられ，（7.40）から，$\alpha_{\mathrm{H}} \hat{B}_{\mathrm{H}}^{\phi} = \dfrac{I(\Psi)}{R} = \dfrac{aY(X)}{M^2 R_{\mathrm{0H}}} = \dfrac{aR_{\mathrm{0H}}}{M^2}(W - w_{\mathrm{H}}^{\phi})\hat{B}_{\mathrm{P}}$ なので

$$Y(X) = R_{\mathrm{0H}}^2 (W - w_{\mathrm{0H}}^{\phi}) \frac{1}{R_{\mathrm{0H}}} |\nabla \Psi_0|_{\mathrm{H}} = R_{\mathrm{0H}}(W - w_{\mathrm{0H}}^{\phi})|\nabla X|_{\mathrm{H}} \tag{7.42}$$

となる．よって，フォースフリーのグラド–シャフラノフ方程式（7.39）は，

$$L_0(x) = -L_1(X) - \frac{\alpha_0 R_0^2}{M^2}\left[\frac{1}{2\alpha_0 R_0^2}\frac{d}{dX}\left\{R_{\mathrm{0H}}(W - w_{\mathrm{0H}}^{\phi})|\nabla X|_{\mathrm{H}}\right\}^2 \right.$$
$$\left. + \frac{W - w_0^{\phi}}{\alpha_0}\frac{dW(X)}{dX}|\nabla X|_{\mathrm{H}}^2\right]. \tag{7.43}$$

一方，$w_0^{\phi} = \dfrac{2M^3}{r^3}$，$w_{\mathrm{0H}}^{\phi} = \dfrac{1}{4}$，$R_0 = r\sin\theta$，$R_{\mathrm{0H}} = 2M\sin\theta$ なので，

$$L_0(x) = -L_1(X) - \frac{\alpha_0 R_0^2}{M^2}\left[\frac{1}{2\alpha_0 R_0^2}\frac{d}{dX}\left\{2M\sin\theta\left(W - \frac{1}{4}\right)|\nabla X|_{\mathrm{H}}\right\}^2\right.$$
$$\left. + \frac{W - \dfrac{2M^3}{r^3}}{\alpha_0}\frac{dW(X)}{dX}|\nabla X|_{\mathrm{H}}^2\right]. \tag{7.44}$$

次に，$L_1(X)$ の評価を行うと，

$$L_1(X) = \frac{\alpha_0 R_0^2}{r^2 \sin\theta} \left[\frac{\alpha_0}{\sin\theta} \frac{\partial}{\partial r} \left\{ \left(\frac{2M^3}{r^3} - K\sin^2\theta \right) \frac{\partial X}{\partial r} \right\} \right.$$
$$\left. - \frac{1}{\alpha_0 r^2} \frac{\partial}{\partial \theta} \left\{ \frac{1}{\sin\theta} \left(\frac{M^2}{r^2} + K\sin^2\theta \right) \frac{\partial X}{\partial \theta} \right\} \right] \quad (7.45)$$

となる(章末問題 7.8 参照).ただし,$K \equiv \dfrac{r^2}{M^2} \left(W^2 - 4W\dfrac{M^3}{r^3} + \dfrac{2M^5}{r^5} \right)$.よって,解くべき方程式 (7.39) の両辺は次のように与えられる:

$$L_0(x) = \frac{\alpha_0 R_0^2}{h_{10}h_{20}h_{30}} \frac{\partial}{\partial x^i} \left(\frac{h_{10}h_{20}h_{30}}{h_{i0}^2} \frac{\alpha_0}{R_0^2} \frac{\partial x}{\partial x^i} \right)$$
$$= \frac{(\alpha_0 R_0)^2}{r^2 \sin\theta} \left[\frac{1}{\sin\theta} \frac{\partial}{\partial r} \left(\alpha_0^2 \frac{\partial x}{\partial r} \right) + \frac{1}{r^2} \frac{\partial}{\partial \theta} \left(\frac{1}{\sin\theta} \frac{\partial x}{\partial \theta} \right) \right], \quad (7.46)$$

$$S(X) = -\alpha_0 \sin\theta \left[\frac{\alpha_0}{\sin\theta} \frac{\partial}{\partial r} \left\{ \left(\frac{2M^3}{r^3} - K\sin^2\theta \right) \frac{\partial X}{\partial r} \right\} \right.$$
$$\left. - \frac{1}{\alpha_0 r^2} \frac{\partial}{\partial \theta} \left\{ \frac{1}{\sin\theta} \left(\frac{M^2}{r^2} + K\sin^2\theta \right) \frac{\partial X}{\partial \theta} \right\} \right]$$
$$- \frac{\alpha_0 R_0^2}{M^2} \left[\frac{2M^2}{\alpha_0 r^2 \sin^2\theta} \frac{d}{dX} \left\{ \sin\theta \left(W - \frac{1}{4} \right) |\nabla X|_{\rm H} \right\}^2 \right.$$
$$\left. + \frac{W - \dfrac{2M^3}{r^3}}{\alpha_0} \frac{dW(X)}{dX} |\nabla X|_{\rm H}^2 \right]. \quad (7.47)$$

ここでは最も簡単な単極子磁場の場合について考える.$X = X(\theta)$ とすると,$L_0(X) = \dfrac{(\alpha_0 R_0)^2}{r^2 \sin\theta} \dfrac{\alpha_0^2}{r^2} \dfrac{\partial}{\partial \theta} \left(\dfrac{1}{\sin\theta} \dfrac{\partial X}{\partial \theta} \right) = 0$ より C を定数として

$$X = -C\cos\theta. \quad (7.48)$$

すると,$|\nabla X| = \dfrac{C}{r}\sin\theta$ で,地平面では $|\nabla X|_{\rm H} = \dfrac{C}{2M}\sin\theta$ となり,

$$Y = C\sin^2\theta \left(W - \frac{1}{4} \right). \quad (7.49)$$

一方,十分遠方 ($r \longrightarrow \infty$) では特殊相対論的フォースフリーの1次元定常解であるので,一方向に伝わるフォースフリー平面波には黄金則 (5.56), (5.57) がある

ので,
$$B^{\hat{\phi}} = E_{\hat{\theta}} = -R\Omega_F B^{\hat{r}} \tag{7.50}$$

となる. ここで (5.57) において $v_F = R\Omega_F$ とした. $B^{\hat{r}} = \dfrac{C}{r^2}$, $R = r\sin\theta$ より,

$$Y = -CW\sin^2\theta \tag{7.51}$$

でなくてはならない[*3] (章末問題 7.9). (7.49), (7.51) より $W = \dfrac{1}{8}$ となるので

$$S(X) = \frac{-CM\sin^2\theta\cos\theta}{r^3}\alpha_0^2\left(1+\frac{2M}{r}\right). \tag{7.52}$$

よって, 解くべき方程式 $L_0(x) = S(X)$ は

$$\frac{1}{\sin\theta}\frac{\partial}{\partial r}\left(\alpha_0^2\frac{\partial x}{\partial r}\right) + \frac{1}{r^2}\frac{\partial}{\partial\theta}\left(\frac{1}{\sin\theta}\frac{\partial x}{\partial\theta}\right) = -CM\sin\theta\cos\theta\frac{1}{r^3}\left(1+\frac{2M}{r}\right). \tag{7.53}$$

ここで, $x(r,\theta) = Cf(r)\sin^2\theta\cos\theta$ とおくことができ,

$$\frac{d}{dr}\left(\alpha_0^2\frac{df}{dr}\right) - \frac{6}{r^2}f(r) = -\frac{M}{r^3}\left(1+\frac{2M}{r}\right). \tag{7.54}$$

この方程式の解は

$$\begin{aligned}f(r) = &\left[I\left(\frac{r}{2M}\right) - \ln\left(1-\frac{2M}{r}\right)\ln\frac{r}{2M}\right]\frac{(r/M)(2(r/M)-3)}{8} \\ &+ \frac{1+3(r/M)-6(r/M)^2}{12}\ln\frac{r}{2M} + \frac{11}{72} + \frac{M}{3r} + \frac{r}{2M} - \frac{(r/M)^2}{2}\end{aligned} \tag{7.55}$$

であることが知られている (Blandford, Znajek 1977) (章末問題 7.10). ただし, $I(x) = \displaystyle\int_x^\infty \frac{dt}{t}\ln\frac{t}{t-1} = \mathrm{Li}_2\left(\frac{1}{x}\right)$ $(x \geqq 1)$, $\mathrm{Li}(x)$ は第 2 種の多重対数関数 (second polylogarithm function) である. これでブランドフォード–ナエク解 (7.32) が導かれた.

ここで得られた解は, 磁荷を持つブラックホールのまわりの磁場を与えるが, 単

[*3] ブランドフォード–ナエク (Blandford, Znajek 1977) の原論文ではマイケル (Michel 1973) の解を用いている.

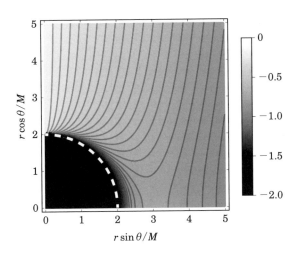

図 **7.5** 分割単極子磁場に対するブランドフォード–ナエク解での磁場の方位角成分とポロイダル成分の比 $B^{\hat{\phi}}/B^{\hat{r}}$ の空間分布. 白い破線は地平面を表す.

極子というのは考えにくいので，図 7.4 のような上半球と下半球で異なる磁荷を持つ場合（分割単極子）を考える．この分割単極子の磁場の方位角成分と動径（ポロイダル）成分の比を (7.35) と $\hat{B}^r = \frac{1}{h_\phi h_\theta}\frac{\partial X}{\partial \theta} = \frac{C}{r^2}$ により求めると，

$$\frac{M}{a_*}\frac{B^{\hat{\phi}}}{B^{\hat{r}}} = -\frac{1}{8}\frac{R_0}{\alpha_0} \tag{7.56}$$

となる（章末問題 7.11）．図 7.5 にブラックホール近くの比 $B^{\hat{\phi}}/B^{\hat{r}}$ の分布を示す．この磁場の方位角成分は磁力線のねじれを示していて，ブラックホールの自転にともなう空間の引きずり効果により生じる．$r \longrightarrow \infty$ あるいは $\alpha \longrightarrow 0$ で $B^{\hat{\phi}}/B^{\hat{r}} \longrightarrow -\infty$ なので，無限遠および地平面で磁力線のねじれは無限大に大きくなる．すなわち，その付近では磁場はぐるぐる巻きになっている．このような摂動解の磁力線が遠方だけではなくブラックホールの近くでもぐるぐる巻きになるというのはすこし驚きである．遠方で磁力線がぐるぐる巻きになるのは磁力線の方位角方向の回転速度が無限大となるためである．ブラックホール地平面付近でそうなるのは，ボイヤー–リンキスト座標では地平面付近では時間が限りなくゆっくりと進むのにたいして，地平面での磁力線の回転速度が有限であるためである．

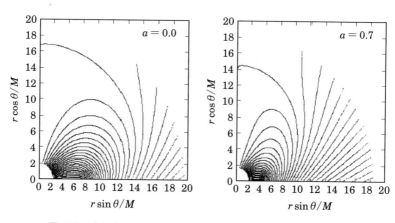

図 7.6 自転するブラックホールのまわりのケプラー回転する円盤を貫く磁力線についての平衡磁場（Uzdensky 2005）. $a=0$, $a=0.7$ の各場合の $R_{\rm sep}$ はそれぞれ $R_{\rm sep} \sim 13$, $R_{\rm sep} \sim 8.5$ である.

7.4.2 節で詳しく述べるが, $0 < \Omega_{\rm F} < \Omega_{\rm H}$ のときこのねじれはフォースフリーの「ねじれアルベーン波」（torsional Alfvén wave）となって外向きに伝播してゆく. これはブラックホールから磁場のねじれにのって電磁エネルギーが放射されること, すなわちブラックホールからエネルギーが持ち去られることを示唆する. このようにフォースフリー磁場によりブラックホールの回転エネルギーを引き抜く機構を**ブランドフォード–ナエク機構**（Blandford–Znajek mechanism）という.

7.3.2 グラド–シャフラノフ方程式の数値解

自転するブラックホールについてのグラド–シャフラノフ方程式はブランドフォード–ナエク解で用いたブラックホールの自転パラメータ a_* が 1 に比べて十分小さいなどの近似を用いない限り解析的に解くのは難しく, その解析解は知られていない. ここではグラド–シャフラノフ方程式（7.29）の数値的な解として, 磁力線がブラックホールの降着円盤を横切る場合の解を紹介する[*4].

ウズデンスキーは図 7.6 に示すようにケプラー回転する薄い円盤をともなった自転するブラックホールのまわりの定常フォースフリー電磁場の数値解を得た

[*4] ブランドフォード–ナエク解に関連して考えた分割単極子の解を構成するには, 赤道面上に電流シートが必要である. その電流シートは降着円盤が支えていると考える必要があるが磁力線は降着円盤を横切っていない.

(Uzdensky 2005). ここで，磁力線はブラックホール近くの閉じた磁力線とその外の開いた磁力線に分かれる．また，ブラックホールの自転が速くなるほどその分かれ目となる磁力線の赤道面上のアンカー点 $R_{\rm sep}$ が小さくなるという結果が見られた．さらに，$a_* > 0.7$ の定常解は与えることができなかった．これは，ブラックホールが自転するとエルゴ領域と円盤を貫く磁力線はねじられることになり，その磁気圧により膨張し，定常になりにくいためと考えられる．すなわち，この計算は速く自転するブラックホールを貫く閉じた磁力線は不安定であることを示唆している．このような閉じた磁力線は縦方向に膨張し 7.8.3 節で述べる**磁気タワー**（magnetic tower）を形成する．通常，磁気タワーは膨張を続け定常になることはない．

7.4　電磁場によるブラックホール回転エネルギーの引き抜き

ここで，自転するブラックホールからの回転エネルギーの電磁場による引き抜き機構について述べる．ブラックホールの地平面は，物質や情報がブラックホールの外から地平面に向かってしか伝わらない特殊な面である．しかし，ブラックホールのエントロピーが減少しない限り，ブラックホールエネルギーは外に放出されうる．以下，電磁場によるブラックホールのエネルギーの引き抜きについてボイヤー–リンキスト座標において議論する．

電磁気的なエネルギーの流れは (5.158) をベクトル形式で書いて

$$\alpha \boldsymbol{S} = \frac{1}{4\pi}\alpha^2(\hat{\boldsymbol{E}} - \hat{\boldsymbol{N}} \times \hat{\boldsymbol{B}}) \times (\hat{\boldsymbol{B}} + \hat{\boldsymbol{N}} \times \hat{\boldsymbol{E}}) \tag{7.57}$$

である．ここで，$\boldsymbol{e}_i$ を座標基底，$\hat{\boldsymbol{e}}_i$ を長さを規格化した座標基底と同じ方向のベクトル（$\hat{\boldsymbol{e}}_i = \boldsymbol{e}_i/h_i$）として，$\boldsymbol{S} = S^i \boldsymbol{e}_i = \hat{S}^i \hat{\boldsymbol{e}}_i = \hat{\boldsymbol{S}}$ であることを用いた．ある速さの次元を持つベクトル $\hat{\boldsymbol{v}}_{\rm F}$ により電場が

$$\hat{\boldsymbol{E}} = -\hat{\boldsymbol{v}}_{\rm F} \times \hat{\boldsymbol{B}}, \tag{7.58}$$

と書けたとする．理想 MHD 条件の場合，このベクトル量 $\hat{\boldsymbol{v}}_{\rm F}$ はプラズマの速度と想定できるが，一般的に磁力線の仮想的な速度という意味を持たせることができる．ここで，$\hat{\boldsymbol{v}}_{\rm F}$ を $\hat{\boldsymbol{B}}$ に垂直な成分 $\hat{\boldsymbol{v}}_{\rm F\perp}$ と水平な成分 $\hat{\boldsymbol{v}}_{\rm F//}$ に分けて $\hat{\boldsymbol{v}}_{\rm F} = \hat{\boldsymbol{v}}_{\rm F//} + \hat{\boldsymbol{v}}_{\rm F\perp}$ とすると，はじめから $\hat{\boldsymbol{E}} = -\hat{\boldsymbol{v}}_{\rm F\perp} \times \hat{\boldsymbol{B}}$ とも書ける．すると，(7.57) は

$$\alpha \boldsymbol{S} = \frac{1}{4\pi}\alpha^2 \left[\left\{ \frac{1}{2}(1+\hat{v}_{\mathrm{F}\perp}^2) + \hat{\boldsymbol{N}}\cdot\hat{\boldsymbol{v}}_{\mathrm{F}\perp} \right\} \hat{B}^2(\hat{\boldsymbol{v}}_{\mathrm{F}\perp}+\hat{\boldsymbol{N}}) \right.$$
$$\left. +(1-\hat{v}_{\mathrm{F}\perp}^2)\left\{ \frac{\hat{B}^2}{2}(\hat{\boldsymbol{v}}_{\mathrm{F}\perp}+\hat{\boldsymbol{N}}) - (\hat{\boldsymbol{N}}\cdot\hat{\boldsymbol{B}})\hat{\boldsymbol{B}} \right\} \right] \tag{7.59}$$

となる．ここで，電磁場のエネルギー密度は (5.156) より

$$u^\infty = \alpha\left(\frac{(\hat{B})^2}{8\pi} + \frac{(\hat{E})^2}{8\pi} \right) + \omega^\phi l = \alpha\left(\frac{(\hat{B})^2}{8\pi} + \frac{(\hat{E})^2}{8\pi} \right) + \frac{1}{4\pi}\alpha\hat{\boldsymbol{N}}\cdot(\hat{\boldsymbol{E}}\times\hat{\boldsymbol{B}})$$
$$= \frac{\alpha}{4\pi}\left[\frac{1}{2}(1+\hat{v}_{\mathrm{F}\perp}^2) + \hat{\boldsymbol{N}}\cdot\hat{\boldsymbol{v}}_{\mathrm{F}\perp} \right] \hat{B}^2 \tag{7.60}$$

となる．ここで後で用いる波の角振動数 ω と区別するために $\omega = -\beta^\phi$ を ω^ϕ と記した．$\hat{\boldsymbol{b}} = \hat{\boldsymbol{B}}/\hat{B}$ を用いると，

$$\alpha\boldsymbol{S} = \alpha u^\infty(\hat{\boldsymbol{v}}_{\mathrm{F}\perp}+\hat{\boldsymbol{N}}) + \frac{1}{4\pi}(1-\hat{v}_{\mathrm{F}\perp}^2)\alpha^2\hat{B}^2 \left\{ \frac{1}{2}(\hat{\boldsymbol{v}}_{\mathrm{F}\perp}+\hat{\boldsymbol{N}}) - (\hat{\boldsymbol{N}}\cdot\hat{\boldsymbol{b}})\hat{\boldsymbol{b}} \right\}. \tag{7.61}$$

さらに，$\hat{\boldsymbol{N}}$ も $\boldsymbol{b}$ に垂直な成分と水平な成分に分けると ($\hat{\boldsymbol{N}} = \hat{\boldsymbol{N}}_{/\!/} + \hat{\boldsymbol{N}}_\perp$)，

$$\alpha\boldsymbol{S} = \alpha u^\infty(\hat{\boldsymbol{v}}_{\mathrm{F}\perp}+\hat{\boldsymbol{N}}) + \frac{1}{8\pi}\alpha^2\hat{B}^2(1-\hat{v}_{\mathrm{F}\perp}^2)(\hat{\boldsymbol{v}}_{\mathrm{F}\perp}+2\hat{\boldsymbol{N}}_\perp-\hat{\boldsymbol{N}}) \tag{7.62}$$

となる．

7.4.1 電磁波の場合（超放射）

ブラックホールまわりの真空（$\hat{\boldsymbol{J}} = \boldsymbol{0}$，$\hat{\rho}_{\mathrm{e}} = 0$）において，角振動数 ω，波数ベクトル $\boldsymbol{k}$ の定常な電磁波の伝播を考える．波数の大きさ k はメトリックの勾配に比べて十分に大きいとすると，ZAMO 系内ではマクスウェル方程式 (5.1), (5.2) より

$$\hat{\boldsymbol{B}} = \frac{\hat{\boldsymbol{k}}}{\hat{\omega}}\times\hat{\boldsymbol{E}}, \quad \hat{\boldsymbol{E}} = \frac{-\hat{\boldsymbol{k}}}{\hat{\omega}}\times\hat{\boldsymbol{B}} \tag{7.63}$$

と近似できる．ここで，$\hat{\omega}$ は ZAMO 系で計った電磁波の振動数，$\hat{\boldsymbol{k}}$ は波数ベクトルである．これより，真空中の電磁波の分散関係，

$$\hat{\omega} = \pm\hat{k} \tag{7.64}$$

を得る．$\hat{\boldsymbol{n}} = \dfrac{\hat{\boldsymbol{k}}}{\hat{\omega}}$ は電磁波の伝播方向を示す単位ベクトルであり，

$$\hat{B} = \hat{n} \times \hat{E}, \quad \hat{E} = -\hat{n} \times \hat{B} \tag{7.65}$$

と書かれる．よって，$\hat{v}_{F\perp} = \hat{n}$ となる．地平面では電磁波はブラックホールに向かって伝播するので，n は内向きになる．この場合は，$\hat{v}_{F\perp} = \hat{n} = 1$ となるので，

$$\alpha S = \alpha u^\infty (\hat{n} + \hat{N}) \tag{7.66}$$

という式になる．すなわち，電磁波の場合はエネルギー密度（energy-at-infinity density）が負であれば電磁波の伝播方向とは逆方向にエネルギーが輸送されることになる．地平面でもしも $u^\infty < 0$ という電磁波がブラックホールに向かって吸い込まれている場合（電磁波そのものはブラックホールの外向きに地平面を横切れない），この電磁波はエネルギーを外に向かって運ぶことになる．(7.60) と式 $\hat{v}_{F\perp} = \hat{n}$ から，$u^\infty = \alpha \left(1 + \omega^\phi h_\phi \dfrac{\hat{k}^\phi}{\alpha \hat{\omega}}\right) \dfrac{(\hat{B})^2}{4\pi}$ となる．ここで，$\hat{k}_\mu = (-\hat{\omega}, \hat{k}_1, \hat{k}_2, \hat{k}_3)$ は共変ベクトルであるので，

$$-\hat{\omega} = -\frac{1}{\alpha}(\omega - \omega^\phi k_\phi) = -\frac{1}{\alpha}(\omega - m\omega^\phi), \quad \hat{k}_\phi = \frac{1}{h_\phi} k_\phi = \frac{m}{h_\phi}. \tag{7.67}$$

地平面付近での電磁場のエネルギー密度は $\omega^\phi = \Omega_H$ として

$$u^\infty \approx \alpha \frac{\omega}{\omega - m\Omega_H} \frac{(\hat{B})^2}{4\pi} \tag{7.68}$$

となる．$m = k_\phi (> 0)$ は方位角方向全周の波長の個数に当たる．もし，$0 < \omega < m\Omega_H$ であれば，地平面での電磁波のエネルギー密度 e^∞ は負になる．このとき，電磁波が電磁エネルギーを地平面から外に運ぶことによりブラックホールの回転エネルギーは引き抜かれる．このような電磁波によるブラックホールの回転エネルギーの引抜き機構を**超放射**（super-radiance）と呼ぶ（Press et al. 1972; Teukolsky et al. 1974）．ここで，(5.156) より，負の電磁場エネルギーを作るには，電磁場の角運動量の再配分をする必要があることが分かる．この再配分の過程を見るにはエルゴ領域における電磁波の具体的な解を調べる必要がある．

7.4.2 フォースフリーの場合（ブランドフォード–ナエク機構）

フォースフリーの条件 $J^\mu F_{\mu\nu} = 0$，すなわち，$\hat{\rho}_e \hat{E} + \hat{J} \times \hat{B} = \mathbf{0}, \hat{J} \cdot \hat{E} = 0$ での磁場によるブラックホール回転エネルギーの定常な引き抜きについて考え

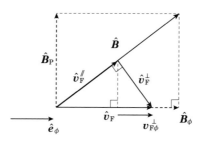

図 **7.7** フォースフリー定常の場合の $\hat{\boldsymbol{B}}$ と $\hat{\boldsymbol{v}}_\mathrm{F}$ の関係.

る．ブランフォード–ナエク解（7.32）を用いると自転するブラックホールから放出される電磁エネルギー流束密度は（7.78）で与えられることを示す．ここで，フォースフリーの電場は（7.58）と書ける．というのは，もし，$\hat{\rho}_\mathrm{e} \neq 0$ のときは $\hat{\boldsymbol{E}} = -\dfrac{\hat{\boldsymbol{J}}}{\hat{\rho}_\mathrm{e}} \times \hat{\boldsymbol{B}}$ となり明らかに $\hat{\boldsymbol{v}}_\mathrm{F} = \dfrac{\hat{\boldsymbol{J}}}{\hat{\rho}_\mathrm{e}}$ として（7.58）が成り立つ．また，もし，$\hat{\rho}_\mathrm{e} = 0$ のときは $\hat{\boldsymbol{J}} \times \hat{\boldsymbol{B}} = \boldsymbol{0}$ となり，$\hat{\boldsymbol{J}} // \hat{\boldsymbol{B}}$ といえる．さらに，$\hat{\boldsymbol{J}} \cdot \hat{\boldsymbol{E}} = 0$ より，$\hat{\boldsymbol{J}} \perp \hat{\boldsymbol{E}}$ であるので $\hat{\boldsymbol{E}} \perp \hat{\boldsymbol{B}}$ となり，$\hat{\boldsymbol{v}}_\mathrm{F} = \dfrac{1}{\hat{B}^2} \hat{\boldsymbol{E}} \times \hat{\boldsymbol{B}}$ として（7.58）とできる．

定常を仮定すると（7.25）より

$$\hat{\boldsymbol{v}}_\mathrm{F} = \frac{R}{\alpha}(\Omega_\mathrm{F} - \omega^\phi)\hat{\boldsymbol{e}}_\phi = \hat{v}_\mathrm{F}\hat{\boldsymbol{e}}_\phi \tag{7.69}$$

と書ける．ここで，Ω_F は磁力線の回転角速度にあたる定数，$R = h_\phi$ は極座標の z 軸からの距離に相当する長さの単位を持つ量，$\hat{\boldsymbol{e}}_\phi$ は方位角方向の単位基底ベクトルである．図 7.7 より，

$$\frac{\hat{v}_\mathrm{F}^\perp}{\hat{v}_\mathrm{F}} = \frac{\hat{B}_\mathrm{P}}{\hat{B}} \tag{7.70}$$

であることが分かる．ここで，$\hat{\boldsymbol{B}}_\mathrm{P}$ は $\hat{\boldsymbol{B}}$ のポロイダル成分，$\hat{\boldsymbol{B}}_\phi$ は $\hat{\boldsymbol{B}}$ の方位角成分である（$\hat{\boldsymbol{B}} = \hat{\boldsymbol{B}}_\mathrm{P} + \hat{\boldsymbol{B}}_\phi$）．よって，$\hat{v}_\mathrm{F}^\perp = \dfrac{\hat{v}_\mathrm{F}}{\sqrt{1 + (\hat{B}_\phi/\hat{B}_\mathrm{P})^2}}$．ここで，地平面ではナエクの条件（7.40）より，地平面近くでは

$$\hat{v}_\mathrm{F}^\perp = \frac{1}{\sqrt{1 + \hat{v}_\mathrm{F}^2}}\hat{v}_\mathrm{F}. \tag{7.71}$$

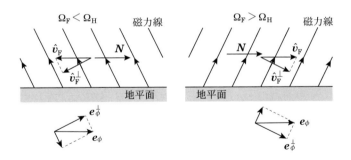

図 7.8 ブラックホール地平面の近傍において定常な磁力線.

地平面に限りなく近づくとすると $(r \to r_H)$, $\Omega_F \neq \Omega_H$ のとき (7.40) より $\hat{v}_F \to \infty$ なので, $\hat{v}_F^\perp \to 1$ となる. よって, 地平面近くでは (7.62) より

$$\alpha \boldsymbol{S} = \alpha u^\infty (\hat{\boldsymbol{v}}_{F\perp} + \hat{\boldsymbol{N}}) \tag{7.72}$$

となる. ここで, 図 7.8 に示すように, $\Omega_F \neq \Omega_H$ のとき, 必ず $\hat{\boldsymbol{v}}_{F\perp}$ はブラックホールの地平面方向を向くので, 負の電磁エネルギー $(u^\infty < 0)$ によりブラックホールのエネルギーが引き抜かれることが分かる. ここで, u^∞ が負になる条件を求めてみよう. (7.70) より

$$\hat{v}_{F\phi}^\perp = \left(\frac{\hat{B}_P}{\hat{B}}\right)^2 \hat{v}_F = \frac{\hat{v}_F}{1 + \hat{v}_F^2}, \tag{7.73}$$

$$(\hat{B})^2 = (\hat{B}_P)^2 + (\hat{B}^\phi)^2 = (\hat{B}_P)^2 \left[1 + \left(\frac{\hat{B}^\phi}{\hat{B}_P}\right)^2\right] = (\hat{B}_P)^2 [1 + (\hat{v}_F)^2] \tag{7.74}$$

とできる. よって, $\omega^\phi = \dfrac{\alpha \hat{N}^\phi}{h_\phi} = \dfrac{\alpha \hat{N}^\phi}{R}$ を用いて,

$$\begin{aligned}
u^\infty &= \left[\frac{1}{2}\left(1 + \frac{\hat{v}_F^2}{1 + \hat{v}_F^2}\right) + \frac{\hat{N}^\phi \hat{v}_{F\phi}}{1 + \hat{v}_F^2}\right] \alpha (1 + (\hat{v}_F)^2) \frac{(\hat{B}_P)^2}{4\pi} \\
&= \frac{1}{2} \frac{\alpha^2 + 2\alpha \hat{v}_F (\alpha \hat{v}_F^\phi + \alpha \hat{N}^\phi)}{\alpha^2 + (\alpha \hat{v}_F)^2} \alpha (1 + (\hat{v}_F)^2) \frac{(\hat{B}_P)^2}{4\pi} \\
&= \frac{1}{2} \frac{\alpha^2 + 2R^2 \Omega_F (\Omega_F - \omega^\phi)}{\alpha^2} \alpha \frac{(\hat{B}_P)^2}{4\pi}.
\end{aligned} \tag{7.75}$$

地平面近くでは $\alpha \to 0$, $\omega^\phi \to \Omega_H$ となるので,

$$u^\infty \longrightarrow \Omega_\mathrm{F}(\Omega_\mathrm{F} - \Omega_\mathrm{H})\frac{R_\mathrm{H}^2}{\alpha}\frac{(\hat{B}_\mathrm{P}^\mathrm{H})^2}{4\pi} \tag{7.76}$$

となる.すなわち,$0 < \Omega_\mathrm{F} < \Omega_\mathrm{H}$ で $u^\infty < 0$ となる.このときの電磁場エネルギー流束密度のポロイダル成分は

$$\alpha \boldsymbol{S}_\mathrm{P} = \alpha u^\infty \hat{\boldsymbol{v}}_{\mathrm{F}\perp} = R_\mathrm{H}^2 \Omega_\mathrm{F}(\Omega_\mathrm{F} - \Omega_\mathrm{H})\frac{(\hat{B}_\mathrm{P}^\mathrm{H})^2}{4\pi}\hat{\boldsymbol{v}}_{\mathrm{F}\perp} \tag{7.77}$$

である.

ここで,地平面付近での電磁場のエネルギー流束密度(7.72),そのポロイダル成分(7.77),エネルギー密度(7.76)の導出では直接フォースフリー条件を用いているわけではなく,その条件で成り立つ(7.58)が用いられている.それゆえ,これらの関係式(7.72),(7.76),(7.77)はフォースフリー条件を満たさなくても(7.58)でありさえすれば成り立つことが分かる.

フォースフリーの磁場によるブラックホール回転エネルギーの定常な引き抜き機構を**ブランドフォード–ナエク機構**という(Blandford, Znajek 1977).(7.72)からボイヤー–リンキスト座標では,ブランドフォード–ナエク機構は負の電磁エネルギーをブラックホールに落とし込んでブラックホールの回転エネルギーを因果的に引き抜く機構として理解される[*5].

$a_* \ll 1$ として 7.3.1 節で求めたブランドフォード–ナエク解を用い,(7.36),(7.37) で $W = \dfrac{1}{8}$, $w_\mathrm{H}^\phi = \dfrac{1}{4}$ (すなわち,$\Omega_\mathrm{F} = a_*/(8M)$, $\Omega_\mathrm{H} = a_*/(4M)$) とし (7.72),(7.76) で $v_{\mathrm{F}\perp}^r = -1 = -c$, $R_\mathrm{H}^2 = (2M\sin\theta)^2$ として,地平面でのエネルギー流束密度は(7.77)より

$$\alpha \hat{S}^r = \frac{a_*^2}{16}\sin^2\theta \frac{(\hat{B}_\mathrm{P}^\mathrm{H})^2}{4\pi}c \tag{7.78}$$

[*5] この負の電磁場エネルギーのブラックホールへの落とし込みによるブラックホール回転エネルギーの引き抜きは直観的な説明となっているが,そのような説明に異論もある.當真・高原 (Toma, Takahara 2017) は電磁エネルギー密度 u^∞ は 4 元エネルギー運動量密度ベクトルの成分の一つでありスカラーではないのでその値は座標系に依存することを指摘した.実際,ボイヤー–リンキスト座標とカー–シルド座標ではエルゴ領域内で u^∞ の符号が反転し,カー–シルド座標では上記の議論はそのままでは成り立たない.一方,カー–シルド座標を含めたカー座標(Kerr coordinates)で電磁場の負のエネルギーによるブラックホール回転エネルギーの引き抜きを議論している研究もある(Lasota *et al.* 2014).いずれにしてもボイヤー–リンキスト座標を用いた議論により磁場を介してブラックホールの回転エネルギーを引き抜き,そのエネルギーがポインティングフラックスとして外部に放射されることは広く受けいれられている.

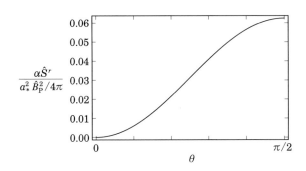

図 **7.9** 単極子磁場の場合のブランドフォード–ナエク解を用いて計算した地平面からの電磁エネルギー流束密度 S^r.

となる. $B_{\rm P}^{\rm H}$ は地平面での ZAMO 系での磁場のポロイダル成分の大きさである. このエネルギー流束密度 αS_r の θ 依存性を図 7.9 に示す. これは,

$$\alpha \hat{S}^r = 1.5 \times 10^{16} a_*^2 \sin^2\theta \left(\frac{\hat{B}_{\rm P}}{1{\rm T}}\right)^2 \quad [{\rm erg\,s^{-1}\,cm^{-2}}] \tag{7.79}$$

というエネルギー流束密度を与える. 分割単極子磁場配位を仮定すると $B_{\rm P}^{\rm H}$ は θ によらず一定とでき, 地平面半径 $r_{\rm H}$ のブラックホールからブランドフォード–ナエク機構で放出される全エネルギー放射率（最大値）L を見積もると

$$\begin{aligned} L &= 2\pi \frac{4}{3} \frac{a_*^2}{16} \frac{(\hat{B}_{\rm P}^{\rm H})^2}{4\pi} r_{\rm H}^2 c = 1.1 \times 10^{21} a_*^2 \left(\frac{\hat{B}_{\rm P}^{\rm H}}{1{\rm T}}\right)^2 \left(\frac{r_{\rm H}}{3.0{\rm km}}\right)^2 \,[{\rm W}] \\ &= 1.1 \times 10^{39} a_*^2 \left(\frac{\hat{B}_{\rm P}^{\rm H}}{1{\rm T}}\right)^2 \left(\frac{M}{10^9 M_\odot}\right)^2 \,[{\rm W}] \\ &\sim 2.8 \times 10^{12} L_\odot {a_*}^2 \left(\frac{\hat{B}_{\rm P}^{\rm H}}{1{\rm T}}\right)^2 \left(\frac{M}{10^9 M_\odot}\right)^2 \end{aligned} \tag{7.80}$$

となる（章末問題 7.15）. ここで, $L_\odot = 4 \times 10^{26}[{\rm W}]$ は太陽光度である. また, ブラックホール地平面半径 $r_{\rm H}$ の規格化の長さとして太陽質量のブラックホールのシュバルツシルト半径 $r_{\rm S} = 2GM_\odot/c^2 = 3.0\,{\rm km}$ を取った. ブランドフォード–ナエク機構でブラックホールからのエネルギー放射率 L は M 87 の活動銀河核（中心ブラックホールの質量： $M \sim 6.5 \times 10^9 M_\odot$）の光度（$L \sim 10^{45}{\rm erg/s} = 10^{38}\,{\rm W}$）を説明する効率のよいエネルギー放射である.

ブラックホール磁気圏においてプラズマの慣性が無視できない場合, プラズマと

磁場の相互作用は GRMHD 方程式によって取り扱う必要がある．これから以降は GRMHD 近似での磁場とプラズマの相互作用について述べる．

7.5 ブラックホールまわりのプラズマの平衡

理想 MHD 条件を満たす有限圧力のプラズマと磁場の軸対称な平衡について述べる．7.2 節で述べたようにグラド–シャフラノフ方程式がベクトルポテンシャルの方位角成分 Ψ を与える．ここでは，理想 MHD プラズマと磁場の平衡のグラド–シャフラノフ方程式を示す．自転するブラックホールの近くでは重力，また平衡なときもプラズマの回転があるため，プラズマの慣性力は無視することがでない．ただ，方位角方向にそれらの力はゼロなので，(7.28) において $\Lambda = 0$ とできる．また，ローレンツ力とプラズマの圧力勾配 $-\nabla p$ が磁気面に垂直方向につり合っているとすると，6 章の章末問題問 6.6 の解答中の $(**)$ において $T^{\mu\nu} = T^{\mu\nu}_{\text{hyd}}$，$F^\mu = f^\mu_{\text{L}}$ として，

$$\hat{f}^\Psi_{\text{L}} = \frac{1}{h_\Psi}\left[\frac{\partial p}{\partial \Psi} + \left\{\frac{1}{2}\frac{\partial}{\partial \Psi}(\alpha^2 - R^2(\Omega_{\text{F}} - \omega)^2)\right.\right.$$
$$\left.\left. + R^2(\Omega_{\text{F}} - \omega)\frac{d\Omega_{\text{F}}}{d\Psi}\right\}\frac{h}{\alpha^2 - R^2(\Omega_{\text{F}} - \omega)^2}\right] \quad (7.81)$$

と計算できる（章末問題 7.12）．これを (7.28) に代入して，

$$\alpha R^2 \nabla \cdot \left[\frac{\alpha}{R^2}\left\{1 - \frac{R^2}{\alpha^2}(\Omega_{\text{F}} - \omega)^2\right\}\nabla\Psi\right] + \frac{1}{2}\frac{\partial I^2}{\partial \Psi} + R^2(\Omega_{\text{F}} - \omega)\frac{d\Omega_{\text{F}}}{d\Psi}|\nabla\Psi|^2$$
$$+ 4\pi(\alpha R)^2\left[\frac{\partial p}{\partial \Psi} + \left\{\frac{1}{2}\frac{\partial}{\partial \Psi}(\alpha^2 - R^2(\Omega_{\text{F}} - \omega)^2)\right.\right.$$
$$\left.\left. + R^2(\Omega_{\text{F}} - \omega)\frac{\partial\Omega_{\text{F}}}{\partial \Psi}\right\}\frac{h}{\alpha^2 - R^2(\Omega_{\text{F}} - \omega)^2}\right] = 0. \quad (7.82)$$

ここで，$I(\Psi) = \alpha R\hat{B}^\phi$，$\Omega_{\text{F}}(\Psi) = \omega - \dfrac{\alpha \hat{E}_\Psi}{R\hat{B}^\Upsilon}$ である．また，(7.82) だけでは閉じた方程式とはなっていない．圧力 p について条件を課す必要がある．熱核融合プラズマの平衡状態では磁気面に平行方向の力のつり合いから圧力 p は Ψ のみの関数とできたが，重力がある場合はそうならない．ブラックホールまわりで平衡状態にある圧力 p を磁気面に平行方向の力のつり合いから与える．磁気面に平行方向のつり合いの式は磁気面に沿った座標 Υ とし（7.2 節参照），章末問題問 6.6 の解答

中の（∗∗）において時間微分をゼロとして

$$-\frac{1}{h}\frac{\partial p}{\partial \Upsilon} = \frac{\partial \log \alpha_*}{\partial \Upsilon} \tag{7.83}$$

となる[*6]（章末問題 7.13）．ここで，$\alpha_* = \sqrt{\alpha^2 - R^2(\Omega_\mathrm{F} - \omega)^2}$ である．

　(7.82) と (7.83) を連立させると Ψ についての閉じた方程式となる．もともとグラド–シャフラノフ方程式は熱核融合プラズマの平衡解を求めるために導入されたもので，(7.82), (7.83) はその一般相対論版となっている．すなわち，ブラックホールまわりのプラズマ平衡の磁気面構造を決めるグラド–シャフラノフ方程式となる．ただ，(7.82) は非線形であって解析的に解くのが難しく天文学的に意味のあるブラックホールまわりの解析解は今のところ知られていない．また，数値解法の開発も進んでおらず，今のところブラックホールのまわりの磁気プラズマの首尾一貫した解は見いだされていない．今後，数値解法などの進展が望まれる．

　さらに，プラズマの流れがあるときはプラズマの運動方程式と Λ を通して連立方程式となり，かなり複雑な式になる（Nitta *et al.* 1991; Beskin, Par'ev 1993）．その連立方程式の首尾一貫した解析解は見いだされていないが，本章の最後に述べる GRMHD 数値シミュレーション（GRMHD 方程式を使い数値的に時間発展を追う）において十分時間が経ったときの状態がプラズマ定常流の解と考えられる場合がある（McKinney 2006）．ただ，GRMHD シミュレーションにおいてもプラズマ流がない場合の平衡解は見いだされていない．一方，首尾一貫した解とはならないが，磁気プラズマが軸対称の場合に磁気面に垂直の方向の平衡は考えずに磁気面を仮定して，その磁気面に沿った定常流が調べられている（Cammenzind 1986, Takahashi *et al.* 1990）．次節でそのような定常流の解について述べる．

7.6　理想 GRMHD 定常流

　プラズマが理想 MHD 近似で扱うことができる場合のブラックホールまわりの定常流（降着流，アウトフロー）について述べる．この節ではブラックホールの質量を m と書く．フォースフリーの場合と同様に軸対称・定常を仮定し，基盤とな

[*6] 等温 $p = K_T \rho$（$K_T = T/m$ は定数．T は温度，m は粒子の平均質量）でポリトロープ (6.2) を仮定すると，$\rho = \rho_0 \alpha_*^{-(K^{-1}+\Gamma(\Gamma-1)^{-1})}$，$p = K_T \rho_0 \alpha_*^{-(K^{-1}+\Gamma(\Gamma-1)^{-1})}$（$\rho_0$ は定数）という解がある．

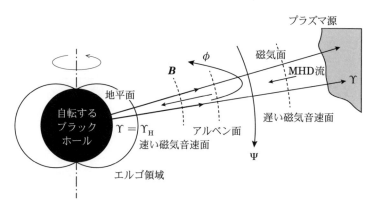

図 7.10 軸対称の理想 MHD プラズマ定常流と磁気面に沿う座標軸 Υ をもつ直交座標系 (Υ, Ψ, ϕ). ここでの磁気面は遠方から地平面にまで達している曲面を考える.

る座標はボイヤー–リンキスト座標を用いる．この場合，磁気面はベクトルポテンシャルの方位角成分 $\Psi = A_\phi$ の等値面として表される．

本来，Ψ はグラド–シャフラノフ方程式においてプラズマの圧力や慣性，重力を考慮した式 (7.28) により決定される．しかし，ここでは磁場は十分強くプラズマの圧力や慣性，重力からの影響は受けないとして磁気面の形状を前もって仮定しよう．図 7.10 にあるような新しい直交座標系 (Υ, Ψ, ϕ) を導入する．ここで，ϕ は方位角座標，$\Psi = A_\phi$, Υ は磁気面と子午面（$\phi = $ 一定）の交線に沿っての座標である．7.2 節と同様に座標 Υ と Ψ は直交するように Υ の目盛りを調整して座標系を設定し，時空の線要素は (7.14) で与えられるとする．7.2 節では任意の点で個別に局所的な座標系 (Υ, Ψ, ϕ) が設定されればよかったが，ここでは，考えている磁力線に沿ってひとつの座標系を設定するものとする．このとき，座標 Υ に沿ってブラックホールから遠ざかる方向が明確なときは，その方向を Υ の正方向にとる．外向きの方向が明確でない場合はその限りではない．また，Υ 軸が地平面を横切っているときは，地平面での Υ を Υ_H と書く．理想 MHD 条件 $\hat{\boldsymbol{E}} + \hat{\boldsymbol{v}} \times \hat{\boldsymbol{B}} = \boldsymbol{0}$, すなわち，

$$E_{\hat{\Upsilon}} = 0, \quad E_{\hat{\Psi}} + v^{\hat{\phi}} B^{\hat{\Upsilon}} - v^{\hat{\Upsilon}} B^{\hat{\phi}} = 0, \quad E_{\hat{\phi}} = 0 \qquad (7.84)$$

と (6.83), (6.89), (6.90), (6.108), (6.111) および (6.2) により，次のような

磁気面に沿っての一定値すなわち Ψ のみに依存する量が導かれる（Camenzind 1986; Takahashi *et al.* 1990; Takahashi 2002）：

$$f(\Psi) = \alpha h_\phi h_\Psi \rho u^{\hat{\Upsilon}} = \alpha h_\Psi R \rho u^{\hat{\Upsilon}} = \frac{\alpha \rho u^{\hat{\Upsilon}}}{B^{\hat{\Upsilon}}}, \tag{7.85}$$

$$B^\Upsilon(\Psi) = h_\Psi h_\phi B^{\hat{\Upsilon}} = h_\Psi R B^{\hat{\Upsilon}} = 1, \tag{7.86}$$

$$\Omega_{\rm F}(\Psi) = -\frac{\alpha}{R}\left[\frac{E_{\hat{\Psi}}}{B^{\hat{\Upsilon}}} - \hat{N}^\phi\right] = \frac{\alpha}{R}\left[v^{\hat{\phi}} + \hat{N}^\phi - \frac{B^{\hat{\phi}}}{B^{\hat{\Upsilon}}}v^{\hat{\Upsilon}}\right], \tag{7.87}$$

$$E(\Psi) = \alpha\frac{h}{\rho}\left(\gamma_{\rm L} + \frac{R}{\alpha}\omega u^{\hat{\phi}}\right) - \frac{\alpha R}{4\pi f}\Omega_{\rm F} B^{\hat{\phi}}, \tag{7.88}$$

$$L(\Psi) = h_\phi\left[\frac{h}{\rho}u^{\hat{\phi}} - \frac{\alpha}{f}\frac{B^{\hat{\phi}}}{4\pi}\right] = R\left[\frac{h}{\rho}u^{\hat{\phi}} - \frac{\alpha}{f}\frac{B^{\hat{\phi}}}{4\pi}\right], \tag{7.89}$$

$$K(\Psi) = \frac{p}{\rho^\Gamma}. \tag{7.90}$$

f は磁束管の中を流れる単位磁束単位時間あたりのプラズマの静止質量，B^Υ は磁束，$\Omega_{\rm F}$ は磁力線の回転角速度，L は単位質量あたりのプラズマの角運動量，E は単位質量あたりのエンタルピー，K はポリトロープの係数である．$B^{\hat{\Upsilon}}$ は磁束密度のポロイダル成分なので，$\hat{B}_{\rm P}$ と書く．$v^{\hat{\Upsilon}}$ はプラズマのポロイダル速度 $\hat{v}_{\rm P}$ とみなせるので，その4元速度を $\hat{u}_{\rm P} = \gamma_{\rm L} \hat{v}_{\rm P}$ と書く．

$V_{\rm F} = \dfrac{R}{\alpha}(\Omega_{\rm F} - \omega)$, $M^2 = \dfrac{4\pi h \hat{u}_{\rm P}^2}{\hat{B}_{\rm P}^2}$ とし（7.85），（7.88），（7.89）より，

$$\frac{h}{\rho}\hat{\gamma}_{\rm L} = \frac{1}{\alpha}\frac{E - L\Omega_{\rm F} - (E - \omega L)M^2}{1 - V_{\rm F}^2 - M^2}, \tag{7.91}$$

$$\frac{h}{\rho}u^{\hat{\phi}} = \frac{1}{\alpha}\frac{V_{\rm F}(E - \Omega_{\rm F} L) - \alpha\dfrac{L}{R}M^2}{1 - V_{\rm F}^2 - M^2} \tag{7.92}$$

となる（章末問題 7.14）．$V_{\rm F}$ は磁力線の ZAMO 系で見たときの回転速度，M はプラズマ流の磁気マッハ数である（このため，この節ではブラックホールの質量を m と記す）．ここで，$\hat{\gamma}_{\rm L}^2 = 1 + \hat{u}_{\rm P}^2 + \hat{u}_{\hat{\phi}}^2$ であるので，（7.92）より

$$\hat{u}_{\rm P}^2 + 1 = \hat{\gamma}_{\rm L}^2 - \hat{u}_{\hat{\phi}}^2 = (\hat{\gamma}_{\rm L} - \hat{u}_{\hat{\phi}})(\hat{\gamma}_{\rm L} + \hat{u}_{\hat{\phi}})$$

$$= \left(\frac{\rho E}{\alpha h}\right)^2 \frac{(1 - V_\mathrm{F}^2 - 2M^2)(1 - \tilde{L}\Omega_\mathrm{F})^2 + \left[1 - 2\omega\tilde{L} + \left(\omega^2 - \frac{\alpha^2}{R^2}\right)\tilde{L}^2\right] M^4}{(1 - V_\mathrm{F}^2 - M^2)^2}.$$
(7.93)

ここで,(7.85) より $\rho = \dfrac{f}{\alpha R h_\Psi \hat{u}_\mathrm{P}}$, また (7.90) より $\dfrac{h}{\rho} = 1 + \dfrac{\Gamma}{\Gamma - 1}\dfrac{p}{\rho} = 1 + \dfrac{K\Gamma}{\Gamma - 1}\left(\dfrac{f}{\alpha R h_\Psi \hat{u}_\mathrm{P}}\right)^{\Gamma - 1}$ なので,

$$M^2 = h(h_\Psi R)^2 \hat{u}_\mathrm{P}^2 = \frac{f h_\Psi R}{\alpha}\left[1 + \frac{K\Gamma}{\Gamma - 1}\left(\frac{f}{\alpha R h_\Psi \hat{u}_\mathrm{P}}\right)^{\Gamma - 1}\right]\hat{u}_\mathrm{P}. \quad (7.94)$$

(7.93) と (7.94) を連立させると流速 $\hat{u}_\mathrm{P}$ は定数 f, Ω_F, $\tilde{L} = L/E$, K およびプラズマの位置 Υ が与えられれば決まる.しかし,この定数 (f, Ω_F, $\tilde{L}$, K, E) たちはうまく与えないと,ブラックホールに向かって落下あるいは噴出する定常流として自然なものとはならない.以下にこれらの定数を与える方法の概略を述べる.

$|V_\mathrm{F}| = 1$ となる点を光面(light surface)という.一般にブラックホール近くで磁力線がゆっくり回転しているようでも,$|V_\mathrm{F}|$ は R に比例して大きくなり光面ではその回転の方位角速度 $|V_\mathrm{F}|$ は光速度になる.また,ある磁力線に沿ったすべての点でその磁力線の回転の方位角方向の速度成分が光速度を超えているという場合は考えにくいので,必ず光面が磁力線の途中にあると考えられる.

一方,ボイヤー–リンキスト座標ではブラックホールの近くで光速度が見かけ上遅くなるので,ブラックホール近くでも光面が現れる.磁気面 $\Psi = $(定数)に対する外側の光面の位置を $\Upsilon = \Upsilon_\mathrm{L}^\mathrm{out}$,ブラックホール近くの光面の位置を $\Upsilon = \Upsilon_\mathrm{L}^\mathrm{in}$ と書く.一般に,定数 Ω_F に対する $\Upsilon_\mathrm{L}^\mathrm{in}$ と $\Upsilon_\mathrm{L}^\mathrm{out}$ の関係は図 7.11(左)のようになり,取りうる Ω_F の値の範囲($\Omega_\mathrm{F}^\mathrm{min} \leqq \Omega_\mathrm{F} \leqq \Omega_\mathrm{F}^\mathrm{max}$)があることが分かる.

通常,f, Ω_F, $\tilde{L}$, K の定数を与えて位置とプラズマ流の速さ $|\hat{u}_\mathrm{P}|$(4元速度の大きさ)に対する E の等値線を描いて解を見いだす.ここで,(7.93) を E^2 について解いた式を理解しやすくするために,$\hat{u}_\mathrm{P}$ に依存しないところを

$$k_0 = 1 - V_\mathrm{F}^2 = 1 - \left(\frac{R}{\alpha}(\Omega_\mathrm{F} - \omega)\right)^2, \quad (7.95)$$

$$k_2 = (1 - \Omega_\mathrm{F}\tilde{L})^2, \quad (7.96)$$

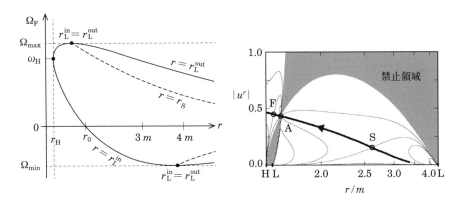

図 7.11 （左）$a_* = 0.8$ のときの光面の位置（Takahashi et al. 1990）．赤道面上 $\Upsilon = r$ としている．m はブラックホールの質量．（右）$a_* = 0.8$ のブラックホールまわりの赤道面に沿った放射状磁気面に沿っての MHD 定常降着流（Takahashi 2002）．F：速い磁気音速点，A：アルベーン点，S：遅い磁気音速点．H は地平面，L は光面の位置を示す．灰色の領域は $E^2 < 0$ となる禁止領域を示している．

$$k_4 = -\left[1 - 2\omega\tilde{L} + \left(\omega^2 - \frac{\alpha^2}{R^2}\right)\tilde{L}^2\right] \tag{7.97}$$

とおいて，

$$E^2 = \alpha^2 \left(\frac{h}{\rho}\right)^2 \frac{(1+\hat{u}_P^2)(k_0 - M^2)^2}{k_0 k_2 - 2k_2 M^2 - k_4 M^4}.$$

さらに，$k_4 M^4 - 2k_2 M^2 + k_0 k_2 = 0$ の解を $M^2 = M_\pm^2$ とすると，

$$E^2 = -\alpha^2 \left(\frac{h}{\rho}\right)^2 \frac{(1+\hat{u}_P^2)(k_0 - M^2)^2}{k_4(M^2 - M_+^2)(M^2 - M_-^2)} \tag{7.98}$$

とできる．すなわち，E が一定であるためには，$M^2 = k_0$ のときは $M^2 = M_+^2 = M_-^2$ でなくてはならない．実際，$M_+^2 = M_-^2$ であるためには $k_2 - k_0 k_4 = 0$ すなわち，$k_0 = \dfrac{k_2}{k_4}$, $M_\pm^2 = \dfrac{k_2}{k_4} = k_0$ となり，矛盾はないことが分かる．このような点 $M^2 = k_0$ を**アルベーン点**（Alfvén point）という．

プラズマ定常流がブラックホールの地平面あるいは無限遠方に達する場合は，ア

ルベーン点の他に2つの特別な条件を満たす点を通る必要がある（Cammenzind 1986）．(7.93) より

$$\frac{\partial}{\partial \Upsilon} \ln \hat{u}_{\mathrm{P}} = \frac{\mathcal{N}}{\mathcal{D}} \tag{7.99}$$

となる．ただし，$\mathcal{N}$，$\mathcal{D}$ は $\hat{u}_{\mathrm{P}}^2$ の4次の多項式である（詳しくは，Takahashi et al. 1990 の付録参照）．特に，分母 $\mathcal{D}$ は

$$\mathcal{D} \propto (\hat{u}_{\mathrm{P}}^2 - \hat{u}_{\mathrm{A}}^2)^2 (\hat{u}_{\mathrm{P}}^2 - \hat{u}_{\mathrm{F}}^2)(\hat{u}_{\mathrm{P}}^2 - \hat{u}_{\mathrm{S}}^2) \tag{7.100}$$

と書かれる．$\hat{u}_{\mathrm{A}}$ はアルベーン4元速度，$\hat{u}_{\mathrm{F}}$，$\hat{u}_{\mathrm{S}}$ は速いモード，遅いモードの磁気音波の4元速度である．$\frac{\partial}{\partial \Upsilon} \ln \hat{u}_{\mathrm{P}}$ は有限であるので，$\hat{u}_{\mathrm{P}}^2 - \hat{u}_{\mathrm{A}}^2 = 0$，$\hat{u}_{\mathrm{P}}^2 - \hat{u}_{\mathrm{F}}^2 = 0$，$\hat{u}_{\mathrm{P}}^2 - \hat{u}_{\mathrm{S}}^2 = 0$ の点で分子 $\mathcal{N}$ はゼロである必要がある．$\hat{u}_{\mathrm{P}}^2 = \hat{u}_{\mathrm{A}}^2$ のアルベーン点についてはすでに述べた．同様に $\hat{u}_{\mathrm{P}}^2 = \hat{u}_{\mathrm{F}}^2$，$\hat{u}_{\mathrm{P}}^2 = \hat{u}_{\mathrm{S}}^2$ は速い磁気音波点（fast magnetosonic point, fast point）$r = r_{\mathrm{F}}$ および遅い磁気音速点（slow magnetosonic point, slow point）$r = r_{\mathrm{S}}$ にそれぞれ対応する．速い磁気音速点 $r = r_{\mathrm{F}}$ と遅い磁気音速点 $r = r_{\mathrm{S}}$ で $\mathcal{N}$ がゼロとなることからプラズマ定常流の定数 f，Ω_{F}，$\tilde{L}$ を決定する．

具体例として高橋（Takahashi 2002）の示した放射状の磁気面[*7]に沿いブラックホールに流れ込むプラズマ降着流について紹介する（図7.11（右））．考えているプラズマ定常流に沿う磁気面は赤道付近で放射状であるとして，ボイヤー–リンキスト座標において，$\Psi = \theta = \frac{\pi}{2}$，$\Upsilon = r$，$h_{\Psi} = h_{\theta}$ とする．磁場がある場合，無限遠方からブラックホールに直接降着あるいは地平面から無限遠方まで噴出する定常流は存在しないので，どこかに降着あるいは噴出するプラズマの源 S があるはずである．定常流はそのプラズマ源 S を出発点とし，アルベーン点（A），速い点（F）を通り地平面に到達する．図7.11（右）は $a_* = 0.8$，$\Gamma = 4/3$，$\Omega_{\mathrm{F}} = 0.6\Omega_{\mathrm{max}} = 0.185/m$（ここで，$\Omega_{\mathrm{max}} = 0.309/m$），$f = 0.0297$，$\tilde{L} = 27.9m$，$E = -0.15855$ とした定常降着流の4元速度の絶対値 $|u_r| \equiv \sqrt{u^r u_r}$ を示している．この場合はエネルギー E は負になっていて，外向きの電磁エネルギー流束は内向きの流体力学的エネルギーの流束を凌駕し，正味のエネルギーがブラックホールから引き抜かれている．ブラックホールのエネルギーを引き抜くには負の電磁エ

[*7] 放射状磁気面とは磁気面と子午面の交線が放射状であるものをいう．

ネルギーが実現されるエルゴ領域からねじれアルベーン波が外側に伝播しエネルギーが放射される必要がある．このためアルベーン点はエルゴ領域内にある．

7.7 MHD ブランドフォード–ナエク機構と MHD ペンローズ過程

7.4.2 節でフォースフリーの定常軸対称の磁場によりブラックホールの回転エネルギーが引き抜かれる機構（ブランドフォード–ナエク機構）について述べた．ここでは，理想 MHD 条件を満たすときの磁場によるブラックホールの回転エネルギーの引き抜きについて議論する．地平面付近で成り立つ電磁場のエネルギー密度およびエネルギー流束密度の式 (7.72), (7.76), (7.77) は，その導出の直後に指摘したように，フォースフリー条件でなくても (7.58) でありさえすれば成り立つ．理想 MHD 条件は $\hat{E} + \hat{v} \times \hat{B} = 0$ であるので，$v = v_F$ として同様な関係式が得られることになる．ここで，(7.87) より (7.69) の定数 Ω_F に対応するものは

$$\Omega_F = \frac{\alpha}{R}\left(v^{\hat{\phi}} + \hat{N}^\phi - \frac{B^{\hat{\phi}}}{B^{\hat{\gamma}}}v^{\hat{\gamma}}\right) \tag{7.101}$$

となる．地平面付近の電磁場のエネルギー密度およびエネルギー流束密度のポロイダル成分は (7.76), (7.77) と同様に，

$$\alpha u^\infty \approx R_H^2 \Omega_F(\Omega_F - \Omega_H)\frac{(\hat{B}_P^H)^2}{4\pi}, \tag{7.102}$$

$$\alpha S_P = \alpha u^\infty \hat{v}_{F\perp} = -R_H^2 \Omega_F(\Omega_F - \Omega_H)\frac{(\hat{B}_P^H)^2}{4\pi}\hat{e}_n \tag{7.103}$$

である．$\hat{e}_n$ は地平面に垂直な外向きの単位法線ベクトルである．地平面（$\alpha \longrightarrow 0$）では，$\hat{B}^\phi \longrightarrow \infty$ なので $\hat{v}_{F\perp} = -\hat{e}_n$ となる．αu^∞ は明らかに $0 < \Omega_F < \Omega_H$ のとき負になり，電磁エネルギーが地平面を通して外に放出されることを示している．このように理想 MHD 条件のもとでもフォースフリー条件と同じ電磁エネルギー流束密度が与えられる．ブラックホールの回転エネルギーの引き抜き機構は先のフォースフリーのブランドフォード–ナエク機構と本質的には同じ機構で，理想 MHD 条件を用いた場合もブランドフォード–ナエク機構と呼ばれている．ただ，狭義にこれらを互いに区別するときは，理想 MHD 条件のもとでのブラックホール回転エネルギーの引き抜き機構を **MHD ブランドフォード–ナエク機構** (MHD Blandford–Znajek mechanism) と呼ぼう．フォースフリーの場合と違っ

て，MHD ブランドフォード–ナエク機構では正味のブラックホールのエネルギー放出を議論するにはプラズマ流の流体力学的エネルギーの流入についても考慮する必要がある．

MHD の場合には，プラズマのエネルギーが負のエネルギーになり，それが落ち込むことによりブラックホールの回転エネルギーが引き抜かれることもありえる．このときのエネルギー流束密度は (6.109), (6.110) より

$$\alpha \boldsymbol{Q}_{\mathrm{hyd}} = \alpha(e^{\infty}_{\mathrm{hyd}} + \alpha p)(\hat{\boldsymbol{v}} + \hat{\boldsymbol{N}}). \tag{7.104}$$

地平面では $\alpha \to 0$ なので，$\alpha e^{\infty}_{\mathrm{hyd}} < 0$ であればブラックホールのエネルギーを引き抜くことになる．このような，負の流体力学的エネルギーによりブラックホールの回転エネルギーを引き抜く機構は **MHD ペンローズ過程**と呼ばれている (Takahashi et al. 1990; Hirotani et al. 1992)．ここで，ペンローズ過程との比較をしてみよう．質量 m の粒子のエネルギー (energy-at-infinity) は $E^{\infty} = \alpha m \gamma_{\mathrm{L}} + \omega^{\phi} L_z$ で与えられる．ここで，L_z はその粒子の角運動量である．負のエネルギーは E^{∞} の式の第 2 項が負で第 1 項を凌駕することにより実現される．そのためには，ブラックホールの自転方向と反対向きの大きな角運動量が必要となる．角運動量は保存するので，大きな反対向きの粒子の運動量を実現するために，ペンローズ過程では粒子の分裂反応を使い角運動量を再配分する．一方，MHD ペンローズ過程では磁気張力を用いて角運動量の再配分を行い大きな反対方向の流体の角運動量を実現する．いずれにしても，負のエネルギーを実現するには角運動量を極端に再配分することが重要になる．それにより，片方は負のエネルギーに落ち込み，他方はエネルギーを得ることになる．

7.8 理想 GRMHD 数値シミュレーション

ダイナミックなブラックホールまわりのプラズマの挙動をとらえるには，現在のところ数値計算に頼らざるを得ない．ブラックホールのまわりのプラズマと磁場の相互作用を取り扱う方法として，GRMHD シミュレーション（GRMHD 数値計算）が使われる．GRMHD シミュレーションでは GRMHD 方程式の 3 + 1 形式を用いてプラズマおよび電磁場の時間発展を計算する．GRMHD 方程式の 3 + 1 形式としてボイヤー–リンキスト座標による計算では (6.83)–(6.90)，カー–シルド座標では (6.75)–(6.82) が用いられる．まず，この節では電気抵抗をゼロ

($\eta = 0$) とする理想 MHD 近似を用いた**理想 GRMHD シミュレーション**について紹介する.

理想 GRMHD の数値計算ではオームの法則において $\eta = 0$ となるため電流密度 J および電荷密度 ρ_e が現れなくなるので，アンペールの法則 (6.79)，(6.88) と電場に関するガウスの法則 (6.78)，(6.87) は時間発展を計算するのに必要はない (Koide, Shibata, Kudoh 1999). アンペールの法則と電場に関するガウスの法則は計算結果を解析する際に電流密度 J，電荷密度 ρ_e を計算するときのみに用いられる. 電気抵抗を考慮した抵抗性 GRMHD シミュレーションではすべての GRMHD 方程式を計算する必要がある.

最近ではより実際の天体に近い条件を考慮して高精度で大規模な GRMHD 数値シミュレーションが行われるようになった. しかし，ここでは GRMHD 数値シミュレーションの初期の頃の結果のいくつかの紹介にとどめる.

7.8.1 一様磁場中のカーブラックホール

(**A**) 自転するブラックホール（カーブラックホール）のまわりの一様な比較的強い磁場と一様で希薄なプラズマの理想 GRMHD 数値シミュレーションが行われた (Meier, Koide, Uchida 2001, Koide, Shibata, Kudoh, Meier 2002, Koide 2003). 座標系はボイヤー–リンキスト座標である. 一様な磁場はワルド解 (7.11) で与えられ，プラズマの密度および圧力は一様で $\rho = 0.03 B_0^2/4\pi$, $p = 1.8 \times 10^{-3} B_0^2/4\pi$ である. B_0 はブラックホールから十分離れたところでの一様磁場の強さである. 図 7.12 はその結果の時間発展を示している. このときのブラックホールの自転パラメータは $a_* = 0.99995$ でブラックホールはほぼ最高速度で回転している. 時刻 $t = 1\tau_\mathrm{S}$ ではプラズマが落下し始めているのが分かる. ここで，τ_S は時間の単位で，シュバルツシルト半径 $r_\mathrm{S} = 2M$ を用いて $\tau_\mathrm{S} = r_\mathrm{S}/c = 2M$ と定義される. また，磁力線はエルゴ領域を横切っているものがブラックホールの空間の引きずり効果によりねじられる. それは磁場の方位角成分 $\hat{B}_\phi$（図の濃淡）として示されている. 時刻 $t = 4\tau_\mathrm{S}$ 以降では，プラズマの落下が激しくなり，磁力線のねじれがプラズマの落下とともにブラックホール地平面近くにも広がる. 一方，磁場のねじれはねじれアルベーン波として外側にも広がる. また，プラズマの落下にともない，磁気面が赤道付近でくびれているのが磁力線の形から分かる.

磁力線のイメージは図 7.13 (259 ページ) のようになる. この図を見るとエル

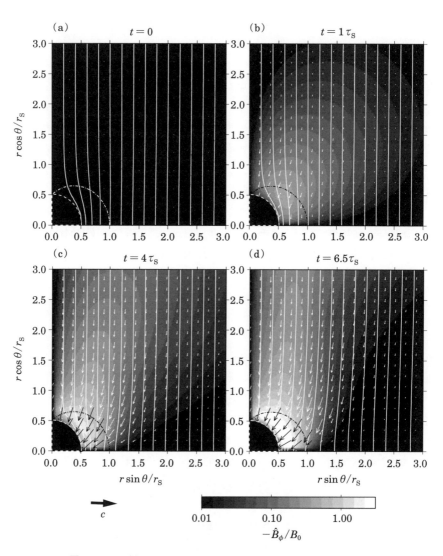

図 7.12 一様な磁場の中にあるカーブラックホール（自転パラメータ $a_* = 0.99995$）のまわりのプラズマおよび磁場の時間発展（Koide 2003）．白い実線は磁気面，濃淡は磁場の方位角成分，矢印はプラズマの速度を表す．エルゴ領域の表面は一点鎖線，点線は計算領域の境界，左下の黒い領域はブラックホールの地平面の内部を表す．

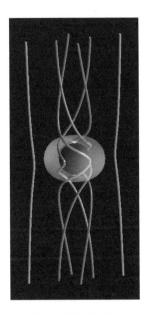

図 7.13 エルゴ領域を横切る磁力線と横切らない磁力線（Koide, Shibata, Kudoh, Meier 2002）．中央の黒い球はブラックホール地平面，そのまわりのリンゴのような形の面はエルゴ領域の表面を表している．線は時刻 $t = 6.53\tau_\mathrm{S}$ での磁力線である．内側 4 本の磁力線はエルゴ領域を横切っているが，外の 2 本の磁力線はエルゴ領域の外にある．

ゴ領域を貫く磁力線は大きくねじられるのに対して，エルゴ領域を通らない磁力線はあまりねじられない．外側の磁力線はプラズマの落下にともなって，赤道付近が少しくびれるだけであることが分かる．エルゴ領域を貫く大きくねじられた磁力線はエルゴ領域内の赤道付近で大きく曲がり，その張力によりプラズマは基準観測者系で見るとブラックホールの回転と反対方向に回転する．それに対して，赤道付近から離れたエルゴ領域の外では磁力線の張力によりプラズマはブラックホールと同じ方向に回転が生じる．このようにプラズマの角運動量の再配分が磁力線を通して行われることが分かる．また，磁力線のねじれはアルベーン波（torsional Alfvén wave）として落下するプラズマに逆らって外側に広がってゆく．エネルギーはこのねじれアルベーン波により外側に運ばれることになる．いずれにしても，これは電磁場のエネルギーの流れ（Poynting flux）$\boldsymbol{S}$ があることを示している（図 7.14

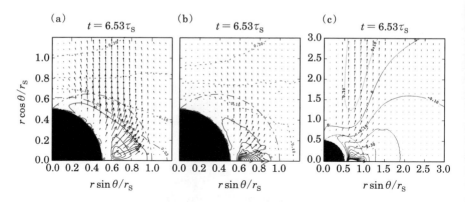

図 7.14 ブラックホールまわりのエネルギー運動量の輸送（Koide 2003）．黒い領域はブラックホール地平面の内部，一点鎖線はエルゴ領域の表面，破線は計算領域の境界を示す．(a) 電磁場のエネルギー u^∞ （等値線；実線は負，点線は正）とエネルギー流束密度 S （矢印）．(b) 全エネルギー e^∞ （等値線；同上）と 全エネルギー流束密度 Q （矢印）．(c) 角運動量の分布 l （等値線；同上）と角運動量流束密度 M （矢印）．

(a))．このようなエネルギーの流れを**ポインティングフラックスジェット**という．ただ，このポインティングフラックスジェットはプラズマなどの物質の外向きの流れを意味するのではなく，実際ここではプラズマは磁力線に沿って落下している．

エルゴ領域内で十分な負の角運動量 $l < 0$（ブラックホールの角運動量と逆方向の運動量）があると，プラズマの負のエネルギーが生じる $e^\infty = \alpha\tilde{e} + \omega l < 0$ （図 7.14 (b))．この負のエネルギーを担うプラズマがブラックホールに落下すれば，ブラックホールの回転エネルギーが減少することになる．すなわち，磁場を介してブラックホールの回転エネルギーが引き抜かれたことになる．ここでは，負のエネルギーのプラズマが落下し，ねじれアルベーン波によりエネルギーが外に放射される．このブラックホールの引抜き機構は 7.7 節で述べた **MHD ペンローズ過程**である（Takahasi et al. 1990; Hirotani et al. 1992）．

ここで，角運動量 l は保存するので負のエネルギーを発生させるためには角運動量の再配分が重要であることがわかる．図 7.14 (c) には時刻 $t = 6.53\tau_S$ での角運動量密度の分布とその輸送流束密度 M （矢印）が示されている．初期にはいたるところで角運動量はゼロであり，時間が経つと角運動量がエルゴ領域ではブラック

ホールの自転角運動量と逆の方向，その外では順方向となり，角運動量が再配分される．この角運動量の輸送は磁場の張力により行われる．

（B） コミッサロフ（Komissarov）は先のシミュレーション（A）と同じ初期条件でより長時間の GRMHD 数値シミュレーションをカー–シルド座標により行った（Komissarov 2005）．カー–シルド座標では地平面で特異点を持たずその内側まで計算できる．数値計算の結果，時刻 $t = 3\tau_\mathrm{S}$ くらいでは（A）の結果と同様にプラズマの負のエネルギー領域がエルゴ領域内に形成されるのが確認された．しかし，十分時間が経つと（$t = 30\tau_\mathrm{S} = 60M$），その負のエネルギー領域は消失し（ブラックホールに吸い込まれ），再び見られることはなかった．最終的には磁力線はエルゴ領域内，赤道面付近では分割単極子磁場のような配位を取り，定常状態に達した（図 7.15，262 ページ）．この放射状の磁力線は負の角運動量を持ったプラズマに働く非常に大きい引力によってプラズマが地平面に落下することにより形成される[*8]．磁力線が放射状に地平面を貫くような場合は磁気張力がブラックホールの回転方向と逆方向に働くことはないので，もはや MHD ペンローズ過程は起こらない．実際，コミッサロフの GRMHD 数値計算では定常状態に達してからはプラズマの負のエネルギーはなくなり，ブランドフォード–ナエク機構のように電磁エネルギーが地平面から直接放射されているようになった（図 7.15（右））．コミッサロフの結果にあるようにこのような系では赤道付近に非常に薄い電流シートが形成され，そこで磁気リコネクションが起こる可能性がある．このとき，外側に出て行く磁気リコネクション・ジェット（アウトフロー）はブラックホールの自転方向と逆方向になるので，負のエネルギーのプラズマが生成される可能性がある．ただ，この負のエネルギーのプラズマがそのままブラックホールに落下するかは自明ではない．このことはさらに電気抵抗を考慮した GRMHD（抵抗性 GRMHD）数値計算により詳しく調べる必要がある．

7.8.2 分割単極子磁場によるアウトフロー

エルゴ領域の引きずり効果により，すなわち純粋な一般相対論的効果により形成されたブラックホールのまわりからのアウトフローの計算結果を紹介しよう．それは，初期に薄いプラズマを自転パラメータ $a_* = 0.99995$ で自転するブラックホー

[*8] 6.7.5 節で述べた f^r_curv に含まれる $\dfrac{1}{h_r h_\phi} h_{\phi,r} \hat{N}^\phi \hat{Q}^\phi$ の項がここでの引力に対応する．

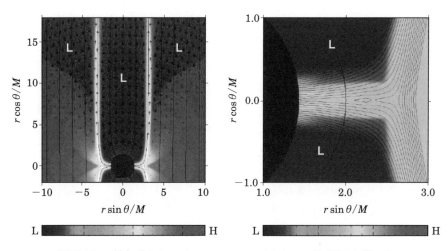

図 **7.15** （左）自転するブラックホールのまわりに一様磁場が初期にある場合の長時間 GRMHD 数値シミュレーションの時刻 $t = 60M$ での解（Komissarov 2005）．細い実線は磁気面，矢印はカーシルド座標の"座標格子"に対するプラズマの相対速度を表している．濃淡はプラズマの温度の対数，$\log_{10}(p/\rho)$（L：低密度）．黒い丸はブラックホール地平面の内部を表す．（右）回転するブラックホールのまわりに一様磁場が初期にある場合の長時間 GRMHD 数値シミュレーションの時刻 $t = 60M$ でのブラックホール近傍の様子（Komissarov 2005）．左の端の黒い領域はブラックホール地平面の内部を表す．太い実線はエルゴ領域の表面である．濃淡は全エネルギー密度の逆符号 "u_t"（$-e_{\rm hyd}^\infty$）．赤道地平面付近の値は正となっていて，全エネルギーは負に相当する（原図はカラー）．

ルのまわりに置き，単極子磁場を仮定することにより計算された（Koide 2004, Komissarov 2004）．ここで，ボイヤー–リンキスト座標を用いた計算結果（Koide 2004）を紹介する．初期磁場は (7.3) で与えられ，プラズマの初期密度および圧力はそれぞれ $\rho = \rho_0(-3\ln\alpha)^5$，$p = \rho_0(-3\ln\alpha)^6/18$，$\rho_0 = 1.8 \times 10^{-2} B_0^2/4\pi$ で与えられた．ここで，α はラプス関数，B_0 は $R = r\sin\theta = r_{\rm S}$，$z = r\cos\theta = 0$ での磁場の強さである．さらに，初期のプラズマは動径方向に $\hat{v}^r = -(r/r_{\rm H})^{-6.86}$ で落下させた（$r_{\rm H}$ は地平面の半径）．初期に一様な磁場と違い，この場合は相対論的アウトフローがすぐに形成された（ローレンツ因子 $\gamma_{\rm L} \sim 2$）．これはブラックホールの自転により磁場を通して相対論的アウトフローが噴出することをはじめて示した結果である（図 7.16）．初期の放射状の磁力線はブラックホールの引きずり

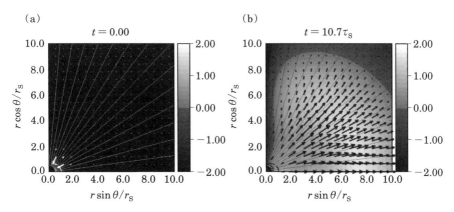

図 7.16 分割単極子磁場があるときの自転するブラックホール（$a_* = 0.99995$）まわりの吹き飛ばされるプラズマ（Koide 2004）．実線は磁気面，濃淡は磁力線の方位角成分，矢印はプラズマの速度を表す．左下の小さい黒い扇形は地平面内部，その近くの破線はエルゴ領域を示す．(a) $t = 0$．(b) $t = 10.7\tau_{\rm S}$．

効果によりねじられ，図 7.17（264 ページ）に示すようなスクリュー状の磁力線ができる．その磁力線がまさにスクリューのようにぐるぐる回転し，ブラックホールのまわりのプラズマが吹き飛ばされて，アウトフローが形成された．一様磁場の場合も図 7.13 にみられるように，ねじられた螺旋状の磁力線が形成される．しかし，広がりのない形のスクリューでは遠心力がプラズマを外側に加速する方向には働きにくくブラックホールの重力に抗してプラズマを加速できなかったと考えられる．

7.8.3 磁気的橋の活動性と磁気タワー

次に，天文学的なブラックホール磁気圏で磁場とプラズマの相互作用により起こると考えられる現象，**磁気タワー**の形成について紹介する．磁気タワー過程はリンデンベル（Lynden-Bell）によってはじめて提唱された（Lynden-Bell 1996）．磁気タワーと同様な過程は太陽フレアーモデルでも提唱されている．それらのモデルでは磁力線がシアーフロー（shear flow）のある密度の大きなプラズマの間に掛けられた橋のようになっているとき，そのプラズマの差動回転流（シアーフロー）により磁力線がねじられ磁気圧が大きくなり，磁力線が膨張することに注目する．ここでは，そのような磁力線あるいはそれが束となった磁束管を**磁気的橋**と呼ぶことにしよう．磁気的橋はその根元のシアーフローのあるプラズマによりねじれが加え

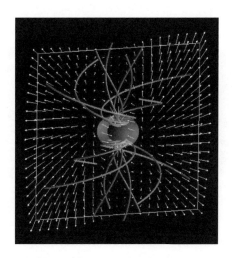

図 7.17 分割単極子磁場があるときの自転するブラックホールまわりの吹き飛ばされるプラズマと磁力線の時刻 $t = 10.7\tau_S$ での鳥瞰図(Koide 2004). 線は磁力線,矢印はプラズマの速度を表している. 地平面,エルゴ領域については図 7.13 と同様.

られ,膨張し,磁気タワーが形成される(Kato, Mineshigae, Shibata 2004). この磁気タワーは宇宙ジェットの形成機構と考えられる. 太陽フレアーの場合は,それはコロナ質量放出(coronal mass ejection)として観測され,その後に磁気リコネクションを起こし,太陽フレアーが起こると考えられている.

自転するブラックホールの場合はエルゴ領域とその外の降着円盤を結ぶ磁気的橋が激しい現象を引き起すと考えられる. すぐに磁気回転不安定性(magnetorotational instability; MRI)[*9] の起こらないような強い磁場の磁気的橋の数値シミュレーションが行われた(Koide, Kudoh, Shibata 2006). その計算ではボイヤー–リンキスト座標において非常に速く自転するブラックホール(自転パラメータ $a_* = 0.99995$)のまわりにケプラー回転する降着円盤を考え,エルゴ領域の表面と赤道面の交線($R = r_S$, $z = 0$)に沿って電流を流すことにより生じる閉じた磁力線からなる磁場を初期に設定した(図 7.18). 磁場は比較的強く設定されたために MRI が起こることなく磁気ループはエルゴ領域の空間の引きずり効果で回転するプラズマによりねじ上げられ,磁気タワーが形成される(図 7.19). 図 7.20 と図 7.21 に

[*9] 巻末文献 Ichimaru (1977), Narayan, Yi (1994). 本シリーズ第 2 巻 13 章参照.

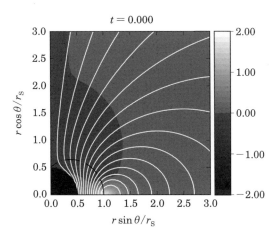

図 **7.18** ブラックホールまわりの降着円盤とエルゴ領域をつなぐ磁気的橋の初期条件(Koide, Kudoh, Shibata 2006). 白い実線は磁気面,濃淡は電流の方位角成分 $\hat{J}^\phi$ を表す.地平面,エルゴ領域,計算の境界は図 7.12 と同様に表示.

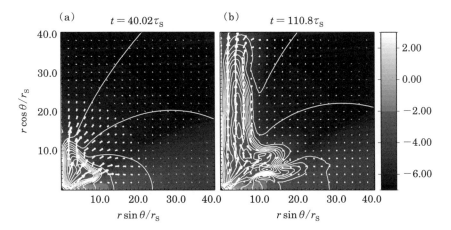

図 **7.19** ブラックホールまわりの降着円盤とエルゴ領域に架かる磁気的橋の時間的発展(Koide, Kudoh, Shibata 2006). 濃淡は静止質量密度の対数,白い実線は磁気面,矢印はプラズマの速度である.地平面,エルゴ領域は図 7.12 と同様.(a) ブラックホール近傍からのアウトフローがみられる.(b) アウトフローの一部が絞られてジェットを形成する.円盤に沿ってのアウトフローもみられる.

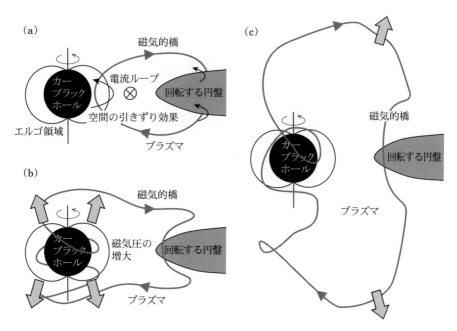

図 7.20 エルゴ領域と降着円盤に架かる磁気的橋のダイナミクス．エルゴ領域と降着円盤に架かる磁気的橋（(a)）はエルゴ領域における空間の引きずり効果により効率的にねじられ（(b)），それにより磁気圧が高まって磁気的橋は膨張する（(c)）．

エルゴ領域と降着円盤にかかる磁気的橋に期待される変動の簡単な説明図を示す．エルゴ領域と降着円盤に架かる磁気的橋はエルゴ領域の空間の引きずり効果により急速にねじ上げられ，その磁気圧が高くなり磁気圧のため膨張することになる（図7.20）．膨張をはじめた磁気的橋は回転軸方向に広がり，いずれ反平行磁場を形成する（図7.21）．この結果はエルゴ領域と降着円盤に架かる磁気的橋は安定ではありえず，ブラックホールに落下せずねじられ続けるときは膨張することを示している．

7.8.4 理想 GRMHD の長時間数値シミュレーション

7.8.3 節に示した磁気的橋の数値計算は MRI が起こらないために，ブラックホールまわりでの磁気タワージェットの基本的な物理を調べるのにはよかったが，観測と結びつけるためには長時間・広範囲にわたる初期磁場配位によらないよう

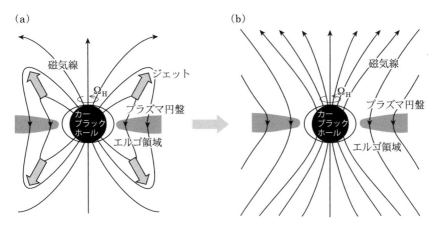

図 **7.21** エルゴ領域と降着円盤に架かる磁気的橋の長時間時間発展のイメージ.（a）磁気的橋の膨張.（b）いずれは反平行磁場を形成する.

な GRMHD 数値シミュレーションを行う必要がある. それをやってのけたのが, マッキーニ（McKinney）とガミー（Gammie）らのグループである（Gammie, McKinney, Toth 2003, McKinney, Gammie 2004, McKinney 2006）. これら一連の計算ではカー–シルド座標が用いられる. カー–シルド座標ではブラックホールの地平面は特異点とはならず, ブラックホールの内部までも計算ができる.

（C） まずは, 比較的狭い領域（$r \leqq 40M$）での長時間（$t \leqq 2000M$）の計算が行われた（McKinney, Gammie 2004）. 初期に流体力学的平衡にあるトーラス状プラズマを設定し（Fishbone, Moncrief 1976; Abramowicz, Jaroszinski, Shikora 1978）, そのトーラス状プラズマ内に微弱なポロイダル磁場を与えるベクトルポテンシャルは方位角成分

$$A_\phi(r,\theta) \propto \max(\rho_0(r,\theta)/\rho_{\max} - 0.2, 0)$$

のみを初期条件として与えて GRMHD 数値シミュレーションを行った（図 7.22）. ここで, $\rho_0(r,\theta)$ は初期のプラズマの密度で, 磁場は $\rho_0(r,\theta) > 0.2\rho_{\max}$ の領域に限定されている. また, 磁場はガス圧 p と磁気圧 $B^2/8\pi$ の比（プラズマベータ比, $\beta_\mathrm{p} = \dfrac{p}{B^2/8\pi}$）の最小値が 100 となるように決められた.

ポロイダル磁場はすぐさま MRI を引き起こし, ADAF（advection dominated

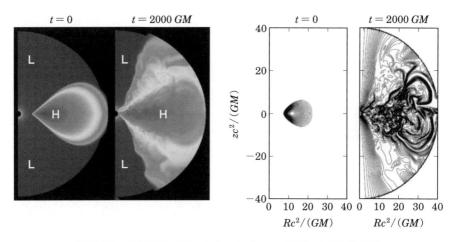

図 7.22 自転するブラックホール ($a_* = 0.92$) のまわりの降着円盤を含む磁気圏の理想 GRMHD 数値シミュレーション (McKinney, Gammie 2004). 左図の濃淡は密度の対数 (H：高密度, L：低密度). 右図の実線は磁気面. 左図の左端の黒い半円は地平面内の領域を示す.

accretion flow; 移流優勢降着流) のような円盤となった. また, 磁場はその ADAF のような円盤の中で増幅され, 部分的に非常に強い磁場に増幅された (プラズマベーター値が 1 以下).

2 千 τ_S の後, 増幅された磁場はブラックホールのエルゴ領域に達し, その磁力線はブラックホールの空間の引きずり効果により磁気タワージェットを形成した[*10]. 時刻 $t = 2000M$ では円盤付近は MRI によって乱流状態となっているのに対し, 軸付近はブラックホール地平面からのびる揃った磁力線が見られる (磁気タワージェット). これはポインティングフラックスが支配的なジェットとなっている. このジェットは計算領域が狭いために観測と直接比較することはできない.

(D) 続いて, 広い計算領域 ($r \leq 10^4 M$) にした計算が, 初期条件を基本的に同じにして行われた (McKinney 2006). 図 7.23 (左) はより大きい領域 ($r \sim 5000 r_S = 10^4 M$) にわたる時刻 $t = 1.4 \times 10^4 M$ での図であり, ジェットが 5 千 r_S より遠方まで達している. ここで, $r = 3000 r_S$ でジェットが再収束して見える

[*10] この計算では磁場が弱く MRI が起こりやすいために, 磁気タワーの形成過程をはっきり見ることはできない.

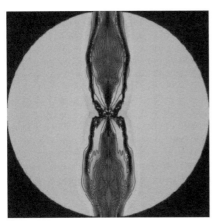 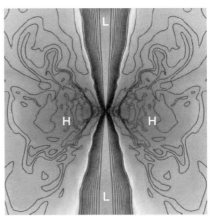

図 **7.23** （左）理想 GRMHD 数値シミュレーションのブラックホールまわりの広い範囲の時刻 $t = 1.4 \times 10^4 M$ でのプラズマの様子（McKinney 2006）．表示箱の辺の長さは $10^4 r_\mathrm{S}$．濃淡は静止質量密度の対数．実線は磁気面．（右）理想 GRMHD 数値シミュレーションのブラックホール近傍の時刻 $t = 1.4 \times 10^4 M$ でのプラズマの様子（McKinney 2006）．表示箱の辺の長さは $100 r_\mathrm{S}$ である．濃淡および実線は左図と同様である（H：高密度，L：低密度）．

（図 7.23（左））．これは定常的ではないことは後の計算により明らかとなっている．図 7.23（右）はそのジェットが $r < 50 r_\mathrm{S}$ でブラックホールの極方向に形成されていることを示している．ジェットはその長い距離の間に徐々に加速され，その先端付近（$r \sim 3000 r_\mathrm{S} = 6000 M$）ではローレンツ因子が $\gamma_\mathrm{L} \sim 7$ にまで達している．

また，その GRMHD 数値計算結果においてジェットの収束についても調べられている．それによると，ジェットの収束は数千〜1万シュバルツシルト半径程度の長い距離でなされ，その数値計算結果の開口角は観測（図 1.10（C））とそれほど違わないものとなっている．

7.9 抵抗性 GRMHD 数値シミュレーション

これまで自転するブラックホールの磁気圏プラズマの理想 GRMHD シミュレーションの結果を見てきた．それらはブラックホールのエルゴ領域と降着円盤をつな

ぐ磁気的橋は降着円盤内の磁気ループの MRI によりその一部がエルゴ領域に達し容易に形成される．さらに，その磁気的橋は安定ではありえず，ブラックホールの回転エネルギーからのエネルギーを蓄えて膨張することを示している．いずれは，磁気的橋は十分膨張し，反平行磁場を形成する．そのような反平行磁場があると，磁気リコネクションが起こる可能性がある．これまでの理想 GRMHD の計算でも，数値的な電気抵抗により生じた磁気島（プラズモイド）が見られる．ただ，これまでの GRMHD 数値計算では電気抵抗が考慮されていなかったので，磁気リコネクションをまともに取り扱うことはできない．ブラックホールまわりの磁気リコネクションを正しく取り扱うには電気抵抗を考慮した抵抗性 GRMHD を用いる必要がある．まず，特殊相対論的な磁気リコネクションの数値シミュレーションの結果を紹介する．

7.9.1 相対論的磁気リコネクションの数値計算

相対論的磁気リコネクションの数値シミュレーションは 2006 年に特殊相対論的抵抗性 MHD によりはじめて行われた（Watanabe, Yokoyama 2006）．各物理量の時間発展は特殊相対論的 MHD 方程式の 3 + 1 形式が用いられる．初期の磁場配位はハリス磁場（Harris magnetic field configuration）

$$B_x = 0, \quad B_y = B_0 \tanh(2x), \quad B_z = 0,$$
$$p = p_0\{1 + [\beta_p \cosh^2(2x)]^{-1}\}, \tag{7.105}$$
$$\rho = \rho_0\{1 + [\beta_p \cosh^2(2x)]^{-1}\}$$

で与えられる．ここで，電流層の厚さを長さの単位とし，$\beta_p = 8\pi p_0/B_0^2$ はプラズマベータ値である．密度の単位は ρ_0 を取り，$\rho_0 = 1$ とする．さらに，$p_0 = \rho_0$，$B_0 = \sqrt{8\pi p_0/\beta_p}$ として，典型的には $\beta_p = 0.1$ を取る．原点付近以外では一様な比較的小さな電気抵抗を与え，原点付近では比較的大きな電気抵抗を与える：

$$\eta = \begin{cases} \eta_b + \eta_{i0}[2(r/r_b)^3 - 3(r/r_b)^2 + 1] & (r \leqq r_b) \\ \eta_b & (r > r_b) \end{cases}. \tag{7.106}$$

ここで，$r = \sqrt{x^2 + y^2}$，$\eta_b = 5.0 \times 10^{-3}, \eta_{i0} = 0.3, r_b = 0.8$ である．$r < r_b$ の局所的な領域で磁気拡散（6.5 節前半参照）が起こり磁力線がつなぎかわる．図 7.24 に見られるように，原点付近で左右の磁力線が接近し，上下の磁力線へとつ

なぎかわる．このような磁力線のつなぎかえが起こる点状（線状）の領域を磁気リコネクションの **X 点**（X-point, X-line）という．プラズマは X 点に左右両方から流入し，上下方向に流出する．その上下方向の流れ，すなわち，アウトフローの速度は光速度に近くなっている．これはアルベーン速度が光速度近くとなるような，非常に磁場の強い場合の計算となっているためである．アウトフローを横切る磁力線は急に折れ曲がり，アウトフロー内では流れに垂直となっている．また，その磁力線が急に折れ曲がるところでプラズマの速度が急に変化している．この磁場および速度の急な変化は「**遅い衝撃波**」（slow shock wave）により生じる．このような遅い衝撃波をともなう速い磁気リコネクションは「**ペチェック・モデル**」（Petschek model）として知られている（Petschek 1964; 本シリーズ第 2 巻参照）．アウトフローの先端にはプラズモイドのようなものが見られ，それは時間とともに大きくなっていくのが見て取れる．

7.9.2 ブラックホール近傍での自発的な磁気リコネクション

近年，磁気リコネクションにより磁気島がブラックホールのまわりで形成されるような抵抗性 GRMHD 数値計算が行われるようになってきた（Ripperda *et al.* 2020）．ここでは，ブラックホール近傍で起こる磁気リコネクションの基本物理を理解するために行われた比較的単純な初期条件での計算結果について紹介する（Inda–Koide, Koide, Morino 2019）．

一様磁場のときでさえ，十分長い時間が経つとブラックホール近傍では分割単極子磁気配位が現れる．その分割単極子磁場の電流シート付近では磁気リコネクションが起こると考えられる．そこで，ブラックホールのまわりで起こる磁気リコネクションの最も簡単な場合として，自転のないブラックホールのまわりに分割単極子磁場を初期に設定した抵抗性 GRMHD 計算を行う．数値計算はボイヤーリンキスト座標において，次のような初期条件を設定して行った．磁場は分割単極子磁場 (7.1) より，ハリス磁場 (7.105) に似せて次のように設定する：

$$\hat{B}^r = \frac{B_0}{r^2} \tanh\left(\frac{\theta - \pi/2}{\delta}\right), \quad \hat{B}^\theta = \hat{B}^\phi = 0. \tag{7.107}$$

ここで，δ は電流シートの厚さを与える．θ 方向の平衡を保つために，圧力を

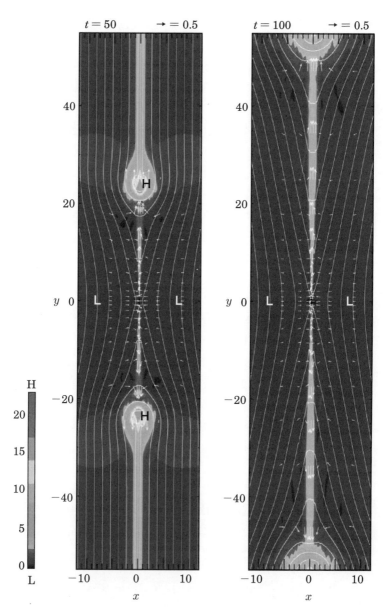

図 **7.24** 特殊相対論的な磁気リコネクションの数値計算結果 (Watanabe, Yokoyama 2006). 濃淡は密度 (L：低密度, H：高密度), 実線は磁気面, 矢印はプラズマの速度を表す. 左図：$t = 50$. 右図：$t = 100$.

$$p = \frac{B_0^2}{8\pi r^4}\frac{1}{\cosh^2((\theta - \pi/2)/\delta)} + p_{\mathrm{bg}}, \qquad (7.108)$$

とする.ただし,$p_{\mathrm{bg}} = \dfrac{B_0^2}{8\pi}\beta_{\mathrm{p}}\dfrac{1}{[2Mr^3]^{\Gamma/2}}$ である.Γ はプラズマのポリトロープ指数,β_{p} はプラズマベータで,ここではそれぞれ $\Gamma = 4/3$, $\beta_{\mathrm{p}} = 0.025$(一様)とする.さらに,プラズマの密度および速度を

$$\rho = \frac{1}{\sqrt{2Mr^3}}, \qquad (7.109)$$

$$\hat{v}_r = -0.8\sqrt{\frac{2M}{r}}, \quad \hat{v}_\theta = \hat{v}_\phi = 0 \qquad (7.110)$$

と与える.この初期条件では図 7.25(上図)に示すように,分割単極子磁気配位が実現される.ただ,このように設定すると電流シート上では動径方向の平衡は保たれない.$B_0 = 10, \delta = 0.1$ とし,電気抵抗は一様一定で $\eta = 10^{-3}r_{\mathrm{S}}$ とした.

図 7.25(中および下図)は時刻 $t = 9\tau_{\mathrm{S}}$ および $t = 14\tau_{\mathrm{S}}$ の磁場とプラズマの状態を示す.時刻 $t = 9\tau_{\mathrm{S}}$ では磁気リコネクションの X 点を $r \equiv r_{\mathrm{X}} \sim 1.2r_{\mathrm{S}}$,$\theta = \pi/2$ とする磁気リコネクションが起こっているように見える.7.9.1 節で示した局所的に電気抵抗を大きくする計算とは違い電気抵抗は一様,一定であるにもかかわらず,磁気リコネクションは $r \sim 1.2r_{\mathrm{S}}$ を X 点として起こり,後半($t > 10\tau_{\mathrm{S}}$)でしだいに X 点は地平面方向にずれて行く.時刻 $t = 14\tau_{\mathrm{S}}$ では磁気リコネクションが新たに $r > 1.5r_{\mathrm{S}}$ でも起こり,$r = 1.4r_{\mathrm{S}}$ 付近にプラズモイドが形成されている.

この抵抗性 GRMHD 数値シミュレーションはブラックホールのまわりでは自発的に X 点をともなう磁気リコネクションが起こることを示唆している.天文学的により現実的な状況での数値計算を行うには HLLD 法などの高精度数値計算法を用いた大規模な並列計算が必要となる(第 5 巻参照).ブラックホールのまわりでは磁気リコネクションが頻繁に起こると考えられ,これが活動銀河核やマイクロクエーサーのフレアーを引き起こしている可能性がある.今後,ブラックホールまわりの磁気リコネクションの高精度・大規模計算のさらなる発展が期待される.

本章の最後の二節で GRMHD の数値シミュレーションの結果をいくつか紹介した.近年,ブラックホールのまわりのプラズマの動的挙動を調べるために理想

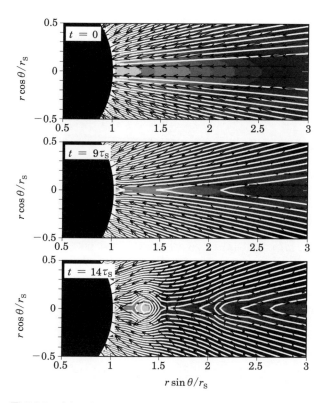

図 7.25 自転しないブラックホールのまわりに，分割単極子磁場配位を初期条件として設定した抵抗性 GRMHD シミュレーション（Inda–Koide, Koide, Morino 2019）．濃淡は圧力（淡いほど高圧），白い実線は磁気面，矢印はプラズマの速度．左側の黒い半円はブラックホールの地平面内を表す．

GRMHD シミュレーションが必要不可欠となってきた．ここで理想 GRMHD 数値シミュレーションについては，初期段階の基本的な結果のみを紹介した．長時間 3 次元大領域の計算（McKinney, Blandford 2009）はもとより，放射とプラズマの相互作用も考慮した放射 GRMHD シミュレーションの結果（Takahashi ら 2016）も発表されるなど，最近の GRMHD 数値計算の発展は著しい．

一方，最近 VLBI を用いた国際的な共同プロジェクト "Evento horizon telescope collaboration"（EHTC）により，M87 の中心核（M87*）と銀河系中心核 Sgr A* の巨大ブラックホールのシャドウが撮像された（EHTC *et al.* 2019a, 2022a）．

ブラックホールのシャドウは明るく輝くリング領域に囲まれた穴として観測される（1章，図1.17）．このリング状の輝きはブラックホールの光子球付近を通過する電磁波の集積として理解されている．M87*および Sgr A*のいずれの観測でも，観測データだけでは情報が十分ではなくブラックホールのプラズマや磁場の状態や配位を決定することはできない．GRMHD と一般相対論的輻射輸送（general relativistic radiative transfer, GRRT）の計算を組み合わせた結果と比較することにより，ブラックホールのまわりの状況を推察することができる．そのために考えられるブラックホールのプラズマ・磁場のパラメーターを想定して膨大な数の高精度大規模 GRMHD 数値計算が行われた（EHTC et al. 2019b, 2022b）．それによると M87*と Sgr A*の中心ブラックホールへの降着流は MAD モデルが最も観測と整合するという．さらに，M87*のブラックホールについては，磁気配位を決定するのに重要な偏光観測も行われた（EHTC et al. 2021a）．偏光が観測された領域は明るく輝くリングに沿っていて，偏光（電場成分）はリングを斜めに横切っているように見える（図1.18）．偏光と磁場の方向は垂直であるので，単純に考えると湾曲した磁力線がリングを横切っていると推測される．ただ，ブラックホール近傍からの電磁波なので，軌道の湾曲などの一般相対論的効果により単純には結論づけることはできない．赤道面付近の3つの単純な磁気配位を仮定した一般相対論的光線追跡（general relativistic ray tracing）計算と比較することにより，M87*で観測された偏光からは MAD モデルで予想される強いポロイダル磁場が示唆されるという（EHTC et al. 2021b）．一方，理想 GRMHD 計算によると MAD 降着流は常に相対論的ジェットがともなうとされていて，M87*の相対論的ジェットは MAD モデルで問題なく説明されるが，Sgr A*にはジェットは観測されておらずその理由は未解明である．これは以下のような可能性が考えられる：(i) Sgr A*からのジェットは放射が弱く観測されていない，(ii) Sgr A*の降着流モデルとして MAD は適切ではない，(iii) ジェットのともなわない MAD 降着流がある．(i) と (ii) については，いずれ観測が進むにつれて正否が判明するだろう．(iii) に関連して，実は現在の GRMHD 計算ではジェットのプラズマ源が数値的に与えられていることに注意する必要がある．そのためジェットが形成されないような場合でも数値計算ではジェットが現れる．今後，相対論的ジェットのプラズマ源の物理を解明するために理想 MHD 近似では扱いきれないプラズマの2流体効果や運動論的効果の重要性が認識されるかもしれない．そのような数値計算には，一般化されたオー

ムの法則を含む拡張された GRMHD（extended GRMHD）が有効かもしれない（Khanna 1998, Meier 2004, Koide 2009, 2010, 2020, Koide *et al.* 2023）．

Chapter ❼ の章末問題

問題 7.1 ベクトルポテンシャルを回転軸キリングベクトル $A^\mu = \eta^\mu = (0,0,0,1)$ とした電磁場は，無限遠方でブラックホールの回転軸に平行で一様な強さ2の磁場中に磁荷を持たず電荷 $Q_e = 16\pi Ma$ をもったブラックホールがまわりに作る定常電磁場となることを示せ．

問題 7.2 ベクトルポテンシャルを時間移動キリングベクトル $A^\mu = \chi^\mu = (1,0,0,0)$ とした電磁場は，真空中でブラックホールが磁荷を持たず電荷 $Q_e = -8\pi M$ をもったときにまわりに作る軸対称定常な電磁場と一致することを示せ．

問題 7.3 (7.10) を示せ．

問題 7.4 自転するブラックホールのまわりの軸対称定常な一様磁場を与えるワルド解 (7.11) はカー–シルド座標でも同じ表式になることを示せ．

問題 7.5 (7.22) を示せ．

問題 7.6 (7.28) を確かめよ．

問題 7.7 ボイヤー–リンキスト座標において地平面での磁場の条件 (7.40) をカー–シルド座標において磁場の方位角成分 $B^{\bar\phi}$ が有限であるという条件から導け．

問題 7.8 (7.45) を確かめよ．

問題 7.9 ブラックホールから無限遠方でフォースフリーの定常解が満たす式 (7.51) をフォースフリーの波の黄金則 (5.56) から示せ．

問題 7.10 (7.55) を *Mathematica* などの数学ソフトウェアを用いて確かめよ．

問題 7.11 (7.56) を求めよ．

問題 7.12 磁気単極子磁場を仮定した場合，ブランドフォード–ナエク機構で放射される全エネルギー放射率が $L = 2\pi \dfrac{\pi}{12} a_*^2 \dfrac{(\hat{B}_{\rm P}^{\rm H})^2}{4\pi} r_{\rm H}^2 c$ となることを示せ．

問題 7.13 (7.81) を導け．

問題 7.14 (7.83) を導け．

問題 7.15 (7.91)，(7.92) を確かめよ．

Chapter 8
一般相対論的ボルツマン方程式

　ブラックホールの近くなどでは流体や輻射場での一般相対論の効果を無視することができない．曲がった時空中での輻射場や輻射流体も一般相対論の枠組みで記述することができ，局所的な微視的過程は局所ローレンツ系で，それ以外の部分は一般座標変換に不変な形で書くことができる．ここでは，光子の輻射輸送方程式や輻射流体力学の基礎方程式を理解する上で必要なボルツマン方程式について説明する．

8.1　ボルツマン方程式

　流体や輻射場などマクロスコピック（巨視的）な物理量として考えられているが，実際には，多数の粒子（原子や光子）から成り立っており，ミクロスコピック（微視的）な視点から流体や輻射場の振る舞いを表すことも可能である．この立場では，3次元の座標空間と3次元の速度空間からなる6次元**位相空間**（phase space）の中で多数の粒子の運動を記述した．位置 r と速度 v を持った粒子の位相空間での粒子数密度は**分布関数**（distribution function） $f(r, v, t)$ を用いて表された．非相対論的な場合には，分布関数は**ボルツマン方程式**（Boltzmann equaiton）

$$\frac{\partial f}{\partial t} + v \cdot \frac{\partial f}{\partial r} + a \cdot \frac{\partial f}{\partial v} = \left(\frac{df}{dt}\right)_c \tag{8.1}$$

に従って時間発展する*1. ここで, a は粒子の加速度であり, 右辺は粒子の衝突・散乱（光子の場合には, 加えて吸収や放射）などによる分布関数の変化率を表している. 分布関数に6次元位相空間の微小体積である d^3rd^3v をかけた

$$dN = f(\bm{r}, \bm{v}, t)d^3\bm{r}d^3\bm{v} \tag{8.2}$$

によって, 位置が $\bm{r}$ から $\bm{r}+d^3\bm{r}$ の間にあり, 速度が $\bm{v}$ から $\bm{v}+d^3\bm{v}$ の間にある粒子数 dN を表すことができた. また, 粒子の運動に沿って位相空間密度が保存することも**リュービユの定理**（Liouville theorem）として知られている*2. 位相空間として, 上では3次元座標空間（$\bm{r}$）と3次元速度空間（$\bm{v}$）を用いたが, 位相空間を3次元座標空間（$\bm{r}$）と3次元運動量空間（$\bm{p}$）による空間とする場合もある. 特に, 光子を扱う場合には速度空間を用いることはできないので, 運動量空間が用いられる*3. また, 相対論的な観点からは, 運動量空間を用いる方が自然である*4.

以上のような非相対論的な物理量や方程式は, 粒子の速度が光速よりも非常に小さい場合や粒子のエネルギーが質量エネルギーよりもかなり小さい場合に用いられる. 相対論効果が効く場合には, 観測者によって観測される物理量の値が異なる場合がある. 重力の効果を考慮しない特殊相対論的の場合には, ローレンツ変換で変化しない**ローレンツ不変量**（Lorentz invariant）に注目して物理量を記述すると便利である. 実際, 位相空間での微小体積 $d^3\bm{r}d^3\bm{p}$ はローレンツ不変量であり, ローレンツ不変量である不変分布関数 $\mathcal{F}$ を定義することもできる*5. 光子に対するボルツマン方程式は輻射輸送方程式とも呼ばれる. （特殊）相対論的な輻射輸送方程式は, ローレンツ不変量である分布関数 f に対する方程式として記述される*6. 光子に対する一般相対論的なボルツマン方程式, つまり, 不変分布関数 $\mathcal{F}$ の発展方程式, は具体的には,

---

*1 第1巻, 付録 A.5 (6) および第3巻, 9.1 節参照.
*2 第1巻, 4.1.2 節参照.
*3 この場合, 光子の運動量を表す記号として k を用いる場合もある. 第3巻 13 章参照.
*4 次節以降を参照のこと. また, Synge (1957) §8 の議論も参考になる.
*5 第3巻 13.1 節 (13.31) が $\mathcal{F}$ に対応する.
*6 第3巻 13.2 節参照.

$$p^\alpha \frac{\partial \mathcal{F}}{\partial x^\alpha} - \Gamma^\beta_{\alpha\gamma} p^\alpha p^\gamma \frac{\partial \mathcal{F}}{\partial p^\beta} = \mathcal{E}_{\rm e}(x^\alpha, p^\alpha) - [\mathcal{A}_{\rm a}(x^\alpha, p^\alpha) + \mathcal{A}_{\rm s}(x^\alpha, p^\alpha)]\mathcal{F}(x^\alpha, p^\alpha)$$
$$+ \int \mathcal{A}_{\rm s}(x^\alpha, p'^\beta) \zeta(x^\alpha; p'^\beta \to p^\alpha) \mathcal{F}(x^\alpha, p'^\beta) dP' \quad (8.3)$$

と書くことができる[*7]．ここで，右辺は不変分布関数 $\mathcal{F}$ の時間微分の項，空間座標による微分の項，エネルギーと運動量による微分の項を含んでいる．一方で，左辺はボルツマン方程式の衝突項を表し，物質粒子による光子の放射による光子数の増加，吸収による光子数の減少，散乱によるある運動量をもつ光子の数の変化を表している．この式を導出することが本章の目標の一つである．

以下の節では，非相対論的または特殊相対論的な状況で用いられてきた分布関数，微小体積，ボルツマン方程式，リュービユの定理などを一般相対論的な状況でも用いることができるように拡張する．一般相対論的に拡張するということの意味は，曲がった時空中での**一般座標変換**（general coordinate transformation）に対して不変な形に拡張するということである．そのために，まず，位相空間での微小体積の一般相対論化からはじめる．実は，この微小体積の部分が少し複雑で面倒な部分であると思われるが，それ以降の話の基礎になる重要な部分であるので，飛ばさずに読んでほしい．

一般相対論的なボルツマン方程式を記述する**曲がった時空での運動学**（kinetic theory in curved spacetime）に関しては，リンキスト（R.W. Lindquist），ザックス（R.K. Sachs），エラーズ（J. Ehlers），イスラエル（W. Israel）らによる理論がある[*8]．また，これらの理論は微分形式を用いて記述されることが多いのであるが，微分形式という数学の道具になじみのない読者を想定し，次節以降では微分形式を用いないで記述する．

[*7] まだ何も説明していないので，この式の具体的な意味はわからなくてもよい．雰囲気のみ感じてもらえれば問題ない．

[*8] 巻末文献にある Lindquist (1966), Sachs, Ehlers (1968), Ehlers (1971), Israel (1972) などを参照のこと．これらの文献で記述されている曲がった時空の動力学は，4次元時空多様体と4次元接空間からなるファイバー束を数学的基礎にもち，リーマン多様体上の接束の微分幾何学の基本的事項は日本人数学者の佐々木重雄によって与えられた．きちんと理解したい読者には，Lindquist (1966) などを読む前に巻末文献にある Sasaki (1958) と Sasaki (1962) を読むことを勧める．

8.2 不変体積要素

8.2.1 一般座標変換に対する不変量

いま，4 次元時空の点 p の位置が，ある座標 $x^\alpha (\alpha = 0, 1, 2, 3)$ を用いて表されるとする．同時に，その座標とは別の座標 $x^{\alpha'} (\alpha = 0, 1, 2, 3)$ を用いて，同じ点の位置が表される状況を考えよう．この場合，一方の座標 x^α が決まれば，他方の座標 $x^{\alpha'}$ も決まるので，$x^{\alpha'}$ は x^α の関数である．つまり，

$$\begin{aligned} x^{0'} &= x^{0'}(x^0, x^1, x^2, x^3), \\ x^{1'} &= x^{1'}(x^0, x^1, x^2, x^3), \\ x^{2'} &= x^{2'}(x^0, x^1, x^2, x^3), \\ x^{3'} &= x^{3'}(x^0, x^1, x^2, x^3) \end{aligned} \tag{8.4}$$

となっている．このような関数の関係を一般座標変換という．また，これらをまとめて

$$x^{\alpha'} = x^{\alpha'}(x^\beta) \tag{8.5}$$

と書いたり（図 8.1），簡単に $x^\alpha \to x^{\alpha'}$ と書いたりする．また，これらの逆変換は $x^\beta = x^\beta(x^{\alpha'})$ や $x^{\alpha'} \to x^\alpha$ と書く．

粒子の位相空間での数密度である分布関数 f を定義するためには，位相空間中

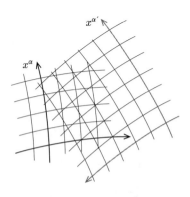

図 **8.1** 一般座標変換．

の微小体積要素が必要となる．一般相対論に基づいて分布関数を決めるためには，一般座標変換に対して不変量となるような**不変体積要素**（invariant volume element）が必要となる．ここで，座標 x^μ（$\mu = 0, 1, 2, 3$）の関数

$$\Psi(x^0, x^1, x^2, x^3) \tag{8.6}$$

のうち，一般座標変換 $x^\mu \to x^{\mu'}$（$\mu = 0, 1, 2, 3$）に対して値を変えない，すなわち，

$$\Psi(x^{0'}, x^{1'}, x^{2'}, x^{3'}) = \Psi(x^0, x^1, x^2, x^3) \tag{8.7}$$

であるとき，$f(x^0, x^1, x^2, x^3)$ を一般座標変換に対する不変量という．以下では，座標空間での不変体積要素と運動量空間での不変体積要素を考える．

8.2.2　4 次元座標空間での不変体積要素

ここでは，時間 1 次元，空間 3 次元の曲がった時空（リーマン空間）を記述する座標空間での体積要素 d^4x について考える．座標が直交している場合には，体積要素 d^4x は，各座標方向の微小変位 dx^μ（$\mu = 0, 1, 2, 3$）を用いて $d^4x = dx^0 dx^1 dx^2 dx^3$ と表される．一般座標変換 $x^\mu \to x^{\mu'}$（$\mu = 0, 1, 2, 3$）に対して，

$$d^4 x' = \frac{\partial(x')}{\partial(x)} d^4 x \tag{8.8}$$

となる．ここで，$\partial(x')/\partial(x)$ は変数変換の**ヤコビ行列式**（Jacobian）であり，具体的には以下のように 4×4 行列の行列式で与えられる：

$$\frac{\partial(x')}{\partial(x)} = \frac{\partial(x^{0'}, x^{1'}, x^{2'}, x^{3'})}{\partial(x^0, x^1, x^2, x^3)} = \begin{vmatrix} \dfrac{\partial x^{0'}}{\partial x^0} & \dfrac{\partial x^{0'}}{\partial x^1} & \dfrac{\partial x^{0'}}{\partial x^2} & \dfrac{\partial x^{0'}}{\partial x^3} \\ \dfrac{\partial x^{1'}}{\partial x^0} & \dfrac{\partial x^{1'}}{\partial x^1} & \dfrac{\partial x^{1'}}{\partial x^2} & \dfrac{\partial x^{1'}}{\partial x^3} \\ \dfrac{\partial x^{2'}}{\partial x^0} & \dfrac{\partial x^{2'}}{\partial x^1} & \dfrac{\partial x^{2'}}{\partial x^2} & \dfrac{\partial x^{2'}}{\partial x^3} \\ \dfrac{\partial x^{3'}}{\partial x^0} & \dfrac{\partial x^{3'}}{\partial x^1} & \dfrac{\partial x^{3'}}{\partial x^2} & \dfrac{\partial x^{3'}}{\partial x^3} \end{vmatrix}. \tag{8.9}$$

一方で，一般座標変換 $x^\mu \to x^{\mu'}$ により，計量テンソル $g_{\mu\nu}$ は

$$g_{\mu'\nu'}(x^{\lambda'}) = \frac{\partial x^\alpha}{\partial x^{\mu'}} \frac{\partial x^\beta}{\partial x^{\nu'}} g_{\alpha\beta}(x^\lambda) \tag{8.10}$$

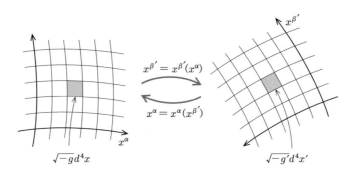

図 **8.2** 4 次元時空での不変体積要素.

と変換される[*9]．この変換式の行列式を計算すると

$$g' = \left[\frac{\partial(x)}{\partial(x')}\right]^2 g \tag{8.11}$$

となる．ここで，g と g' はそれぞれ行列式 $g = \det\|g_{\alpha\beta}\|$，$g' = \det\|g_{\mu'\nu'}\|$ であり，座標近傍で常に $\partial(x)/\partial(x') > 0$ と向きづけが可能であること，

$$\frac{\partial(x)}{\partial(x')} \cdot \frac{\partial(x')}{\partial(x)} = 1 \tag{8.12}$$

であることから，

$$\sqrt{-g'}d^4x' = \sqrt{-g}d^4x \tag{8.13}$$

となる．これにより，座標変換に対して，

$$\sqrt{-g}\ d^4x \tag{8.14}$$

が不変量となっていることがわかる（図 8.2）．

8.2.3 4 次元運動量空間での不変体積要素

4 次元時空である座標空間の点 x^α と運動量空間の点 p^α からなる位相空間 (x^α, p^α) を考える．座標空間の各点ごとに運動量ベクトルの向きはいろいろな方向をとることができることから，座標空間の各点 x^α ごとに，その点に対応した運動

[*9] 第 2 章 2.1 節参照.

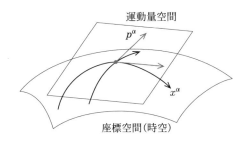

図 8.3 座標空間（時空）と運動量空間からなる位相空間.

量空間 p^α が付随しているイメージである（図 8.3）．座標空間の点の位置が変われば，それに対応して運動量空間も変わる．

時空の各点 x^μ に付随する運動量空間に対しても一般座標変換に対する不変量が存在する．一般座標変換 $x^\mu \to x^{\mu'}$ に対応して運動量も $p^\mu \to p^{\mu'}$ と変換される，つまり，$(x^\mu, p^\mu) \to (x^{\mu'}, p^{\mu'})$ という変換に対して，運動量空間での体積要素は，

$$d^4 p' = \frac{\partial(p')}{\partial(p)} d^4 p \tag{8.15}$$

と変換される．一方，運動量は，

$$p^{\nu'} = \frac{\partial x^{\nu'}}{\partial x^\mu} p^\mu \tag{8.16}$$

と変換されることから，

$$\frac{\partial(p')}{\partial(p)} = \frac{\partial(x')}{\partial(x)} \tag{8.17}$$

となる．よって，座標空間の場合と同様に，運動量空間では，座標変換に対して

$$\sqrt{-g}\, d^4 p \tag{8.18}$$

が不変量となっている．

8.2.4　8 次元不変体積要素とリュービユの定理

以上の（8.14）と（8.18）より，座標空間 4 次元，運動量空間 4 次元の 8 次元空間において，8 次元体積要素

$$(-g) d^4 x d^4 p \tag{8.19}$$

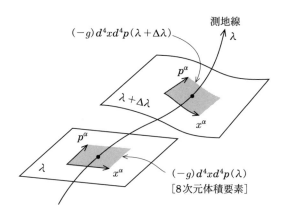

図 **8.4** リュービユの定理と 8 次元体積要素.

が一般座標変換に対する不変量になっていることがわかる[*10]．ここで，(8.19) で与えられている 8 次元体積要素は，粒子が測地線に沿って運動する場合にも世界線に沿った不変量になっている．つまり，

$$\frac{d}{d\lambda}\left\{(-g)d^4x d^4p\right\} = 0 \tag{8.20}$$

となる．これは，**リュービユの定理**（Liouville's theorem）として知られている（図 8.4）．ここで λ は測地線に沿ったパラメータである[*11]．

8.3 一般的な変位ベクトルに対する不変体積要素

8.3.1 n 次元平行多面体の体積

ここで次節で必要な線形代数の基本的事項を簡単におさらいしておこう[*12]．まず，行列式の図形的な意味であるが，線形代数学で出てくるように，$n \times n$ 行列の行列式は n 本の線形独立なベクトルが作る **n 次元平行多面体**（n dimensional

---

[*10] 特殊相対論に限定された話ではあるが，巻末文献にある Synge（1957）に 8 次元不変体積要素に関する幾何学的な説明が与えられている．

[*11] 証明は章末問題 8.1 にある．

[*12] より体系的には，永田（1995）などで復習できる．

parallelpiped）の体積を意味する[*13].

(1) 2次元の場合

2次元の場合には，線形独立な2つのベクトルである

$$\boldsymbol{a} = (a^1, a^2), \qquad \boldsymbol{b} = (b^1, b^2) \tag{8.21}$$

が2次元空間（2次元なので平面）に作る2次元平行多面体（2次元なので平行四辺形）の向きづけられた体積（2次元なので面積）は，

$$\begin{vmatrix} \boldsymbol{a} \\ \boldsymbol{b} \end{vmatrix} = \begin{vmatrix} a^1 & a^2 \\ b^1 & b^2 \end{vmatrix} = \eta_{\alpha\beta} a^\alpha b^\beta \tag{8.22}$$

で与えられる（図8.5（左））．最後の式は，行列式を各成分の和で書いた表式で，ここで $\eta_{\alpha\beta}$ は**完全反対称記号**（completely antisymmetric symbol）で，

$$\eta_{\alpha\beta} = \begin{cases} +1 & (\alpha, \beta) \text{ が } (1,2) \text{ の偶置換の場合} \\ -1 & (\alpha, \beta) \text{ が } (1,2) \text{ の奇置換の場合} \\ 0 & \text{それ以外の場合} \end{cases} \tag{8.23}$$

という性質をもつ．行列式で与えられるのは向きづけられた体積であるので，行列式の値は正の値と負の値を取りうる．正負は座標軸とベクトルが作る平行四辺形の面の方向で決まる．

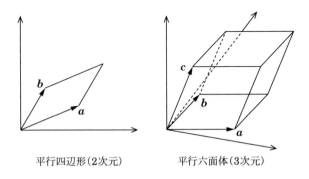

平行四辺形(2次元)　　平行六面体(3次元)

図 **8.5** 平行多面体．

[*13] n 次元平行体積が行列式で与えられることの基本的な説明は，巻末文献の Courant, John (1974) の Chapter 2 などで与えられている．

(2) 3次元の場合

3次元の場合には，線形独立な3つのベクトルである

$$\boldsymbol{a} = (a^1, a^2, a^3), \qquad \boldsymbol{b} = (b^1, b^2, b^3), \qquad \boldsymbol{c} = (c^1, c^2, c^3) \tag{8.24}$$

が3次元空間に作る3次元平行多面体（3次元なので平行六面体）の向きづけられた体積は，

$$\begin{vmatrix} \boldsymbol{a} \\ \boldsymbol{b} \\ \boldsymbol{c} \end{vmatrix} = \begin{vmatrix} a^1 & a^2 & a^3 \\ b^1 & b^2 & b^3 \\ c^1 & c^2 & c^3 \end{vmatrix} = \eta_{\alpha\beta\gamma} a^\alpha b^\beta c^\gamma \tag{8.25}$$

で与えられる（図8.5（右））．ここで，$\eta_{\alpha\beta\gamma}$ は3変数に対する完全反対称記号で

$$\eta_{\alpha\beta\gamma} = \begin{cases} +1 & (\alpha, \beta, \gamma) \text{ が } (1,2,3) \text{ の偶置換の場合} \\ -1 & (\alpha, \beta, \gamma) \text{ が } (1,2,3) \text{ の奇置換の場合} \\ 0 & \text{それ以外の場合} \end{cases} \tag{8.26}$$

という性質をもつ．実際に，(8.25)で与えられる行列式が平行六面体の体積を表すことは次のように考えればわかる．まず，(8.25)の成分表示の一部を次のように定義する．

$$S_\gamma = \eta_{\alpha\beta\gamma} a^\alpha b^\beta \tag{8.27}$$

これを用いると，(8.25)は

$$\begin{vmatrix} \boldsymbol{a} \\ \boldsymbol{b} \\ \boldsymbol{c} \end{vmatrix} = S_\gamma c^\gamma \tag{8.28}$$

と表される．ここで，S_γ を成分にもつベクトルを $\boldsymbol{S}$ と表す．つまり，$\boldsymbol{S} = (S_\gamma) = (S_1, S_2, S_3)$ である．このときの $\boldsymbol{S}$ は，2つの3次元ベクトル $\boldsymbol{a}$ と $\boldsymbol{b}$ の外積であるので，向きは $\boldsymbol{a}$ と $\boldsymbol{b}$ に垂直な向き，大きさは $\boldsymbol{a}$ と $\boldsymbol{b}$ が3次元空間中に張る平行四辺形の面積と同じ大きさをもつ．(8.25)で与えられる3つのベクトル $\boldsymbol{a}, \boldsymbol{b}, \boldsymbol{c}$ からなる行列式は，ベクトル $\boldsymbol{S} = (S_\gamma)$ とベクトル $\boldsymbol{c} = (c^\gamma)$ の内積で表される．この内積は，ベクトル $\boldsymbol{c}$ の $\boldsymbol{S}$ 方向への射影された成分と $\boldsymbol{S}$ の大きさの積で表される．ここで，射影された成分は正の値，負の値のどちらもとることがある．また，

3つのベクトル a, b, c が線形独立であるときは，射影された成分は0ではない値をとる．これより，(8.25) で与えられる行列式は，3つのベクトル a, b, c が張る平行六面体の向きづけされた体積を表すことがわかる．

上の話は，ベクトル c が，a, b, c が線形独立となる任意の方向を向くときの話であるが，ここで c が a と b に垂直な方向を向いた単位ベクトルである場合を考えよう．このベクトルを $\hat{c}$ と表そう．また，ベクトル a, b が張る平行四辺形の面積を S とする．つまり，$|S| = S$ である．ベクトル S は，$\hat{c}$ 方向を向いた大きさ S のベクトルであるので，

$$S = S\hat{c} \tag{8.29}$$

と表される．成分で書くと

$$\eta_{\alpha\beta\gamma} a^{\alpha} b^{\beta} = S\hat{c}_{\gamma} \tag{8.30}$$

となる．ここで，$\hat{c}$ の成分を $\hat{c}_{\gamma}$ とおいた．

ここで，はっきりとイメージを持たせるために3次元球座標に関する次の例題を考えてみよう．

例題 8.1 直交座標 (x, y, z) と球座標 (r, θ, ϕ) の間に，

$$x = r\sin\theta\cos\phi, \quad y = r\sin\theta\sin\phi, \quad z = r\cos\theta \tag{8.31}$$

という関係を考えるとき，体積要素 dV と，体積要素を構成する面の面積ベクトル $d\boldsymbol{S}_i\,(i=1,2,3)$ を球座標を用いて表せ．

解答 体積要素 dV は，

$$dV = dxdydz = (dr)(rd\theta)(r\sin\theta d\phi) \tag{8.32}$$

となる．この体積要素は，3次元空間中の6面体であると考えることができる（図8.6）．この6面体の各面は r, θ, ϕ のそれぞれの方向を向いており，それぞれの面の面積ベクトルは，

$$\begin{aligned} d\boldsymbol{S}_1 &= dS_1 \hat{\boldsymbol{r}} = (rd\theta)(r\sin\theta d\phi)\hat{\boldsymbol{r}}, \\ d\boldsymbol{S}_2 &= dS_2 \hat{\boldsymbol{\theta}} = (dr)(r\sin\theta d\phi)\hat{\boldsymbol{\theta}}, \\ d\boldsymbol{S}_3 &= dS_3 \hat{\boldsymbol{\phi}} = (dr)(rd\theta)\hat{\boldsymbol{\phi}} \end{aligned} \tag{8.33}$$

となる．ここで，r, θ, ϕ の各方向の単位ベクトルをそれぞれ $\hat{\boldsymbol{r}}, \hat{\boldsymbol{\theta}}, \hat{\boldsymbol{\phi}}$ とした．これらの式は，(8.29) で表される関係を3次元球座標で書いたものに対応する． ■

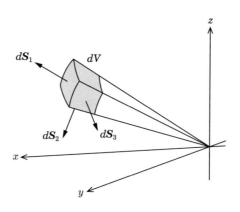

図 **8.6** 3次元空間での体積要素とベクトル体積要素.

(3) 任意の次元の場合

以上の話で，2次元空間の平行四辺形の向きづけされた面積は線形独立な2次元ベクトル $\boldsymbol{a}, \boldsymbol{b}$ によりつくられる行列式で表され，3次元空間の平行六面体の向きづけされた体積は線形独立な3次元ベクトル $\boldsymbol{a}, \boldsymbol{b}, \boldsymbol{c}$ によりつくられる行列式で表されることをみた．この話は，より高い次元に一般化することができる．線形独立な n 本の n 次元ベクトル $\boldsymbol{a}_1, \boldsymbol{a}_2, \cdots, \boldsymbol{a}_n$ によって張られる n 次元平行多面体の向きづけされた体積は，

$$\begin{vmatrix} \boldsymbol{a}_1 \\ \boldsymbol{a}_2 \\ \cdots \\ \boldsymbol{a}_n \end{vmatrix} = \begin{vmatrix} (a_1)^1 & (a_1)^2 & \cdots & (a_1)^n \\ (a_2)^1 & (a_2)^2 & \cdots & (a_2)^n \\ \cdots & \cdots & \cdots & \cdots \\ (a_n)^1 & (a_n)^2 & \cdots & (a_n)^n \end{vmatrix} = \eta_{\alpha\beta\cdots\gamma}(a_1)^\alpha (a_2)^\beta \cdots (a_n)^\gamma \qquad (8.34)$$

であたえられる．最後の表式で，$\eta_{\alpha\beta\cdots\gamma}$ は，

$$\eta_{\alpha\beta\cdots\gamma} = \begin{cases} +1 & (\alpha, \beta, \cdots, \gamma) \text{ が } (1, 2, \cdots, n) \text{ の偶置換の場合} \\ -1 & (\alpha, \beta, \cdots, \gamma) \text{ が } (1, 2, \cdots, n) \text{ の奇置換の場合} \\ 0 & \text{それ以外の場合} \end{cases} \qquad (8.35)$$

という性質をもつ．

8.3.2 独立な変位ベクトルに対する不変体積要素

8.2 節で見た座標空間での不変体積要素 $\sqrt{-g}\,d^4x$ は，4 つの座標軸が直交する場合には，各座標方向への微小変位 $dx^\mu\,(\mu=0,1,2,3)$ を用いて，

$$\sqrt{-g}\,d^4x = \sqrt{-g}\,dx^0 dx^1 dx^2 dx^3 \tag{8.36}$$

となる．4 次元座標空間の中での座標軸の取り方は，線形独立な 4 つのベクトルの任意性がある．(8.36) で与えられる不変体積要素は，線形独立な 4 つのベクトル

$$\begin{aligned}
\boldsymbol{d}_0 x &= (dx^0, 0, 0, 0), \\
\boldsymbol{d}_1 x &= (0, dx^1, 0, 0), \\
\boldsymbol{d}_2 x &= (0, 0, dx^2, 0), \\
\boldsymbol{d}_3 x &= (0, 0, 0, dx^3)
\end{aligned} \tag{8.37}$$

が張る体積の不変体積要素に相当する．ここで，これらのベクトルの成分を $\boldsymbol{d}_\mu x = (d_\mu x^\alpha) = (d_\mu x^0, d_\mu x^1, d_\mu x^2, d_\mu x^3)$ と書くことにする．ここで，μ は 4 つのベクトルを区別する添え字で，α はベクトルの成分を区別する添え字である．この 4 つのベクトルは線形独立であるので，ベクトルを 4 つ並べてできる 4×4 行列の行列式は 0 ではない．このとき，これらの 4 つのベクトルで張られる平行多面体の向きづけされた体積は

$$\begin{aligned}
\begin{vmatrix} \boldsymbol{d}_0 x \\ \boldsymbol{d}_1 x \\ \boldsymbol{d}_2 x \\ \boldsymbol{d}_3 x \end{vmatrix} &= \begin{vmatrix} d_0 x^0 & d_1 x^0 & d_2 x^0 & d_3 x^0 \\ d_0 x^1 & d_1 x^1 & d_2 x^1 & d_3 x^1 \\ d_0 x^2 & d_1 x^2 & d_2 x^2 & d_3 x^2 \\ d_0 x^3 & d_1 x^3 & d_2 x^3 & d_3 x^3 \end{vmatrix} \\
&= \eta_{\alpha\beta\gamma\delta} d_0 x^\alpha d_1 x^\beta d_2 x^\gamma d_3 x^\delta \\
&\neq 0
\end{aligned} \tag{8.38}$$

である．いま，4 つのベクトルは線形独立であるとしていたので，この体積は 0 でない．なぜなら，線形従属なベクトルの組に対しては行列式は 0 となるからである．また，(8.38) の $\eta_{\alpha\beta\gamma\delta} d_0 x^\alpha d_1 x^\beta d_2 x^\gamma d_3 x^\delta$ はこの体積を成分の各項の和として表したものである．ここで，$\eta_{\alpha\beta\gamma\delta}$ は完全反対称記号で，(8.35) で決まる．(8.38) によって，4 次元座標空間で線形独立な 4 つの任意の方向への微小変位を表すベク

トルで張られる不変体積要素は,

$$\sqrt{-g}\,\eta_{\alpha\beta\gamma\delta}\,d_0x^\alpha d_1x^\beta d_2x^\gamma d_3x^\delta \tag{8.39}$$

と書くことができる.この式で,各微小変位ベクトルの成分が式 (8.37) で表される 4 つのベクトルであるとき,不変体積要素は $\sqrt{-g}dx^0 dx^1 dx^2 dx^3 = \sqrt{-g}d^4x$ と最初に考えた表式 (8.36) となる.

ここで,次の式で与えられる新しい記号を導入する[*14].

$$\epsilon_{\alpha\beta\gamma\delta} = \sqrt{-g}\eta_{\alpha\beta\gamma\delta} \tag{8.40}$$

この記号を用いると,不変体積要素は

$$\epsilon_{\alpha\beta\gamma\delta}\,d_0x^\alpha d_1x^\beta d_2x^\gamma d_3x^\delta \tag{8.41}$$

となる.記号 $\epsilon_{\alpha\beta\gamma\delta}$ はテンソルとして振舞うことが知られており,**レヴィ=チビタテンソル**(Levi-Civita tensor)と呼ばれる.このテンソルは

$$\epsilon_{\alpha\beta\gamma\delta} = g_{\alpha\mu}g_{\beta\nu}g_{\gamma\lambda}g_{\delta\sigma}\epsilon^{\mu\nu\lambda\sigma} \tag{8.42}$$

という関係をもつ.ここで,$\epsilon^{\alpha\beta\gamma\delta}$ は,

$$\epsilon^{\alpha\beta\gamma\delta} = -\frac{1}{\sqrt{-g}}\eta_{\alpha\beta\gamma\delta} \tag{8.43}$$

で与えられる.この式で,右辺の最初についているマイナスは重要で,たとえば,

$$\begin{aligned}\epsilon_{0123} &= g_{0\mu}g_{1\nu}g_{2\lambda}g_{3\sigma}\epsilon^{\mu\nu\lambda\sigma} \\ &= -\frac{1}{\sqrt{-g}}\eta_{\mu\nu\lambda\sigma}g_{0\mu}g_{1\nu}g_{2\lambda}g_{3\sigma} \\ &= -\frac{1}{\sqrt{-g}}\det\|g_{\alpha\beta}\| \\ &= \sqrt{-g} \\ &= \sqrt{-g}\eta_{0123} \end{aligned} \tag{8.44}$$

という計算からマイナスが必要であることがわかる.

(8.41) で導いた座標空間での不変体積要素と同様に,4 次元運動量空間での線形独立な 4 つの微小変位を表すベクトル $d_0\boldsymbol{p}, d_1\boldsymbol{p}, d_2\boldsymbol{p}, d_3\boldsymbol{p}$ で張られる不変体積

[*14] 記号は,Misner, Thorne, Wheeler(1973)に従っている.

要素は,
$$\epsilon_{\alpha\beta\gamma\delta} \, d_0 p^\alpha d_1 p^\beta d_2 p^\gamma d_3 p^\delta \tag{8.45}$$
と書くことができる．この式で，各微小変位ベクトルの成分が

$$\begin{aligned}
\boldsymbol{d}_0 p &= (dp^0, 0, 0, 0), \\
\boldsymbol{d}_1 p &= (0, dp^1, 0, 0), \\
\boldsymbol{d}_2 p &= (0, 0, dp^2, 0), \\
\boldsymbol{d}_3 p &= (0, 0, 0, dp^3)
\end{aligned} \tag{8.46}$$

となるとき，不変体積要素は $\sqrt{-g}dp^0 dp^1 dp^2 dp^3$ となる．

8.4　質量殻条件と不変ベクトル体積要素

8.4.1　質量殻上の不変体積要素

　これまでの議論では運動量空間として 4 次元の運動量空間を考えてきたが，粒子の運動量は 4 次元の値を自由に取れるわけではなく，

　(a) 質量殻条件（mass shell condition）: $p^\mu p_\mu = -m^2$
　(b) エネルギーが正の値を持つ条件（positive energy condition）: $p^0 > 0$

の 2 つの条件を満たす領域でのみ値をとることができる．ここで，m は粒子の静止質量である（光子の場合は $m = 0$）．4 次元運動量空間の中のこれらの 2 条件を満たす 3 次元部分空間で，一般座標変換に対して不変となる体積要素を考える必要がある．この 3 次元部分空間での不変体積要素 dP は，

$$dP = 2\theta(p^0)\delta(p^\mu p_\mu + m^2) \, \epsilon_{\alpha\beta\gamma\delta} \, d_0 p^\alpha d_1 p^\beta d_2 p^\gamma d_3 p^\delta \tag{8.47}$$

で与えられる．ここで，$\epsilon_{\alpha\beta\gamma\delta}$ は (8.40) で与えられ，記号の中に $\sqrt{-g}$ の効果を含んでいる．また，$\theta(x)$ は，

$$\theta(x) = \begin{cases} 1 & (0 < x \text{ の場合}) \\ 0 & (\text{他の場合}) \end{cases} \tag{8.48}$$

で定義される単位階段関数，$\delta(x)$ はディラックのデルタ関数である．最初に置いてある 2 は，デルタ関数の部分で用いている質量殻条件が積分変数 p^0 の 2 乗で与

えられていることに起因する[*15]．デルタ関数の性質を用いて計算すると (8.47)
で与えられる質量殻からなる 3 次元部分空間での不変 dP は

$$dP = \sqrt{-g}\eta_{ijk}\frac{d_1p^i d_2p^j d_3p^k}{|p_0|} \tag{8.49}$$

となる[*16]．ただし，$i, j, k = 1, 2, 3$ である．ここで，η_{ijk} は (8.26) で与えられ，(8.49) の導出の際に $\epsilon_{0ijk} = \sqrt{-g}\eta_{ijk}$ となることを使った．

8.4.2 不変ベクトル体積要素

ここで，質量殻上の 3 次元不変体積要素 dP の 4 次元時空中での幾何学的な意味を考えてみよう．幾何学的な意味を考えることで，(8.49) の dP の意味がより一層はっきりする．上で線形代数の基本的な事項を復習した際に，3 次元空間中で 2 つの 3 次元ベクトルが張る 2 次元平行四辺形の面積を考えてみた[*17]．ここでは，まず，似たような議論を 4 次元時空中で展開してみる．その後，4 次元運動量空間での話をし，そこで dP の意味を考えてみたいと思う．

8.4.3　4 次元時空中での時間方向に垂直な 3 次元不変体積要素

いま，時間 1 次元，空間 3 次元からなる 4 次元時空を考えている．このとき，任意の時間的な単位ベクトル $\hat{\boldsymbol{u}} = (\hat{u}^\alpha)$ を考えよう．つまり，

$$\hat{u}^\alpha \hat{u}_\alpha = -1, \quad \hat{u}^0 > 0 \tag{8.50}$$

となるベクトルを考える．次に，この $\hat{\boldsymbol{u}}$ に垂直な 3 つの線形独立な任意の方向への変位ベクトル

$$\boldsymbol{d}_1 x = (d_1 x^\alpha), \quad \boldsymbol{d}_2 x = (d_2 x^\alpha), \quad \boldsymbol{d}_3 x = (d_3 x^\alpha) \tag{8.51}$$

を考える．ここで，ベクトル $\boldsymbol{d}_k x$ の成分を $d_k x^\alpha$ とした．以上の 4 つのベクトル $\hat{\boldsymbol{u}}, \boldsymbol{d}_1 x, \boldsymbol{d}_2 x, \boldsymbol{d}_3 x$ による作られる不変体積要素は，

$$\epsilon_{\alpha\beta\gamma\lambda} d_1 x^\alpha d_2 x^\beta d_3 x^\gamma \hat{u}^\lambda = dV_\lambda \hat{u}^\lambda \tag{8.52}$$

[*15] いまは解析的アプローチにより，3 次元部分空間での不変体積要素 dP の表現を導出しているが，8.4.4 節で与えられる幾何学的アプローチでは，不変体積要素 dP の意味をよりクリアに理解することが可能となる．

[*16] 途中計算は章末問題 8.1 にある．

[*17] 8.3.1 節を参照．

となる. ここで,

$$dV_\lambda = \epsilon_{\alpha\beta\gamma\lambda} d_1 x^\alpha d_2 x^\beta d_3 x^\gamma \tag{8.53}$$

とした. (8.53) で与えられる成分をもつベクトルを $d\boldsymbol{V} = (dV_\lambda)$ としよう. このベクトルを**ベクトル体積要素**（vector volume element）という. このベクトル $d\boldsymbol{V}$ は, 線形代数の基本的事項[*18]と同様に, $\hat{\boldsymbol{u}}$ 方向を向いたベクトルである. ベクトル $d\boldsymbol{V}$ と $\hat{\boldsymbol{u}}$ の間の比例係数[*19]を dV とすると,

$$d\boldsymbol{V} = (dV)\hat{\boldsymbol{u}} \tag{8.54}$$

となる. 成分で書くと

$$(dV_\lambda =)\ \epsilon_{\alpha\beta\gamma\lambda} d_1 x^\alpha d_2 x^\beta d_3 x^\gamma = (dV)\,\hat{u}_\lambda \tag{8.55}$$

である. 図 8.7 に座標空間でのベクトル体積要素 dV_μ のイメージを描いてみた. dV_μ は, 時間的単位ベクトル $\hat{u}^\alpha$ に垂直な 3 つのベクトル $d_1 x^\alpha$, $d_2 x^\beta$, $d_3 x^\gamma$ が作る体積 dV を大きさにもち, 方向は時間的単位ベクトル $\hat{\boldsymbol{u}}$ の方向を向いているベクトルであることが理解できると思う.

ここで, (8.54) や (8.55) にあらわれた比例係数 dV の具体的な表現を求めてみよう. いま, (8.55) の両辺の $\hat{u}^\lambda$ との内積をとると, (8.53) と $\hat{u}^\lambda \hat{u}_\lambda = -1$ であることから,

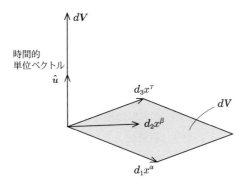

図 **8.7** 座標空間での体積要素とベクトル体積要素.

[*18] (8.27), (8.29), (8.30).

[*19] 8.3.1 節で考えた $\hat{c}$ に垂直な方向に張られる面積 S のようなもの.

$$dV = \epsilon_{\lambda\alpha\beta\gamma}\hat{u}^\lambda d_1 x^\alpha d_2 x^\beta d_3 x^\gamma = \sqrt{-g}\eta_{\lambda\alpha\beta\gamma}\hat{u}^\lambda d_1 x^\alpha d_2 x^\beta d_3 x^\gamma \tag{8.56}$$

となる．これは，時間的単位ベクトル $\hat{u}$ に垂直な 3 次元空間での不変体積要素である．また，(8.55) に $\lambda = 0, 1, 2, 3$ を代入することによって，dV の別の表式を求めることができる．具体的には，$\hat{u}$ のゼロでない成分に対して，

$$\begin{aligned} dV &= \epsilon_{\alpha\beta\gamma 0}\frac{d_1 x^\alpha d_2 x^\beta d_3 x^\gamma}{\hat{u}_0} = \epsilon_{\alpha\beta\gamma 1}\frac{d_1 x^\alpha d_2 x^\beta d_3 x^\gamma}{\hat{u}_1} \\ &= \epsilon_{\alpha\beta\gamma 2}\frac{d_1 x^\alpha d_2 x^\beta d_3 x^\gamma}{\hat{u}_2} = \epsilon_{\alpha\beta\gamma 3}\frac{d_1 x^\alpha d_2 x^\beta d_3 x^\gamma}{\hat{u}_3} \end{aligned} \tag{8.57}$$

となる．

8.4.4　4 次元運動量空間での運動量に直交する不変体積要素

8.4.3 節と同じような議論を，4 次元運動量空間でも展開してみよう．運動量の場合には，上でも述べたように，4 次元運動量空間の中で質量殻条件（$p^\mu p_\mu = -m^2$）とエネルギーが正の値をとる条件（$p^0 > 0$）を満たす 3 次元空間中の値をとる．いま，この 3 次元空間中の点 p^α での 3 つの線形独立な任意の変位ベクトル

$$\boldsymbol{d}_1 p = (d_1 p^\alpha), \qquad \boldsymbol{d}_2 p = (d_2 p^\alpha), \qquad \boldsymbol{d}_3 p = (d_3 p^\alpha) \tag{8.58}$$

を考える．ここで，ベクトル $d_k \boldsymbol{p}$ の成分を $d_k p^\alpha$ とした．質量殻上のベクトル，つまり，$p^\alpha p_\alpha = -m^2$ を満たすベクトルは，

$$p^\alpha dp_\alpha = p_\alpha dp^\alpha = 0 \tag{8.59}$$

となるので，ベクトル p^α と変位ベクトルは dp^α は直交する．8.4.3 節と同様に，

$$dP_\lambda = \epsilon_{\alpha\beta\gamma\lambda} d_1 p^\alpha d_2 p^\beta d_3 p^\gamma \tag{8.60}$$

という 4 次元運動量空間中でのベクトル体積要素を考えよう．これを成分にもつベクトルを $d\boldsymbol{P} = (dP_\lambda)$ としよう．質量殻上のベクトル $\boldsymbol{p} = (p^\alpha)$ とこの点での変位ベクトル $d\boldsymbol{p} = (dp^\alpha)$ は直交することから，$d\boldsymbol{P}$ は $\boldsymbol{p}$ 方向のベクトルであり，比例係数を dP とすると，

$$d\boldsymbol{P} = (dP)\boldsymbol{p} \tag{8.61}$$

となる．成分で書くと

$$(dP_\lambda =)\ \epsilon_{\alpha\beta\gamma\lambda} d_1 p^\alpha d_2 p^\beta d_3 p^\gamma = (dP)p_\lambda \tag{8.62}$$

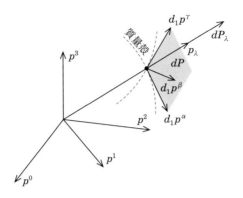

図 **8.8** 質量殻での不変体積要素と不変ベクトル体積要素.

である[20]. 図 8.8 に, 質量殻をベースに定義される dP_μ と dP および p^μ などのイメージを示してみよう.

ここで, 比例係数 dP の具体的な表現を求めてみよう. この式から比例係数 dP を求める方法には 2 通りの方法がある. 一つは, p^λ との内積をとる方法, もう一つは p_λ の各成分の値を用いて比例係数 dP を求める方法である. まず, $m \neq 0$ である場合, (8.62) の両辺と p^λ の内積をとることにより,

$$dP = \epsilon_{\lambda\alpha\beta\gamma} \frac{p^\lambda}{m^2} d_1p^\alpha d_2p^\beta d_3p^\gamma \tag{8.63}$$

となる. 当然, $m = 0$ に対しては, この式を用いることはできない. 一方で, (8.62) において, 運動量 p_λ ($\lambda = 0, 1, 2, 3$) のゼロでない成分に対して,

$$\begin{aligned}dP &= \epsilon_{\alpha\beta\gamma 0} \frac{d_1p^\alpha d_2p^\beta d_3p^\gamma}{p_0} = \epsilon_{\alpha\beta\gamma 1} \frac{d_1p^\alpha d_2p^\beta d_3p^\gamma}{p_1} \\ &= \epsilon_{\alpha\beta\gamma 2} \frac{d_1p^\alpha d_2p^\beta d_3p^\gamma}{p_2} = \epsilon_{\alpha\beta\gamma 3} \frac{d_1p^\alpha d_2p^\beta d_3p^\gamma}{p_3}\end{aligned} \tag{8.64}$$

となる. いま, 粒子のエネルギーが正の値をとるという条件 ($p^0 > 0$) が課されていることから, p^0 成分はゼロではない. これより, p^0 成分の式は確実に成立し, 式 (8.64) の p_0 を分母に含む表式から

---

[20] 巻末に挙げた参考文献の Sachs, Ehlers (1968) に別の議論があり, 参考になる.

$$dP = \sqrt{-g}\eta_{ijk}\frac{d_1 p^i d_2 p^j d_3 p^k}{|p_0|} \tag{8.65}$$

と書くことができる．ここで，$i,j,k = 1,2,3$ である．また，$\epsilon_{\alpha\beta\gamma 0} = -\epsilon_{0\alpha\beta\gamma} = -\sqrt{-g}\eta_{ijk}$ となり，$p_0 < 0$ から $|p_0| = -p_0$ であることを用いた．(8.65) は，(8.49) と一致していることから，本節での幾何学的考察にもとづいた計算は，質量殻上の 3 次元不変体積要素の別の計算方法に対応することがわかる．また，本節の計算により，不変体積要素 dP はベクトル $\boldsymbol{p}$ の点で $\boldsymbol{p}$ に直交する 3 次元不変体積要素であるという幾何学的な意味も明らかとなった．これにより，dP が質量殻上の体積要素であるということもイメージできるかと思う．

(8.65) は，質量殻上の任意の線形独立な変位ベクトルがつくる不変体積要素であった．これは，座標の方向に沿った変位ベクトル

$$\boldsymbol{d}_1 p = (0, dp^1, 0, 0), \quad \boldsymbol{d}_2 p = (0, 0, dp^2, 0), \quad \boldsymbol{d}_3 p = (0, 0, 0, dp^3) \tag{8.66}$$

に対して，

$$dP = \sqrt{-g}\frac{dp^1 dp^2 dp^3}{|p_0|} = \sqrt{-g}\frac{d^3 p}{|p_0|} \tag{8.67}$$

となる．次の例題を通じて，局所ミンコフスキー系での dP を具体的に書いてみよう．

例題 8.2 局所ミンコフスキー系で，運動量 p^α は質量殻上の座標 (p, θ, ϕ) を用いて，

$$p^0 = E, \quad p^1 = p\sin\theta\cos\phi, \quad p^2 = p\sin\theta\sin\phi, \quad p^3 = p\cos\theta, \tag{8.68}$$

となる．ここで，E は粒子のエネルギー，p は運動量の大きさ，θ と ϕ は運動量ベクトルの方向を表す角度座標である．このとき，不変体積要素 dP をエネルギーと角度座標の変位 $(dE, d\theta, d\phi)$ を用いて表せ．

解答 局所ミンコフスキー系では $\sqrt{-g} = 1$ であり，運動量ベクトルに対する質量殻条件は，$-E^2 + p^2 = -m^2$ となる．$m = 0$ の場合には $p = E$ となる．このとき，

$$dP = \frac{d^3 p}{E} \tag{8.69}$$

となる．これは，特殊相対論での運動量空間での不変体積要素である．また，$d\Omega =$

$\sin\theta d\theta d\phi$ とすると,

$$dP = \frac{p^2 dp d\Omega}{E} = p dE d\Omega \tag{8.70}$$

となる.ここで,$pdp = EdE$ となることを用いた.$m = 0$ の場合には,$p = E$ であることから,

$$dP = EdEd\Omega \tag{8.71}$$

となる.これらが,局所ミンコフスキー系で評価した質量殻上の不変体積要素である. ■

8.5 不変分布関数と一般相対論的ボルツマン方程式

8.5.1 6次元不変体積要素とリュービユの定理

8.2.4 節で,8 次元位相空間中での不変体積要素 $(-g)d^4x d^4p$ が測地線に沿って保存することをみた(リュービユの定理).実は,似たようなことが,不変体積要素 dV と dP により作られる,6 次元不変体積要素 $dVdP$ に対しても成り立つことが知られている.

4 次元時空での不変体積要素は,

$$\epsilon_{\lambda\alpha\beta\gamma} d_0 x^\lambda d_1 x^\alpha d_2 x^\beta d_3 x^\gamma = -dV_\lambda d_0 x^\lambda = (dV)(-\hat{u}_\lambda p^\lambda)\Delta\lambda \tag{8.72}$$

と書ける.ここで,$d_0 x^\lambda$ は,

$$d_0 x^\lambda = \frac{dx^\lambda}{d\lambda}\Delta\lambda = p^\lambda \Delta\lambda \tag{8.73}$$

のように,測地線の方向にとることにする.また,$\Delta\lambda$ はこの体積の測地線方向の長さである.一方で,4 次元運動量空間での不変体積要素は

$$\epsilon_{\lambda\alpha\beta\gamma} d_0 p^\lambda d_1 p^\alpha d_2 p^\beta d_3 p^\gamma = -dP_\lambda d_0 p^\lambda = -(dP)p_\lambda d_0 p^\lambda$$
$$= (dP)d_0\left(\frac{-1}{2}p^\lambda p_\lambda\right) = (dP)d_0\left(\frac{1}{2}m^2\right) \tag{8.74}$$

となる.ここで,$\Delta\lambda$ と m^2 は測地線方向に変化しない保存量になっている.よって,8 次元位相空間でのリュービユの定理より,(8.72) と (8.74) で与えられる不変体積要素の積が測地線に沿って保存することから,

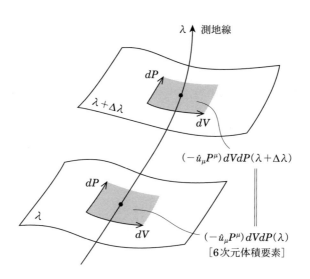

図 8.9 リューピルの定理と 6 次元体積要素.

$$\frac{d}{d\lambda}\{(-\hat{u}_\mu p^\mu)dVdP\} = 0 \tag{8.75}$$

となる．これは，6 次元体積要素 $(-\hat{u}_\mu p^\mu)dVdP$ が測地線に沿った保存量になっていることを示している（図 8.9）．

(8.75) から導かれる保存量 $(-\hat{u}_\mu p^\mu)dVdP$ は，(8.55) と (8.62) で与えられる不変ベクトル体積要素 dV_μ と dP_μ の内積になっている．3 次元変位ベクトルで張られるベクトル体積要素 dV_μ と dP_μ は一般に異なる方向を向いている（図 8.10）．この場合に，$dV_\mu = (dV)\hat{u}_\mu$ と $dP_\mu = (dP)p_\mu$ がつくる 6 次元空間での不変体積要素は，どちらかのベクトルを他方のベクトルへ射影し，方向依存性をなくしたものが不変量となっている[*21]．つまり，

$$-dV_\mu dP^\mu = (-\hat{u}_\mu p^\mu)dVdP \tag{8.76}$$

が 6 次元位相空間での不変体積要素となっている．マイナスをつけたのは，$-\hat{u}_\mu p^\mu > 0$ とするためである．6 次元不変体積要素 $-dV_\mu dP^\mu$ を局所ミンコフスキー系で具体的に計算してみると，

[*21] 特殊相対論に限定された話であるが，巻末文献の Synge (1956) や Synge (1957) に類似の議論が展開されている．

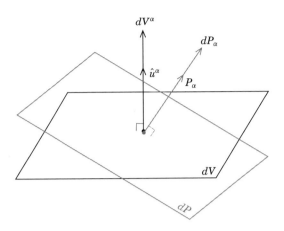

図 **8.10** 位相空間でのベクトル体積要素 (dV_α, dP_α).

$$-dV_\mu dP^\mu = (-\hat{u}_\mu p^\mu) dV dP = dx^3 dp^3 = d^3x p E dE d\Omega \tag{8.77}$$

となる[*22]. ここで,E は粒子のエネルギー,p は運動量の大きさ,$d\Omega$ は立体角要素 $d\Omega = \sin\theta d\theta d\phi$ である. 特に, 光子に対しては,

$$-dV_\mu dP^\mu = (-\hat{u}_\mu p^\mu) dV dP = dx^3 dp^3 = d^3x E^2 dE d\Omega \tag{8.78}$$

となる.

8.5.2 不変分布関数

8.5.1 節で,$-dV_\mu dP^\mu = (-\hat{u}_\mu p^\mu) dV dP$ が 6 次元位相空間での不変体積要素となっていることをみた. 位相空間中の点 (x^α, p^α) で, この不変体積要素の中の粒子数を dN とする. このとき, この点で粒子数 dN と 6 次元位相空間の不変体積要素 $-dV_\mu dP^\mu$ の間の比例係数として,(x^α, p^α) の関数である $\mathcal{F}(x^\alpha, p^\alpha)$ を考える. すなわち,

$$dN = \mathcal{F}(x^\alpha, p^\alpha)(-1) dV_\mu dP^\mu \tag{8.79}$$

もしくは,

$$dN = \mathcal{F}(x^\alpha, p^\alpha)(-\hat{u}_\mu p^\mu) dV dP \tag{8.80}$$

[*22] 章末問題 8.3 に途中計算がある.

となる. 不変体積要素 $-dV_\mu dP^\mu$ とその中の粒子数 dN は, ともに一般座標変換に対する不変量となっていることから, 両者の比例係数である関数 $\mathcal{F}(x^\alpha, p^\alpha)$ も不変量である. また, このようにして導入された関数 $\mathcal{F}(x^\alpha, p^\alpha)$ は, 位相空間での数密度と見ることができる. つまり, (8.79) もしくは (8.80) の dN は, 時間一定の空間上のある点の近傍の体積 dV に含まれ, 運動量 p^μ を中心とした運動量の範囲 dP にある粒子数である. これより, $\mathcal{F}(x^\alpha, p^\alpha)$ は, 非相対論的な場合の分布関数[*23]を一般相対論の場合に拡張したものと考えることができる. このことから, (8.79) もしくは (8.80) で定義される関数 $\mathcal{F}(x^\alpha, p^\alpha)$ は, 点 (x^α, p^α) での**不変分布関数** (invariant distribution function) とよばれる. これは, 6次元位相空間での単位不変体積あたりの粒子数を表すので, 不変分布関数は (一般座標変換に対し, 不変な) 6次元位相空間での粒子数密度を表している.

このように定義された不変分布関数 $\mathcal{F}(x^\alpha, p^\alpha)$ と 6次元位相空間の不変体積要素内での粒子数 dN の関係をイメージするために, 局所ミンコフスキー系で考えてみよう. (8.77) で, 局所ミンコフスキー系での6次元不変体積要素 $-dV_\mu dP^\mu$ を具体的に計算した. この結果を用いると, 局所ミンコフスキー系で, 粒子数 dN は不変分布関数 $\mathcal{F}(x^\alpha, p^\alpha)$ を用いて

$$dN = \mathcal{F}(x^\alpha, p^\alpha) d^3x d^3p = \mathcal{F}(x^\alpha, p^\alpha) p^2 d^3x dp d\Omega = \mathcal{F}(x^\alpha, p^\alpha) E p d^3x dE d\Omega \tag{8.81}$$

となることがわかる. ここで, E は粒子のエネルギー, p は運動量の大きさ, Ω は粒子の進行方向を表す角度により記述される立体角である. 特に, 質量を持たない光子に対しては,

$$dN = \mathcal{F}(x^\alpha, p^\alpha) E^2 d^3x dE d\Omega \tag{8.82}$$

となる.

8.5.3 世界管

位相空間中の点 (x^α, p^α) での, 6次元位相空間での単位不変体積あたりの粒子数 (つまり, 粒子数密度) を表している不変分布関数 $\mathcal{F}(x^\alpha, p^\alpha)$ は, 無数の粒子の振る舞いを記述するのに用いられる. 粒子の座標と運動量の時間発展のほかに, 粒

[*23] 第1巻の式 (A.36) などを参照.

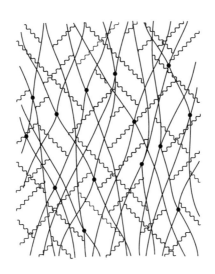

図 **8.11** 時空中の多数のガス粒子(実線)と光子(波線)のイメージ.

子の生成,消滅,散乱*24の物理素過程によって,位相空間中の点 (x^α, p^α) での粒子数密度は変化する.多数の粒子は時空の中でそれぞれの世界線を作っている.それらの世界線は,粒子が散乱されるときには不連続に変化し,粒子が消滅(吸収)される場合にはそこで世界線が途切れ,粒子が放出される場合には新たな世界線が作られる(図 8.11).これらの変化は,いずれも粒子数密度の変化に反映される.図 8.11 のイメージでは,流体のガス粒子の世界線(実線)と光子の世界線(波線)を合わせて描いている*25.ここでは,粒子数の変化が,6 次元位相空間中の粒子数密度である不変分布関数の変化とどのように関係しているのかを見てみよう.

ここで,粒子は測地線

$$\frac{dx^\alpha}{d\lambda} = p^\alpha, \quad \frac{dp^\alpha}{d\lambda} = -\Gamma^\alpha_{\beta\gamma} p^\beta p^\gamma \tag{8.83}$$

---

*24 光子の場合には,放射,吸収,散乱.
*25 実線上の黒丸はガス粒子の衝突点を表す.また,図 8.11 のイメージは,Synge (1957) の Fig.4 や Ehlers (1971) の Fig.3 の相対論的ガスの世界線のイメージに,光子の世界線のイメージを追加して作成した.また,厳密には,光子の放射,吸収,散乱にともなってガス粒子の世界線に変化が生じるが,このイメージではそれらの効果は無視している.

に沿って運動するものと仮定する．散乱が起こる点などでは，測地線に沿って運動しているわけではないのだが，散乱は一瞬で起こり，その点のみで測地線が不連続に曲がるものとする．時間的な単位ベクトル $\hat{u}$ に垂直に張られた 3 次元空間中の不変体積要素が，測地線に沿って $d\lambda$ だけ動くときに掃かれる 4 次元体積を dW とする．$d\lambda$ だけ変位するときの空間的な変位を $d\boldsymbol{x} = (dx^\mu)$ とすると，粒子は測地線に沿って動いているので，

$$d\boldsymbol{x} = \boldsymbol{p}d\lambda \tag{8.84}$$

となる．成分で書くと $dx^\mu = p^\mu d\lambda$ となる．このとき，この変位の $\hat{u} = (\hat{u}^\mu)$ 方向の変化分は，$d\boldsymbol{x}$ を $\hat{u}$ 方向に射影することによって得られる．これにより，4 次元体積 dW は，

$$dW = -dV_\mu dx^\mu = (-\hat{u}_\mu dx^\mu)dV = (-\hat{u}_\mu p^\mu)dV d\lambda \tag{8.85}$$

となる．時空中にある粒子が時空中に作る経路のことをその粒子の**世界線**（world line）という．世界線はいわゆる普通の空間中の粒子の軌道とは違い，時間方向の移動も考慮した経路のことである．粒子の世界線の場合には時空中の点の（時間方向と空間方向の）移動を考えるが，点ではない有限の体積をもった領域が時間方向と空間方向に移動する場合には，時空中に広がりをもった管が作られる．この管のことを**世界管**（world tube）という．上で考えた dW は，有限の体積要素 dV が測地線に沿って移動する際に時空中に作られる管状の領域であり，世界管（の一部）である（図 8.12）．

8.5.4　一般相対論的ボルツマン方程式

粒子数 $dN = \mathcal{F}(x^\mu, p^\mu)(-\hat{u}_\mu p^\mu)dV dP$ が測地線に沿ってどのように変化するのかを考えよう．8.5.1 節で見たように，リュービュの定理により，6 次元体積要素 $(-\hat{u}_\mu p^\mu)dV dP$ は測地線に沿って保存する．よって，測地線に沿った dN の変化量 $\delta(dN)$ は，不変分布関数の変化量のみで表される．つまり，

$$\begin{aligned}\delta(dN) &= \delta\mathcal{F}(x^\alpha, p^\alpha)(-\hat{u}_\mu p^\mu)dV dP \\ &= \left(\frac{\partial \mathcal{F}}{\partial x^\alpha}dx^\alpha + \frac{\partial \mathcal{F}}{\partial p^\alpha}dp^\alpha\right)(-\hat{u}_\mu p^\mu)dV dP\end{aligned} \tag{8.86}$$

と表される．ここで，(8.83) で表される測地線方程式と (8.85) で表される dW を用いると，

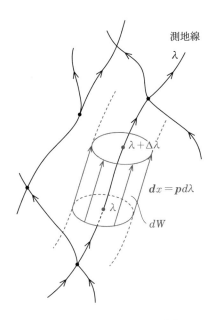

図 **8.12** 体積要素 dV の測地線に沿った移動による世界管.

$$\begin{aligned}
\delta(dN) &= \left(\frac{dx^\alpha}{d\lambda}\frac{\partial \mathcal{F}}{\partial x^\alpha} + \frac{dp^\alpha}{d\lambda}\frac{\partial \mathcal{F}}{\partial p^\alpha}\right)dWdP \\
&= \left(p^\alpha\frac{\partial \mathcal{F}}{\partial x^\alpha} - \Gamma^\alpha_{\beta\gamma}p^\beta p^\gamma\frac{\partial \mathcal{F}}{\partial p^\alpha}\right)dWdP \\
&= p^\alpha\frac{D\mathcal{F}}{dx^\alpha}dWdP
\end{aligned} \qquad (8.87)$$

となる．ここで，D/dx^α は，

$$\frac{D}{dx^\alpha} \equiv \frac{\partial}{\partial x^\alpha} - \Gamma^\beta_{\alpha\gamma}p^\gamma\frac{\partial}{\partial p^\beta} \qquad (8.88)$$

で定義される.

3 次元不変体積 dV が測地線方向にそって $d\lambda$ だけ移動するとき，散乱などの物理素過程によって粒子数が変化することを上で述べた．このときの，dV が掃く 4 次元体積 dW 内の 3 次元運動量空間の不変体積 dP 内の運動量をもつ粒子の粒子数の変化量を，

$$\left(\frac{d\mathcal{F}}{d\lambda}\right)_{\text{collision}} dW\, dP \tag{8.89}$$

と書くことにする．この量を不変分布関数を用いて書くと，(8.87) で表される変化量となるので，

$$p^\alpha \frac{\partial \mathcal{F}}{\partial x^\alpha} - \Gamma^\beta_{\alpha\gamma} p^\alpha p^\gamma \frac{\partial \mathcal{F}}{\partial p^\beta} = \left(\frac{d\mathcal{F}}{d\lambda}\right)_{\text{collision}} \tag{8.90}$$

が成り立つ．(8.90) が，**一般相対論的ボルツマン方程式**（general relativistic Boltzmann equation）である．また，後で見るように，この式は光子（やニュートリノ）に対しては**輻射輸送方程式**（radiative transfer equation）と呼ばれることもある．いま，x^0 が時間，x^k $(k=1,2,3)$ が空間座標を表すので，(8.90) の左辺の第 1 項は，不変分布関数 $\mathcal{F}(x^\alpha, p^\alpha)$ の時間微分と空間座標での微分の項に対応している．また，左辺の第 2 項はエネルギーと運動量の微分の項に対応している．この対応から，(8.90) は非相対論的な状況でのボルツマン方程式[*26]に対応していることが理解できると思う．

(8.90) で与えられるボルツマン方程式は，D/dx^α を用いて書くと，

$$p^\alpha \frac{D\mathcal{F}}{dx^\alpha} = \left(\frac{d\mathcal{F}}{d\lambda}\right)_{\text{collision}} \tag{8.91}$$

となる．この式は，粒子の測地線に沿った位置変化が $dx^\alpha/d\lambda = p^\alpha$ と書かれることから，

$$\frac{D\mathcal{F}}{d\lambda} = \left(\frac{d\mathcal{F}}{d\lambda}\right)_{\text{collision}} \tag{8.92}$$

となる．ボルツマン方程式は，このようなシンプルな形で表されることもある．

8.6 光子に対する一般相対論的ボルツマン方程式：輻射輸送方程式

ここでは，光子の不変分布関数に対する一般相対論的ボルツマン方程式の衝突項 $(d\mathcal{F}/d\lambda)_{\text{collision}}$ を具体的に考えてみよう．有限質量の粒子に対しても以下の議論は同様に成立するが，話をわかりやすくするために，ここでは光子に限定して話を進めることにする．ボルツマン方程式の衝突項が記述する粒子の生成・消滅・散乱

[*26] 第 1 巻の式 (A.35)．

の物理過程は，光子の場合には，それぞれ，放射・吸収・散乱に対応する．よって，以下では，放射・吸収・散乱という言葉を用いて説明する[*27]．以下では，世界管 dW と運動量空間の体積要素 dP の中にある光子（位相空間の $dWdP$ の領域にある光子）について考えることで，衝突項が記述する放射・吸収・散乱の効果をみていく[*28]．

8.6.1 放射

流体のガスなどを構成する物質粒子からの光子の**放射**（emission）によって光子数は増加する．位相空間内の点 (x^α, p^α) での体積要素 $dWdP$ 中での粒子の増加数を，

$$\mathcal{E}_{\mathrm{e}}(x^\alpha, p^\alpha) dW dP \tag{8.93}$$

と書く．光子数の増加を表しているので，$\mathcal{E}_{\mathrm{e}}(x^\alpha, p^\alpha) > 0$ である．ここで，$\mathcal{E}_{\mathrm{e}}(x^\alpha, p^\alpha)$ を**不変放射係数**（invariant emission coefficient）という．この係数が一般座標変換に対する不変量となっていることは，$\mathcal{E}_{\mathrm{e}}$ 以外の部分がすべて不変量であることから明らかである．また，不変放射係数と非相対論的な輻射過程で現れる放射係数 j_ν との間の関係は次章で見る[*29]．

光子数の増加量が光子を放射する物質粒子の座標空間中の数密度に比例する場合には，

$$\mathcal{E}_{\mathrm{e}}(x^\alpha, p^\alpha) = n(x^\alpha) Q(x^\alpha, p^\alpha) \tag{8.94}$$

となる．ここで，$n(x^\alpha)$ は光子を放射する物質粒子の固有数密度，$Q(x^\alpha, p^\alpha)$ は光子を放射する物質粒子 1 個あたりの（放射する光子の数に関する）放射率である．

8.6.2 吸収

一方で，物質粒子による光子の吸収によって，光子数は減少する．光子数の減少はもともとあった光子数に比例するので，位相空間内の点 (x^α, p^α) での体積要素

[*27] 本節の説明で用いられる光子の放射・吸収・散乱を，有限質量の粒子の生成・消滅・散乱に置き換えることで，本節の説明は，基本的には，有限質量の粒子に対する衝突項の説明にも対応する．

[*28] 非相対論的な場合の光子の輻射輸送については，本シリーズの第 3 巻とその中の引用文献を参照すること．

[*29] 9.1 節.

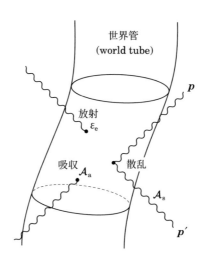

図 **8.13** 世界管での光子の放射・吸収・散乱.

$dW dP$ 中での光子の吸収による減少数を,

$$-\mathcal{A}_a(x^\alpha, p^\alpha) \mathcal{F}(x^\alpha, p^\alpha) dW dP \tag{8.95}$$

と書く．ここに現れる $\mathcal{A}_a(x^\alpha, p^\alpha)$ を**不変吸収係数**（invariant absorption coefficient）という．この量が，一般座標変換に対する不変量となっている理由は，不変放射係数 $\mathcal{E}_e$ と同じ理由による．吸収による光子数の減少量が，光子を吸収する物質粒子の座標空間中の数密度に比例する場合には，

$$\mathcal{A}_a(x^\alpha, p^\alpha) = n(x^\alpha) \kappa(x^\alpha, p^\alpha) \tag{8.96}$$

となる．ここで，$\kappa(x^\alpha, p^\alpha)$ は非相対論的な場合の**不透明度**（opacity）に対応する不変量である．

8.6.3　散乱

　物質粒子の散乱の効果によって，光子数が変化する場合がある．散乱によって，光子数が変化しない場合を考えることが多いが，ここでは散乱される光子は運動量空間でのある領域を担う光子の減少と考え，散乱の結果，運動量空間で新たに生じる散乱後の運動量を持った光子を光子の増加と考えることで話を進めていく．これらの光子数の減少と増加が相殺される場合には，光子数の変化はないが，光子が担

う運動量は変化する．この運動量の変化も記述したいので，散乱による運動量空間での光子の減少と増加を分けて考える．

位相空間内の点 (x^α, p^α) での体積要素 $dWdP$ 中にある光子数の減少は，$dWdP$ の外に光子が逃げるように光子の運動量が変化することによる．つまり，散乱によって $dWdP$ の外に光子が飛ばされることによって，光子数の減少が起こる．この減少量は，上で述べた吸収と同じように書くことができ，

$$-\mathcal{A}_\mathrm{s}(x^\alpha, p^\alpha)\mathcal{F}(x^\alpha, p^\alpha)dWdP \tag{8.97}$$

と表すことができる．ここで，$\mathcal{A}_\mathrm{s}$ は散乱による光子数の減少を表す不変吸収係数である．

一方，散乱によって，ある運動量空間の光子数が増加することもある．位相空間内の点 (x^α, p^α) での体積要素 $dWdP$ の中に散乱によって粒子が入ってくることによって粒子数が増加する．一般に，散乱によって光子の運動量が変化する．散乱前に運動量空間の dP' の領域にあった運動量 $\boldsymbol{p}' = (p'^\alpha)$ の光子が，散乱の結果，運動量空間の dP の領域に運動量 $\boldsymbol{p} = (p^\alpha)$ で入ってくる場合を考えよう．このとき，座標空間の位置 $\boldsymbol{x} = (x^\alpha)$ の周囲の dW の領域で，散乱によって運動量空間の dP の領域に入っている光子の増加量は

$$\left[\int \mathcal{A}_\mathrm{s}(\boldsymbol{x}, \boldsymbol{p}')\zeta(\boldsymbol{x}; \boldsymbol{p}' \to \boldsymbol{p})\mathcal{F}(\boldsymbol{x}, \boldsymbol{p}')dP'\right]dWdP \tag{8.98}$$

と表すことができる．ここで，$\zeta(\boldsymbol{x}; \boldsymbol{p}' \to \boldsymbol{p})$ を**不変位相関数** (invariant phase function) といい，座標空間の位置 $\boldsymbol{x}$ で運動量 $\boldsymbol{p}'$ を持ち，運動量空間の dP' の領域にあった光子が運動量 $\boldsymbol{p}$ で運動量空間の dP の領域に散乱される割合を表している．また，

$$\int \zeta(\boldsymbol{x}; \boldsymbol{p} \to \boldsymbol{p}')dP' = 1 \tag{8.99}$$

となることから[*30]，不変位相関数 $\zeta(\boldsymbol{x}; \boldsymbol{p} \to \boldsymbol{p}')$ が運動量 $\boldsymbol{p}$ を持つ粒子が散乱によって，運動量 $\boldsymbol{p}'$ になる割合を表していることがわかる．

8.6.4 放射・吸収・散乱の効果を書いた一般相対論的ボルツマン方程式

以上の話をまとめると，体積要素 $dWdP$ での光子の放射・吸収・散乱の効果により，ボルツマン方程式の衝突項は以下の4つの効果で書くことができる：

[*30] 章末問題 8.4 で証明が与えられている．

- 放射による光子数の増加：$\mathcal{E}_\mathrm{e}(x^\alpha, p^\alpha)dWdP$
- 吸収による光子数の減少：$-\mathcal{A}_\mathrm{a}(x^\alpha, p^\alpha)\mathcal{F}(x^\alpha, p^\alpha)dWdP$
- 散乱による光子数の減少：$-\mathcal{A}_\mathrm{s}(x^\alpha, p^\alpha)\mathcal{F}(x^\alpha, p^\alpha)dWdP$
- 散乱による光子数の増加：
$$\int \mathcal{A}_\mathrm{s}(x^\alpha, p'^\beta)\zeta(x^\alpha; p'^\beta \to p^\alpha)\mathcal{F}(x^\alpha, p'^\beta)dP'dWdP$$

これらの放射，吸収，散乱によって，ボルツマン方程式の衝突項は

$$\left(\frac{d\mathcal{F}}{d\tau}\right)_\mathrm{collision} = \mathcal{E}_\mathrm{e}(x^\alpha, p^\alpha) - [\mathcal{A}_\mathrm{a}(x^\alpha, p^\alpha) + \mathcal{A}_\mathrm{s}(x^\alpha, p^\alpha)]\mathcal{F}(x^\alpha, p^\alpha)$$
$$+ \int \mathcal{A}_\mathrm{s}(x^\alpha, p'^\beta)\zeta(x^\alpha; p'^\beta \to p^\alpha)\mathcal{F}(x^\alpha, p'^\beta)dP' \quad (8.100)$$

となることがわかる．これより，光子に対する一般相対論的ボルツマン方程式は，

$$p^\alpha \frac{\partial \mathcal{F}}{\partial x^\alpha} - \Gamma^\beta_{\alpha\gamma}p^\alpha p^\gamma \frac{\partial \mathcal{F}}{\partial p^\beta} = \mathcal{E}_\mathrm{e}(x^\alpha, p^\alpha) - [\mathcal{A}_\mathrm{a}(x^\alpha, p^\alpha) + \mathcal{A}_\mathrm{s}(x^\alpha, p^\alpha)]\mathcal{F}(x^\alpha, p^\alpha)$$
$$+ \int \mathcal{A}_\mathrm{s}(x^\alpha, p'^\beta)\zeta(x^\alpha; p'^\beta \to p^\alpha)\mathcal{F}(x^\alpha, p'^\beta)dP'$$
$$(8.101)$$

と書くことができる[*31]．

[*31] 近年，一般相対論的ボルツマン方程式を直接，数値的に計算する試みがなされ始めている．ブラックホール時空中での光子ボルツマン方程式の数値シミュレーションの例として，巻末文献の Takahashi, Umemura（2017）があり，第 9 章で結果の一部を紹介する．

Chapter 8 の章末問題

問題 8.1 8 次元不変体積要素 $(-g)d^4xd^4p$ が測地線に沿って保存すること（リュービュの定理）を示せ．

問題 8.2 デルタ関数を用いて定義された 3 次元部分空間での不変体積要素 dP (8.47) より，(8.49) で与えられる不変体積要素 $dP = \sqrt{-g}\eta_{ijk}\dfrac{d_1p^i d_2p^j d_3p^k}{|p_0|}$ が得られることを示せ．

問題 8.3 局所ミンコフスキー系での座標 x^α と運動量 p^α に対する 6 次元不変体積要素 $-dV_\mu dP^\mu$ を具体的に計算せよ．時間的な単位ベクトル $\hat{u}^\alpha$ の成分は，

$$\hat{u}^0 = 1, \quad \hat{u}^1 = \hat{u}^2 = \hat{u}^3 = 0 \tag{8.102}$$

で与え，運動量ベクトル p^α は，質量殻上の座標 (p, θ, ϕ) を用いて，

$$p^0 = E, \quad p^1 = p\sin\theta\cos\phi, \quad p^2 = p\sin\theta\sin\phi, \quad p^3 = p\cos\theta$$

で与えられるものとする．ここで，E は粒子のエネルギー，p は運動量の大きさ，θ と ϕ は運動量ベクトルの方向を表す角度座標である．

問題 8.4 不変位相関数 $\zeta(\boldsymbol{x}; \boldsymbol{p}' \to \boldsymbol{p})$ を $\boldsymbol{p}'$ に対する運動量空間で積分したものは 1，つまり，$\int \zeta(\boldsymbol{x}; \boldsymbol{p} \to \boldsymbol{p}')dP' = 1$ となることを示せ．

問題 8.5 光子に対する一般相対論的ボルツマン方程式は，散乱光子の in-coming 光子と out-going 光子に対して対称な形を持った次の式で表されることを示せ．

$$\begin{aligned}
p^\alpha \frac{\partial \mathcal{F}}{\partial x^\alpha} - \Gamma^\beta_{\alpha\gamma} p^\alpha p^\gamma \frac{\partial \mathcal{F}}{\partial p^\beta} &= \mathcal{E}_\mathrm{e}(x^\alpha, p^\alpha) - \mathcal{A}_\mathrm{a}(x^\alpha, p^\alpha)\mathcal{F}(x^\alpha, p^\alpha) \\
&\quad - \int \mathcal{A}_\mathrm{s}(x^\alpha, p^\beta)\zeta(x^\alpha; p^\beta \to p'^\alpha)\mathcal{F}(x^\alpha, p^\beta)dP' \\
&\quad + \int \mathcal{A}_\mathrm{s}(x^\alpha, p'^\beta)\zeta(x^\alpha; p'^\beta \to p^\alpha)\mathcal{F}(x^\alpha, p'^\beta)dP'.
\end{aligned}$$

Chapter 9
一般相対論的輻射輸送

　ある物質から放射された光は物質中を伝搬する過程で吸収や散乱を受ける．多数の光子の統計的な集団としての流れである輻射が，放射・吸収・散乱の効果を受けながら曲がった時空中をどのように伝搬していくのかを記述するのが一般相対論的輻射輸送方程式である．ここでは，一般相対論的輻射輸送に関するいくつかの具体的描像について記述する．

9.1　一般相対論的輻射輸送方程式

　曲がった時空中での不変分布関数 $\mathcal{F}$ の発展方程式である**一般相対論的輻射輸送方程式**（general relativistic radiative transfer equation）[*1]は

$$p^\alpha \frac{\partial \mathcal{F}}{\partial x^\alpha} - \Gamma^\beta_{\alpha\gamma} p^\alpha p^\gamma \frac{\partial \mathcal{F}}{\partial p^\beta} = \mathcal{E}_\mathrm{e}(x^\alpha, p^\alpha) - \{\mathcal{A}_\mathrm{a}(x^\alpha, p^\alpha) + \mathcal{A}_\mathrm{s}(x^\alpha, p^\alpha)\} \mathcal{F}(x^\alpha, p^\alpha) \\ + \int \mathcal{A}_\mathrm{s}(x^\alpha, p'^\beta) \zeta(x^\alpha; p'^\beta \to p^\alpha) \mathcal{F}(x^\alpha, p'^\beta) dP' \quad (9.1)$$

と表すことができる．ここで，左辺は不変分布関数 $\mathcal{F}$ の移流の効果を表し，右辺は衝突項で光子数の増減を表している．右辺の衝突項では，$\mathcal{E}_\mathrm{e}$ の項が放射による

[*1] 一般相対論的輻射輸送方程式の導出に関しては第 8 章を参照のこと．

光子数の増加を表しており，積分で書かれている項が散乱による光子数の増加を表している．一方で，$\mathcal{A}_\mathrm{a} + \mathcal{A}_\mathrm{s}$ を含む項は，吸収による光子数の減少と散乱による光子数の減少を表している．

ここで，散乱により粒子数が増加する効果を担う積分項を

$$\mathcal{E}_\mathrm{s}(x^\alpha, p^\alpha) \equiv \int \mathcal{A}_\mathrm{s}(x^\alpha, p'^\alpha) \zeta(x^\alpha; p'^\alpha \to p^\alpha) \mathcal{F}(x^\alpha, p'^\alpha) dP' \tag{9.2}$$

と置くと，衝突項の中で粒子数の増加を担う部分は

$$\mathcal{E}(x^\alpha, p^\alpha) = \mathcal{E}_\mathrm{e}(x^\alpha, p^\alpha) + \mathcal{E}_\mathrm{s}(x^\alpha, p^\alpha), \tag{9.3}$$

とまとめることができる．同様に，吸収による光子数の減少と散乱による光子数の減少を表す項を

$$\mathcal{A}(x^\alpha, p^\alpha) = \mathcal{A}_\mathrm{a}(x^\alpha, p^\alpha) + \mathcal{A}_\mathrm{s}(x^\alpha, p^\alpha), \tag{9.4}$$

とまとめて書くことにする．これらを用いると，一般相対論的輻射輸送方程式は，

$$p^\alpha \frac{\partial \mathcal{F}}{\partial x^\alpha} - \Gamma^\beta_{\alpha\gamma} p^\alpha p^\gamma \frac{\partial \mathcal{F}}{\partial p^\beta} = \mathcal{E}(x^\alpha, p^\alpha) - \mathcal{A}(x^\alpha, p^\alpha) \mathcal{F}(x^\alpha, p^\alpha), \tag{9.5}$$

となる．左辺の移流を表す部分は，粒子数が測地線に沿ってどのように変化するのかを表していた［8.6.4 節の式（8.101）］．測地線に沿った変化量で表すことを明示的に表すために，測地線に沿ったパラメータ λ の微分として右辺を書き表すこともできた．右辺を不変分布関数 $\mathcal{F}$ の λ に関する微分を用いて書くと，輻射輸送方程式は

$$\frac{D\mathcal{F}}{d\lambda} = \mathcal{E} - \mathcal{A}\mathcal{F}, \tag{9.6}$$

と書くこともできる．この式は，非相対論的な場合での輻射輸送方程式に対応する一般相対論的な輻射輸送方程式である．

9.2 不変量と局所ミンコフスキー系の物理量との対応

一般相対論的輻射輸送方程式を解いてさまざまな問題に取り組む際には，光子の放射・吸収・散乱などの微視的な物理素過程を取り入れる必要がある．この際，物理素過程を記述する物理量（放射係数，吸収係数，散乱断面積など）は，ほとんどすべて局所ミンコフスキー系で与えられる．大局的な輻射輸送は不変量をもとに計

算するのが便利なのであるが，個々の物理プロセスを計算に組み込む際には，不変量と局所ローレンツ系での物理量との対応関係を知っておく必要がある．よって，ここでは，輻射輸送方程式 (9.6) で用いられている一般座標変換に対する不変量 $\mathcal{F}, \mathcal{E}, \mathcal{A}$ と，局所ミンコフスキー系での物理量との対応を調べてみよう．物理量の次元を把握するために光速 c とプランク定数 h を用いて記述する．

9.2.1　不変輝度 $\mathcal{I}$ と局所ミンコフスキー系の輝度 I_ν の対応

局所ミンコフスキー系で，時間 dt の間に面積 dA を立体角 $d\Omega$ の範囲の方向に通過する，振動数が $(\nu, \nu + d\nu)$ の間にある光子が担う輻射エネルギー dE は，

$$dE = I_\nu \, dA \, dt \, d\Omega \, d\nu, \tag{9.7}$$

と与えられる．ここで，I_ν は**輻射強度** (specific intensity) もしくは**輝度** (brightness) と呼ばれ，$[\mathrm{erg\ s^{-1} cm^{-2} sr^{-1} Hz^{-1}}]$ の次元をもつ[*2]（図 9.1）．すなわち，I_ν は，座標空間中の場所，放射の方向と振動数などに依存する物理量である．

一方で，分布関数 $\mathcal{F}$ は位相空間中の粒子数密度であった．すなわち，(8.80) によって，$dN = \mathcal{F}(-\hat{u}_\mu p^\mu) dV dP$ で与えられた．ここで，局所ローレンツ系での光子の振動数を ν とすると光子エネルギー $E = h\nu$ であり，$dN = dE/(h\nu)$ という関係がある．一方，光子に対する 6 次元不変体積要素 $(-\hat{u}_\mu p^\mu) dV dP$ は局所ミンコフスキー系で，

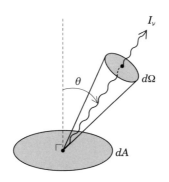

図 **9.1**　輝度．

[*2] 第 3 巻 3.1 節参照．

$$dN = \mathcal{F}(-\hat{u}_\mu p^\mu)dVdP = \mathcal{F}\frac{E^2}{c^3}dVdEd\Omega \tag{9.8}$$

となる*3．ここで，$d\Omega = \sin\theta d\theta d\phi$ である．一方，$dV = cdtdA$ および $dE = hd\nu$ であるので，（9.7）から，

$$dN = \frac{dE}{h\nu} = \frac{I_\nu}{h^2 c\nu}dEdVd\Omega \tag{9.10}$$

を得る．(9.8) と (9.10) より，不変分布関数 $\mathcal{F}$ と輻射強度 I_μ の間に，

$$\mathcal{F} = \frac{c^2 I_\nu}{h^4 \nu^3} \tag{9.11}$$

という関係があることがわかる．ここで，不変分布関数 $\mathcal{F}$ の次元は，[erg^{-2}cm^{-2}s^{-1}g^{-1}sr^{-1}] である．以上の計算では，光速 c とプランク定数 h を陽に書いたが，$c = h = 1$ とすると，

$$\mathcal{F} = \frac{I_\nu}{\nu^3} \tag{9.12}$$

である．このように，不変分布関数 $\mathcal{F}$ は輝度 I_ν に対応する一般座標変換に対する不変量であるという見方もできることから，**不変輝度**（invariant intensity）と呼び，$\mathcal{I}$ と書かれることがある（図9.2）*4：

$$\mathcal{I} = \frac{I_\nu}{\nu^3}. \tag{9.13}$$

以下では，$\mathcal{F}$ の代わりに $\mathcal{I}$ を用いることにする．この場合，光子に対する一般相対論的輻射輸送方程式は，

$$\frac{d\mathcal{I}}{d\lambda} = \mathcal{E} - \mathcal{A}\mathcal{I}, \tag{9.14}$$

となる．

座標 x^α において運動量 p^α をもつ光子に対する不変輝度 $\mathcal{I}(x^\alpha, p^\alpha)$ の発展方程

---

*3 光子の運動量 $p^0 = E/c$, $p^1 = p\sin\theta\cos\phi$, $p^2 = p\sin\theta\sin\phi$, $p^3 = p\cos\theta$ および光子の運動量に対する規格化条件から $p = E/c$ となる．これらより，次式を得る．

$$-\hat{u}_\mu p^\mu = p^0 = \frac{E}{c}, \quad dP = \frac{d^3 p}{|p_0|} = \frac{c}{E}p^2 dp d\Omega = \frac{E}{c^2}dEd\Omega. \tag{9.9}$$

*4 c と h を残して書くと，$\mathcal{I} = c^2 I_\nu/(h^4 \nu^3)$ となる．

式である一般相対論的輻射輸送方程式は，

$$\frac{d}{d\lambda}\mathcal{I}(x^\alpha, p^\alpha) = \mathcal{E}_\mathrm{e}(x^\alpha, p^\alpha) - \mathcal{A}_\mathrm{a}(x^\alpha, p^\alpha)\mathcal{I}(x^\alpha, p^\alpha) - \mathcal{A}_\mathrm{s}(x^\alpha, p^\alpha)\mathcal{I}(x^\alpha, p^\alpha)$$
$$+ \int \mathcal{A}_\mathrm{s}(x^\alpha, p'^\alpha)\zeta(x^\alpha; p'^\alpha \to p^\alpha)\mathcal{I}(x^\alpha, p'^\alpha)dP' \qquad (9.15)$$

と，不変輝度 $\mathcal{I}$ についての微分積分方程式として与えられる．ここで，x^α と p^α は測地線方程式にしたがうので，これらは測地線に沿ったパラメータ λ の関数である．これより，不変輝度 $\mathcal{I}$ も λ の関数となる．すなわち，$\mathcal{I}(x^\alpha, p^\alpha) = \mathcal{I}(\lambda)$ となる．同様に，$\mathcal{E}_\mathrm{e}$ や $\mathcal{A}_\mathrm{a}$ なども λ の関数となる．不変輝度 $\mathcal{I}$ などを λ の関数とみなすと，(9.15) は，以下となる：

$$\frac{d}{d\lambda}\mathcal{I}(\lambda) = \mathcal{E}_\mathrm{e}(\lambda) + \mathcal{E}_\mathrm{s}(\lambda) - \mathcal{A}_\mathrm{a}(\lambda)\mathcal{I}(\lambda) - \mathcal{A}_\mathrm{s}(\lambda)\mathcal{I}(\lambda). \qquad (9.16)$$

最近では，(9.16) を位相空間中で直接数値的に計算した相対論的輻射輸送シミュレーションが始まっており，ブラックホール時空中での**一般相対論的輻射輸送シミュレーション**（general relativistic radiative transfer simulation）も行われている（322 ページのコラムを参照）[*5]．

9.2.2 局所ミンコフスキー系での不変放射係数・不変吸収係数

輻射輸送方程式 (9.14) から，局所ミンコフスキー系での輝度 I_ν に対する式を導いてみよう．その過程で，不変量 $\mathcal{E}$ と $\mathcal{A}$ の局所ミンコフスキー系での物理量との対応を見ることができる．まず，測地線に沿った保存量である光子のエネルギー $h\nu$ は，

$$h\nu = c(-\hat{u}_\mu p^\mu) = cp^0 = c\frac{dx^0}{d\lambda} = \frac{c^2 dt}{d\lambda} = c\frac{ds}{d\lambda} \qquad (9.17)$$

と計算される．ここで，$ds \equiv cdt$ と定義した．これより，

$$d\lambda = \frac{c}{h\nu}ds \qquad (9.18)$$

を得る．ここで，λ の次元は，$[\mathrm{s\ g^{-1}}]$ であり，s の次元は，$[\mathrm{cm}]$ である．(9.11)

[*5] 相対論的輻射輸送シミュレーションに関する文献として次のものを挙げておく：Jiang, Stone, Davis (2012, 2013, 2014), Zhu et al. (2015), Jiang, Davis, Stone (2016), Narayan et al. (2016), Ohsuga, Takahashi (2016), Takahashi, Umemura (2017). Asahina et al. (2020), Asahina, Ohsuga (2022), Takahashi, M.M. et al. (2022).

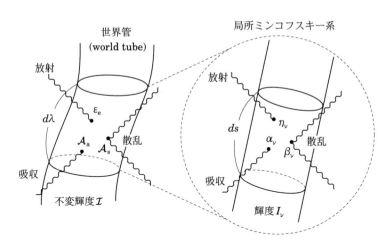

図 **9.2** 不変量と局所ミンコフスキー系の物理量.

［もしくは，(9.13)］と (9.17) を用いると，(9.14) の左辺は，

$$\frac{d\mathcal{I}}{d\lambda} = \left(\frac{c^2}{h^4\nu^3}\right)\left(\frac{h\nu}{c}\right)\frac{dI_\nu}{ds} = \frac{c}{h^3\nu^2}\frac{dI_\nu}{ds} \tag{9.19}$$

となる．(9.14) の両辺に $h^3\nu^2/c$ をかけ，(9.11)［もしくは，(9.13)］を用いると，

$$\frac{dI_\nu}{ds} = \frac{h^3\nu^2}{c}\mathcal{E} - \frac{c}{h\nu}\mathcal{A}I_\nu \tag{9.20}$$

を得る．ここで，$\mathcal{E}$ と $\mathcal{A}$ はそれぞれ (9.3) および (9.4) で書かれることを思い出しておこう．(9.20) が，局所ミンコフスキー系での輻射輸送方程式

$$\begin{aligned}\frac{dI_\nu}{ds} &= \eta_\nu - \alpha_\nu I_\nu - \beta_\nu I_\nu \\ &\quad + \oint\left[\int\left(\frac{\nu}{\nu'}\right)^2 \beta_{\nu'} I_{\nu'}(\boldsymbol{l'})\zeta(\nu'\to\nu, \boldsymbol{l'}\to\boldsymbol{l})\frac{h^2\nu'}{c^2}d\nu'\right]d\Omega' \end{aligned} \tag{9.21}$$

と等しいとする[*6]．ここで，η_ν は**放射係数** (emission coefficient)，α_ν は**吸収係数** (absorption coefficient)，β_ν は**散乱係数** (scattering coefficient) であ

[*6] (9.21) と本質的に同じ式は第 3 巻 (13.43) に与えられている．第 3 巻 (3.43) は非相対論的な式であるが，散乱に関する積分項以外は (9.21) と同様な式として書かれている．

る[*7]．(9.20) と (9.21) より，局所ミンコフスキー系で，

$$\mathcal{E}_\mathrm{e} = \frac{c}{h^3\nu^2}\eta_\nu, \qquad \mathcal{E}_\mathrm{s} = \iint \beta_{\nu'} I_{\nu'} \zeta(\nu' \to \nu, \boldsymbol{l}' \to \boldsymbol{l}) \frac{d\nu'}{ch\nu'} d\Omega',$$
$$\mathcal{A}_\mathrm{a} = \frac{h\nu}{c}\alpha_\nu, \qquad \mathcal{A}_\mathrm{s} = \frac{h\nu}{c}\beta_\nu, \qquad\qquad (9.22)$$

という関係が得られる（図 9.2）[*8]．また，$\mathcal{E}_\mathrm{e}$ と $\mathcal{E}_\mathrm{s}$ の単位は同じものであるので $\mathcal{E} = \mathcal{E}_\mathrm{e} + \mathcal{E}_\mathrm{s}$ の単位は [erg^{-2}cm^{-2}s^{-2}sr^{-1}]，$\mathcal{A} = \mathcal{A}_\mathrm{a} + \mathcal{A}_\mathrm{s}$ の単位は [s^{-1}g] であることがわかる．ここで，$c = h = 1$ とすると，以下の関係を得る：

$$\mathcal{E}_\mathrm{e} = \frac{\eta_\nu}{\nu^2}, \qquad \mathcal{E}_\mathrm{s} = \iint \beta_{\nu'} I_{\nu'} \zeta(\nu' \to \nu, \boldsymbol{l}' \to \boldsymbol{l}) \frac{d\nu'}{\nu'} d\Omega',$$
$$\mathcal{A}_\mathrm{a} = \nu\alpha_\nu, \qquad \mathcal{A}_\mathrm{s} = \nu\beta_\nu. \qquad\qquad (9.23)$$

9.2.3 光学的厚み

ここで，次式で定義される τ を考える：

$$\tau(\lambda, \lambda_0) \equiv \int_{\lambda_0}^{\lambda} \mathcal{A}(\lambda') d\lambda' = \int_{\lambda_0}^{\lambda} \{\mathcal{A}_\mathrm{a}(\lambda') + \mathcal{A}_\mathrm{s}(\lambda')\} d\lambda'. \qquad (9.24)$$

ここで，(9.19) および (9.22) より，τ を局所ミンコフスキー系で評価して見ると，

$$\tau = \int_{\lambda_0}^{\lambda} \{\mathcal{A}_\mathrm{a}(\lambda') + \mathcal{A}_\mathrm{s}(\lambda')\} d\lambda' = \int_{s_0}^{s} \{\alpha_\nu(s') + \beta_\nu(s')\} ds' \qquad (9.25)$$

となる．これは，(9.24) で定義された τ は，局所ミンコフスキー系での吸収と散乱を考慮した**光学的厚み**（optical thickness）であることがわかる[*9]．光学的厚みは，**光学的深さ**（optical depth）と呼ばれることもある．一般相対論的輻射輸送方程式より，$d\mathcal{I} = \mathcal{E}d\lambda - \mathcal{A}\mathcal{I}d\lambda$ が得られ，$\mathcal{I}$ が不変量であることから，$\mathcal{E}d\lambda$ と $\mathcal{A}d\lambda$ は，一般座標変換に対する不変量であることがわかる．よって，(9.24) より，光学的厚み τ も不変量である．また，$d\mathcal{I} = \mathcal{E}d\lambda - \mathcal{A}\mathcal{I}d\lambda$ より $\mathcal{A}d\lambda$ が無次元量であり，(9.24) より，τ が無次元量であることもわかる[*10]．

[*7] η_ν の単位は [erg cm^{-3}s^{-1}Hz^{-1}sr^{-1}]，α_ν と β_ν の単位は [cm^{-1}] である．

[*8] 散乱の積分項 $\mathcal{E}_\mathrm{s}$ に関しては，考えている散乱過程に対応して具体的表式を得ることができる．たとえば，トムソン散乱に関しては，第 3 巻 (13.47) が得られる．

[*9] 第 3 巻 (3.13)，(3.65) 参照．

[*10] $\mathcal{A}$ の単位が [s^{-1}g]，λ の単位が [s g^{-1}] であることからも，τ が無次元量であることがわかる．

9.3　一般相対論的輻射輸送方程式の簡単な解

散乱がない場合には，（9.16）で与えられる輻射輸送方程式は

$$\frac{d}{d\lambda}\mathcal{I}(\lambda) = \mathcal{E}_e(\lambda) - \mathcal{A}_a(\lambda)\mathcal{I}(\lambda) \tag{9.26}$$

となる．ここで，（9.26）の簡単な解析解を考えてみよう．

9.3.1　放射のみの場合

吸収と散乱がない場合（$\mathcal{A}_a = \mathcal{A}_s = 0$ の場合），放射された光は輻射輸送方程式 $d\mathcal{I}(\lambda)/d\lambda = \mathcal{E}_e(\lambda)$ にしたがい伝搬する．この式は簡単に解くことができ，

$$\mathcal{I}(\lambda) = \mathcal{I}(\lambda_0) + \int_{\lambda_0}^{\lambda} \mathcal{E}_e(\lambda')d\lambda', \tag{9.27}$$

という解を得る．光の輻射輸送を具体的に計算する場合には，通常，測地線の各地点で定義される局所ミンコフスキー系で，ある放射係数 η_ν で記述される放射を考える．これは，放射係数は物質と光子の微視的過程により決まり，微視的過程は局所ミンコフスキー系で考えるからである．そこで，次の例題で，（9.27）で与えられる解を局所ミンコフスキー系の物理量を用いて書き直してみよう．

例題 9.1　放射のみの場合の一般相対論的輻射輸送方程式の不変輝度 $\mathcal{I}(\lambda)$ の解 $\mathcal{I}(\lambda) = \mathcal{I}(\lambda_0) + \int_{\lambda_0}^{\lambda} \mathcal{E}_e(\lambda')d\lambda'$ を，局所ミンコフスキー系での輝度 I_ν，放射係数 η_ν，測地線に沿った経路長を表すパラメータ s を用いて書き表せ．

解答　不変輝度 $\mathcal{I}$ と不変放射係数 $\mathcal{E}_e$ はそれぞれ $\mathcal{I} = I_\nu/\nu^3$（9.13）および $\mathcal{E}_e = \eta_\nu/\nu^2$（9.23）となることより，解（9.27）は，

$$I_\nu(s) = \left(\frac{\nu}{\nu_0}\right)^3 I_{\nu_0}(s_0) + \int_{s_0}^{s} \left(\frac{\nu}{\nu'}\right)^3 \eta_{\nu'}(s')ds' \tag{9.28}$$

となる．これが，局所ミンコフスキー系の物理量で表した放射のみの場合の一般相対論的輻射輸送方程式の解である．■

（9.22）において，ν/ν_0 と ν/ν' を含む因子は，光子が放射された局所ミンコフスキー系と光子を観測する系の間の光子のエネルギー変化を表す．ドップラー効果などの特殊相対論効果や，重力赤方偏移や観測者がブラックホールの自転方向に引

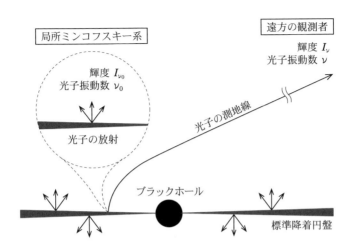

図 9.3 ブラックホール標準円盤から放出される光子の輻射輸送.

きずられる効果などの一般相対論的効果[*11]による光子のエネルギー変化は，この因子で記述される．

(1) ブラックホール周囲の赤道面上の標準降着円盤

具体的な例として，ブラックホールの周囲の赤道面上にある幾何学的に薄く光学的に厚い標準降着円盤からの放射の伝搬を考えてみる．この場合には，赤道面上の円盤の局所ミンコフスキー系から出た光が自由伝搬する．伝搬経路上での放射源がない場合には，(9.28) の積分項の $\eta_{\nu'} = 0$ となるので，解は，

$$I_\nu(s) = \left(\frac{\nu}{\nu_0}\right)^3 I_{\nu_0}(s_0) \tag{9.29}$$

となる．ここで，$I_{\nu_0}(s_0)$ は，赤道面で放射する降着円盤上の局所ミンコフスキー系での輝度であり，$I_\nu(s)$ は，測地線の s の位置の観測者（たとえば，無限遠方にいる観測者など）が観測する輝度である．ここで，ν は観測光の振動数で，ν_0 は降着円盤上の局所ミンコフスキー系での放射光の振動数である（図 9.3）．ブラックホール周囲の標準降着円盤の観測イメージや観測スペクトルは，(9.29) にしたがって計算することができる[*12]．

[*11] 1.6 節，2.3 節，2.5 節参照．

[*12] 観測イメージや観測スペクトルやこれらの具体的な手順は，9.4 節に記載してある．

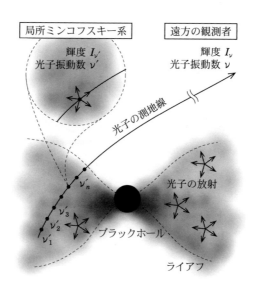

図 9.4 ブラックホール降着流における光子の輻射輸送.

回転ブラックホール周囲での一般相対論的輻射輸送シミュレーション

近年，一般相対論的輻射輸送方程式（9.15）を直接数値計算することにより不変輝度 $\mathcal{I}$ の時間発展を計算する試みが始まっている．**一般相対論的輻射輸送シミュレーション**（general relativistic radiative transfer simulation）では，不変輝度 $\mathcal{I}$ を位相空間中で解き，それを運動量空間で積分することにより光子エネルギー，輻射フラックス，輻射ストレスなどの物理量の時間発展をそれぞれ計算することができる．

図 9.5 に，カーブラックホール周囲での光の波面が伝搬する様子を計算した例を示す．ブラックホール近傍のある地点から四方八方に放出された光は，ブラックホール周囲で互いに逆方向に周回する波面を形成しながら伝搬することが知られている［図 9.5 (a)］[*13]．ブラックホールの周囲を逆向きに周回する光の波面は何回も衝突を繰り返し，ブラックホール近傍のある半径内の光子エネルギー総量は指数関数的に減衰する．繰り返される衝突と指数関数的な減衰は，一般相対論的輻射輸送シミュレーションで再現できる［図 9.5 (b)］．運動量空間積分を実行することにより，形式的に光子散乱の効果も取り入れることができる［図 9.5 (c)］のであ

[*13] 光子波面問題は，Hanni (1977), Takahashi, Ishizuka, Yokosawa (1990) 参照.

るが，大局的な一般相対論的シミュレーションで任意の光学的厚みに対する光子多重散乱を正しく扱う計算手法は開発途上である[*14]．

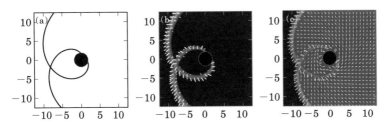

図 **9.5** 回転ブラックホール時空中での光子波面の時間発展：(a) レイ・トレーシング計算，(b) 光子散乱なしの一般相対論的輻射輸送計算，(c) 光子散乱を入れた計算（Takahashi, Umemura 2017）．

(2) 光学的に薄い降着流の中のブラックホール・シャドウ

別の例として，ブラックホール周囲の光学的に薄い降着流（たとえば，光学的に薄い波長でのライアフ（16 ページ）など）の中での光の伝搬を考えてみよう．この場合には，光が伝搬する経路上の s' で指定される各点の局所ミンコフスキー系で放射係数 $\eta_{\nu'}(s')$ を考えることになる．この場合に，(9.28) は，

$$I_\nu(s) = \int_{s_0}^{s} \left(\frac{\nu}{\nu'}\right)^3 \eta_{\nu'}(s') ds' \qquad (9.30)$$

となる．経路上での放射のみ考えているので，(9.28) の右辺の最初の項はゼロとした．この式で，$I_\nu(s)$ は，経路上の s で指定される観測者が観測する輝度である．ν は観測光の振動数で，ν' は降着流中の s' で指定される地点の局所ミンコフスキー系での放射光の振動数である．光学的に薄い降着流中のブラックホール・シャドウの観測イメージ（324 ページのコラムの右図）や観測スペクトルは，(9.30) で計算することができる．

光学的に薄い降着流中のブラックホール・シャドウの輪郭はブラックホール時空

[*14] 一般相対論的光子ボルツマン方程式を，直接数値的に解く試みがいくつか行われている（Takahashi, R., Umemura 2017; Asahina *et al.* 2020; Asahina Ohsuga 2022; Takahashi, M.M. *et al.* 2022）．

の情報を直接反映することが知られている（コラム参照）．このため，さまざまなブラックホール時空に対し，ブラックホール・シャドウの輪郭の計算がなされている[*15]．

―― 光子球とブラックホール・シャドウの輪郭 ――

ブラックホールの周囲を回り続けるような不安定な光子の軌道が存在することが知られている（2.5 節参照）．この軌道は半径一定の球面上に存在し，カーブラックホールの場合には一つの平面上に束縛されていない軌道を周回する光子軌道となる．このように球面上に束縛されている光子軌道は**光子球**（photon sphere）と呼ばれる（下左図）[*16]．無限遠方からブラックホールを見た場合に，ブラックホール

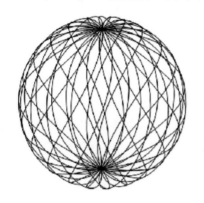 

図 9.6 光子球（左）とブラックホール・シャドウの理論計算例（右）．

に捕捉される光子と捕捉されない光子の境界が**ブラックホール・シャドウ**（black hole shadow）の輪郭を形成する（図 2.17，図 9.6 右図）．輪郭にある光子軌道は光子球に極めて近い軌道になっている．

光子球の位置はブラックホールの時空構造によって決まることから，シャドウの

[*15] 無限遠方から見たカーブラックホールのシャドウはバーディーン（Bardeen 1973）で計算された．降着円盤中のシャドウはルミネ（Luminet 1979）によって初めて計算され，福江・横山（Fukue, Yokoyama, 1988）で複数の観測波長でのシャドウのイメージが計算された．カーブラックホール周囲の降着円盤中でのシャドウの輪郭は高橋（Takahashi 2004）で計算された．ブラックホール近傍から見た場合のブラックホールの輪郭は，シュバルツシルトブラックホールはシン（Synge 1966），カーブラックホールは高橋ら（Takahashi, Takahashi 2010）で解析解が与えられた．現在では，さまざまな時空でシャドウの計算がなされている．

[*16] Teo（2003）にさまざまな軌道の例がある．

輪郭からブラックホールの時空計量に関する情報を得ることが可能となる．このため，多種多様なブラックホール時空に対して，シャドウの輪郭が計算されている．実際の巨大ブラックホールのブラックホール・シャドウのイメージの観測データは 2017 年にイベント・ホライズン望遠鏡により観測された（EHT Collaboration 2019, 2021, 2022）[*17]．

9.3.2 吸収のみの場合

放射と散乱がない場合（$\mathcal{E}_e = \mathcal{A}_s = 0$ の場合），放射された光は輻射輸送方程式 $d\mathcal{I}(\lambda)/d\lambda = -\mathcal{A}_a(\lambda)\mathcal{I}(\lambda)$ にしたがい伝搬する．この式より，

$$\mathcal{I}(\lambda) = \mathcal{I}(\lambda_0) \exp\left[-\int_{\lambda_0}^{\lambda} \mathcal{A}_a(\lambda')d\lambda'\right] \tag{9.31}$$

という解を得る．(9.24) で定義される光学的厚み τ を用いると，解 (9.31) は

$$\mathcal{I}(\lambda) = \mathcal{I}(\lambda_0)e^{-\tau(\lambda,\lambda_0)} \tag{9.32}$$

となる．

例題 9.2 吸収のみの場合の一般相対論的輻射輸送方程式の解 $\mathcal{I}(\lambda) = \mathcal{I}(\lambda_0)e^{-\tau(\lambda,\lambda_0)}$ を，局所ミンコフスキー系での輝度 I_ν，吸収係数 α_ν，測地線に沿った経路長を表すパラメータ s を用いて書き表せ．

解答 不変輝度 $\mathcal{I}$，不変吸収係数 $\mathcal{A}_a$ および λ は，(9.11)［もしくは，(9.13)］，(9.22)，(9.19) より，解 (9.32) は，

$$I_\nu(s) = \left(\frac{\nu}{\nu_0}\right)^3 I_{\nu_0}(s_0) e^{-\tau(s,s_0)} \tag{9.33}$$

となる．ここで，不変量である光学的厚み τ は，局所ローレンツ系での吸収係数 α_ν を用いて，$\tau = \int_{s_0}^{s} \alpha_{\nu'}(s')ds'$ となる． ∎

(9.33) より，光子が経路上の s_0 で指定される地点から s で指定される地点まで伝搬する間に，$e^{-\tau}$ で表される吸収による指数関数的な減光と，$(\nu/\nu_0)^3$ で表される振動数の変化があることがわかる[*18]．

[*17] 実際に観測された M87* といて座 A* のブラックホール・シャドウについては，第 1 章参照．

[*18] 第 3 巻の式 (3.49) 参照．

9.3.3 放射と吸収がある場合

散乱がない場合，放射と吸収のみがある場合の輻射輸送方程式（9.26）の解は，

$$\mathcal{I}(\lambda) = \mathcal{I}(\lambda_0)e^{-\tau(\lambda,\lambda_0)} + \int_{\lambda_0}^{\lambda} \mathcal{E}(\lambda')e^{-\tau(\lambda,\lambda')}d\lambda', \tag{9.34}$$

となる（例題 9.3）．

例題 9.3 散乱がない場合の輻射輸送方程式

$$\frac{d\mathcal{I}(\lambda)}{d\lambda} = \mathcal{E}_e(\lambda) - \mathcal{A}_a(\lambda)\mathcal{I}(\lambda) \tag{9.35}$$

の解を求めよ．

解答 （9.24）で定義される $\tau(\lambda, \lambda_0)$ を λ で微分すると $d\tau/\lambda = \mathcal{A}(\lambda)$ となることから，輻射輸送方程式は，

$$\frac{d\mathcal{I}(\lambda)}{d\lambda} + \frac{d\tau(\lambda,\lambda_0)}{d\lambda}\mathcal{I}(\lambda) = \mathcal{E}_e(\lambda) \tag{9.36}$$

と書くことができる．この式の両辺に $e^{\tau(\lambda,\lambda_0)}$ をかけると左辺がまとめられ，

$$\frac{d}{d\lambda}\{\mathcal{I}(\lambda)e^{\tau(\lambda,\lambda_0)}\} = \mathcal{E}_e(\lambda)e^{\tau(\lambda,\lambda_0)} \tag{9.37}$$

となる．この式の両辺を λ で，(λ_0, λ) の範囲で積分すると

$$\mathcal{I}(\lambda)e^{\tau(\lambda,\lambda_0)} - \mathcal{I}(\lambda_0) = \int_{\lambda_0}^{\lambda} \mathcal{E}_e(\lambda')e^{\tau(\lambda',\lambda_0)}d\lambda' \tag{9.38}$$

となる．ここで，$\tau(\lambda_0, \lambda_0) = 0$ となることを用いた．この式を $\mathcal{I}(\lambda)$ について解くと，散乱がない場合の輻射輸送方程式の解，

$$\mathcal{I}(\lambda) = \mathcal{I}(\lambda_0)e^{-\tau(\lambda,\lambda_0)} + \int_{\lambda_0}^{\lambda} \mathcal{E}_e(\lambda')e^{-\tau(\lambda,\lambda')}d\lambda' \tag{9.39}$$

を得る．ここで，$-\tau(\lambda, \lambda_0) + \tau(\lambda', \lambda_0) = -\tau(\lambda, \lambda')$ となることを用いた．∎

次に，放射と吸収だけの場合の一般相対論的輻射輸送方程式の解（9.34）を局所ローレンツ系の物理量で書き表してみよう．

例題 9.4 散乱がない場合の一般相対論的輻射輸送方程式の解 $\mathcal{I}(\lambda) = \mathcal{I}(\lambda_0)e^{-\tau(\lambda,\lambda_0)} + \int_{\lambda_0}^{\lambda} \mathcal{E}(\lambda')e^{-\tau(\lambda,\lambda')}d\lambda'$ を，局所ミンコフスキー系での輝度 I_ν，

放射係数 η_ν, 吸収係数 α_ν, 測地線に沿った経路長を表すパラメータ s を用いて書き表せ.

解答 不変輝度 $\mathcal{I}$, 不変放射係数 $\mathcal{E}_\mathrm{e}$, 不変吸収係数 $\mathcal{A}_\mathrm{a}$ および λ は, (9.11) [もしくは, (9.13)], (9.22), (9.19) より, 解 (9.34) を, 局所ミンコフスキー系での物理量を用いて書くと,

$$I_\nu(s) = \left(\frac{\nu}{\nu_0}\right)^3 I_{\nu_0}(s_0) e^{-\tau(s,s_0)} + \int_{s_0}^{s} \left(\frac{\nu}{\nu'}\right)^3 \eta_{\nu'}(s') e^{-\tau(s,s')} ds' \qquad (9.40)$$

となる. ここで, 不変量である光学的厚み τ は, $\tau = \int_{s_0}^{s} \alpha_{\nu'}(s') ds'$ である. ∎

解 (9.40) の左辺の第 1 項は, 経路上の s_0 で指定される地点で放射された光が, ν/ν_0 で表されるエネルギー変化の効果と $e^{-\tau(s,s_0)}$ で表される吸収による指数関数的な減光の効果を受けていることを表す. 同様に, 第 2 項は, 経路上の s' で指定される地点で, 放射係数 $\eta_{\nu'}$ で与えられる放射光が, ν/ν' が表すエネルギー変化の効果と $e^{-\tau(s,s')}$ が表す吸収による指数関数的な減光の効果を同時に受け, それらを経路全体で積分したものになっている. これらの過程において, ν/ν_0 と ν/ν' で表される因子から, 相対論効果によりエネルギー変化を受ける.

9.4 幾何学的に薄い降着円盤中のブラックホール・シャドウ

ここでは, 一般相対論的輻射輸送計算の例として, ブラックホール周囲の幾何学的に薄い降着円盤[19]である標準降着円盤から放出される光子の輸送を考えよう. この計算を通じて, 降着円盤に囲まれたブラックホールの姿である**ブラックホール・シャドウ**（black hole shadow）のイメージやブラックホール周囲の標準降着円盤から放出される光子の観測スペクトルが計算される.

9.4.1 標準円盤の放射フラックスと温度分布

ボイヤー–リンキスト座標を用いて記述されたカーブラックホール周囲の標準降着円盤の半径 r の位置での放射フラックス F_ν [erg cm^{-2} s^{-1}Hz^{-1}] を全振動数

---

[19] この降着円盤から放出されるエネルギー・フラックスの計算は 4.2.1 節にある. また, 加藤ら (Kato, Fukue, Mineshige, 2008), 嶺重 (2016) にさまざまな降着円盤・降着流に関する詳しい説明がある.

で積分した量である全放射フラックス $F(r)$ [erg cm^{-2} s^{-1}] は，

$$F(r) = \frac{\dot{M}_0}{4\pi r} f(r), \tag{9.41}$$

で与えられる．ここで，$f(r)$ は

$$f(r) = \frac{-\partial_r \Omega}{(E-\Omega L)^2} \int_{r_{\rm ms}}^r (E-\Omega L)\, \partial_r L\, dr. \tag{9.42}$$

である[20]．ISCO 半径でのトルクをゼロと仮定したことの帰結として，放射フラックスは ISCO 半径でゼロとなる．これにより，$a/M < 1$ の場合には，放射フラックスの最大値が実現する半径は ISCO 半径よりも少し外側になっている．いま仮定している光学的に厚い降着円盤では円盤表面からの局所的な放射エネルギーのエネルギースペクトルは近似的に黒体放射に従うとみなせることから，降着物質の有効温度 T を計算することができる．上で計算した放射フラックスを黒体放射フラックスと等しいとすることにより，ステファン–ボルツマン則 $\mathcal{F} = \sigma T^4$ から有効温度が T [K] $= (F/\sigma)^{1/4}$ と計算される．ここで，σ はステファン–ボルツマン定数 $(\sigma = 5.670 \times 10^{-5}\,{\rm erg\, s^{-1}\, cm^2\, K^{-4}})$ である．有効温度 T が各半径 r で与えられ，この有効温度をもつ黒体輻射スペクトルを降着円盤表面の流体静止系での放射エネルギースペクトルとすることで，各半径 r での流体静止系での放射スペクトルを与えることができる．この放射スペクトルはブラックホールの質量 M，カー・パ

---

[20] 式 (4.39) 参照．この式を導く計算過程で円盤の最内縁が ISCO 半径（64 ページ）にあり，その内側ではトルクも放射もないという仮定を用いた．カーブラックホールに対して $f(r)$ は解析的に解くことができ，カー・パラメータが $a/M < 1$ の場合には，

$$\begin{aligned}&f(r)\\&= \frac{3}{2M}\frac{1}{x^2(x^3-3x+2a_*)}\left[x-x_0-\frac{3}{2}a_*\ln\left(\frac{x}{x_0}\right) - \frac{3(x_1-a_*)^2}{x_1(x_1-x_2)(x_1-x_3)}\ln\left(\frac{x-x_1}{x_0-x_1}\right)\right.\\&\left.-\frac{3(x_2-a_*)^2}{x_2(x_2-x_1)(x_2-x_3)}\ln\left(\frac{x-x_2}{x_0-x_2}\right) - \frac{3(x_3-a_*)^2}{x_3(x_3-x_1)(x_3-x_2)}\ln\left(\frac{x-x_3}{x_0-x_3}\right)\right]\end{aligned} \tag{9.43}$$

と計算され，最大回転するカーブラックホール（すなわち，$a/M = 1$）の場合には，

$$f(r) = \frac{3}{2M}\frac{1}{x^2(x+2)(x-1)^2}\left[x-1-\frac{3}{2}\ln x+\frac{3}{2}\ln\left(\frac{x+2}{3}\right)\right] \tag{9.44}$$

と計算される．ここで $a_* = a/M$, $x = (r/M)^{1/2}$, $x_0 = (r_{\rm ISCO}/M)^{1/2}$ であり，x_1, x_2, x_3 は $x^3 - 3x + 2a_* = 0$ の解でそれぞれ $x_1 = 2\cos[(\cos^{-1}a_* - \pi)/3]$, $x_2 = 2\cos[(\cos^{-1}a_* + \pi)/3]$, $x_3 = -2\cos[(\cos^{-1}a_*)/3]$ と与えられる．特に，$x = 1$ の場合には $f(r) = 1/(3M)$ となる．

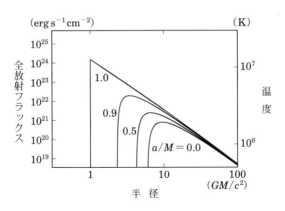

図 9.7 カーブラックホール周りの標準降着円盤の放射フラックスと温度の動径分布.

ラメータ a/M ($\equiv a_*$),降着円盤の質量降着率 $\dot{M}_0$ の関数となっている(図 9.7).図 9.7 で内側で全放射フラックスがゼロとなる半径が ISCO 半径に対応する.

9.4.2 光線湾曲

降着円盤から放出された光子は,**光線湾曲**(light bending)の効果[21]とエネルギー・シフトの効果[22]を受けつつ遠方の観測者まで輸送される.カー時空では,光の軌道に沿って,光子のエネルギー E,z 軸周りの角運動量 L_z,カーター定数 Q が保存する[23].光の軌道は L_z と Q をエネルギー E を用いて規格化した $\eta \equiv Q/(M^2 E^2)$,$\zeta \equiv L_z/(ME)$ という 2 つのパラメータで決まる.カーブラックホール周囲の光子の測地線方程式は数値的にも解析的にも解くことができる[24].

遠方の観測者を考える場合には,遠方での平行測地線の条件から光子測地線に沿った 2 つの定数 η,ζ と遠方観測者がブラックホールを見る天球平面上の座標 (x,y) の間に

---

[21] 2.4 節,2.5 節参照.
[22] 輝度の変化は (9.29) で与えられる.
[23] ボイヤー–リンキスト座標で記述されたカーブラックホール周囲の光の軌道の方程式は,(2.82), (2.83), (2.84), (2.85), (2.86), (2.87), (2.88) で $\delta = 0$ とした方程式系で与えられる.
[24] 数値的に計算する場合には,特に光子球(photon sphere)上の同じ半径内の軌道やエルゴ領域(ergo region)内での軌道の曲率半径が非常に小さな軌道などを解く際には数値積分の精度や離散化する際のステップの大きさなどに注意する必要がある.

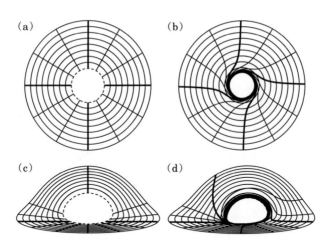

図 9.8 赤道面上の球座標グリッドの無限遠観測者の天球座標へのプロット．

$$x = -\zeta/\sin i, \quad y = \pm(\eta + a_*^2 \cos^2 i - \zeta^2/\tan^2 i)^{1/2} \tag{9.45}$$

という関係があることに注意する[*25],[*26]．図 9.8 にカー時空の赤道面上の球座標グリッドを遠方観測者の天球面の (x,y) に射影した結果が示されている[*27]．円盤の奥側がせり上がって見える様子やブラックホールの回転により，光の軌道が回転方向に巻き込まれている様子をうかがうことができる．

9.4.3 降着円盤の観測イメージ

降着円盤から放出された光子は，光の軌道の湾曲の効果に加えて，エネルギーシフトの効果を受ける．観測される輝度 $I_{\nu_{\rm obs}}$ と降着円盤上の共動系での輝度 $I_{\nu_{\rm rest}}$ の間には，(9.29) より，$I_{\nu_{\rm obs}} = g^3 I_{\nu_{\rm rest}}$ の関係がある．ここで，g は観測者の系での光子振動数 $\nu_{\rm obs}$ と円盤上の共動系での光子振動数 $\nu_{\rm rest}$ の関係を決める因子

[*25] y についている $\pm$ は，$y > 0$ か $y < 0$ かを区別する．

[*26] これを逆に解くと，$\zeta = -x\sin i$，$\eta = y^2 + (x^2 - a_*^2)\cos^2 i$ となる．ここで，i は降着円盤の回転軸から測った観測者の位置方向の角度である．この式を用いると，遠方の観測者の天球座標の位置 (x,y) と光子の軌道に沿った定数 η と ζ との関係が与えられ，天球上の各点に対応する光の軌道を計算することができる．

[*27] パラメータ $(a/M, i)$ は (a) $(0, 0°)$，(b) $(0.99, 0°)$，(c) $(0, 80°)$，(d) $(0.99, 80°)$．

で，(4.54) で与えられる[*28]．標準降着円盤から放出される光子エネルギースペクトルは円盤の各半径の温度によって決まる黒体放射スペクトルであり，これを円盤上の共動系での輝度とする．観測光子の振動数 $\nu_{\rm rest}$ をある値に決めて計算する場合には，関係式 $\nu_{\rm rest} = g^{-1}\nu_{\rm obs}$ を用いて降着円盤上の光子振動数 $\nu_{\rm rest}$ を計算し，この振動数と測地線の計算によって得られる光子が放射される半径での温度から円盤上の局所静止系での輝度 $I_{\nu_{\rm rest}}$ がわかり，$I_{\nu_{\rm obs}} = g^3 I_{\nu_{\rm rest}}$ の関係を用いて観測者の系での輝度 $I_{\nu_{\rm obs}}$ が計算できる．これらの計算では，円盤上での局所静止系での光子振動数は $a_*, i, x, y, \nu_{\rm obs}$ によって決まる．

このようにして計算された観測輝度から観測されるイメージの各点における光子振動数 $\nu_{\rm obs}$ での光子フラックス $F^{\rm obs}_{\nu_{\rm obs}}$ [erg s^{-1} cm^{-2} Hz^{-1}] は

$$F^{\rm obs}_{\nu_{\rm obs}} = \frac{1}{d^2} \int d\nu_{\rm rest}\, g^4 I_{\nu_{\rm rest}} \delta(\nu_{\rm obs} - g\nu_{\rm rest}) \tag{9.46}$$

と計算される．ここで δ はデルタ関数で，d はブラックホールから観測者までの距離である．このように計算された観測フラックスは $a_*, i, x, y, \nu_{\rm obs}$ によって決まる．式 (9.46) で計算される観測フラックスの天球座標 (x,y) ごとの分布を書くことにより遠方観測者が見るブラックホール周囲の降着円盤のイメージが計算される．このようなイメージは観測光子振動数 $\nu_{\rm obs}$，カー・パラメータ a_*，円盤回転軸と観測者の方向のなす角 i によって決まる．図 9.9 に，$i = 80°$ の角度から見たスピン $a/M = 0.9$ を持つカーブラックホール周囲の降着円盤のイメージを示す．イメージ上に現れる相対論的効果を見るために，人為的にいくつかの相対論効果を除いた場合のイメージも載せてある．

9.4.4 標準円盤の観測スペクトル

標準円盤の観測イメージを観測光子のエネルギーに対して計算し，観測光子フラックスをイメージ全体で積分することにより，観測エネルギースペクトルが計算される．降着円盤のイメージは，重力半径 GM/c^2 で規格化された距離のスケールを持った座標 (x,y) の座標面に表示されることがある．この座標から天体までの距離 d を用いて，角度座標 $(\alpha, \beta) = (x/d, y/d)$ を導入する．この角度座標面上で降

[*28] この g の物理的意味は例題 4.2 を参照のこと．g 因子には円盤回転によるドップラー効果等の特殊相対論効果と重力赤方偏移，時空の引きずり効果等の一般相対論効果が含まれる．

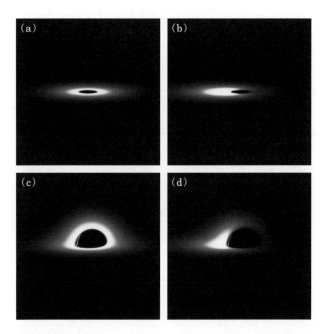

図 **9.9** 降着円盤のイメージ．(a) ニュートン重力，(b) 特殊相対論効果のドップラー効果のみ，(c) 光の軌道の湾曲のみ，(d) すべての特殊および相対論効果を考慮したイメージ．

着円盤のイメージを積分すると，降着円盤全体から来る光子に対する観測フラックス $S_\nu^{\rm obs}$ [erg s^{-1} cm^{-2} Hz^{-1}] が，

$$S_\nu^{\rm obs} = \iint g^3 I_{\nu_{\rm rest}} d\alpha d\beta = \frac{1}{d^2} \iint g^3 I_{\nu_{\rm rest}} dx dy \tag{9.47}$$

と計算される[*29]．遠方観測者が観測する降着円盤のエネルギー・スペクトルの計算例を図 9.10 に示す．ブラックホールが高速に回転するほど降着円盤の最高温度は大きくなることと，高エネルギー側へのエネルギーシフトの効果[*30]の帰結として観測エネルギー，そしてブラックホールが高速に回転するほど観測エネルギース

[*29] この観測フラックス $S_\nu^{\rm obs}$ と降着円盤全体から放出される光子に対する光度（luminosity）$L_{\nu_{\rm obs}}$ [erg s^{-1} Hz^{-1}] は，$L_\nu^{\rm obs} = 4\pi d^2 S_\nu^{\rm obs}$ より計算できる．

[*30] 4.5 節で記述されている幅の広い輝線に関する説明と図 4.9 が参考になる．

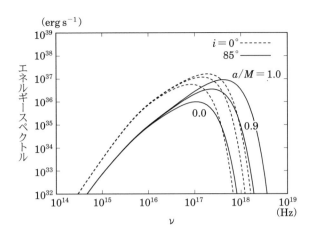

図 9.10 無限遠方の観測者が見るカーブラックホール周りの標準降着円盤のエネルギースペクトル.

ペクトルも高エネルギー側にのびる[*31].

9.5 一般相対論的輻射輸送方程式の形式解

9.5.1 形式解

放射・吸収・散乱の効果をすべて取り入れた一般相対論的輻射輸送方程式は,(9.3)と (9.4) を用いて (9.16) をまとめることにより,

$$\frac{d}{d\lambda}\mathcal{I}(\lambda) = \mathcal{E}(\lambda) - \mathcal{A}(\lambda)\mathcal{I}(\lambda) \tag{9.48}$$

と与えられる. 吸収と散乱の寄与を考慮した光学的厚みは,

$$\tau(\lambda,\lambda) = \int_{\lambda_0}^{\lambda} \mathcal{A}(\lambda')d\lambda' = \int_{\lambda_0}^{\lambda} \{\mathcal{A}_a(\lambda') + \mathcal{A}_s(\lambda')\}d\lambda' \tag{9.49}$$

となる. この τ を用いて, 例題 9.3 と同様の計算を行うことにより,(9.48) から,

$$\mathcal{I}(\lambda) = \mathcal{I}(\lambda_0)e^{-\tau(\lambda,\lambda_0)} + \int_{\lambda_0}^{\lambda}\mathcal{E}(\lambda')e^{-\tau(\lambda,\lambda')}d\lambda' \tag{9.50}$$

[*31] 逆に観測エネルギースペクトルの低エネルギー側は降着円盤の外側の温度が低い領域のエネルギースペクトルによって作られるのでブラックホール回転の効果などの一般相対論的効果は弱くなる.

を得ることができる．この式は，一見，(9.48) の解になっているように見えるが，実は (9.48) の解ではない．これは，次の考察から容易にわかる．(9.50) の $\mathcal{E}(\lambda')$ の部分には，(9.3) で表されるように，放射と散乱の両方の効果が含まれている．これらを具体的に書くと，(9.50) は，

$$\mathcal{I}(\lambda) = \mathcal{I}(\lambda_0) e^{-\tau(\lambda,\lambda_0)} + \int_{\lambda_0}^{\lambda} \mathcal{E}_{\mathrm{e}}(\lambda') e^{-\tau(\lambda,\lambda')} d\lambda'$$
$$+ \int_{\lambda_0}^{\lambda} \left\{ \int \mathcal{A}_{\mathrm{s}}(x'^\alpha, p''^\alpha) \zeta(x'^\alpha; p''^\alpha \to p'^\alpha) \mathcal{I}(x'^\alpha, p''^\alpha) dP'' \right\} e^{-\tau(\lambda,\lambda')} d\lambda'$$
$$(9.51)$$

となる．ここで，(9.2) により，散乱の効果 $\mathcal{E}_{\mathrm{s}}$ を具体的に書いた．座標 (x^α) と運動量 (p'^α と p''^α) は，ある測地線上のパラメータ λ で指定される（測地線上の）座標と運動量である．ここで，運動量空間積分 (dP' の積分) の中に，不変輝度 $\mathcal{I}$ が含まれている．つまり，散乱の効果が含まれる場合には，(9.51) は $\mathcal{I}$ についての積分方程式になっており，(9.48) の解になっていない．このことから，(9.50) や (9.51) は，一般相対論的輻射輸送方程式 (9.48) の **形式解**（formal solution）と呼ばれることもある[*32]．

9.5.2　局所ミンコフスキー系での一般相対論的輻射輸送方程式の形式解

(9.51) の局所ミンコフスキー系での表現を具体的に書いてみよう．(9.11)［もしくは，(9.13)］，(9.22) を用いると，局所ミンコフスキー系での輝度 I_ν，放射係数 η_ν，吸収係数 α_ν，散乱係数 β_ν[*33]を用いて (9.51) を書き直すことができ，

$$I_\nu(s) = \left(\frac{\nu}{\nu_0}\right)^3 I_{\nu_0}(s_0) e^{-\tau(s,s_0)} + \int_{s_0}^{s} \left(\frac{\nu}{\nu'}\right)^3 \eta_{\nu'}(s') e^{-\tau(s,s')} ds'$$
$$+ \int_{s_0}^{s} \frac{\nu}{\nu'} \left\{ \int a_{\nu'}(x'^\alpha, p''^\alpha) \zeta(x'^\alpha; p''^\alpha \to p'^\alpha) \right.$$
$$\left. \left(\frac{\nu}{\nu''}\right)^2 I_{\nu''}(x'^\alpha, p''^\alpha) dP'' \right\} e^{-\tau(s,s')} ds' \quad (9.52)$$

[*32] 非相対論的輻射輸送方程式の形式解については，第 3 巻 3.5.3 節参照．

[*33] これらの係数については，第 3 巻 3.3 節参照．

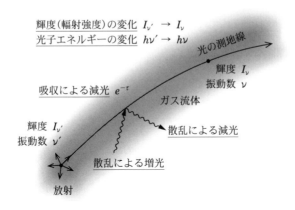

図 9.11 ガス流体中での光子の輻射輸送.

を得る. ここで, $\tau(s,s') = \int_{s_0}^{s} \{\alpha_{\nu'}(s') + \beta_{\nu'}(s')\} ds'$ であり, 運動量空間積分の dP'' は, 局所ミンコフスキー系で具体的に書くと,

$$dP'' = \frac{h^2}{c^2} \nu'' d\nu'' d\Omega'' \tag{9.53}$$

となる. この式で, $d\Omega''$ は立体角に関する積分を表している. (9.52) には, ν/ν' などの因子が表す相対論効果による光子のエネルギーの変化, 放射係数 $\eta_{\nu'}$ が表すガス流体中での放射の効果, $e^{-\tau}$ の因子が表す吸収と散乱による減光の効果, 運動量空間積分が表す散乱による輝度の増加による輝度変化の効果すべてが含まれている (図 9.11).

9.6 不変源泉関数で書いた一般相対論的輻射輸送方程式

一般相対論的輻射輸送方程式 (9.48) は, 測地線に沿ったパラメータ λ に関する微分で記述される方程式である. ここで, λ は $[\mathrm{s\,g^{-1}}]$ の次元をもつ量である. 一方で, 無次元の量である光学的厚み τ に関する微分として輻射輸送方程式をかくこともある[*34]. ここでは, τ に関する微分を用いて書かれた輻射輸送方程式を紹

[*34] 非相対論的な場合は, 第 3 巻 3.5 節参照.

介しよう.

9.6.1 不変源泉関数

（9.24）で定義される光学的厚み $\tau(\lambda, \lambda_0)$ は，測地線に沿ったパラメータ λ の関数である．λ の関数として考えてきた不変輝度 $\mathcal{I}(\lambda)$，不変放射係数 $\mathcal{E}(\lambda)$，不変吸収係数 $\mathcal{A}(\lambda)$ はそれぞれ光学的厚み τ の関数として考えることもできる．吸収と散乱を考慮した場合，λ に関する微分は，（9.24）により，

$$\frac{d}{d\lambda} = \frac{d\tau}{d\lambda}\frac{d}{d\tau} = \mathcal{A}(\lambda)\frac{d}{d\tau} \tag{9.54}$$

となる．これにより，（9.48）で与えられる輻射輸送方程式を書き直すと，

$$\frac{d}{d\tau}\mathcal{I}(\tau) = \mathcal{S}(\tau) - \mathcal{I}(\tau) \tag{9.55}$$

となる．ここで，$\mathcal{S}$ を**不変源泉関数**（invariant source function）と呼び，

$$\mathcal{S}(\tau) \equiv \frac{\mathcal{E}(\tau)}{\mathcal{A}(\tau)}, \tag{9.56}$$

で定義される．ここで，$\mathcal{E}$ と $\mathcal{A}$ はともに一般座標変換に対する不変量であることから，（9.56）で定義される $\mathcal{S}$ は不変量であることがわかる．また，$\mathcal{E}$ の次元は $[\mathrm{erg}^{-2}\mathrm{cm}^{-2}\mathrm{s}^{-2}\mathrm{sr}^{-1}]$，$\mathcal{A}$ の次元は $[\mathrm{s}^{-1}\mathrm{g}]$ であることから，不変源泉関数 $\mathcal{S}$ の次元は $[\mathrm{erg}^{-2}\mathrm{cm}^{-2}\mathrm{s}^{-1}\mathrm{g}^{-1}\mathrm{sr}^{-1}]$ となる．（9.55）の形からも明らかなように，不変源泉関数 $\mathcal{S}$ の次元は不変輝度 $\mathcal{I}$ の次元と同じである[*35]．不変源泉関数を用いて書かれた一般相対論的輻射輸送方程式（9.55）の形式解は，

$$\mathcal{I}(\tau) = \mathcal{I}(0)e^{-\tau} + \int_0^\tau \mathcal{S}(\tau')e^{-(\tau-\tau')}d\tau', \tag{9.57}$$

となる[*36]．（9.57）において，散乱の効果が含まれる場合には，（9.3）で与えられる $\mathcal{E} = \mathcal{E}_\mathrm{e} + \mathcal{E}_\mathrm{s}$ の散乱を担う $\mathcal{E}_\mathrm{s}$ は，不変輝度 $\mathcal{I}$ を含んだ運動量空間積分で記述される．つまり，散乱がある場合には，（9.57）は $\mathcal{I}$ に関する積分方程式になっており，（9.55）の解ではない．よって，この場合，（9.57）は（9.55）の形式解となっている[*37]．

[*35] 不変源泉関数の意味は後で考える（9.6.2 節）．

[*36] 章末問題 9.1.

9.6.2 不変源泉関数の意味

ここで，不変輝度 $\mathcal{I}(\tau)$ と不変源泉関数 $\mathcal{S}(\tau)$ の関係を考えよう．不変輝度 $\mathcal{I}(\tau)$ は，(9.55) より，光学的厚み τ に関する微分方程式

$$\frac{d\mathcal{I}(\tau)}{d\tau} = \mathcal{S}(\tau) - \mathcal{I}(\tau) \tag{9.58}$$

にしたがって変化する．ある τ での不変輝度 $\mathcal{I}(\tau)$ と不変源泉関数 $\mathcal{S}(\tau)$ の大小関係より，次の 3 パターンが考えられる：

- 不変輝度 $\mathcal{I}(\tau)$ が不変源泉関数 $\mathcal{S}(\tau)$ よりも小さい場合：
  $d\mathcal{I}/d\tau > 0$ となり，τ の増加とともに不変輝度 $\mathcal{I}(\tau)$ は増加する．
- 不変輝度 $\mathcal{I}(\tau)$ が不変源泉関数 $\mathcal{S}(\tau)$ よりも大きい場合：
  $d\mathcal{I}/d\tau < 0$ となり，τ の増加とともに不変輝度 $\mathcal{I}(\tau)$ は減少する．
- 不変輝度 $\mathcal{I}(\tau)$ が不変源泉関数 $\mathcal{S}(\tau)$ と等しい場合：
  $d\mathcal{I}/d\tau = 0$ となり，不変輝度 $\mathcal{I}(\tau)$ は変化しない．

これらより，不変輝度 $\mathcal{I}(\tau)$ はつねに，$\mathcal{S}(\tau)$ の値を目指して変化していることがわかる．つまり，不変源泉関数 $\mathcal{S}(\tau)$ は，不変輝度 $\mathcal{I}(\tau)$ がつねに近づこうとし

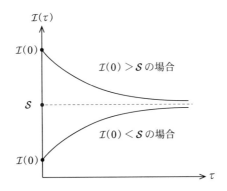

図 **9.12** 不変源泉関数 $\mathcal{S}$ と不変輝度 $\mathcal{I}$ の関係．

[*37] (336 ページ) 第 3 巻の式 (3.60) では，放射のみの場合の解を考えている．吸収・散乱がない場合には $\tau_\nu = 0$ となるので，(3.60) の積分項はゼロとなり，結局，吸収・散乱のない場合の解，つまり，輻射の自由伝搬の解 $I_\nu(\tau_\nu) = I_\nu(0)$ に帰着する．

ている値からなる関数である，ととらえることができる（図 9.12）*38．

―― 回転ブラックホール時空での光子捕獲割合 ――

　自転するブラックホールを無限遠から見た場合のブラックホール・シャドウの輪郭の形状が自転の影響でゆがむことが知られている（図 2.17 など参照）．これは，ブラックホールは自身の回転を弱める角運動量を持つ光子を捕獲する傾向があるためである．ZAMO 系（2.3.5 節）にいる観測者の天球面上で，ブラックホールに捕獲される光子の割合を計算したのが下の図である（シュバルツシルトブラックホールについては，図 2.16 参照）．

　図 9.13 の左図が自転していないシュバルツシルトブラックホール，右図が $a/M = 0.999$ でほぼ最大回転しているカーブラックホールの周りの光子捕獲割合である．破線は事象の地平面の位置である．左図より，同じ半径の位置で比較すると，回転ブラックホールの赤道面付近の光子の捕獲割合は極付近の光子の捕獲割合よりも小さくなる傾向があることがわかる．

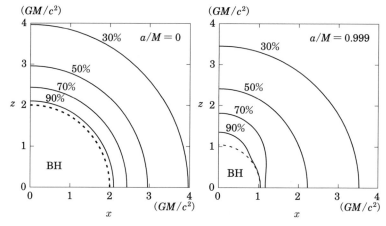

図 9.13　ブラックホール周囲での光子捕獲割合（Takahashi, Takahashi 2010）．BH はブラックホールを指す．

---

*38 章末問題 9.5 で $\mathcal{S}(\tau)$ が一定値をとる場合を考える．現実の物理的な状況では，$\mathcal{S}$ が定数となることはないかもしれないが，ここでは微分方程式 $d\mathcal{I}(\tau)/d\tau = \mathcal{S}(\tau) - \mathcal{I}(\tau)$ がもつ性質を調べるという目的で，$\mathcal{S}$ が一定の場合を考える．

9.6.3 局所ミンコフスキー系での不変源泉関数で書かれた形式解

不変源泉関数で書かれた一般相対論的輻射輸送方程式の形式解を局所ミンコフスキー系の物理量で評価してみよう．(9.11)［もしくは，(9.13)］，(9.22) を用いると，局所ミンコフスキー系での輝度 I_ν，放射係数 η_ν，吸収係数 α_ν，散乱係数 β_ν*39 を用いて (9.51) を書き直すことができる．具体的には，

$$I_\nu(\tau) = \left(\frac{\nu}{\nu_0}\right)^3 I_{\nu_0}(0) e^{-\tau} + \int_0^\tau \left(\frac{\nu}{\nu'}\right)^3 \frac{\eta_{\nu'}}{\alpha_{\nu'} + \beta_{\nu'}} e^{-(\tau-\tau')} d\tau'$$
$$+ \int_0^\tau \left(\frac{\nu}{\nu'}\right) \frac{e^{-(\tau-\tau')}}{\alpha_{\nu'} + \beta_{\nu'}} \left\{ \int \left(\frac{\nu}{\nu''}\right)^2 \beta_{\nu''}(x'^\alpha, p''^\alpha) \right.$$
$$\left. \zeta(x'^\alpha; p''^\alpha \to p'^\alpha) I_{\nu''}(x'^\alpha, p''^\alpha) dP'' \right\} d\tau' \tag{9.59}$$

を得る．ここで，$\tau(s,s') = \int_{s_0}^s \{\alpha_{\nu'}(s') + \beta_{\nu'}(s')\} ds'$ である．

特に，放射と吸収のみで散乱がない場合，すなわち，散乱係数 $\beta_\nu = 0$ の場合，(9.59) の形式解は，

$$I_\nu(\tau) = \left(\frac{\nu}{\nu_0}\right)^3 I_{\nu_0}(0) e^{-\tau} + \int_0^\tau \left(\frac{\nu}{\nu'}\right)^3 S_{\nu'}(\tau') e^{-(\tau-\tau')} d\tau' \tag{9.60}$$

となる．ここで，S_ν は，$S_\nu(\tau) \equiv \eta_\nu(\tau)/\alpha_\nu(\tau)$ で与えられる関数であり，これは散乱の効果を含まない場合の局所ローレンツ系での源泉関数に相当する*40．この源泉関数 S_ν と不変源泉関数 $\mathcal{S}$ の間の関係を次の例題で考えてみよう．

例題 9.5 放射と吸収のみを考える場合，不変源泉関数 $\mathcal{S} = \mathcal{E}_\mathrm{e}/\mathcal{A}_\mathrm{a}$ は，局所ローレンツ系での源泉関数 $S_\nu = \eta_\nu/\alpha_\nu$ とどのような関係になっているか求めよ．ここで，$\mathcal{E}_\mathrm{e}$ および $\mathcal{A}_\mathrm{a}$ は，それぞれ，不変放射係数，不変吸収係数である．また，η_ν および α_ν は，それぞれ，局所ローレンツ系での放射係数，吸収係数である．

解答 不変源泉関数 $\mathcal{S} = \mathcal{E}_\mathrm{e}/\mathcal{A}_\mathrm{a}$ を (9.22) で与えられる対応関係を用いて書き直すと，

---

*39 これらの係数については，第 3 巻 3.3 節参照．

*40 第 3 巻の式 (3.58) 参照．

$$\mathcal{S} = \frac{\mathcal{E}_\mathrm{e}}{\mathcal{A}_\mathrm{a}} = \frac{c^2}{h^4 \nu^3} \frac{\eta_\nu}{\alpha_\nu} = \frac{c^2}{h^4 \nu^3} S_\nu \tag{9.61}$$

となる. ∎

（9.61）で与えられる不変源泉関数 $\mathcal{S}$ と局所ローレンツ系での源泉関数 S_ν の対応関係は，（9.11）［もしくは，（9.13）］で与えられる不変輝度 $\mathcal{I}$ と局所ローレンツ系での輝度 I_ν の対応関係と同じである．この結論は，（9.55）で与えられる不変源泉関数を用いて書かれた一般相対論的輻射輸送方程式の形からも容易に推測できる．

9.7 テトラッド系での一般相対論的輻射輸送方程式

9.7.1 テトラッド形式

これまで，一般相対論的輻射輸送方程式（9.6）で用いられている一般座標変換に対する不変量 $\mathcal{F}, \mathcal{E}, \mathcal{A}$ と，局所ミンコフスキー系での物理量との対応や，一般相対論的輻射輸送方程式の簡単な解や形式解，および，それらの局所ミンコフスキー系での表現などを見てきた．これらの計算では，不変輝度 $\mathcal{I}$ を測地線に沿ったパラメータ λ の関数として見ることにより，不変輝度 $\mathcal{I}$ の λ に関する微分を含む方程式を主に解いてきた．

一方，第 8 章の（8.90）で見たように，もともと，一般相対論的ボルツマン方程式の移流項は，座標 x^α と運動量 p^α に関する微分を含んだ形で書かれていた．不変輝度 $\mathcal{I}$ を測地線上の座標 x^α と運動量 p^α の関数とみなした場合，一般相対論的輻射輸送方程式は，

$$p^\alpha \partial_\alpha \mathcal{I} - \Gamma^\beta_{\alpha\gamma} p^\alpha p^\gamma \frac{\partial \mathcal{I}}{\partial p^\beta} = \left(\frac{d\mathcal{I}}{d\lambda}\right)_\mathrm{collision} \tag{9.62}$$

となる．ここで，$\partial_\alpha = \partial/\partial x^\alpha$ である．この式の左辺は，不変輝度 $\mathcal{I}$ の移流の効果を表す移流項で，右辺は光子の放射・吸収・散乱の効果を表す衝突項である．

衝突項の局所ミンコフスキー系での表現は，前節までで見てきた．ここでは，移流項を局所ミンコフスキー系の物理量で表してみたいと思う．局所ミンコフスキー系のように局所的な計量の成分が定数となるような系で，物理量を表す形式に，**テトラッド形式**（tetrad formalism）がある[*41]．一般相対論的ボルツマン方程式の

[*41] テトラッド形式になじみのない読者は，巻末文献の Chandrasekhar（1983）の §7 などにわかりやすい説明があるので参考にするとよい．テトラッド形式自体は，局所ミンコフスキー系を含む，より広い系に適用できる形式であるが，ここでは局所ミンコフスキー系をイメージしている．

テトラッド形式での表現は，リンキストによって与えられた[*42]．

9.7.2 テトラッド系とテトラッド成分

座標基底（coordinate basis）の基底ベクトルを e_α とかくと，それらの内積は，

$$e_\alpha \cdot e_\beta = g_{\alpha\beta} \tag{9.63}$$

のように計量テンソル $g_{\alpha\beta}$ となる［2.1.1 節 (2.13)］．これと同様に，内積が $\eta_{\hat{a}\hat{b}}$ となるようなベクトルの組みを考える．**正規直交系**（orthonormal frame）の基底ベクトルとなる 4 つのベクトルの組み $e_{\hat{a}}$ $(\hat{a} = \hat{0}, \hat{1}, \hat{2}, \hat{3})$ を導入し，これを**テトラッド**（tetrad）と呼ぶ[*43]．ハット記号で表された文字（$\hat{a}$ など）は，テトラッドの 4 つのベクトルを区別する添え字を表す．また，テトラッドで表された系を**テトラッド系**（tetrad frame）とよぶ[*44]．テトラッドは，正規直交関係

$$e_{\hat{a}} \cdot e_{\hat{b}} = \eta_{\hat{a}\hat{b}} \tag{9.64}$$

を満たす［(2.14)］（図 9.14）．任意のベクトル $\boldsymbol{p}$ は，テトラッド系に射影するこ

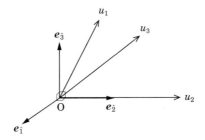

図 9.14 線形独立なベクトル（$\boldsymbol{u}_1$, $\boldsymbol{u}_2$, $\boldsymbol{u}_3$）と正規直交基底．

[*42] 巻末文献 Lindquist（1966）参照．

[*43] 本書では，2.1.1 節で，テトラッドがはじめて導入されている．座標基底ベクトルと非座標基底としての正規直交ベクトルの具体例は，2.1.2 節と図 2.2 で与えられている．また，カー時空のテトラッド系としての ZAMO 系でのテトラッドの 4 つのベクトルの具体的な表現は，(2.62) と (2.63) に与えられている．

[*44] 線形独立なベクトルの組みから正規直交系を作る有名な手法に，**グラム–シュミットの正規直交化法**（Gram-Schmidt orthonormalization）がある．一般座標系での線形独立なベクトルの組みから，グラム–シュミット正規直交化法を用いてテトラッドを作ることもできる．テトラッドは，一意に決まるものではないので，ある線形独立なベクトルの組みから無数のテトラッドを作ることが可能である．

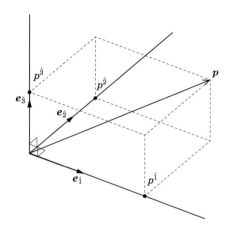

図 9.15 ベクトルの正規直交系への射影.

とができ,

$$\bm{p} = p^{\hat{a}}\bm{e}_{\hat{a}} = p_{\hat{a}}\bm{e}^{\hat{a}} \tag{9.65}$$

となる.テトラッド系で見たベクトルの成分は,**テトラッド成分**(tetrad component)とよばれる[*45].また,任意のベクトルは,座標基底 $\bm{e}_\alpha$ を用いて,

$$\bm{p} = p^{\alpha}\bm{e}_{\alpha} = p_{\alpha}\bm{e}^{\alpha} \tag{9.67}$$

と表される(図 9.15)[*46].

テトラッドの4つのベクトル $\bm{e}_{\hat{a}}$ を,座標基底 $\bm{e}_\alpha$ に射影した成分を $e_{\hat{a}}{}^{\alpha}$ とおくと,

$$\bm{e}_{\hat{a}} = e_{\hat{a}}{}^{\alpha}\bm{e}_{\alpha}, \qquad \bm{e}^{\hat{a}} = e^{\hat{a}}{}_{\alpha}\bm{e}^{\alpha} \tag{9.68}$$

となる.(9.65),(9.67),(9.68) より,

$$p^{\hat{a}} = e^{\hat{a}}{}_{\alpha}p^{\alpha}, \qquad p^{\alpha} = e_{\hat{a}}{}^{\alpha}p^{\hat{a}} \tag{9.69}$$

[*45] テトラッドの添え字の上げ下げは,$\eta_{\hat{a}\hat{b}}$ と $\eta^{\hat{a}\hat{b}}$ でおこなう:

$$p^{\hat{a}} = \eta^{\hat{a}\hat{b}}p_{\hat{b}}, \quad p_{\hat{a}} = \eta_{\hat{a}\hat{b}}p^{\hat{b}}, \quad \bm{e}^{\hat{a}} = \eta^{\hat{a}\hat{b}}\bm{e}_{\hat{b}}, \quad \bm{e}_{\hat{a}} = \eta_{\hat{a}\hat{b}}\bm{e}^{\hat{b}}. \tag{9.66}$$

[*46] 2.1.1 節参照.

という関係が得られる[*47].

9.7.3　テトラッド系での一般相対論的輻射輸送方程式の移流項

ここでは，9.7.2 節で導入したテトラッド系での一般相対論的輻射輸送方程式（9.62）の移流項をかいてみよう．具体的には，座標は一般座標系とテトラッド系で同じものを用い（すなわち，$x^{\hat{\alpha}} = x^{\alpha}$），ベクトルはテトラッド成分で表す（$p^{\hat{a}} = e^{\hat{a}}{}_{\alpha} p^{\alpha}$）という変換を行う．また，$e^{\hat{a}}{}_{\alpha}$ は，座標 x^{α} の関数である．一般相対論的輻射輸送方程式（9.62）に，この変換を施すと，テトラッド系での方程式が得られ，

$$p^{\hat{a}} \partial_{\hat{a}} \mathcal{I} - \gamma_{\hat{b}\hat{c}}^{\hat{a}} \, p^{\hat{b}} p^{\hat{c}} \frac{\partial \mathcal{I}}{\partial p^{\hat{a}}} = \left(\frac{d\mathcal{I}}{d\lambda} \right)_{\text{collision}} \tag{9.70}$$

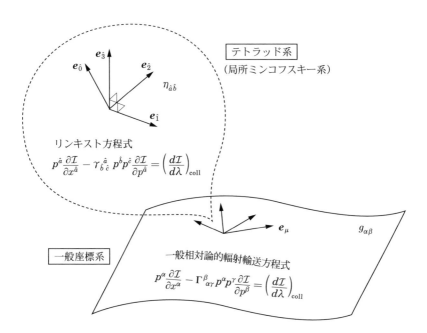

図 **9.16**　一般座標系とテトラッド系の輻射輸送方程式．coll は collision を表す．

[*47] 章末問題 9.2 に，上で述べた性質を用いることで計算することができるテトラッド系に関する関係式を載せてある．

となる*48. このテトラッド形式で表された一般相対論的ボルツマン方程式は，リンキスト方程式（Lindquist equaiton）と呼ばれることもある（図 9.16）．ここで，$\partial_{\hat{a}}$ は**方向微分**（directional derivative）を表し，$\partial_{\hat{a}} = e_{\hat{a}}{}^{\alpha} \partial_{\alpha}$ で表される*49. また，$\gamma_{\hat{b}\phantom{\hat{a}}\hat{c}}^{\phantom{\hat{b}}\hat{a}}$ は，**リッチ回転係数**（Ricci rotation coefficient）とよばれ，

$$\gamma_{\hat{b}\phantom{\hat{a}}\hat{c}}^{\phantom{\hat{b}}\hat{a}} \equiv e_{\hat{b}}{}^{\alpha} e^{\hat{a}}{}_{\gamma} \nabla_{\alpha} e_{\hat{c}}{}^{\gamma} \tag{9.71}$$

と定義される．ここで，∇_{α} は共変微分である．以上では，一般相対論的輻射輸送方程式のテトラッド形での表現を見たが，一般相対論的ボルツマン方程式の保存形の具体的表現が過去の研究で与えられている*50.

---

*48 章末問題 9.3 に導出が載せてある．

*49 (2.10) より，ベクトル $e_{\hat{a}}$ を座標基底 ∂_{α} を用いて表したことになっている．つまり，$\partial_{\hat{a}} = e_{\hat{a}}{}^{\alpha} \partial_{\alpha} = e_{\hat{a}}$ である．巻末文献 Lindquist (1966) を参照のこと．

*50 巻末文献の柴田ら（Shibata, Nagakura, Sekiguchi, Yamada, 2014）に，一般相対論的ボルツマン方程式の保存形とそれをシュバルツシルト時空，カー時空で書き下したものが与えられている．この文献の Appendix にカー時空のリッチ回転係数の具体形がボイヤー–リンキスト座標とカー–シルド座標で与えられている．

Chapter 9 の章末問題

問題 9.1 不変源泉関数 $\mathcal{S}(\tau)$ で書かれた一般相対論的輻射輸送方程式 $\dfrac{d\mathcal{I}(\tau)}{d\tau} = \mathcal{S}(\tau) - \mathcal{I}(\tau)$ の形式解を求めよ.

問題 9.2 テトラッド系に関係する次の式が成り立つことを示せ.
(1) $e_{\hat{a}}{}^{\alpha} e_{\hat{b}\alpha} = \eta_{\hat{a}\hat{b}}$ (2) $e_{\hat{a}}{}^{\alpha} e^{\hat{b}}{}_{\alpha} = \delta_{\hat{a}}^{\hat{b}}$
(3) $p^{\alpha} q_{\alpha} = p^{\hat{a}} q_{\hat{a}}$ (ただし, $p^{\alpha} = e_{\hat{a}}{}^{\alpha} p^{\hat{a}}$, $q_{\alpha} = e^{\hat{a}}{}_{\alpha} q_{\hat{a}}$ とする)

問題 9.3 一般相対論的輻射輸送方程式の移流項 $p^{\alpha} \partial_{\alpha} \mathcal{I} - \Gamma^{\beta}_{\alpha\gamma} p^{\alpha} p^{\gamma} \partial \mathcal{I} / \partial p^{\beta}$ は, テトラッド系で $p^{\hat{a}} \partial_{\hat{a}} \mathcal{I} - \gamma^{\hat{a}}_{\hat{b}\hat{c}} p^{\hat{b}} p^{\hat{c}} \partial \mathcal{I} / \partial p^{\hat{a}}$ とかけることを示せ. ただし, 一般座標系の運動量 p^{α} とテトラッド系の運動量 $p^{\hat{a}}$ の間に, $p^{\alpha} = e_{\hat{a}}{}^{\alpha} p^{\hat{a}}$, $p^{\hat{a}} = e^{\hat{a}}{}_{\alpha} p^{\alpha}$ の関係があり, 両方の系での座標は同じとする.

問題 9.4 カーブラックホール時空の ZAMO 系で等方に放射される光子のブラックホールに捕獲される割合は, ZAMO 系で見たブラックホール・シャドウの輪郭に沿った 1 次元積分で表されることを示せ. また, その積分を計算することでカーブラックホール周囲での光子捕獲率の分布を求めよ (図 9.13 右図).

問題 9.5 不変源泉関数 $\mathcal{S}$ が一定値をとる場合に, 不変源泉関数 $\mathcal{S}$ を用いて書かれた一般相対論的輻射輸送方程式の解 $\mathcal{I}(\tau) = \mathcal{I}(0) e^{-\tau} + \displaystyle\int_0^{\tau} \mathcal{S}(\tau') e^{-(\tau-\tau')} d\tau'$ を具体的に計算せよ. また, その解において, $\tau \to \infty$ の極限をとった場合に, 不変輝度 $\mathcal{I}(\tau)$ はどのような値に収束するか求めよ.

Chapter 10
一般相対論的輻射流体力学

ここでは，不変分布関数 $\mathcal{F}$ を運動量空間で積分することにより得られる光子数密度フラックス N^μ，輻射テンソル $T^{\mu\nu}_{\rm rad}$，輻射4元力密度 G_μ を導入し，一般相対論的輻射流体に関する基本的な事項について記述する．

10.1 光子数密度フラックスと数密度の保存則

まず，ここでは，光子に関する数密度の保存則を，位相空間中の不変分布関数を用いて記述したい[*1]．

10.1.1 時間一定面での光子数

不変分布関数 $\mathcal{F}(x^\alpha, p^\alpha)$ は，位相空間中での光子数密度を表す不変量であることをみた（8.5.2節）．時間一定面にある空間中のある点の近傍 dV に含まれ，運動量 p^μ の周りの範囲 dP に含まれる光子数 dN は，不変分布関数 $\mathcal{F}(x^\alpha, p^\alpha)$ を用いて，

$$dN = \mathcal{F}(x^\alpha, p^\alpha)(-dV_\mu dP^\mu) = \mathcal{F}(x^\alpha, p^\alpha)(-\hat{u}_\mu p^\mu)dVdP \tag{10.1}$$

と表された [(8.79)，(8.80)]．ここで，運動量 p^μ の周りの範囲 dP に含まれる単位体積にある光子数のフラックス

[*1] 本節は，光子を念頭に置いて書かれているが，「光子」を有限質量の「粒子」に置き換えても議論が通じるように書かれている．

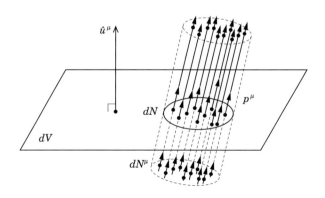

図 **10.1** 光子の世界線と時間一定面での光子数.

$$dN^\mu \equiv \mathcal{F}(x^\alpha, p^\alpha)dP^\mu = \mathcal{F}(x^\alpha, p^\alpha)p^\mu dP \tag{10.2}$$

を考えると光子数 dN は，

$$dN = -dV_\mu dN^\mu, \tag{10.3}$$

と記述される．この式は，位相空間中の光子数 dN は，運動量 p^μ の周りの範囲 dP に含まれる単位体積にある光子数のフラックス dP^μ を，時間一定面に射影したものであることがわかる[*2]．図 10.1 のイメージでは，光子の流れ dN^μ があって，その流れの dV 面での断面が光子数 dN である．これは，dN^μ にある多数の光子のそれぞれの世界線が，ある時間の時間一定面（図 10.1 の dV 面）と交わる際の交点の数が，その時間での光子数 dN であるともいえる．

10.1.2　光子数密度フラックス

上で見た光子の流れでは，運動量 p^μ の周りの範囲 dP にある光子のみを考えていた．多数の光子からなる系では，3次元座標空間ベクトル体積要素 dV_μ をさまざまな運動量をもつ光子が通過する．これらのすべての光子が作る光子数フラックスは，dN^μ を光子の運動量空間で積分することで得られ，

$$N^\mu \equiv \int dN^\mu = \int \mathcal{F}(x^\alpha, p^\alpha)dP^\mu = \int \mathcal{F}(x^\alpha, p^\alpha)p^\mu dP \tag{10.4}$$

[*2] 範囲 dP に含まれ，運動量 p^μ を持つ光子の流れ（フラックス）dN^μ があり，その流れを時間一定面に射影したものが光子数 dN になっている．

となる．この N^μ を，3次元座標空間のベクトル体積要素 dV_μ に射影すると，時間一定面での体積 dV 中の光子数 N が得られ，

$$N = -dV_\mu N^\mu = dV \int \mathcal{F}(x^\alpha, p^\alpha)(-\hat{u}_\mu p^\mu) dP \tag{10.5}$$

となる．これより，**光子数密度**（photon number density）n は，

$$n \equiv \frac{N}{dV} = \frac{-dV_\mu N^\mu}{dV} = -\hat{u}_\mu N^\mu = \int \mathcal{F}(x^\alpha, p^\alpha)(-\hat{u}_\mu p^\mu) dP \tag{10.6}$$

となる[*3]．4元ベクトル N^μ を時間的単位ベクトル $\hat{u}^\mu$ に射影した $-\hat{u}_\mu N^\mu$ が，$\hat{u}^\mu$ で決まる時間一定面中の光子数密度となっていることがわかる．このことから，(10.4) で定義される N^μ は**光子数密度フラックス**（photon number density flux）や**光子数密度 4 元ベクトル**（photon number density four-vector）と呼ばれる．

例題 10.1 局所ミンコフスキー系で，光子数密度フラックス N^μ の時間成分は光子数密度 n になることを示せ．また，空間成分 $N^k(k=1,2,3)$ は，k 方向への光子数密度フラックスとなることを示せ．ただし，時間的単位ベクトルは $\hat{u}^\mu = (1,0,0,0)$ とする．

解答 (10.6) より，局所ミンコフスキー系で，光子数密度は

$$n = \int \mathcal{F}(x^\alpha, p^\alpha) p^0 dP$$

となる．一方，(10.4) より，光子数密度フラックスの時間成分は，$N^0 = \int \mathcal{F}(x^\alpha, p^\alpha) p^0 dP = n$ となり，時間成分は光子数密度を意味していることがわかる．局所ミンコフスキー系で，運動量は，$p^\mu = p^0(1, \hat{p}^k)$ となる．ここで，$\hat{p}^k$ は運動量の空間方向を表す単位ベクトルである．いま，3次元運動量体積要素 dP にある光子のみを考えると，(10.2) より，$dN^0 = \mathcal{F}(x^\alpha, p^\alpha) p^0 dP$ および $dN^k = dN^0 \hat{p}^k$ となる．ここで，dN^0 を3次元運動量空間で積分したものが光子数密度 $n = \int dN^0$ となる．これより，$dN^k = dN^0 \hat{p}^k$ は大きさ dN^0 の流れを表すので，運動量空間積分により，k 方向への光子数密度フラックスが得られることがわか

[*3] この光子数密度は，(質量殻条件を満たす全運動量空間での) すべての光子の世界線が，単位体積を定義している時間一定面と交わる交点の数を表している．

る. ■

10.1.3 光子数の保存則

光子数の変化は，光子数密度フラックスの発散 $\nabla_\mu N^\mu$ で記述される[*4]：

$$\nabla_\mu N^\mu = \frac{1}{\sqrt{-g}}\partial_\mu(\sqrt{-g}N^\mu) = \frac{1}{\sqrt{-g}}(\sqrt{-g}N^0) + \frac{1}{\sqrt{-g}}\partial_k(\sqrt{-g}N^k). \quad (10.7)$$

ここで，k は空間成分を表し，$k = 1, 2, 3$ である．時間微分の項は光子数密度 n の時間変化を表し，空間座標での微分の項は，それぞれの空間方向への正味の光子密度の変化量を表す[*5]．$\sqrt{-g}$ は不変体積を表す際の補正因子である．(10.4) と位相空間での光子数密度である不変分布関数 $\mathcal{F}$ の発展を記述するボルツマン方程式 (8.90) より，

$$\nabla_\mu N^\mu = \int \left(\frac{d\mathcal{F}}{d\lambda}\right)_{\text{collision}} dP, \quad (10.8)$$

を得る（例題 10.2）．ここで，$\left(\dfrac{d\mathcal{F}}{d\lambda}\right)_{\text{collision}}$ は，不変分布関数 $\mathcal{F}$ の変化を記述する一般相対論的ボルツマン方程式 (8.90) の衝突項である．衝突項は，ある運動量 p^μ を持つ光子の生成や消滅などによる光子数の増減を表すことから，(10.8) の右辺は，光子数の変化の総量を表している．

ある系で，光子の生成や消滅がない場合，つまり，衝突項がゼロである場合には，

$$\nabla_\mu N^\mu = 0 \quad (10.9)$$

となり，光子数の保存則を表す．

例題 10.2 光子数密度フラックス N^μ の共変微分 $\nabla_\mu N^\mu$ を計算することにより，光子数の変化を表す式は，$\nabla_\mu N^\mu = \int \left(\dfrac{d\mathcal{F}}{d\lambda}\right)_{\text{collision}} dP$ となることを示せ．

解答 (10.4) の共変微分を計算することで導くことができる．具体的には，

$$\nabla_\mu N^\mu = \int \frac{1}{\sqrt{-g}}\partial_\mu\{(-g)\mathcal{F}p^\mu\}\frac{dP}{\sqrt{-g}} = \int (p^\mu \partial_\mu \mathcal{F} + 2\Gamma^\gamma_{\gamma\mu} p^\mu \mathcal{F})\, dP \quad (10.10)$$

[*4] 3.2.1 節参照．

[*5] ある空間領域で考えると，空間微分の項は，その領域から流出する光子量を表す．流出する際には，その領域内の光子の量は減少することから時間微分の項はマイナスとなる．これより，発散 $\nabla_\mu N^\mu$ が正味の光子の変化量を表すことがわかる．

ここで，(8.65) より，$dP/\sqrt{-g}$ が座標によらないことを用いた*6．最後の積分の被積分関数の第 1 項は，(8.90) より，

$$p^\mu \partial_\mu \mathcal{F} = \left(\frac{d\mathcal{F}}{d\lambda}\right)_{\text{collision}} + \Gamma^\mu_{\alpha\beta} p^\alpha p^\beta \frac{\partial \mathcal{F}}{\partial p^\mu} \tag{10.11}$$

となる．この式の第 2 項は $\partial \mathcal{F}/\partial p^\mu$ を含むことから，(10.10) で部分積分を行うことができる．部分積分の際に出てくる表面項を落とすことにより，

$$\nabla_\mu N^\mu = \int \left[\left(\frac{d\mathcal{F}}{d\lambda}\right)_{\text{collsion}} - \Gamma^\mu_{\alpha\beta} \frac{d}{dp^\mu}(p^\alpha p^\beta)\mathcal{F} + 2\Gamma^\gamma_{\gamma\mu} p^\mu \mathcal{F} \right] dP$$
$$= \int \left(\frac{d\mathcal{F}}{d\lambda}\right)_{\text{collision}} dP \tag{10.12}$$

を得る． ∎

10.1.4　位相空間中での光子数の変化

ここでは，光子数変化を表す $\nabla_\mu N^\mu$ と 6 次元位相空間中での光子数 $dN = \mathcal{F}(-dV_\mu dP^\mu)$ の変化の間の関係を考えよう．時空中のある領域 $\mathcal{V}$ を考える．時間一定面での光子数変化を表す $\nabla_\mu N^\mu$ をこの領域で積分し，**ガウスの法則**（Gauss' theorem）*7を適用することにより，

$$\int_\mathcal{V} \nabla_\mu N^\mu \sqrt{-g} d^4 x = \oint_{\partial \mathcal{V}} N^\mu d\Sigma_\mu, \tag{10.13}$$

を得る．ここで，$\partial \mathcal{V}$ は，領域 $\mathcal{V}$ の境界領域である．以下では，$\partial \mathcal{V}$ を時間的単位ベクトルで定義されるベクトル体積要素 dV_μ で書き表す．また，$d\Sigma_\mu$ は，方向付けされた面積要素*8で，

---

*6　発散が $\nabla_\mu A^\mu = \dfrac{1}{\sqrt{-g}} \partial_\mu(\sqrt{-g} A^\mu)$ と計算されること，および，$\Gamma^\gamma_{\gamma\mu} = \partial_\mu(\ln\sqrt{-g}) = \dfrac{1}{2}\partial_\mu[\ln(-g)]$ となることも用いた．

*7　任意のベクトル A^μ に対し，$\int_\mathcal{V} \nabla_\mu A^\mu \sqrt{-g} d^4 x = \oint_{\partial \mathcal{V}} A^\mu d\Sigma_\mu$ となる．曲がった時空のガウスの法則に詳しくない読者は，巻末文献 Poisson (2004) Chpter 3 などの教科書を参考にするといい．また，2.1 節も参考になる．

*8　面積要素と呼んでいるが，3 次元の体積要素を表す．4 次元時空中の領域 $\mathcal{V}$ に対し，4 次元座標 x^α に対する制限 $\Phi(x^\alpha) = 0$ で定義される領域を（3 次元）超曲面（hypersurface）という．3 次元座標空間中の 2 次元曲面のようなイメージである．超曲面での体積要素のことを面積要素と呼ぶことがある．

$$dΣ_μ \equiv \sqrt{-g}η_{μαβγ}d_1x^α d_2x^β d_3x^γ = -dV_μ \tag{10.14}$$

で定義される．最後の変形で，(8.53) で定義されるベクトル体積要素 $dV_μ$ を用いた．(10.8) より，(10.13) の右辺は，

$$\int_{\mathcal{V}} \nabla_μ N^μ \sqrt{-g}d^4x = \int_{\mathcal{D}} \left(\frac{d\mathcal{F}}{dλ}\right)_{\text{collision}} \sqrt{-g}dP d^4x \tag{10.15}$$

となる．ここで，$\mathcal{D}$ は，4次元時空の領域 $\mathcal{V}$ と3次元運動量空間からなる7次元位相空間である．一方，光子数密度フラックス $N^μ$ は，(10.4) で与えられることから (10.13) の左辺は，

$$\oint_{\partial\mathcal{V}} N^μ dΣ_μ = \oint_{\partial\mathcal{D}} \mathcal{F}(-dV_μ dP^μ) = \oint_{\partial\mathcal{D}} dN \tag{10.16}$$

となる．ここで，$\partial\mathcal{D}$ は，$\mathcal{V}$ の境界領域で，時間一定面での3次元体積である $\partial\mathcal{V}$ と3次元運動量空間からなる6次元位相空間中の領域である．最後の変形で，不変分布関数の定義 (8.79) を用いた．(10.15) と (10.16) をガウスの法則を表した (10.13) に代入することにより，

$$\int_{\mathcal{D}} \left(\frac{d\mathcal{F}}{dλ}\right)_{\text{collision}} \sqrt{-g}dP d^4x = \oint_{\partial\mathcal{D}} dN \tag{10.17}$$

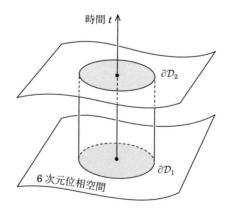

図 **10.2** 位相空間での光子数の変化．

を得る．右辺は，7次元位相空間 $\mathcal{D}$ での光子数の変化を表し，左辺は，6次元位相空間中での時間方向の光子数の変化を表す（図 10.2）*9．

10.2 輻射テンソルとエネルギー・運動量の保存則

ここでは，光子に関するエネルギーと運動量の保存則を，位相空間中の不変分布関数を用いて記述したい*10．

10.2.1 エネルギー・運動量テンソルと輻射テンソル

ここでは，位相空間中の 6 次元不変体積要素 $(-dV_\mu dP^\mu)$ にある光子のエネルギー密度フラックスと運動量密度フラックスを考える*11．

(1) 光子エネルギー密度フラックス

位相空間中の 6 次元不変体積要素 $(-dV_\mu dP^\mu)$ にある光子数 dN は，光子数フラックス $dN^\mu = \mathcal{F}(x^\alpha, p^\alpha) p^\mu dP$ を時間一定面を表すベクトル体積要素 dV^μ に射影することで得られた（10.1 節）：

$$dN = dN^\mu(-dV_\mu) = \mathcal{F}(x^\alpha, p^\alpha) p^\mu dP(-dV_\mu). \tag{10.18}$$

いま，すべての光子がエネルギー E を持つとすると，位相空間中の 6 次元不変体積要素 $(-dV_\mu dP^\mu)$ にある光子が担うエネルギー dE は，単純に光子数 dN と一つの光子のエネルギー E から，$dE = E dN$ と書ける．すなわち，

$$dE = E dN = E dN^\mu(-dV_\mu) = \mathcal{F}(x^\alpha, p^\alpha) E p^\mu dP(-dV_\mu) \tag{10.19}$$

となる．ここで，dN^μ は光子数密度フラックスであるので，$E dN^\mu = \mathcal{F}(x^\alpha, p^\alpha) \times E p^\mu dP$ は，光子エネルギー密度フラックスとなっている．

(2) 光子運動量密度フラックス

(10.19) より，位相空間中の 6 次元不変体積要素 $(-dV_\mu dP^\mu)$ にある光子の 4

---

*9 図 10.2 では，$\partial \mathcal{D} = \partial \mathcal{D}_1 + \partial \mathcal{D}_2$ とし，$\oint_{\partial \mathcal{D}} dN$ は，異なる時刻の 6 次元位相空間である $\partial \mathcal{D}_1$ と $\partial \mathcal{D}_2$ の間の光子数の変化を表す．この光子数の変化は，7 次元位相空間での光子数の変化 $\int_\mathcal{D} \left(\frac{d\mathcal{F}}{d\lambda}\right)_{\text{collision}} \sqrt{-g} dP d^4x$ に等しいという関係を（10.17）は表している．

*10 本節も，光子を念頭に置いて書かれているが，特別な断りがない場合には，「光子」を有限質量の「粒子」に置き換えても議論が通じるように書かれている．

*11 本節では，物理量の次元を把握しやすくするために光速度 c を陽に記述する．

元運動量の時間成分 dP^0 は,

$$dP^0 = p^0 dN = p^0 dN^\mu(-dV_\mu) = \mathcal{F}(x^\alpha, p^\alpha)p^0 p^\mu dP(-dV_\mu) \tag{10.20}$$

と書ける[*12]．ここで，$p^0 dN^\mu = \mathcal{F}(x^\alpha, p^\alpha)p^0 p^\mu dP$ は，光子運動量の時間成分 p^0 の密度フラックスとなっている．これより，6次元不変体積要素 $(-dV_\mu dP^\mu)$ での光子エネルギー dE は,

$$dE = cdP^0 = cp^0 dN = cp^0 dN^\mu(-dV_\mu) = \mathcal{F}(x^\alpha, p^\alpha)cp^0 p^\mu dP(-dV_\mu) \tag{10.21}$$

となる．同様に，位相空間中の6次元不変体積要素 $(-dV_\mu dP^\mu)$ にある光子の4元運動量の空間成分 dP^k ($k = 1, 2, 3$)（に光速度 c をかけたもの）は,

$$cdP^k = cp^k dN = cp^k dN^\mu(-dV_\mu) = \mathcal{F}(x^\alpha, p^\alpha)cp^k p^\mu dP(-dV_\mu) \tag{10.22}$$

と書ける．ここで，$p^k dN^\mu = \mathcal{F}(x^\alpha, p^\alpha)p^k p^\mu dP$ は，光子運動量の空間成分 p^k の密度フラックスとなっている．

(3) エネルギー・運動量テンソル

(10.21) と (10.22) をまとめて書くと,

$$cdP^\mu = dT^{\mu\nu}(-dV_\mu) \tag{10.23}$$

と書くことができる．ここで，$dT^{\mu\nu}$ は,

$$dT^{\mu\nu} \equiv \mathcal{F}(x^\alpha, p^\alpha)cp^\mu p^\nu dP \tag{10.24}$$

で定義され，4元運動量の密度フラックスを表す量になっている．このフラックスを時間一定面に射影したものが，位相空間中の6次元不変体積要素 $(-dV_\mu dP^\mu)$ にある光子の4元運動量 dP^μ（に光速度 c をかけたもの）になっている．(10.24) では，運動量 p^μ の周りにある範囲 dP の運動量空間のみを考えていたが，すべての運動量を考慮した場合には，(10.24) で与えられる $dT^{\mu\nu}$ を運動量空間で積分し,

$$T^{\mu\nu} \equiv c\int \mathcal{F}(x^\alpha, p^\alpha)p^\mu p^\nu dP \tag{10.25}$$

を得る．この $T^{\mu\nu}$ は，**エネルギー・運動量テンソル**（energy-momentum tensor）を不変分布関数 $\mathcal{F}$ で書いたものとなっている．この $T^{\mu\nu}$ は，定義より，$T^{\mu\nu} =$

[*12] 光子の場合には，$p^0 = E/c$ となる．

$T^{\nu\mu}$ という関係があることがわかる．また，上の議論では，時間一定面中の 3 次元ベクトル不変体積を表す dV_μ に射影することで，6 次元位相空間中の光子がもつ運動量 dP^μ を考えた[*13]．ここで，dV_μ としてある空間方向 k を向いた不変ベクトル体積要素と考え，その方向への射影を考えることもできる．このように考えると，$T^{\mu\nu}$ がエネルギー流速と応力成分も表したものになっていることがわかる[*14]．

(4) 輻射テンソル

特に，光子の場合には，(10.25) で定義されるエネルギー・運動量テンソルは，**輻射テンソル**（radiation tensor）と呼ばれる．この場合には，不変分布関数 $\mathcal{F}$ は，不変輝度 $\mathcal{I}$ で書くことができるので，以下のようになる：

$$T^{\mu\nu} = c \int \mathcal{I}(x^\alpha, p^\alpha) p^\mu p^\nu dP \tag{10.26}$$

また，輻射テンソル $T^{\mu\nu}$ の物理量としての次元は $[\mathrm{erg\ cm^{-3}}]$ となっている（例題 10.3）．

例題 10.3 局所ミンコフスキー系での輻射テンソル $T^{\mu\nu}$ の成分を具体的にかけ．ただし，エネルギー E をもつ光子の 4 元運動量を $p^\mu = (E/c)(1, l^i)$ とせよ．また，輻射テンソルの物理量としての次元を求めよ．

解答 不変輝度 $\mathcal{I}$ および運動量空間の体積要素 dP は，局所ミンコフスキー系でそれぞれ，$\mathcal{I} = c^2 I_\nu/(h^4 \nu^3)$ および $dP = (E/c^2)dEd\Omega = (h^2/c^2)\nu d\nu d\Omega$ と表される．ここで，$d\Omega$ は立体角要素である．また，$p^0 = h\nu/c$，$p^i = (h\nu/c)l^i$ であることから，

$$\begin{aligned} T^{00} &= \frac{1}{c}\int I_\nu d\nu d\Omega, \qquad T^{0i} = \frac{1}{c}\int I_\nu l^i d\nu d\Omega, \\ P^{ij} &= T^{ij} = \frac{1}{c}\int I_\nu l^i l^j d\nu d\Omega \end{aligned} \tag{10.27}$$

[*13] dP^0 がエネルギー密度を c で割ったものであり，dP^k ($k=1,2,3$) が運動量の空間成分の密度であった．

[*14] 輻射テンソルの時間–空間成分 T^{0i} と空間–時間成分 T^{i0} は，

$$T^{0i} = \int \mathcal{F} E p^i dP = c \int \mathcal{F} p^i p^0 dP = T^{i0}$$

となっているので，それぞれエネルギー・フラックス密度，運動量密度であることも理解できる（光速度 c に関する定数倍の寄与を除く）．3.2.1 節と同様である．光速度 c の定数倍の寄与は，例題 10.3 を参照のこと．また，Mihalas, Mihalas (1984) section 91 が参考になる．

となる．また，$c, I_\nu, d\nu, d\Omega$ の次元がそれぞれ $[\mathrm{cm\,s^{-1}}]$，$[\mathrm{erg\,s^{-1}\,cm^{-2}\,sr^{-1}\,Hz^{-1}}]$，$[\mathrm{Hz}]$，$[\mathrm{sr}]$ であることから，輻射テンソルの次元は $[\mathrm{erg\,cm^{-3}}]$ である． ∎

10.2.2 光子のエネルギー・運動量の保存則

光子数の変化が，光子数密度フラックス N^μ の発散 $\nabla_\mu N^\mu$ で記述されたように，光子のエネルギーと運動量の変化は，光子のエネルギー・運動量テンソルの発散 $\nabla_\mu T^{\mu\nu}$ で記述される．ここで，$\nabla_\mu T^{\mu\nu}$ を具体的に計算すると，

$$\nabla_\mu T^{\mu\nu} = \int \left(\frac{d\mathcal{F}}{d\lambda}\right)_{\mathrm{collision}} p^\nu dP \tag{10.28}$$

が得られる（例題 10.4）．ここで，$\left(\dfrac{d\mathcal{F}}{d\lambda}\right)_{\mathrm{collision}}$ は，一般相対論的ボルツマン方程式（8.90）の衝突項である．衝突項を含む積分は，ある運動量 p^ν をもつ光子の生成や消滅などによる光子の増減を表すことから，(10.28) の右辺は，光子のエネルギーと運動量の変化の総量を表している．

ある系で，光子の生成や消滅がない場合，つまり，衝突項がゼロである場合には，

$$\nabla_\mu T^{\mu\nu} = 0 \tag{10.29}$$

となり，光子のエネルギー・運動量の保存則を表す．

また，これらの保存則は輻射流体力学の基礎方程式の一部になっているのであるが，輻射テンソル $T^{\mu\nu}$（もしくは，E, F^i, P^{ij}）は不変輝度を含む物理量を運動量空間で積分することにより定義されているため，輻射テンソルもしくは輻射テンソルを用いて記述される物理量は，本来光子が持っていたさまざまな物理情報が失われた物理量であるということをつねに意識しておく必要がある[*15]．

例題 10.4 光子のエネルギー・運動量テンソル $T^{\mu\nu}$ の共変微分 $\nabla_\mu T^{\mu\nu}$ を計算することにより，光子のエネルギーと運動量の変化を表す式は，$\nabla_\mu T^{\mu\nu} = \int \left(\dfrac{d\mathcal{F}}{d\lambda}\right)_{\mathrm{collision}} p^\nu dP$ となることを示せ．

解答 (10.25) の共変微分を計算することで導くことができる．例題 10.2 と同様の計算を行う．具体的には，

$$\nabla_\mu T^{\mu\nu} = \int \Big[\frac{1}{\sqrt{-g}} \partial_\mu\{(-g)\mathcal{F}p^\mu\} p^\nu \frac{1}{\sqrt{-g}} + \mathcal{F}p^\mu \nabla_\mu p^\nu \Big] dP$$
$$= \int \left(p^\nu p^\mu \partial_\mu \mathcal{F} + 2\Gamma^\gamma_{\gamma\mu} p^\mu p^\nu + \mathcal{F}\Gamma^\nu_{\beta\gamma} p^\beta p^\gamma \right) dP. \tag{10.30}$$

被積分関数の第 1 項にある $p^\mu \partial_\mu \mathcal{F}$ は，(10.11) と計算される．(10.11) の第 2 項は $\partial \mathcal{F}/\partial p^\mu$ を含むことから，(10.30) で部分積分を行うことができる．部分積分の際に出てくる表面項を落とすことにより，

$$\nabla_\mu T^{\mu\nu} = \int \Big[\left(\frac{d\mathcal{F}}{d\lambda}\right)_{\text{collsion}} p^\nu - \Gamma^\mu_{\beta\gamma} \frac{d}{dp^\mu}(p^\beta p^\gamma p^\nu) \mathcal{F}$$
$$+ 2\Gamma^\gamma_{\gamma\mu} p^\mu p^\nu \mathcal{F} + \Gamma^\nu_{\beta\gamma} p^\beta p^\gamma \mathcal{F} \Big] dP$$
$$= \int \left(\frac{d\mathcal{F}}{d\lambda}\right)_{\text{collision}} p^\nu dP \tag{10.31}$$

を得る． ∎

---

*15 （356 ページ）エネルギー・運動量テンソル $T^{\mu\nu}$ は，不変分布関数 $\mathcal{F}$ を含む物理量 $\mathcal{F}p^\mu p^\nu$ を運動量空間で積分することにより得られる．当然のごとく，粒子にはさまざまな運動量が含まれている．運動量空間での積分により得られた物理量では，一般には，粒子系に関するさまざまな情報は失われる．つまり，エネルギー・運動量テンソルの共変微分により得られる粒子系のエネルギーと運動量の変化を表す式 (10.28) は，一般には，粒子系の時間発展に関し，部分的な情報しか与えない．

有限の質量を持つ粒子の場合，局所的に粒子の速度が近似的に同じであるとみなせる系や，粒子系が完全な局所熱平衡状態になっている系などの分布関数が激しく時間的に変化しない系で，粒子数密度が十分に大きい場合には，分布関数を含む量を運動量空間で積分した物理量を扱うことがある．実際に，完全流体のエネルギー・運動量テンソルとして，$T^{\alpha\beta} = (\rho+p)u^\alpha u^\beta + pg^{\alpha\beta}$ を仮定し［3.2.2 節 (3.23)］，さまざまな現象が $T^{\mu\nu}$ をもとに記述されることを見た（第 3 章，第 4 章）．

では，光子の場合はどうだろうか．ブラックホール時空などの曲がった時空中では，光学的に薄い状況，つまり，それぞれの光子が湾曲時空の中で自由伝搬するような状況は，運動量空間で積分された物理量では正しく記述することができない（たとえば，ブラックホール時空の光子球の近傍の自由伝搬の様子などは正確に記述することができない）．また，ドップラー効果などの特殊相対論効果が無視できない状況や空間の引きずりなどの一般相対論効果が効く状況では，空間方向の異方性などの効果は，運動量空間積分で失われてしまう．粒子数密度が大きく，多重散乱の効果が激しく効くような光学的に厚い状況であっても，これらの相対論効果が効く．実際に，多重散乱が激しく起こっている状況（光学的厚み τ が $\tau \gg 1$ となる状況）であっても，多重散乱の効果よりも相対論効果が圧倒することが知られている．

10.3 輻射流体力学の基礎方程式

ここでは，物質からなる流体と輻射が相互作用しながら運動している系の発展方程式を導く．流体のもとになる粒子と光子の不変分布関数をそれぞれ $\mathcal{F}_\mathrm{m}$ と $\mathcal{F}_\mathrm{rad}$ とする．このとき，物質と光子の粒子数密度フラックスをそれぞれ

$$N_\mathrm{m}^\mu = \int p^\mu \mathcal{F}_\mathrm{m} dP, \qquad N_\mathrm{rad}^\mu = \int k^\mu \mathcal{F}_\mathrm{rad} dK, \qquad (10.32)$$

とする．ここで，流体と光子の 4 元運動量をそれぞれ p^μ, k^μ とし，3 次元運動量空間不変体積要素を dP, dK とした．同様に，流体と光子のエネルギー・運動量テンソルはそれぞれ

$$T_\mathrm{m}^{\mu\nu} = \int p^\mu p^\nu \mathcal{F}_\mathrm{m} dP, \qquad T_\mathrm{rad}^{\mu\nu} = \int k^\mu k^\nu \mathcal{F}_\mathrm{rad} dK, \qquad (10.33)$$

となる．

流体と光子だけから構成される系を考える．質量は物質が担っているので，流体に対して質量保存の式

$$\nabla_\alpha (\rho_0 u^\alpha) = 0, \qquad (10.34)$$

が成り立つ．ここで，ρ_0 は固有質量密度である[*16]．流体と輻射の間には，相互作用があったとしても，系の全体としてエネルギー・運動量保存が成立する．このとき，

$$\nabla_\alpha (T_\mathrm{m}^{\alpha\beta} + T_\mathrm{rad}^{\alpha\beta}) = 0, \qquad (10.35)$$

と書くことができる．流体と輻射の相互作用を表すテンソルを G^β とすると，エネルギー・運送量保存の式は，流体と輻射の式に分けて書くことができ，

$$\nabla_\alpha T_\mathrm{m}^{\alpha\beta} = G^\beta \qquad (流体) \qquad (10.36)$$

$$\nabla_\alpha T_\mathrm{rad}^{\alpha\beta} = -G^\beta \qquad (輻射) \qquad (10.37)$$

となる．この流体と輻射の間に介在している G^α を**輻射 4 元力密度**（radiation four-force density）という[*17]．テンソルで書かれた輻射流体力学の基礎方程式は，質量保存則と流体と輻射のエネルギー・運動量保存則からなり，それぞれ，

[*16] 固有粒子数密度 n で表すと $\rho_0 = nmc^2$ である．

[*17] **輻射 4 元力**（radiation four-force）と呼ばれることもある．後で見るように，G^α は単位体積中の輻射による力を表している．

$$\nabla_\alpha(\rho_0 u^\alpha) = 0 \quad \text{(質量保存の式)} \tag{10.38}$$

$$\nabla_\alpha T_\mathrm{m}^{\alpha\beta} = G^\beta \quad \text{(流体のエネルギー・運動量保存の式)} \tag{10.39}$$

$$\nabla_\alpha T_\mathrm{rad}^{\alpha\beta} = -G^\beta \quad \text{(輻射のエネルギー・運動量保存の式)} \tag{10.40}$$

で与えられる.

10.4 輻射 4 元力密度

輻射 4 元力密度 G^α は,流体と輻射の相互作用を表し,流体と輻射のそれぞれのボルツマン方程式の衝突項により表すことができる.流体と輻射のエネルギー・運動量の変化量はそれぞれ

$$\nabla_\alpha T_\mathrm{m}^{\alpha\beta} = \int p^\beta \left(\frac{d\mathcal{F}_\mathrm{m}}{d\lambda}\right)_\mathrm{collision} dP \tag{10.41}$$

$$\nabla_\alpha T_\mathrm{rad}^{\alpha\beta} = \int k^\beta \left(\frac{d\mathcal{F}_\mathrm{rad}}{d\lambda}\right)_\mathrm{collision} dK \tag{10.42}$$

と書くことができたので,この表式を用いると,流体と輻射の系でエネルギー・運動量保存が成り立つ場合には

$$G^\alpha = \int p^\alpha \left(\frac{d\mathcal{F}_\mathrm{m}}{d\lambda}\right)_\mathrm{collision} dP = -\int k^\alpha \left(\frac{d\mathcal{F}_\mathrm{rad}}{d\lambda}\right)_\mathrm{collision} dK \tag{10.43}$$

となることが要請される.輻射に対しては,

$$\left(\frac{d\mathcal{F}_\mathrm{rad}}{d\lambda}\right)_\mathrm{collision} = \mathcal{E} - \mathcal{AI}, \tag{10.44}$$

となることから,

$$G^\alpha = -\int k^\alpha (\mathcal{E} - \mathcal{AI}) dK, \tag{10.45}$$

と表すこともできる[*18].

輻射 4 元力密度 G^α の関数形は,具体的な輻射過程(逆コンプトン散乱やシンクロトロン放射など)に応じて決まる.一般に,微視的過程である放射過程は局所ミンコフスキー系で与えられるので,局所ミンコフスキー系での放射係数 η_ν,吸

[*18] 光速度 c を陽に書くと,$G^\alpha = -\int c k^\alpha (\mathcal{E} - \mathcal{AI}) dK$ となる.

収係数 α_ν, 散乱係数 β_ν から (9.22) に従って不変放射係数 $\mathcal{E} = \mathcal{E}_\mathrm{e} + \mathcal{E}_\mathrm{s}$ と不変吸収係数 $\mathcal{A} = \mathcal{A}_\mathrm{a} + \mathcal{A}_\mathrm{s}$ を計算する (例題 10.5).

例題 10.5 局所ミンコフスキー系での輻射 4 元力密度 G^α を具体的にかけ. ただし, エネルギー E をもつ光子の 4 元運動量を $k^\alpha = (h\nu/c)(1, l^i)$ とする. また, 輻射 4 元力密度 G^α の (物理量としての) 次元を求めよ.

解答 輻射 4 元力密度 $G^\alpha = -\int ck^\alpha(\mathcal{E} - \mathcal{I}\mathcal{A})dK$ において, (9.13) [*19], (9.22),

$$ck^\alpha = h\nu(1, l^i), \quad dK = \frac{h^2}{c^2}\nu d\nu d\Omega, \quad \mathcal{I} = \frac{c^2 I_\nu}{h^4 \nu^3}, \tag{10.46}$$

であることから,

$$G^0 = -\frac{1}{c}\int \left[\eta_\nu - (\alpha_\nu + \beta_\nu)I_\nu \right.$$
$$\left. + \iint \left(\frac{\nu}{\nu'}\right)^2 \beta_{\nu'} I_{\nu'}(\boldsymbol{l}') \zeta(\nu' \to \nu, \boldsymbol{l}' \to \boldsymbol{l}) \frac{h^2 \nu'}{c^2} d\nu' d\Omega' \right] d\nu d\Omega, \tag{10.47}$$

$$G^i = -\frac{1}{c}\int l^i \left[\eta_\nu - (\alpha_\nu + \beta_\nu)I_\nu \right.$$
$$\left. + \iint \left(\frac{\nu}{\nu'}\right)^2 \beta_{\nu'} I_{\nu'}(\boldsymbol{l}') \zeta(\nu' \to \nu, \boldsymbol{l}' \to \boldsymbol{l}) \frac{h^2 \nu'}{c^2} d\nu' d\Omega' \right] d\nu d\Omega \tag{10.48}$$

が得られる. (10.47) において, $c, \eta_\nu, d\nu d\Omega$ の次元がそれぞれ, $[\mathrm{cm\,s^{-1}}]$, $[\mathrm{erg\,cm^{-3}\,s^{-1}\,Hz^{-1}\,sr^{-1}}]$, $[\mathrm{s^{-1}\,sr}]$ であることから, G^α の次元は $[\mathrm{g\,cm^{-2}\,s^{-2}}]$ となる. これは, $[\mathrm{g\,cm^{-2}\,s^{-2}}] = [\mathrm{g\,cm\,s^{-2}/cm^3}]$ であるので, [力の次元] ÷ [体積の次元] になっている. つまり, 輻射 4 元力密度 G^α は単位体積あたりに働く力を表している. ∎

7 次元位相空間 $\mathcal{D}$ 中での光子数の変化を考えた 10.1.4 節と同様の考察を行ってみよう. 粒子数保存則 (10.8) $\nabla_\mu N^\mu = \int \left(\frac{d\mathcal{F}}{d\lambda}\right)_\mathrm{collision} dP$ に対し, (10.17)
$\int_\mathcal{D} \left(\frac{d\mathcal{F}}{d\lambda}\right)_\mathrm{collision} \sqrt{-g}dPd^4x = \oint_{\partial\mathcal{D}} dN$ が成立し, 7 次元位相空間 $\mathcal{D}$ での光子数

[*19] (9.11) と同様に, h と c を復活させる.

の変化は 6 次元位相空間 $\partial \mathcal{D}$ での時間方向の光子数の変化を表していることをみた (図 10.2). いま,輻射テンソルに対し,$\nabla_\alpha T_{\rm rad}^{\alpha\beta} = \int ck^\beta \left(\dfrac{d\mathcal{F}_{\rm rad}}{d\lambda}\right)_{\rm collision} dK = -G^\alpha$ が成り立つことから,同様に,7 次元位相空間 $\mathcal{D}$ での光子の運動量に光速度をかけたもの cp^μ の変化は 6 次元位相空間 $\partial \mathcal{D}$ での時間方向の cp^μ の変化を表している. これより,輻射 4 元力密度 G^α を 4 次元座標空間で積分したものが,時間方向の cp^μ の変化に対応する. 4 次元座標空間の体積素片 d^4x は $cdtdV$ に相当するので,輻射 4 元力密度 G^α は単位時間,単位体積あたりの運動量 p^μ の変化を表していることがわかる[20]. 単位時間あたりの運動量変化が力であるので,単位体積あたりに働く力が輻射 4 元力密度 G^α である.

10.5　輻射流体力学の発展方程式

　輻射流体力学の数値シミュレーションを実行する際には,保存形式で書かれた発展方程式[21]を用いると,数値計算を行う上で利点がある. ここで,発展方程式の基本変数の 3 次元空間的超局面上での体積積分が静止質量,運動量,エネルギーという保存量になるような基本変数で書かれた形式を保存形式と呼んでいる. 保存形式では,衝撃波面などの不連続面を数値計算で再現できるため,数値シミュレーションで用いられることが多い[22].

10.5.1　輻射流体力学の保存形式の発展方程式

　ここで,保存形式の発展方程式を具体的に見てみよう. テンソルで書かれた輻射流体力学の基礎方程式 (10.38), (10.39), (10.40) から

$$\dfrac{\partial}{\partial t}(\sqrt{-g}\rho_0 u^t) + \dfrac{\partial}{\partial x^i}(\sqrt{-g}\rho_0 u^i) = 0 \tag{10.49}$$

---

[20] 時間成分を考えると,cG^0 が単位時間,単位体積あたりの光子エネルギー cp^0 の変化を表している.

[21] 一般相対論的流体力学の保存形式の発展方程式は,3.5 節参照.

[22] 本節では輻射流体シミュレーションを意識して発展方程式を書き下すが,輻射磁気流体シミュレーションの計算技術については第 5 巻を参照のこと. また,嶺重 (2016) 第 6 章も参考になる. 輻射流体・輻射磁気流体シミュレーションの文献として以下のものを挙げる:Eggum, Coroniti, Katz (1988), Okuda, Fujita, Sakashita (1997), Ohsuga et al. (2005, 2009), Sądowski et al. (2013, 2014), Takahashi et al. (2016).

$$\frac{\partial}{\partial t}(\sqrt{-g}T_\mathrm{m}^{t\beta}) + \frac{\partial}{\partial x^i}(\sqrt{-g}T_\mathrm{m}^{i\beta}) = -\sqrt{-g}\Gamma^\beta_{\alpha\gamma}T_\mathrm{m}^{\alpha\gamma} + \sqrt{-g}G^\beta \quad (10.50)$$

$$\frac{\partial}{\partial t}(\sqrt{-g}T_\mathrm{rad}^{t\beta}) + \frac{\partial}{\partial x^i}(\sqrt{-g}T_\mathrm{rad}^{i\beta}) = -\sqrt{-g}\Gamma^\beta_{\alpha\gamma}T_\mathrm{rad}^{\alpha\gamma} - \sqrt{-g}G^\beta \quad (10.51)$$

を得ることができる[*23]．ここで，x^i は空間座標を表している．輻射テンソルの発展方程式を表している最後の式（10.51）では，空間微分を含む項と右辺の第1項に輻射テンソルの空間成分 T_rad^{ij} を含んでおり，このままでは式が閉じていない．これらの式のみを用いて数値シミュレーションを実行する際には，何らかのクロージャー関係（FLD 近似や M1 クロージャーなど）を用いて計算を実行することになる[*24]．

一方，数値計算で用いることができる輻射流体力学の発展方程式は，テンソルで書かれた基礎方程式 (10.38)，(10.39)，(10.40) のエネルギー・運動量保存の式を，時間成分と空間成分に分解することでも得ることができる[*25]．3次元空間的超局面の各点で与えられる時間的単位法線ベクトル N^α と射影テンソル $\mathcal{P}^{\alpha\beta} = g^{\alpha\beta} + N^\alpha N^\beta$ を用いて，(3.81) と同様に次の量を定義する：

$$F_\mathrm{m} \equiv -\nabla_\alpha T_\mathrm{m}^{\alpha\beta} N_\beta = -G^\beta N_\beta, \qquad F_{i,\mathrm{m}} \equiv \nabla_\alpha T_\mathrm{m}^{\alpha\beta} \mathcal{P}_{i\beta} = G^\beta \mathcal{P}_{i\beta} \quad (10.52)$$

$$F_\mathrm{rad} \equiv -\nabla_\alpha T_\mathrm{rad}^{\alpha\beta} N_\beta = G^\beta N_\beta, \qquad F_{i,\mathrm{rad}} \equiv \nabla_\alpha T_\mathrm{rad}^{\alpha\beta} \mathcal{P}_{i\beta} = -G^\beta \mathcal{P}_{i\beta} \quad (10.53)$$

また，(3.77) で定義したように，流体と輻射のエネルギー・運動量テンソル（$T_\mathrm{m}^{\alpha\beta}$ と $T_\mathrm{rad}^{\alpha\beta}$）に対し，以下の量を定義する[*26]：

$$\rho_\mathrm{H,m} \equiv T_\mathrm{m}^{\alpha\beta} N_\alpha N_\beta, \quad J_{\mu,\mathrm{m}} \equiv -T_\mathrm{m}^{\alpha\beta} N_\alpha \mathcal{P}_{\mu\beta}, \quad S_{\mu\nu,\mathrm{m}} \equiv T_\mathrm{m}^{\alpha\beta} \mathcal{P}_{\mu\alpha} \mathcal{P}_{\nu\beta},$$

$$\rho_\mathrm{H,rad} \equiv T_\mathrm{rad}^{\alpha\beta} N_\alpha N_\beta, \quad J_{\mu,\mathrm{rad}} \equiv -T_\mathrm{rad}^{\alpha\beta} N_\alpha \mathcal{P}_{\mu\beta}, \quad S_{\mu\nu,\mathrm{rad}} \equiv T_\mathrm{rad}^{\alpha\beta} \mathcal{P}_{\mu\alpha} \mathcal{P}_{\nu\beta}.$$

$$(10.54)$$

ここで，$\rho_\mathrm{H,m}, J_{\mu,\mathrm{m}}, S_{\mu\nu,\mathrm{m}}$ と $F_\mathrm{m}, F_{i,\mathrm{m}}$ の関係および $\rho_\mathrm{H,rad}, J_{\mu,\mathrm{rad}}, S_{\mu\nu,\mathrm{rad}}$ と

[*23] ここでは，共変微分に関する公式 $\nabla_\alpha A^\alpha = \frac{1}{\sqrt{-g}}\partial_\alpha(\sqrt{-g}A^\alpha), \nabla_\alpha B^{\alpha\beta} = \frac{1}{\sqrt{-g}}\partial_\alpha \times (\sqrt{-g}B^{\alpha\beta}) + \Gamma^\beta_{\alpha\gamma}B^{\alpha\gamma}$ を利用した．

[*24] クロージャー関係については，第 3 巻 5.6.2 節（エディントン近似），5.6.3 節（FLD 近似），5.6.4 節（M1 クロージャー）を参照のこと．第 3 巻でこれらのクロージャー関係の性質について述べられている．

[*25] 3.5 節参照．

[*26] ここで，ρ_H の H はハミルトン拘束条件（Hamiltonian constraint）からつけられている．

$F_{\rm rad}, F_{i,\rm rad}$ の関係は，(3.83)，(3.84) で与えられる．これより，輻射流体力学の保存形式の発展方程式として，以下の質量保存の式，流体のエネルギー式，流体の運動方程式，輻射のエネルギー式，輻射の運動方程式で与えられる[*27]：

$$\frac{\partial}{\partial t}(\alpha\sqrt{\gamma}\rho_0 u^t) + \frac{\partial}{\partial x^k}(\alpha\sqrt{\gamma}\rho_0 u^k) = 0, \tag{10.55}$$

$$\frac{\partial}{\partial t}(\sqrt{\gamma}\rho_{\rm H,m}) + \frac{\partial}{\partial x^k}[\sqrt{\gamma}(\alpha J_{\rm m}^k - \rho_{\rm H,m}\beta^k)]$$
$$= \sqrt{\gamma}\left(\alpha^2 G^t - \partial_i\alpha J_{\rm m}^i + \alpha K_{ij}S_{\rm m}^{ij}\right), \tag{10.56}$$

$$\frac{\partial}{\partial t}(\sqrt{\gamma}J_{i,\rm m}) + \frac{\partial}{\partial x^k}[\sqrt{\gamma}(\alpha S_{i,\rm m}^k - J_{i,\rm m}\beta^k)]$$
$$= \sqrt{\gamma}\left(\alpha G_i - \rho_{\rm H,m}\partial_i\alpha + \partial_i\beta^k J_{k,\rm m} + \frac{\alpha}{2}\partial_i\gamma_{kl}S_{\rm m}^{kl}\right), \tag{10.57}$$

$$\frac{\partial}{\partial t}(\sqrt{\gamma}\rho_{\rm H,rad}) + \frac{\partial}{\partial x^k}[\sqrt{\gamma}(\alpha J_{\rm rad}^k - \rho_{\rm H,rad}\beta^k)]$$
$$= \sqrt{\gamma}\left(-\alpha^2 G^t - \partial_i\alpha J_{\rm rad}^i + \alpha K_{ij}S_{\rm rad}^{ij}\right), \tag{10.58}$$

$$\frac{\partial}{\partial t}(\sqrt{\gamma}J_{i,\rm rad}) + \frac{\partial}{\partial x^k}[\sqrt{\gamma}(\alpha S_{i,\rm rad}^k - J_{i,\rm rad}\beta^k)]$$
$$= \sqrt{\gamma}\left(-\alpha G_i - \rho_{\rm H,rad}\partial_i\alpha + \partial_i\beta^k J_{k,\rm rad} + \frac{\alpha}{2}\partial_i\gamma_{kl}S_{\rm rad}^{kl}\right). \tag{10.59}$$

これらの式のうち，流体に対する発展方程式 (10.55)，(10.56)，(10.57) で $G^\alpha = 0$ としたものは，相対論的な流体の方程式に対応する[*28]．(10.51) の箇所で述べたことと同じことだが，$S_{\rm rad}^{ij}$ を含む式 (10.58)，(10.59) では方程式系を閉じさせるために何らかのクロージャー関係が必要になる．

10.5.2 輻射エネルギー密度・輻射フラックス・輻射ストレス

輻射テンソル $T_{\rm rad}^{\mu\nu}$ から (10.54) で定義される $\rho_{\rm H,rad}, J_{\mu,\rm rad}, S_{\mu\nu,\rm rad}$ はそれぞれ **輻射エネルギー密度**（radiation energy density）E，**輻射フラックス**（radiation flux）F_i，**輻射ストレス**（radiation stress）P_{ij} に対応していると考えることができる：

$$E \equiv T_{\rm rad}^{\alpha\beta}N_\alpha N_\beta, \quad \frac{F_\mu}{c} \equiv -T_{\rm rad}^{\alpha\beta}N_\alpha \mathcal{P}_{\mu\beta}, \quad P_{\mu\nu} \equiv T_{\rm rad}^{\alpha\beta}\mathcal{P}_{\mu\alpha}\mathcal{P}_{\nu\beta}. \tag{10.60}$$

[*27] ここで，$F_{\rm m} = \alpha G^t, F_{i,\rm m} = G_i, F_{\rm rad} = -\alpha G^t, F_{i,\rm rad} = -G_i$ となることを用いる．

[*28] 3.5 節．

これらを用いると (3.76) より，輻射テンソルは次のように書くことができる：
$$T_{\mu\nu}^{\rm rad} = EN_\mu N_\nu + F_\mu N_\nu + N_\mu F_\nu + P_{\mu\nu}. \tag{10.61}$$
このとき，(3.77), (3.78), (3.80) から以下の式を得る：
$$E = \alpha^2 T_{\rm rad}^{00}, \qquad \frac{F^i}{c} = \alpha(T^{0i} + T^{00}\beta^i),$$
$$P^{ij} = T^{ij} + T^{0j}\beta^i + T^{i0}\beta^j + T^{00}\beta^i\beta^j. \tag{10.62}$$

次の例題で局所ミンコフスキー系での輻射テンソルの成分と E, F^i, P^{ij} の関係を確認しよう．

例題 10.6 局所ミンコフスキー系での輻射テンソルの成分を，輻射エネルギー密度 E，輻射エネルギー・フラックス F^i，輻射応力 P^{ij} を用いてかけ．また，輝度 I_ν との関係も求めよ．

解答 (10.62) において $\alpha = 1$，$\beta^i = 0$ とすることにより，以下を得る：
$$T_{\rm rad}^{\mu\nu} = \begin{pmatrix} E & F^i/c \\ F^i/c & P^{ij} \end{pmatrix}. \tag{10.63}$$

これらを輝度 I_ν を用いて表すと以下のようになる[*29]：
$$E = T^{00} = \frac{1}{c}\int I_\nu d\nu d\Omega, \tag{10.64}$$
$$\frac{F^i}{c} = T^{0i} = \frac{1}{c}\int I_\nu l^i d\nu d\Omega, \tag{10.65}$$
$$P^{ij} = T^{ij} = \frac{1}{c}\int I_\nu l^i l^j d\nu d\Omega. \tag{10.66}$$

■

10.5.3 輻射流体力学の発展方程式の具体形

以下の例題を通して，輻射流体力学の発展方程式の具体形を見てみよう[*30]．

例題 10.7 無限遠方の観測者が測る 3 次元速度を $V^k \equiv u^k/u^t$，規格化された質量密度 $\rho_{\rm m}$，速度 v_i，流体エネルギー $e_{\rm m}$ をそれぞれ，

[*29] これらの式は，第 3 巻 (13.33), (13.34), (13.35) と一致する．
[*30] 一般相対論的流体力学のカー時空での具体的な表式は 3.5.2 節で与えられている．

$$\rho_{\mathrm{m}} \equiv \sqrt{\gamma}\rho_0 \alpha u^t, \quad v_i \equiv \left(\frac{\rho+p}{\rho_0}\right) u_i, \quad e_{\mathrm{m}} \equiv \frac{\rho_{\mathrm{H,m}}}{\rho_0 \alpha u^t} \tag{10.67}$$

と定義する．これらの物理量を用いて，輻射流体力学の発展方程式の具体的表式をかけ．

解答 $\rho_{\mathrm{m}}, v_i, e_{\mathrm{m}}$ の定義 (10.67) を用いて，$\rho_{\mathrm{H,m}}, J_{i,\mathrm{m}}, S_{ij,\mathrm{m}}$ は，

$$\sqrt{\gamma}\rho_{\mathrm{H,m}} = \rho_{\mathrm{m}} e_{\mathrm{m}}, \quad \sqrt{\gamma} J_{i,\mathrm{m}} = \rho_{\mathrm{m}} v_i, \quad \sqrt{\gamma} J_{\mathrm{m}}^i = \rho_{\mathrm{m}} v_j \gamma^{ij},$$
$$\alpha\sqrt{\gamma} S_{ij,\mathrm{m}} = \frac{\rho_{\mathrm{m}}}{h u^t} v_i v_j + \alpha\sqrt{\gamma} p \gamma_{ij} \tag{10.68}$$

と表され，$\rho_{\mathrm{H,rad}} = E$, $J_{i,\mathrm{rad}} = F_i/c$, $S_{ij,\mathrm{rad}} = P_{ij}$ である．これらを用いると，輻射流体力学の発展方程式は，以下の質量保存の式，流体のエネルギー式，流体の運動方程式，輻射のエネルギー式，輻射の運動方程式で与えられる：

$$\frac{\partial \rho_{\mathrm{m}}}{\partial t} + \frac{\partial}{\partial x^k}(\rho_{\mathrm{m}} v^k) = 0, \tag{10.69}$$

$$\frac{\partial}{\partial t}(\rho_{\mathrm{m}} e_{\mathrm{m}}) + \frac{\partial}{\partial x^k}[\rho_{\mathrm{m}} e_{\mathrm{m}} V^k + \sqrt{\gamma} p(V^k + \beta^k)] = \alpha^2 \sqrt{\gamma} G^t + S_{\mathrm{m},E}, \tag{10.70}$$

$$\frac{\partial}{\partial t}(\rho_{\mathrm{m}} v_i) + \frac{\partial}{\partial x^k}(\rho_{\mathrm{m}} v_i V^k + \alpha\sqrt{\gamma} p \delta_i^k) = \alpha\sqrt{\gamma} G_i + S_{\mathrm{m},K}, \tag{10.71}$$

$$\frac{\partial}{\partial t}(\sqrt{\gamma} E) + \frac{\partial}{\partial x^k}[\sqrt{\gamma}(\alpha F^k/c - E\beta^k)] = -\alpha^2 \sqrt{\gamma} G^t + S_{\mathrm{rad},E}, \tag{10.72}$$

$$\frac{\partial}{\partial t}(\sqrt{\gamma} F_i/c) + \frac{\partial}{\partial x^k}[\sqrt{\gamma}(\alpha P_i^k - F_i \beta^k/c)] = -\alpha\sqrt{\gamma} G_i + S_{\mathrm{rad},K}. \tag{10.73}$$

ここで，ソース項にある $S_{\mathrm{m},E}, S_{\mathrm{m},K}, S_{\mathrm{rad},E}, S_{\mathrm{rad},K}$ は，時空計量の座標に関する微分を含んでおり，以下の式で与えられる：

$$S_{\mathrm{m},E} \equiv -\sqrt{\gamma} J_{\mathrm{m}}^i \partial_i \alpha + \alpha\sqrt{\gamma} S_{\mathrm{m}}^{kl} \gamma_{kl}, \tag{10.74}$$

$$S_{\mathrm{m},K} \equiv -\sqrt{\gamma}\rho_{\mathrm{H,m}} \partial_i \alpha + \sqrt{\gamma} J_{k,\mathrm{m}} \partial_i \beta^k + \frac{1}{2}\alpha\sqrt{\gamma} S_{\mathrm{m}}^{kl} \partial_i \gamma_{kl}, \tag{10.75}$$

$$S_{\mathrm{rad},E} \equiv -\sqrt{\gamma} J_{\mathrm{rad}}^i \partial_i \alpha + \alpha\sqrt{\gamma} S_{\mathrm{rad}}^{kl} \gamma_{kl}, \tag{10.76}$$

$$S_{\mathrm{rad},K} \equiv -\sqrt{\gamma}\rho_{\mathrm{H,rad}} \partial_i \alpha + \sqrt{\gamma} J_{k,\mathrm{rad}} \partial_i \beta^k + \frac{1}{2}\alpha\sqrt{\gamma} S_{\mathrm{rad}}^{kl} \partial_i \gamma_{kl}. \tag{10.77}$$

例題 10.8 特殊相対論的輻射流体の発展方程式の具体的表式をかけ．

解答 輻射流体力学の発展方程式 (10.69), (10.70), (10.71), (10.72), (10.73) において，$\alpha = 1$, $\beta^k = 0$, $\gamma = 1$, $\gamma_{ij} = \mathrm{diag}(1,1,1)$ とする．また，(10.74),

(10.75)，(10.76)，(10.77) で与えられる $S_{m,E}$, $S_{m,K}$, $S_{rad,E}$, $S_{rad,K}$ はすべてゼロとなる．これより，特殊相対論的輻射流体力学の発展方程式は，以下の質量保存の式，流体のエネルギー式，流体の運動方程式，輻射のエネルギー式，輻射の運動方程式で与えられる[*31]：

$$\frac{\partial \rho_m}{\partial t} + \frac{\partial}{\partial x^k}(\rho_m v^k) = 0, \tag{10.78}$$

$$\frac{\partial}{\partial t}(\rho_m e_m) + \frac{\partial}{\partial x^k}[(\rho_m e_m + p)V^k] = G^t, \tag{10.79}$$

$$\frac{\partial}{\partial t}(\rho_m v_i) + \frac{\partial}{\partial x^k}(\rho_m v_i V^k + p\delta_i^k) = G_i, \tag{10.80}$$

$$\frac{\partial E}{\partial t} + \frac{\partial (F^k/c)}{\partial x^k} = -G^t, \tag{10.81}$$

$$\frac{\partial (F^i/c)}{\partial t} + \frac{\partial P^{ik}}{\partial x^k} = -G^i. \tag{10.82}$$

(10.82) では，$G^i = G_i$ となることを用いた．輻射 4 元力密度 G^μ の具体的な式は，局所ミンコフスキー系で計算した（10.47），（10.48）で与えられる． ■

10.6　混合系方程式と物理量の変換則

10.6.1　混合系

具体的な放射過程を考慮する場合には，輻射力テンソル G^α は局所ミンコフスキーで与えられる放射過程の関数を用いて記述される．この場合，G^α の放射過程を記述する部分では局所ミンコフスキー系での物理量を用い，発展方程式では大局的な運動を記述する一般座標系などで記述される．このように異なる系の物理量が同じ方程式の中に現れる場合，この方程式が**混合系方程式**（mixed-frame equation）と呼ばれることがある[*32]．

10.6.2　輻射抵抗

輻射が物質の運動に影響を与える効果に**輻射抵抗**（radiation drag）がある[*33]．

[*31] 流体の式の左辺は，ニュートン重力の (3.13)，(3.14)，(3.15) と同様の式になっている．ここで導いた式の輻射に関する発展方程式は，第 3 巻 13.2.2 節で与えられている 0 次および 1 次の相対論的モーメント式 (13.53)，(13.54) と一致する．

[*32] 巻末文献 Mihalas, Mihalas (1984) 7.2 など．

輻射抵抗は，流体とともに動く**共動系**（comoving frame）と静止した観測者の**観測者系**（observer frame）の間の物理量の関係から理解される．共動系で物質から等方的に放射された光は，観測者系で見ると**相対論的ビーミング**（relativistic beaming）により，物質の進行方向に多く放射される．これにより，輻射が抵抗力として物質に作用することから，この効果は輻射抵抗と呼ばれている．太陽の周りを公転するダスト粒子は輻射抵抗により角運動量を失うことが知られており，この効果は**ポインティング–ロバートソン効果**（Poynting–Robertson effect）と呼ばれている[*34]．ブラックホール周囲の物質に対するポインティング–ロバートソン効果に関しても調べられている[*35]．

10.6.3 物理量の変換

混合系方程式で具体的な輻射過程の効果を計算に取り入れる場合や輻射抵抗などの輻射が物質に作用する効果を調べる際には，異なる系の間の物質量の変換が必要となる．ここでは，ブラックホール時空での物理量の変換則を計算してみよう[*36]．

(1) 時空を記述している座標系・ZAMO系・共動系

ブラックホール時空で物理量を評価する系として，時空を記述している座標系，時間的単位法線ベクトル N^μ とともに動く ZAMO 系[*37]，流体とともに動く共動系の3つを考える．ZAMO 系と共動系の物理量には，テンソルの添え字（テンソルでない物理量では物理量そのもの）にそれぞれハット（たとえば，$G^{\hat\mu}$），バー（たとえば，$G^{\bar\mu}$）を付ける．時空を記述する座標系の物理量には何も付けない（たとえば，G^μ）．これらの系の間の物理量の変換は，テトラッド・ベクトルを用いて行う．

(2) 時空を記述している座標系と ZAMO 系の物理量の変換

時空を記述している座標系での物理量（G^μ, $T^{\mu\nu}$）と ZAMO 系での物理量（$G^{\hat\mu}$, $T^{\hat\mu\hat\mu}$）の間の変換は，

$$G^\mu = e^\mu_{\hat\alpha} G^{\hat\alpha}, \quad G_\mu = e^{\hat\alpha}_\mu G_{\hat\alpha}, \quad T^{\mu\nu} = e^\mu_{\hat\alpha} e^\nu_{\hat\beta} T^{\hat\alpha\hat\beta}, \quad T_{\mu\nu} = e^{\hat\alpha}_\mu e^{\hat\beta}_\nu T_{\hat\alpha\hat\beta}, \quad (10.83)$$

[*33] （366 ページ）輻射抵抗に関しては，第3巻 1.3.3 節，9.4 節．
[*34] ポインティング–ロバートソン効果に関しては第3巻 1.3.4 節．
[*35] Bini, Jantzen, Stella (2009), Bini et al. (2011).
[*36] 本節の変換則の一部は，第3巻 13.1 節，13.2 節，13.3 節，13.4 節で与えられている変換則を一般相対論の場合に拡張したものに相当する．
[*37] ZAMO 系に関しては，2.3.5 節参照．

$$G^{\hat{\alpha}} = e^{\hat{\alpha}}_\nu G^\nu, \quad G_{\hat{\alpha}} = e^\nu_{\hat{\alpha}} G_\nu, \quad T^{\hat{\alpha}\hat{\beta}} = e^{\hat{\alpha}}_\mu e^{\hat{\beta}}_\nu T^{\mu\nu}, \quad T_{\hat{\alpha}\hat{\beta}} = e^\mu_{\hat{\alpha}} e^\nu_{\hat{\beta}} T_{\mu\nu} \quad (10.84)$$

となる．ZAMO 系は局所ミンコフスキー系であるので，添え字の上げ下げは $\eta_{\hat{\alpha}\hat{\beta}}$，$\eta^{\hat{\alpha}\hat{\beta}}$ で行う（たとえば，$e^{\hat{\beta}}_\mu = \eta^{\hat{\alpha}\hat{\beta}} e_{\hat{\alpha}\mu}$）．ボイヤー–リンキスト座標で記述されたカー時空での ZAMO 系に対するテトラッド・ベクトル $e_{\hat{\mu}}$（$\mu = 0, 1, 2, 3$）の具体的な式は (2.62)，(2.63) で与えられている．

(3) ZAMO 系と共動系の物理量の変換

ZAMO 系と共動系はともに局所ミンコフスキー系であるので，両系の間の物理量の変換はローレンツ変換となる．ZAMO 系から見た共動系の 3 元速度 v_k（$k = 1, 2, 3$）は，$v_k \equiv u^{\hat{k}}/u^{\hat{0}}$ と定義される[*38]．ZAMO 系の物理量（$G^{\hat{\alpha}}$, $T^{\hat{\alpha}\hat{\beta}}$）と共動系での物理量（$G^{\bar{\kappa}}$, $T^{\bar{\kappa}\bar{\lambda}}$）の間の変換は，

$$G^{\hat{\alpha}} = e^{\hat{\alpha}}_{\bar{\kappa}} G^{\bar{\kappa}}, \quad G_{\hat{\alpha}} = e^{\bar{\kappa}}_{\hat{\alpha}} G_{\bar{\kappa}}, \quad T^{\hat{\alpha}\hat{\beta}} = e^{\hat{\alpha}}_{\bar{\kappa}} e^{\hat{\beta}}_{\bar{\lambda}} T^{\bar{\kappa}\bar{\lambda}}, \quad T_{\hat{\alpha}\hat{\beta}} = e^{\bar{\kappa}}_{\hat{\alpha}} e^{\bar{\lambda}}_{\hat{\beta}} T_{\bar{\kappa}\bar{\lambda}}, \quad (10.85)$$

$$G^{\bar{\kappa}} = e^{\bar{\kappa}}_{\hat{\alpha}} G^{\hat{\alpha}}, \quad G_{\bar{\kappa}} = e^{\hat{\alpha}}_{\bar{\kappa}} G_{\hat{\alpha}}, \quad T^{\bar{\kappa}\bar{\lambda}} = e^{\bar{\kappa}}_{\hat{\alpha}} e^{\bar{\lambda}}_{\hat{\beta}} T^{\hat{\alpha}\hat{\beta}}, \quad T_{\bar{\kappa}\bar{\lambda}} = e^{\hat{\alpha}}_{\bar{\kappa}} e^{\hat{\beta}}_{\bar{\lambda}} T_{\hat{\alpha}\hat{\beta}} \quad (10.86)$$

となる．ここで，ローレンツ因子を $\gamma = [1 - (v_1)^2 - (v_2)^2 - (v_3)^2]^{-1/2}$ と置くと，

$$e^{\hat{\alpha}}_{\bar{\kappa}} = \begin{pmatrix} \gamma & \gamma v_i \\ \gamma v_j & \delta^i_j + \dfrac{\gamma^2}{1+\gamma} v^i v_j \end{pmatrix}, \quad e^{\bar{\kappa}}_{\hat{\alpha}} = \begin{pmatrix} \gamma & -\gamma v_i \\ -\gamma v_j & \delta^i_j + \dfrac{\gamma^2}{1+\gamma} v^i v_j \end{pmatrix} \quad (10.87)$$

となる．

(4) 時空を記述している座標系と共動系の物理量の変換

時空を記述している座標系の物理量（G^μ, $T^{\mu\nu}$）と共動系の物理量（$G^{\bar{\kappa}}$, $T^{\bar{\kappa}\bar{\lambda}}$）の間の変換は (10.83) と (10.85)，もしくは，(10.84) と (10.86) を組み合わせればよい：

$$G^\mu = e^\mu_{\bar{\kappa}} G^{\bar{\kappa}}, \quad G_\mu = e^{\bar{\kappa}}_\mu G_{\bar{\kappa}}, \quad T^{\mu\nu} = e^\mu_{\bar{\kappa}} e^\nu_{\bar{\lambda}} T^{\bar{\kappa}\bar{\lambda}}, \quad T_{\mu\nu} = e^{\bar{\kappa}}_\mu e^{\bar{\lambda}}_\nu T_{\bar{\kappa}\bar{\lambda}}, \quad (10.88)$$

$$G^{\bar{\kappa}} = e^{\bar{\kappa}}_\nu G^\nu, \quad G_{\bar{\kappa}} = e^\nu_{\bar{\kappa}} G_\nu, \quad T^{\bar{\kappa}\bar{\lambda}} = e^{\bar{\kappa}}_\mu e^{\bar{\lambda}}_\nu T^{\mu\nu}, \quad T_{\bar{\kappa}\bar{\lambda}} = e^\mu_{\bar{\kappa}} e^\nu_{\bar{\lambda}} T_{\mu\nu} \quad (10.89)$$

となる．ここで，

[*38] ここで，$u^{\hat{\alpha}} = e^{\hat{\alpha}}_\mu u^\mu$ と計算され，v_k は局所ミンコフスキー系であるので $v^k = v_k$ となる．ボイヤー–リンキスト座標で記述されたカー時空での ZAMO 系から見た共動系の 3 元速度 v_k を一般座標系から見た共動系の 4 元速度 u^μ で表した式は (2.62)，(2.63) で与えられている．v_k は ZAMO 系での物理量であるが，(2.62)，(2.63) の表記に合わせて添え字にハットは付けない．

$$e^\mu_{\bar\kappa} = e^\mu_{\hat\alpha} e^{\hat\alpha}_{\bar\kappa}, \quad e^{\bar\kappa}_\mu = e^{\hat\alpha}_\mu e^{\bar\kappa}_{\hat\alpha} \tag{10.90}$$

である.

以下の例題で,時空を記述している座標系,ZAMO 系,共動系の物理量の間の変換を具体的に計算してみよう[*39].

例題 10.9 カーブラックホール周りの赤道面で円運動する流体を考える.輻射 4 元力密度 G^μ と輻射テンソル $T^{\mu\nu}_{\rm rad}$ の各成分について,時空を記述する座標系と共動系の間の変換則を計算したい.ボイヤー–リンキスト座標で記述されたカー時空を仮定し,ボイヤー–リンキスト座標で書かれた座標系,ZAMO 系,共動系の輻射 4 元力密度(および,輻射テンソル)をそれぞれ $G^\mu, G^{\hat\alpha}, G^{\bar\kappa}$(および,$T^{\mu\nu}_{\rm rad}, T^{\hat\mu\hat\nu}_{\rm rad}, T^{\bar\mu\bar\nu}_{\rm rad}$)とする.このとき,以下の問いに答えよ.

(1) ZAMO 系から見た共動系の 3 元速度 v_i とローレンツ因子 γ を求めよ.
(2) 輻射 4 元力密度について,G^μ と $G^{\bar\kappa}$ の間の変換則をかけ.
(3) 輻射テンソルについて,$T^{\mu\nu}_{\rm rad}$ と $T^{\bar\kappa\bar\lambda}_{\rm rad}$ の間の変換を考えることにより,一般座標系での輻射エネルギー密度 E,輻射フラックス F^i,輻射ストレス P^{ij} と共動系での輻射エネルギー密度 $\bar E$,輻射フラックス $\bar F^i$,輻射ストレス $\bar P^{ij}$ の間の関係を求めよ.

解答 (1) まず,円運動する流体の 4 元速度 u^μ を求める.円運動の角速度 Ω は (2.97) で与えられる.$\Omega = u^\phi/u^t = M^{1/2}/(r^{3/2} + aM^{1/2})$ より,4 元速度は $u^\mu = (u^t, u^r, u^\theta, u^\phi) = u^t(1, 0, 0, \Omega)$ となる.u^t と u^ϕ の関数形は (2.95),(2.96) に与えられている.この 4 元速度と (2.62) より,$v_1 = v_2 = 0$, $v_3 = v = (h_\phi/\alpha)(\Omega - \omega)$.ローレンツ因子は (2.63) より,$\gamma = (1 - v^2)^{-1/2} = [1 - (h_\phi/\alpha)^2(\Omega - \omega)^2]^{-1/2}$.

(2) $G^\mu = e^\mu_{\hat\alpha} G^{\hat\alpha}$ より,

$$G^t = \frac{G^{\hat0}}{\alpha}, \quad G^r = \frac{G^{\hat1}}{h_r}, \quad G^\theta = \frac{G^{\hat2}}{h_\theta}, \quad G^\phi = \frac{\omega G^{\hat0}}{\alpha} + \frac{G^{\hat3}}{h_\phi} \tag{10.91}$$

となる.$G^{\hat\alpha} = e^{\hat\alpha}_{\bar\kappa} G^{\bar\kappa}$ は,$v_1 = v_2 = 0$, $v_3 = v$ として,

$$G^{\hat0} = \gamma G^{\bar0} + \gamma v G^{\bar3}, \quad G^{\hat1} = G^{\bar1}, \quad G^{\hat2} = G^{\bar2}, \quad G^{\hat3} = \gamma v G^{\bar0} + \gamma G^{\bar3} \tag{10.92}$$

[*39] 任意の時空の ZAMO 系と任意の流体速度に対する計算は章末問題 10.2 に載せてある.

となる. (10.91) と (10.92) より,

$$G^t = \frac{\gamma}{\alpha}G^{\bar{0}} + \frac{\gamma v}{\alpha}G^{\bar{3}}, \qquad G^r = \frac{1}{h_r}G^{\bar{1}}, \qquad G^\theta = \frac{1}{h_\theta}G^{\bar{2}},$$
$$G^\phi = \left(\frac{\omega\gamma}{\alpha} + \frac{\gamma v}{h_\phi}\right)G^{\bar{0}} + \left(\frac{\omega\gamma v}{\alpha} + \frac{\gamma}{h_\phi}\right)G^{\bar{3}} \qquad (10.93)$$

が得られる.

(3) $T^{\mu\nu} = e^\mu_{\bar{\kappa}} e^\nu_{\bar{\lambda}}$ を計算する. ここで,

$$\mathcal{A} \equiv \frac{1}{h_\phi} + \frac{\omega v}{\alpha}, \qquad \mathcal{B} \equiv \frac{v}{h_\phi} + \frac{\omega}{\alpha} \qquad (10.94)$$

とすると, 輻射エネルギー密度, 輻射フラックス, 輻射ストレスの間の変換として以下の結果が得られる:

$$E = \frac{\gamma^2}{\alpha^2}(\bar{E} + 2v\bar{F}^3 + v^2\bar{P}^{33}), \quad F^r = \frac{\gamma}{\alpha h_r}(\bar{F}^1 + v\bar{P}^{13}),$$
$$F^\theta = \frac{\gamma}{\alpha h_\theta}(\bar{F}^2 + v\bar{P}^{12}), \quad F^\phi = \frac{\gamma^2}{\alpha}\left[\mathcal{B}\bar{E} + (\mathcal{A} + v\mathcal{B})\bar{F}^3 + \mathcal{A}\bar{P}^{33}\right],$$
$$P^{rr} = \frac{1}{h_r^2}\bar{P}^{11}, \quad P^{r\theta} = P^{\theta r} = \frac{1}{h_r h_\theta}\bar{P}^{12}, \quad P^{r\phi} = \frac{\gamma}{h_r}(\mathcal{A}\bar{P}^{13} + \mathcal{B}\bar{F}^1),$$
$$P^{\theta\theta} = \frac{1}{h_\theta^2}\bar{P}^{22}, \quad P^{\theta\phi} = \frac{\gamma}{h_\theta}(\mathcal{A}\bar{P}^{23} + \mathcal{B}\bar{F}^2),$$
$$P^{\phi\phi} = \gamma^2(\mathcal{A}^2\bar{P}^{33} + 2\mathcal{A}\mathcal{B}\bar{F}^3 + \mathcal{B}^2\bar{E}). \qquad (10.95)$$

■

Chapter **⑩** の章末問題

問題 10.1 以下の座標系を用いて記述されたカー時空計量に対し，輻射流体力学の発展方程式の具体的表現を計算せよ[*40].

(1) ボイヤー–リンキスト座標　　(2) カー–シルド座標

問題 10.2 3＋1形式で書かれた時空[*41]の中で任意の速度で運動する流体を考える．輻射 4 元力密度 G^μ と輻射テンソル $T^{\mu\nu}_{\rm rad}$ の各成分について，時空を記述する座標系と共動系の間の変換則を計算したい．このとき，以下の問いに答えよ．

(1) ZAMO 系から見た共動系の 3 元速度 v_i とローレンツ因子 γ を求めよ．
(2) 時空を記述する座標系と共動系の間の基底の変換則を導け．
(3) 時空を記述する座標系での輻射力ベクトル G^α は共動系の輻射力ベクトル $G^{\hat\alpha}$ を用いてどのように表されるか．
(4) 時空を記述する座標系での輻射テンソル $T^{\alpha\beta}_{\rm rad}$ を ZAMO 系での輻射テンソル $T^{\hat\alpha\hat\beta}_{\rm rad}$ で表せ．

問題 10.3 テトラッド系での輻射テンソル $R^{(\alpha)(\beta)}$ に関する以下の問いに答えよ．
(1) $R^{(\alpha)(\beta)}$ を光子のエネルギー E，角度座標 $(\bar\theta, \bar\phi)$ に関する積分で表せ．
(2) 不変分布関数 $F(E, \bar\theta, \bar\phi)$ を角度座標 $(\bar\theta, \bar\phi)$ に関する球面調和関数で展開した形で輻射テンソルを $R^{(\alpha)(\beta)} = \sum_{l,m} R^{(\alpha)(\beta)}|_{l,m}$ でかけ．
(3) $l=0$ に対する $R^{(\alpha)(\beta)}|_{l,m}$ の各成分をかけ．また，成分の間の関係を求めよ．
(4) $l=1$ に対する $R^{(\alpha)(\beta)}|_{l,m}$ の各成分をかけ．また，$l=1$ までの空間成分の非対角成分 $R^{(i)(j)}|_l (l \leq 1, i \neq j)$ はどのような値になるか．

[*40] ボイヤー–リンキスト座標で書かれたカー計量は（2.41）で与えられている．カー–シルド座標については，球座標を用いて書かれた時空計量が（2.49）で与えられている．

[*41] 2.3.1 節の式（2.34）．

参考文献

第 1 章

Hawking, S.W., Ellis, G.F.R. 1973, The large scale structure of space-time (Cambrige University Press)

Misner, C.W., Thorne, K.S., Wheeler, J.A. 1973, Gravitation (San Francisco: W.H. Freeman)

Shapiro, S.L., Teukolsky, S.A. 1983, Black holes, white dwarfs, and neutron stars: The physics of compact objects (New York, Wiley-Interscience)

Abbot, B.P. et al. 2016, Phys. Rev. Lett. 116, 061102

Schodel, R. et al. 2002, Nature 2002, 419, 694

GRAVITY Collabration; Abuter, R. et al. 2018, A & A 615, L15

Do, T. et al. 2019, Science, 365, 664

Miyoshi, M. et al. 1995, Nature 373, 127

Herrnstein, J.R. et al. 2005, ApJ 629, 719

Mortlock D.J. et al. 2011, Nature 474, 616

Rees, M. 1978, Observatory 98, 210

Remillard, R.A., McClintock, J.E., 2006 Annual Review of Astronomy & Astrophysics, 44, 49

McConnell, M.J., Ma, C., 2013, ApJ 764, 184

van den Borsh, R. et al. 2012, Nature, 491, 729

Biretta, J.A., Sparks, W.B., Macchetto, F. 1999, Astrophys. J. 520, 621

Curtis, H.D. 1918, Publication of Lick Observatory, 13, 9

Fukui, Y. et al. 2006, Science 314, 106

Hada, K. et al. 2011, Nature, 477, 185

Junor, W., Biretta, J.A., Livio, M. 1999, Nature, 401, 891

Kulkarni, S.R. 1999, Nature 398, 389

Meier, D. L. 2012, Black Hole Astrophysics: The Engine Paradigm (Springer: Berlin Heidelberg)

Meier, D. L., Koide, S., Uchida, Y. 2001, Science, 291, 84

Mirabel, I.F., Rodriguez, L.F. 1994, Nature 374, 141

Mirabel, I.F., Rodriguez, L.F. 1998, Nature 392, 673

Narayan, R., Igumenshchev, I. V., Abramowicz, M. A. 2003, PASJ, 55, L69.

Narayan, R., Sądowski, A., Penna, R. F., Kulkarni, A. K. 2012, MNRAS, 426, 3241

Ohsuga, K., Mineshige, S. 2011, Astrophys. J. 736, 1

Pearson, T.J. et al. 1981, Nature, 290, 365

Tingay, S.J. et al. 1995, Nature 374, 141

Shakura, N.I., Sunyaev, R.A., 1973, A&A, 24, 337

Novikov, I.D., Thorne, K.S., 1973, in Black Holes, Les Astres Occlus, ed. C. DeWitt, B. DeWitt (New York: Gordon and Breach), 343

Ohsuga, K., Mineshige, S., Masao, M., Yoshiaki, K., 2009, PASJ, 61, 7

Ehlers, J. 1971, in General Relativity and Cosmology, ed. R.K. Sachs (New York: Academic Press) 1-70

Israel, W. 1972, in General Relativity, Papers in Honour of J.L. Synge, ed. L. O'Raifeartaigh (Oxford: Clarendon Press), 201-241

Lindquist, R.W. 1966, Annals of Physics, 37, 487-518

Sachs, R.K., Ehlers, J. 1968, in Astrophysics and General Relativity, Volume 2, Brandeis University Summer Institute in Theoretical Physics, 1968, ed. M. Chrétien, S. Deser, J. Goldstein (New York: Gordon and Breach), 331-383

Takahashi, R., Umemura, M., 2017, MNRAS, 464, 4567-4585

Asahina, Y., Takahashi, H. R., Ohsuga, K., 2020, ApJ, 901, 96

Asahina, Y., Ohsuga, K., 2022, ApJ, 929, 93

Takahashi, M. M., Ohsuga, K., Takahashi, R., Ogawa, T., Umemura, M., Asahina, Y., 2022, MNRAS, 517, 3711

Bisnovatyi-Kogan, G. S., Ruzmaikin, A. A. 1974, Ap&SS, 28, 45

Igumenshchev, I. V., Narayan, R., Abramowicz, M. A. 2003, ApJ, 592, 1042

Narayan, R., Igumenshchev, I. V., Abramowicz, M. A. 2003, PASJ, 55, L69

De Villiers, J.-P., Hawley, J. F., Krolik, J. H. 2003, ApJ, 599, 1238

Gammie, C. F., McKinney, J. C., Tóth, G. 2003, ApJ, 589, 444

Narayan, R., Sądowski, A., Penna, R. F., Kulkarni, A. K. 2012, MNRAS, 426, 3241

Sądowski, A., Narayan, R., Penna, R., Zhu, Y. 2010, MNRAS, 436, 3856

EHT Collaboration, 2019, ApJ, 875, L1, L2, L3, L4, L5, L6

EHT Collaboration, 2021, ApJ, 910, L12, L13

EHT Collaboration, 2022, ApJ, 930, L12, L13, L14, L15, L16, L17

Takahashi, R., 2004, ApJ, 611, 996-1004

秋山和徳, 本間希樹, 天文月報, 2018 年 6 月号, 358

松下聡樹, 本間希樹, 井上允, 天文月報, 2019 年 7 月号, 444

田﨑文得, 小山翔子, 森山小太郎, 天文月報, 2019 年 7 月号, 446

中村雅徳, 水野陽介, 川島朋尚, 天文月報, 2019 年 7 月号, 448

秋山和徳, 浅田圭一, 秦和弘, 天文月報, 2019 年 7 月号, 450

秋山和徳, 天文月報, 2021 年 3 月号, 184

浅田圭一, 水野陽介, 天文月報, 2021 年 12 月号, 745

秦和弘, 笹田真人, 紀基樹, 天文月報, 2021 年 12 月号, 752

本間希樹, 天文月報, 2021 年 12 月号, 761

秋山和徳, 本間希樹, 松下聡樹, 天文月報, 2022 年 8 月号, 491

森山小太郎, 小藤由太郎, 池田思朗, 天文月報, 2022 年 8 月号, 493

川島朋尚, 水野陽介, 天文月報, 2022 年 8 月号, 495

小山翔子, 紀基樹, 浅田圭一, 天文月報, 2022 年 8 月号, 497

第 2 章

Chandrasekhar, S. 1983, The Mathematical Theory of Black Holes（Oxford University Press）

Frolov, V., Novikov, I. D. 1989, Physics of black holes（Kluwer Academic Publishers, Dordrecht, Netherlands）

Hawking, S.W., Ellis, G.F.R. 1973, The Large Scale Structure of Space-time（Cambridge Univ. Press, Cambridge）

Misner, C.W., Thorne, K.S., Wheeler, J.A. 1973, Gravitation（San Francisco: W.H. Freeman）

Schutz, B.F 1985, A First Course in General Relativity（Cambridge University Press）

Shapiro, S.T., Teukolsky, S.A. 1983, Black Holes, White Dwarfs, and Neutron Stars（John Wiley, New York）

Weinberg, S. 1972, Gravitation and Cosmology（John Wiley, New York）

Abbot, B.P. *et al.* 2016, Phys. Rev. Lett. 116, 061102

Bardeen, J.M., Carter, B., Hawking, S.W. 1973, Commun. Math. Phys. 31, 161

Detweiler, S. 1978, ApJ, 225, 687

Hawking, S.W. 1974, Nature 248, 30; 1975, Commun. Math. Phys. 43, 199

Paczynski, B., Wiita. 1980, Astro. Astrophys. 88, 23

Penrose, R. 1969, Riv, Nuovo Cim. 1, 252

第 3 章

Anile, A.M. 1990, Relativistic fluids and magneto-fluids: With applications in astrophysics and plasma physics（Cambridge

University Press)

Schutz, B.F 1985, A First Course in General Relativity (Cambridge University Press)

Rezzolla, L., Zanotti, O. 2013, Relativistic Hydrodynamics (Oxford University Press)

Thorne, K.S., Price, R.H., Macdonald, D.A. 1986, Black Holes The Membrane Paradigm (Yale University Press)

Misner, C.W., Thorne, K.S., Wheeler, J.A. 1973, Gravitation (San Francisco: W.H. Freeman)

Chandrasekhar, S. 1937, An Intoduction to the study of Stellar Structure (Chicago: University of Chicago Press)

Sygne, J.L. 1957, The Relativistic Gas Amsterdam: North Holland)

Hiscock, W.A., Lindblom L. 1985, Phys. Rev. D.31. 725

Israel, W., Stewart, J.M. 1979, Ann. of. Phys. 118, 341

Muller, I. 1967, Z. Phys. 198, 329

Thorne, K.S. et al. 1986, Black Hole The Membrane Paradigm (Yale Univ. Press)

中村卓史他『重力波をとらえる——存在から検出へ』, 京都大学学術出版会, 1998

第 4 章

Kato, S., Fukue, J., Mineshige, S. 2008, Black-Hole Accretion Disks Towards a New Paradigm (Kyoto University Press)

Thorne, K.S., Price, R.H., Macdonald, D.A. 1986, Black Holes The Membrane Paradigm (Yale University Press)

Misner, C.W., Thorne, K.S., Wheeler, J.A. 1973, Gravitation (San Francisco: W.H. Freeman)

Bondi, H. 1952, MNRAS, 104, 273,

Michel, F.C. 1972, Ap. Space Sci. 15, 153

Petrich, L.I. et al. 1988, Phys. Rev. Lett. 60, 1781 Bardeen, J.M. 1970, Nature 226, 64

Thorne, K.S. 1974, ApJ. 191, 507

Hatchett S.P. et al. 1981, ApJ. 247, 677

Nixon, C.J., King, A.R. 2012, MNRAS, 421, 1201

Kojima, Y. 1991, MNRAS 250, 629 Laor, A. 1991, ApJ 376, 90

Tanaka, Y. et al. 1995 , Nature 375, 659

第 5 章

Jackson, J.D. 1962, Classical Electrodynamics (John Wiley & Sons, Inc.)

Komissarov, S.S., 2002, MNRAS, 336, 759

Misner, C.W., Thorne, K.S., Wheeler, J.A. 1970, Gravitation (W.H. Freeman and Company, New York)

Thorne, K.S., Price, R.H., Macdonald, D.A. 1986, Membrane Paradigm (Yale Univ. Press, New Haven)

第 6 章

宮本健郎『プラズマ物理の基礎』, 朝倉書店, 2014

Bardeen, J.M., Press, W.H., Teukolsky, S.A. 1972, Astrophys. J. 178, 347

Koide, S. 2003, Physical Review D 67, 104010

Koide, S., Kudoh, T., Shibata, K. 2006, Phys. Rev. D, 74, 044005

Koide, S. 2009, Astrophys. J. 696, 2220

Koide, S. 2010, Astrophys. J. 708, 1459

Koide, S., Morino, R. 2011, Phys. Rev. D, 84, 083009

Machida, M., Matsumoto, R. 2003, Astrophys. J. 585, 429

Meier, D.L. 2004, ApJ, 605, 340.

Paczynski, B., Wiita, P.J. 1980, Astron. Astrophys. 88, 23

第 7 章

Abramowicz, M., Jaroszinski, M., Shikora, M. 1978, Astron. & Astrophy. 63, 221

Blandford, R.D., Znajek, R. 1977, Mon. Not. R. Astron. Soc. 179, 433

Beskin, V.S., Par'ev, V.I. 1993, Usp. Fiz. Nauk 163, 95

Camenzind, M. 1986, Astron. & Astrophys. 156, 137

Event horizon telescope collaboration et al.

2019a, ApJ, 875, L1

Event horizon telescope collaboration *et al.* 2019b, ApJ, 875, L5

Event horizon telescope collaboration *et al.* 2021a, ApJ, 910, L12

Event horizon telescope collaboration *et al.* 2021b, ApJ, 910, L13

Event horizon telescope collaboration *et al.* 2022a, ApJ, 930, L12

Event horizon telescope collaboration *et al.* 2022b, ApJ, 930, L16

Fishbone, L.G., Moncrief, V. 1976, Astrophys. J. 63, 221

Gammie, C.F., McKinney, J.C., Toth, G. 2003, Astrphys. J. 589, 444

Hirotani, K., Takahashi, M., Nitta, S.-Y., Tomimatsu, A. 1992, Astrophys. J. 386, 455

Ichimaru, S. 1977, ApJ. 214, 840

Inda-Koide, M., Koide, S., Morino, R. 2018, ApJ., 883, 69

Ipser, J. 1971, Physical Review Letters 27, 529

Junor, W., Biretta, J.A., Livio, M. 1999, Nature, 401, 891

Khanna, R. 1998, Mon. Not. R. Astron. Soc. 294, 673

Kato, Y., Mineshige, S., Shibata, K. 2004, Astrophys. J. 605, 307

Koide, S., Meier, D.L., Shibata, K., Kudoh, T. 2000, Astrophys. J. 536, 668

Koide, S., Shibata, K., Kudoh, T. 1999, Astrophys. J. 522, 727

Koide, S., Shibata, K., Kudoh, T., Meier, D.L. 2002, Science 295, 1688

Koide, S. 2003, Physical Review D 67, 104010

Koide, S. 2004, Astrophys. J. Lett. 606, L45

Koide, S. 2009, Astrophys. J. 696, 2220

Koide, S. 2010, Astrophys. J. 708, 1459

Koide, S. 2020, Astrophys. J. 899, 95

Koide, S., Kudoh, T., Shibata, K. 2006, Phys. Rev. D, 74, 044005

Koide, S., Morino, R. 2011, Phys. Rev. D, 84, 083009

Koide, S., Takahashi, M., Takahashi, R. 2023, Physics of Plasmas, 30, 062105

Komissarov, S.S. 2004, Mon. Not. R. Astron. Soc. 350, 1431

Komissarov, S.S. 2005, Mon. Not. R. Astron. Soc. 359, 801

Lasota, J.P., Gourgoulhon, E., Abramowicz, M., Tchekhovsky, A., Narayan, R. 2014, Phys. Rev. D 89, 024041

Lynden-Bell, D. 1996, Mon. Not. R. Astron. Soc. 279, 389

McKinney, J.C., Blandford, R.D. 2009, Mon. Not. R. Astron. Soc 394, L126

McKinney, J.C., Gammie, C.F. 2004, Astrophys. J. 611, 977

McKinney, J.C. 2006, Mon. Not. R. Astron. Soc. 367, 1797

Meier, D. L. 2004, Astrophys. J. 605, 340

Meier, D.L. 2012, Black Hole Astrophysics: The Engine Paradigm (Springer-Verlag, Berlin Heidelberg)

Meier, D. L., Koide, S., Uchida, Y. 2001, Science, 291, 84

Michel, F.C. 1973, Astrophys. J. 180 L133

Narayan, R., Yi, I. 1994, ApJ, 428, L13

Nitta, S., Takahashi, M., Tomimatsu, A. 1991, Phys. Rev. D. 44, 2295

Penrose, R. 1969, Nuovo Cimento, 1, 252

Petschek, H.E. 1964, in Physics of Solar Flares, edited by W.N. Ness, NASA SP-50, p.425.

Press, W.H., Teukolsky, S.A. 1972, Nature, 238, 211

Ripperda, B., Bacchini, F., Philippov, A. A. 2020, ApJ, 900, 100

Takahashi, H.R., Ohsuga, K., Kawashima, T., Sekiguchi, Y. 2016, Astrophys. J. 826: 23

Takahashi, M., Nitta, S., Tatematsu, Y., Tomimatsu, A. 1990, Astrophys. J. 363, 206

Takahashi, M. 2002, Astrophys. J. 570, 264

Teukolsky, S.A., Press, W.H. 1974, Astrophys. J. 193, 443

Toma, K., Takahara, F. 2016, Prog. Theor. Exp. Phys. 2016, 063E01

Uzdensky, D.A. 2004, Astrophys. J. 603, 652

Uzdensky, D.A. 2005, Astrophys. J. 620, 889
Wald, R.M. 1974, Phys. Rev. D 10, 1680
Watanabe, N., Yokoyama, T. 2006, Astrophys. J. 647, L123
Znajek, R. 1977, Mon. Not. R. Astron. Soc. 179, 457

第 8 章

永田雅宜（代表著者）『理系のための線形代数の基礎』, 紀伊國屋書店, 1995
Courant, R., John, F. 1974, Introduction to Calculus and Analysis Volume Two (New York: John Wiley & Sons), Chapter 2
Ehlers, J. 1971, in General Relativity and Cosmology, ed. R.K. Sachs (New York: Academic Press) 1-70
Israel, W. 1972, in General Relativity, Papers in Honour of J.L. Synge, ed. L. O'Raifeartaigh (Oxford: Clarendon Press), 201-241
Lindquist, R.W. 1966, Annals of Physics, 37, 487-518
Misner, C.W., Thorne, K.S., Wheeler, J.A. 1973, Gravitation (San Francisco: W.H. Freeman)
Sachs, R.K., Ehlers, J. 1968, in Astrophysics and General Relativity, Volume 2, Brandeis University Summer Institute in Theoretical Physics, 1968, ed. M. Chrétien, S. Deser, J. Goldstein (New York: Gordon and Breach), 331-383
Sasaki, S. 1958, Tohoku Mathematical Journal, 10, 338-354
Sasaki, S. 1962, Tohoku Mathematical Journal, 14, 146-155
Synge, J.L. 1956, Relativity: The Special Theory (Amsterdam: North-Holland Publishing Company)
Synge, J.L. 1957, The Relativistic Gas (Amsterdam: North-Holland Publishing Company)
Takahashi, R., Umemura, M., 2017, MNRAS, 464, 4567-4585

第 9 章

嶺重慎『ブラックホール天文学』（新天文学ライブラリー第 3 巻), 日本評論社, 2016
Asahina, Y., Takahashi, H. R., Ohsuga, K. 2020, ApJ, 901, 96
Asahina, Y., Ohsuga, K. 2022, ApJ, 929, 93
Bardeen, J.M. 1973, in Black Holes (Les astres occlus), ed. C. DeWitt, B.S. DeWitt, Gordon and Breach, New York, p.215
Chandrasekhar, S. 1983, The Mathematical Theory of Black Holes (Oxford University Press)
EHT Collaboration 2019, ApJ, 875, L1, L2, L3, L4, L5, L6
EHT Collaboration 2021, ApJ, 910, L12, L13
EHT Collaboration 2022, ApJ, 930, L12, L13, L14, L15, L16, L17
Fukue, J., Yokoyama, T. 1988, PASJ, 40, 15-24
Hanni, R.S. 1977, Phys. Rev. D, 16, 933
Jian, Y.-F., Stone, J.M., Davis, S.W. 2012, ApJS, 199, 14
Jian, Y.-F., Stone, J.M., Davis, S.W. 2013, ApJ, 778, 65
Jian, Y.-F., Stone, J.M., Davis, S.W. 2014, ApJS, 213, 7
Jian, Y.-F., Davis, S.W., Stone, J.M. 2016, ApJ, 827, 10
Kato, S., Fukue, J., Mineshige, S. 2008, Black-Hole Accretion Disks, Towards a New Paradigm, Kyoto University Press
Lindquist, R.W. 1966, Annals of Physics, 37, 487-518
Luminet, J.-P. 1979, A&A, 75, 228-235
Mihalas, D., Mihalas, B.W. 1984, Foundations of Radiation Hydrodynamics (Oxford University Press, Oxford)
Narayan R., Zhu Y., Psaltis D., Sądowski A. 2016, MNRAS, 457, 608
Ohsuga, K., Takahashi, H.R. 2016, ApJ, 818, 162
Poisson, E. 2004, A Relativist's Toolkit, The Mathematics of Black-Hole Mechanics (Cambridge University Press)

Shibata, M., Nagakura, H., Sekiguchi, Y., Yamada, S. 2014, Phys. Rev. D, 89, 084073

Synge, J.L. 1966, MNRAS, 131, 463-466

Takahashi, M., Ishizuka, T., Yokosawa, M. 1990, Prog. Theor. Phys., 84, 875

Takahashi, M. M., Ohsuga, K., Takahashi, R., Ogawa, T., Umemura, M., Asahina, Y. 2022, MNRAS, 517, 3711

Takahashi, R. 2004, ApJ, 611, 996-1004

Takahashi, R., Takahashi, M. 2010, A&A, 513, A77

Takahashi, R., Umemura, M. 2017, MNRAS, 464, 4567-4585

Teo, E. 2003, General Relativity and Gravitation, 35, 1909

Zhu Y., Narayan R., Sadowski A., Psaltis D. 2015, MNRAS, 451, 1661

第 10 章

嶺重慎『ブラックホール天文学』(新天文学ライブラリー第 3 巻), 日本評論社, 2016

Bini, D., Jantzen, R.T., Stella, L. 2009, Classical and Quantum Gravity, 26, 055009

Bini, D., Geralico, A., Jantzen, R.T., Semer'ak, O., Stella, L. 2011, Classical and Quantum Gravity, 28, 035008

Chandrasekhar, S. 1983, The Mathematical Theory of Black Holes (Oxford University Press)

Eggum, G.E., Coroniti, F.V., Katz, J.I. 1988, ApJ, 330, 142

Lindquist, R.W. 1966, Annals of Physics, 37, 487

Mihalas, D., Mihalas, B.W. 1984, Foundations of Radiation Hydrodynamics (Oxford University Press, Oxford)

Okuda, T., Fujita, M., Sakashita, S. 1997, PASJ, 49, 679

Ohsuga, K., Mori, M., Nakamoto, T., Mineshige, S. 2005, ApJ, 628, 368

Ohsuga, K., Mineshige, S., Mori, M., Kato, Y. 2009, PASJ, 61, 7

Poisson, E. 2004, A Relativist's Toolkit, The Mathematics of Black-Hole Mechanics (Cambridge University Press)

Sądowski, A., Narayan, R., Tchekhovskoy, A., Zhu, Y. 2013, MNRAS, 429, 3533

Sądowski, A., Narayan, R., McKinney, J.C., Tchekhovskoy, A. 2014, MNRAS, 439, 503

Takahashi, H.R., Ohsuga, K., Kawashima, T., Sekiguchi, Y. 2016, ApJ, 826, 23

章末問題の略解

第1章

1.1 省略.

1.2 軌道長半径を a として，ケプラーの法則 $G(M_{BH} + M_{star})a^{-3} = (2\pi/P)^2$ と回転速度は重心からの距離に関係し，a を質量比で内分し，視線方向の成分をとることにより $V_{star} = (2\pi/P)a(M_{BH}/(M_{BH} + M_{star}))\sin i$ となる．a を消去して結果を得る．

1.3 軌道長半径を a として，ケプラーの法則 $GM_{BH} = (2\pi/P)^2 a^3$ に関係式を代入して求められる．重力定数を G，光速度を c とし，$M_{BH}/M_\odot = (a/GM_\odot/c^2)(2\pi a/cP)^2$ と変形し，$GM_\odot/c^2 = 1.5$ km，$cP = 14.5$ 光年，1 au $= 1.5 \times 10^{13}$ cm，1 光年 $= 9.5 \times 10^{17}$ cm など何らかの形で数値を覚えていると有用である．

1.4 図にあるように点 O にある物体が我々の観測装置に向けて光子を放ち，その時間 Δt 後に再び我々に向かって放たれた光子を考える．この2つの光子を観測する時間差と観測者から見た移動距離によって物体の速さが計算される．受像スクリーン上での光子の距離は $\Delta y = v\Delta t \sin\theta$ である．次に，2つの光子を観測するときの時間差を求めてみよう．点 O を原点とし，x 軸を視線方向，物体が xy 平面内になるように y 軸を設定する．このとき，2番目の光子の放たれる時刻での最初の光子の位置は c を光速度として $(c\Delta t, 0)$ である．それに対して，2番目の光子の位置は物体から放たれた直後であるので，その位置は物体と同じ $(c\Delta t \cos\theta, c\Delta t \sin\theta)$ となる．このとき，観測者までの視線方向の距離の差は $\Delta x = c\Delta t - v\Delta t$ である．この距離の差は光子が伝播しても変わらないので，観測者に到達する両者の時間差 $\Delta t'$ は $\Delta t' = \dfrac{c\Delta t - v\Delta t \cos\theta}{c} = \left(1 - \dfrac{v}{c}\cos\theta\right)\Delta t$ となる．観測者はこの時間 $\Delta t'$ に物体の位置が $\Delta y = v\Delta t \sin\theta$ だけ移動したと判断するので，観測者が計測する（見かけの）速さは

$$v_{obs} = \frac{\Delta y}{\Delta t'} = \frac{v\Delta t \sin\theta}{(1 - (v/c)\cos\theta)\Delta t} = \frac{v\sin\theta}{1 - (v/c)\cos\theta}$$

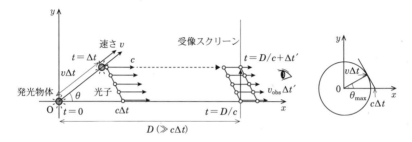

図 超光速運動の説明.

となる．この速さは光速度 c を超えうる．その値は $\dfrac{v_{\text{obs}}}{c} \leqq \dfrac{\dfrac{v}{c}}{\sqrt{1-(v/c)^2}} = \gamma \dfrac{v}{c} < \gamma$（等号は $v/c = \cos\theta$ のとき成立）となる．ここで，$\gamma = \dfrac{1}{\sqrt{1-(v/c)^2}}$ はローレンツ因子である．これから $\gamma > \dfrac{v_{\text{obs}}}{c}$ となり，見かけの速度と光速度の比はローレンツ因子の下限を与えることが分かる．このことから，たとえばクエーサー 3C273 のジェットのローレンツ因子は 10 以上であることが分かる．

1.5 問題 1.4 より $v_{\text{obs}}^{\text{dir}}$ がただちに与えられる．同様に $v \longrightarrow -v$, $v_{\text{obs}} \longrightarrow -v_{\text{obs}}^{\text{anti}}$ として，$v_{\text{obs}}^{\text{anti}}$ が与えられる．得られた $v_{\text{obs}}^{\text{dir}}$ と $v_{\text{obs}}^{\text{anti}}$ の式より $v\sin\theta = \dfrac{2v_{\text{obs}}^{\text{dir}} v_{\text{obs}}^{\text{anti}}}{v_{\text{obs}}^{\text{dir}} + v_{\text{obs}}^{\text{anti}}}$, $v\cos\theta = \dfrac{v_{\text{obs}}^{\text{dir}} - v_{\text{obs}}^{\text{anti}}}{v_{\text{obs}}^{\text{dir}} + v_{\text{obs}}^{\text{anti}}}$. これらの式により，$\tan\theta = \dfrac{2v_{\text{obs}}^{\text{dir}} v_{\text{obs}}^{\text{anti}}}{v_{\text{obs}}^{\text{dir}} - v_{\text{obs}}^{\text{anti}}}$, $v = \dfrac{\sqrt{(v_{\text{obs}}^{\text{dir}} - v_{\text{obs}}^{\text{anti}})^2 + (2v_{\text{obs}}^{\text{dir}} v_{\text{obs}}^{\text{anti}})^2}}{v_{\text{obs}}^{\text{dir}} + v_{\text{obs}}^{\text{anti}}}$.

1.6 問題 1.5 の最後の式の次元を回復すると，$\tan\theta = \dfrac{2v_{\text{obs}}^{\text{dir}} v_{\text{obs}}^{\text{anti}}/c}{v_{\text{obs}}^{\text{dir}} - v_{\text{obs}}^{\text{anti}}}$, $v = \dfrac{\sqrt{(v_{\text{obs}}^{\text{dir}} - v_{\text{obs}}^{\text{anti}})^2 + (2v_{\text{obs}}^{\text{dir}} v_{\text{obs}}^{\text{anti}}/c)^2}}{v_{\text{obs}}^{\text{dir}} + v_{\text{obs}}^{\text{anti}}} c$. 数値を代入して計算すると，$\tan\theta = 2.7$ より $\theta = 70°$. $v = 0.92c$.

第 2 章

2.1 省略．

2.2 省略．

2.3 計量 (2.24) の半径 r 一定の円周は $\displaystyle\int_0^{2\pi} r d\theta = 2\pi r$ で，動径方向の固有の距離は $\displaystyle\int_a^b dr(1-2M/r)^{-1/2} > b-a$ となり，平坦な場合のものよりも長い．この事情は図 2.4（50 ページ）から容易に理解できよう．計量 (2.28) も同様に半径 $\bar{r}$ 一定の円周は $2\pi r$ となり，$2\pi\bar{r}$ でない．動径方向の固有の距離は $\displaystyle\int_a^b g_{rr}^{1/2} dr > b-a$.

2.4 省略．

2.5 変換 $x'^\mu = x^\mu + \epsilon\xi^\mu$ と計量テンソルを ϵ の 1 次まで展開した式は
$$\frac{\partial x'^\alpha}{\partial x^\mu} = \delta_\mu^\alpha + \epsilon\frac{\partial \xi^\alpha}{\partial x^\mu}, \quad g'_{\alpha\beta}(x') = g_{\alpha\beta}(x) + \frac{\partial g_{\alpha\beta}(x)}{\partial x^\lambda}(x'^\lambda - x^\lambda)$$
となる．これらを用いると条件は

$$0 = \frac{\partial \xi^\alpha}{\partial x^\mu} g_{\alpha\nu} + \frac{\partial \xi^\beta}{\partial x^\nu} g_{\mu\beta} + \frac{\partial g_{\mu\nu}}{\partial x^\lambda} \xi^\lambda$$

となり，$\xi_\mu = \xi^\nu g_{\mu\nu}$ を用いて整理すると結果を得る．

$$0 = \xi_{\mu,\nu} + \xi_{\nu,\mu} - 2\xi_\lambda \Gamma^\lambda_{\mu\nu} = \xi_{\mu;\nu} + \xi_{\nu;\mu}.$$

2.6 一周で約 0.2 度．

2.7 シュバルツシルト時空の場合の式（2.76）では全軌道角運動量 L_T^2 が z 方向になるように設定したので，そこに現れた L_z^2 は L_T^2 である．一方，(2.83)–(2.84) から $L_z^2 = L_T^2 \sin^2\theta$, $\mathcal{Q} = L_T^2 \cos^2\theta$ （$L_z^2 + \mathcal{Q} = L_T^2$）の対応関係があることがわかる．軌道面と z 軸となす角度が θ で球対称時空での運動では一定で $\Theta = 0$ となる．

第 3 章

3.1 フェルミ運動量 $\bar{p}_F$，エネルギーを $E_F \equiv \mu = (\bar{p}_F^2 + m^2)^{1/2}$ として，$E \leqq E_F$ なら $f(E) = 1$，その他はゼロとなるので (3.2) (3.3) (3.4) の積分はそれぞれ，

$$n = \frac{8\pi}{3h^3} \bar{p}_F^3, \qquad \rho = \frac{\pi m^4}{h^3} \chi(x), \qquad p = \frac{\pi m^4}{h^3} \phi(x).$$

となる．ここで $\chi(x)$, $\phi(x)$ は以下の $x \equiv \bar{p}_F/m$ の関数であり，媒介変数として状態方程式が与えられる．

$$\chi(x) = x(x^2+1)^{1/2}(2x^2+1) - \ln[x + (x^2+1)^{1/2}]$$
$$\phi(x) = x(x^2+1)^{1/2}(2x^2/3 - 1) + \ln[x + (x^2+1)^{1/2}]$$

3.2 $\vec{V} = h\gamma\vec{v}$ として断熱の関係式 $ndh = dp$ を用いる．

3.3 衝撃波前後圧力（エネルギー密度）の比 $q = p_a/p_b$ ($= \rho_a/\rho_b$) と置くと

$$v_a = \left[\frac{q+3}{3(3q+1)}\right]^{1/2}, \qquad v_b = \left[\frac{3q+1}{3(q+3)}\right]^{1/2}$$

強い衝撃波の極限 $q \to \infty$ では前面から光速に近い速度 $v_b \sim c$ で入り，衝撃波通過後，熱化されて $v_a \sim c/3$（相対論的音速）となる．

3.4 ゼロでない成分は $N_{\theta;\theta} = r$, $N_{\phi;\phi} = r\sin^2\theta$ または，$N_{\hat{\theta};\hat{\theta}} = N_{\hat{\phi};\hat{\phi}} = 1/r$ となる．緯度，経度方向の曲率（内接円の半径の逆数）を表す．

3.5 (3.74) または (3.75) から具体的に計算すると，ゼロでない成分は

$$K_{r\phi} = K_{\phi r} = -\frac{aM\sin^2\theta}{\alpha\rho^2\Sigma^2}[\Sigma^2 - 2r(2r(r^2+a^2) - a^2\sin^2\theta(r-M))],$$
$$K_{\theta\phi} = K_{\phi\theta} = -\frac{2a^3Mr\Delta\sin^3\theta\cos\theta}{\alpha\rho^2\Sigma^2}.$$

第 4 章

4.1 (4.11) から (4.12) を導出する際,$(c_{s*}/c)^2, (c_{s\infty}/c)^2$ の最低次では不十分なので,より高次項まで考慮して $c_{s*}^2 \approx 2cc_{s\infty}/3$ となる(ここで c は光速で明示的に用いた).また,臨界半径は $r_* = 3M/(4cc_{s\infty})$ となり,$\Gamma \neq 5/3$ の場合より $c_{s\infty}/c \sim 10^{-4}$ 倍程度小さくなるが,依然相対論が必要となる領域より外側である.

4.2 $\rho = p$ と音速 $\Gamma p/(\rho+p) = 1$ より $\Gamma = 2$ で $p \gg mn$ に対応している.

4.3 円柱座標の半径を ϖ とすると,$\ell = \varpi^2\Omega$ である.また,光速度 c とすると,$1-\ell\Omega = 1 - (\varpi\Omega/c)^2 \approx 1$. $c^2\ln|u^t| \approx -\Phi + (\Omega\varpi)^2/2$, $c^2\ln|u_t| \approx +\Phi + \ell^2/(2\varpi^2)$ である.また,$\rho \approx \rho_{\rm m}c^2 \gg p$ から,どちらの式からも $-\rho_{\rm m}^{-1}p_{,k} + g_k = 0$ となる.ただし,$\vec{g} = -\nabla\Phi + \Omega^2\varpi\vec{e}_{\varpi}$ で重力と遠心力の加速度を合成したものである.

4.4 比 (p_ϕ/p_t) は $(a\Delta^{1/2} \pm (r^2+a^2))/(\Delta^{1/2} \pm a)$ で与えられる.さらに表式を $v = (M/r)^{1/2}$ で展開する以下となる.

$$g = 1 \pm v - \frac{1}{2}v^2 \pm \frac{1}{2}v^3 + \left(\frac{3}{8} \mp a_*\right)v^4 + \cdots.$$

第 5 章

5.1 $\eta_{\mu\nu}$ はテンソルで,$\eta_{\mu\nu} = \frac{\partial x^{\alpha'}}{\partial x^\mu}\frac{\partial x^{\beta'}}{\partial x^\nu}\eta_{\alpha'\beta'}$. これは,$(\eta_{\mu\nu}) = \left(\frac{\partial x^{\alpha'}}{\partial x^\mu}\right)(\eta_{\alpha'\beta'}) \times \left(\frac{\partial x^{\beta'}}{\partial x^\nu}\right)$ のように行列の積の形で書ける.このとき,$\eta \equiv \det(\eta_{\mu\nu}) = \det\left(\frac{\partial x^{\alpha'}}{\partial x^\mu}\right) \times \det(\eta_{\alpha'\beta'})\det\left(\frac{\partial x^{\beta'}}{\partial x^\nu}\right) = \left[\det\left(\frac{\partial x^{\alpha'}}{\partial x^\mu}\right)\right]^2 \det(\eta_{\alpha'\beta'}) = \left(\frac{\partial(x')}{\partial(x)}\right)^2 \eta'$. ここで,$\eta = \eta' = -1$ なので,$\left(\frac{\partial(x')}{\partial(x)}\right)^2 = 1$ より (5.25) を得る.

5.2
$$\partial_\nu\left(F^\mu{}_\sigma F^{\nu\sigma} - \frac{1}{4}\eta^{\mu\nu}F^{\lambda\kappa}F_{\lambda\kappa}\right)$$
$$= -4\pi F^\mu{}_\sigma J^\sigma - \eta^{\mu\sigma}(\partial_\nu F_{\rho\sigma})F^{\nu\rho} - \frac{1}{2}\eta^{\mu\nu}F^{\lambda\kappa}\partial_\nu F_{\lambda\kappa}$$
$$= -4\pi F^\mu{}_\sigma J^\sigma - \frac{1}{2}\eta^{\mu\nu}F^{\lambda\kappa}(\partial_\nu F_{\lambda\kappa} - 2\partial_\kappa F_{\lambda\nu})$$
$$= -4\pi F^\mu{}_\sigma J^\sigma - \frac{1}{2}\eta^{\mu\nu}[F^{\lambda\kappa}(\partial_\nu F_{\lambda\kappa} - \partial_\kappa F_{\lambda\nu}) - F^{\lambda\kappa}\partial_\kappa F_{\lambda\nu}]$$
$$= -4\pi F^\mu{}_\sigma J^\sigma - \frac{1}{2}\eta^{\mu\nu}F^{\lambda\kappa}(\partial_\nu F_{\lambda\kappa} + \partial_\kappa F_{\nu\lambda} + \partial_\lambda F_{\kappa\nu}) = -4\pi J^\sigma F^\mu{}_\sigma.$$

5.3 (5.45) において $\mu = 0$ とおいて,(5.48) を得る.(5.45) において $\mu = i$ とおくと (5.49) を得る.

5.4 まず,スカラー $F^{\rho\sigma}F_{\rho\sigma}$ について $F^{\rho\sigma}F_{\rho\sigma} = 2F^{0i}F_{0i} + F_{ij}F^{ij} = -2E_iE^i + \epsilon_{ijk}B^k\epsilon^{ijk}B_k = -2E_iE^i + 2B^kB_k = 2((B)^2 - (E)^2)$ となる.これを用いて,

$$T^0_{\text{EM}0} = \frac{1}{4\pi}\left[F^{0\sigma}F_{0\sigma} - \frac{1}{4}F^{\rho\sigma}F_{\rho\sigma}g^0_0\right] = \frac{1}{4\pi}\left[F^{0i}F_{0i} - \frac{1}{2}((B)^2 - (E)^2)\right]$$

$$= \frac{1}{4\pi}\left[-E^i E_i - \frac{1}{2}((B)^2 - (E)^2)\right] = -\frac{1}{8\pi}((B)^2 + (E)^2),$$

$$T^0_{\text{EM}i} = \frac{1}{4\pi}\left[F^{0\sigma}F_{i\sigma} - \frac{1}{4}F^{\rho\sigma}F_{\rho\sigma}g^0_i\right] = \frac{1}{4\pi}F^{0j}F_{ij} = \frac{1}{4\pi}E^j\epsilon_{ijk}B^k,$$

$$T^i_{\text{EM}j} = \frac{1}{4\pi}\left[F^{i\sigma}F_{j\sigma} - \frac{1}{4}F^{\rho\sigma}F_{\rho\sigma}g^i_j\right] = \frac{1}{4\pi}\left[F^{i0}F_{j0} + F^{ik}F_{jk} - \frac{1}{4}F^{\rho\sigma}F_{\rho\sigma}g^i_j\right]$$

$$= \frac{1}{4\pi}\left[-E^i E_j + \epsilon^{ikl}B_l \epsilon_{jkm}B^m - \frac{1}{2}((B)^2 - (E)^2)\delta^i_j\right]$$

$$= \frac{1}{4\pi}\left[-E^i E_j - B^i B_j + \frac{1}{2}((B)^2 + (E)^2)\delta^i_j\right].$$

最後の等式については $i=j$ の場合とそうでない場合に分けて考える必要がある.

5.5 (5.1), (5.2), (5.51) に代入して確かめる.

5.6 $\epsilon_{\alpha\beta\gamma\delta} = g_{\alpha\mu}g_{\beta\nu}g_{\gamma\rho}g_{\delta\sigma}\epsilon^{\mu\nu\rho\sigma} = \dfrac{1}{\sqrt{-g}}g_{\alpha\mu}g_{\beta\nu}g_{\gamma\rho}g_{\delta\sigma}\eta^{\mu\nu\rho\sigma}$

$= \dfrac{1}{\sqrt{-g}}g_{0\mu}g_{1\nu}g_{2\rho}g_{3\sigma}\eta^{\mu\nu\rho\sigma}\eta_{\alpha\beta\gamma\delta} = -\sqrt{-g}\eta_{\alpha\beta\gamma\delta}.$

5.7
$$g = \begin{vmatrix} g_{00} & g_{01} & \cdots & g_{03} \\ g_{10} & g_{11} & \cdots & g_{13} \\ \vdots & \vdots & \ddots & \vdots \\ g_{30} & g_{31} & \cdots & g_{33} \end{vmatrix} = \begin{vmatrix} g_{00} & g_{01} & \cdots & g_{03} \\ g_{1j}\beta^j & g_{11} & \cdots & g_{13} \\ \vdots & \vdots & \ddots & \vdots \\ g_{3j}\beta^j & g_{31} & \cdots & g_{33} \end{vmatrix}$$

$$= \begin{vmatrix} g_{00} - g_{0j}\beta^j & g_{01} & \cdots & g_{03} \\ 0 & g_{11} & \cdots & g_{13} \\ \vdots & \vdots & \ddots & \vdots \\ 0 & g_{31} & \cdots & g_{33} \end{vmatrix} = \begin{vmatrix} -\alpha^2 & g_{01} & \cdots & g_{03} \\ 0 & g_{11} & \cdots & g_{13} \\ \vdots & \vdots & \ddots & \vdots \\ 0 & g_{31} & \cdots & g_{33} \end{vmatrix} = -\alpha^2\gamma.$$

5.8 $\epsilon_{0ijk}B^k = \epsilon_{0ijk}{}^*F^{0k} = \epsilon_{0ijk}\dfrac{1}{2}\epsilon^{0klm}F_{lm} = \epsilon_{0ijk}\epsilon^{0kij}F_{ij} = -F_{ij}.$

$\epsilon^{0ijk}B_k = \epsilon^{0ijk}{}^*F_{k0} = \epsilon^{0ijk}\dfrac{1}{2}\epsilon_{k0lm}F^{lm} = \epsilon^{0ijk}\epsilon_{k0ij}F^{ij} = F^{ij}$.

5.9 $E_{\tilde{i}} = F_{\tilde{i}\tilde{0}} = g_{\tilde{i}\tilde{\mu}}g_{\tilde{0}\tilde{\nu}}F^{\tilde{\mu}\tilde{\nu}} = g_{\tilde{i}\tilde{j}}g_{\tilde{0}\tilde{0}}F^{\tilde{j}\tilde{0}} = -g_{\tilde{i}\tilde{j}}F^{\tilde{j}\tilde{0}} = g_{\tilde{i}\tilde{j}}F^{\tilde{0}\tilde{j}} = \gamma_{\tilde{i}\tilde{j}}E^{\tilde{j}}.$

$B^{\tilde{i}} = {}^*F^{\tilde{0}\tilde{i}} = g^{\tilde{0}\tilde{\mu}}g^{\tilde{i}\tilde{\nu}}{}^*F_{\tilde{\mu}\tilde{\nu}} = g^{\tilde{0}\tilde{0}}g^{\tilde{i}\tilde{j}}{}^*F_{\tilde{0}\tilde{j}} = -g^{\tilde{i}\tilde{j}}{}^*F_{\tilde{0}\tilde{j}} = g^{\tilde{i}\tilde{j}}{}^*F_{\tilde{j}\tilde{0}} = \gamma^{\tilde{i}\tilde{j}}B_{\tilde{j}}.$

5.10 (5.60) で $\nu = 0$ とおくと, $\dfrac{1}{\sqrt{-g}}\dfrac{\partial}{\partial x^i}(\sqrt{-g}F^{i0}) = \dfrac{1}{\sqrt{-g}}\dfrac{\partial}{\partial x^i}\left(\sqrt{-g}\dfrac{-1}{\alpha}\tilde{E}^i\right) =$

$-4\pi J^0 = -4\pi\dfrac{1}{\alpha}\tilde{\rho}_{\text{e}}.$ この両辺に $-\alpha$ を掛けて (5.100) を得る.

(5.60) で $\nu = i$ とおくと, $\dfrac{1}{\sqrt{-g}}\dfrac{\partial}{\partial x^\mu}(\sqrt{-g}F^{i\mu}) = \dfrac{1}{\sqrt{-g}}\dfrac{\partial}{\partial t}(\sqrt{-g}F^{i0})$

$$+\frac{1}{\sqrt{-g}}\frac{\partial}{\partial x^j}(\sqrt{-g}F^{ij}) = -\frac{\partial}{\partial t}\left(\frac{1}{\alpha}\tilde{E}^i\right) + \frac{1}{\sqrt{-g}}\frac{\partial}{\partial x^j}[\sqrt{-g}\epsilon^{ijk}(\tilde{B}_k + \epsilon_{klm}N^l\tilde{E}^m)]$$

$$= -\frac{\partial}{\partial t}\left(\frac{1}{\alpha}\tilde{E}^i\right) + \frac{1}{\alpha}\epsilon^{ijk}\frac{\partial}{\partial x^j}[\alpha(\tilde{B}_k + \epsilon_{klm}N^l\tilde{E}^m)] = 4\pi J^i = 4\pi(\tilde{J}^i + N^i\tilde{\rho}_e).\ \text{ここ}$$

で, $\epsilon^{ijk} = \frac{1}{\sqrt{\gamma}}\eta^{ijk}$ を用いた. 両辺に α を掛け (5.101) を得る.

(5.62) で $\nu = 0$ とおくと, $0 = \frac{1}{\sqrt{-g}}\frac{\partial}{\partial x^i}(\sqrt{-g}\,{}^*F^{0i}) = \frac{1}{\sqrt{-g}}\frac{\partial}{\partial x^i}(\sqrt{-g}\frac{-1}{\alpha}\,{}^*F^{\tilde{0}\tilde{i}}) =$

$\frac{1}{\sqrt{-g}}\frac{\partial}{\partial x^i}(\sqrt{\gamma}\tilde{B}^i)$. この両辺に α を掛けて (5.102) を得る.

(5.62) で $\nu = i$ とおくと, $\frac{1}{\sqrt{-g}}\frac{\partial}{\partial x^\mu}(\sqrt{-g}\,{}^*F^{\mu i}) = \frac{1}{\sqrt{-g}}\frac{\partial}{\partial t}(\sqrt{-g}\,{}^*F^{0i})$

$+\frac{1}{\sqrt{-g}}\frac{\partial}{\partial x^j}(\sqrt{-g}\,{}^*F^{ji}) = \frac{\partial}{\partial t}\left(\frac{1}{\alpha}\tilde{B}^i\right) + \frac{1}{\sqrt{-g}}\frac{\partial}{\partial x^j}[\alpha\sqrt{\gamma}\epsilon^{ijk}(\tilde{E}_k - \epsilon_{klm}N^l\tilde{B}^m)] =$

$\frac{\partial}{\partial t}\left(\frac{1}{\alpha}\tilde{B}^i\right) + \frac{1}{\alpha}\epsilon^{ijk}\frac{\partial}{\partial x^j}[\alpha(\tilde{E}_k - \epsilon_{klm}N^l\tilde{B}^m)].$ 両辺に α を掛けて (5.103) を得る.

5.11 ここで, 対称テンソルと反対称テンソルの縮約はゼロとなるので, $\alpha K_{ij}\tilde{T}^{ij}_{\text{EM}} = \left[\alpha K_{ij} - \frac{1}{2}\left\{\gamma_{jk}\frac{\partial}{\partial x^i}(\alpha N^k) - \gamma_{ik}\frac{\partial}{\partial x^j}(\alpha N^k)\right\}\right]\tilde{T}^{ij}_{\text{EM}}$

$= -\left[\gamma_{jk}\frac{\partial}{\partial x^i}(\alpha N^k) + \frac{1}{2}\alpha N^k\frac{\partial\gamma_{ij}}{\partial x^k}\right]\tilde{T}^{ij}_{\text{EM}}.$

5.12 (5.127) の i 成分を考えると, (5.108) になることを示せばよい.

5.13 $u^\infty = -\xi^{\tilde{\mu}}T^{\tilde{0}}_{\tilde{\mu}} = -\xi^{\tilde{0}}T^{\tilde{0}}_{\tilde{0}} - \xi^{\tilde{i}}T^{\tilde{0}}_{\tilde{i}} = -\alpha T^{\tilde{0}}_{\tilde{0}} + \alpha N^{\tilde{i}}T^{\tilde{0}}_{\tilde{i}} = \alpha(\tilde{u} + N^{\tilde{i}}S_{\tilde{i}}).$

第 6 章

6.1 $u^{0'}F_{i'0'} = u^{\mu'}F_{i'\mu'}$ なので, (6.10) は $u^{\mu'}F^{i'}{}_{\mu'} = \eta(J^{i'} - \rho'_e u^{i'})$ と書ける. こ こで, i を 0 にしてみると,

$$(\text{左辺}) = u^{\mu'}F^{0'}{}_{\mu'} = 0, \qquad (\text{右辺}) = \eta(J^{0'} - \rho'_e u^{0'}) = 0$$

と当たり前の式になる. よって, $u^{\mu'}F^{\nu'}{}_{\mu'} = \eta(J^{\nu'} - \rho'_e u^{\nu'})$ とできる. ここで, $\rho'_e = J^{0'} = -J_{0'} = -J_{\mu'}u^{\mu'}$ なので, $u^{\mu'}F^{\nu'}{}_{\mu'} = \eta[J^{\nu'} + (J_{\mu'}u^{\mu'})u^{\nu'}].$

6.2 (a) $\frac{d}{dt}(d\boldsymbol{l}\times\boldsymbol{B}) = \left(\frac{d}{dt}d\boldsymbol{l}\right)\times\boldsymbol{B} + d\boldsymbol{l}\times\frac{d\boldsymbol{B}}{dt} = [(d\boldsymbol{l}\cdot\nabla)\boldsymbol{v}]\times\boldsymbol{B} + d\boldsymbol{l}\times\left[\frac{\partial\boldsymbol{B}}{\partial t} + (\boldsymbol{v}\cdot\nabla)\boldsymbol{B}\right] = [(d\boldsymbol{l}\cdot\nabla)\boldsymbol{v}]\times\boldsymbol{B} + d\boldsymbol{l}\times[\nabla\times(\boldsymbol{v}\times\boldsymbol{B}) + (\boldsymbol{v}\cdot\nabla)\boldsymbol{B}] = [(d\boldsymbol{l}\cdot\nabla)\boldsymbol{v}]\times\boldsymbol{B} + d\boldsymbol{l}\times[(\nabla\cdot\boldsymbol{B})\boldsymbol{v} + (\boldsymbol{B}\cdot\nabla)\boldsymbol{v} - (\nabla\cdot\boldsymbol{v})\boldsymbol{B} - (\boldsymbol{v}\cdot\nabla)\boldsymbol{B} + (\boldsymbol{v}\cdot\nabla)\boldsymbol{B}] = [(d\boldsymbol{l}\cdot\nabla)\boldsymbol{v}]\times\boldsymbol{B} + d\boldsymbol{l}\times[(\boldsymbol{B}\cdot\nabla)\boldsymbol{v} - (\nabla\cdot\boldsymbol{v})\boldsymbol{B}]$.

(b) $-[(d\boldsymbol{l}\times\boldsymbol{B})\times\nabla]\times\boldsymbol{v} = [(d\boldsymbol{l}(\boldsymbol{B}\cdot\nabla) - \boldsymbol{B}(d\boldsymbol{l}\cdot\nabla)]\times\boldsymbol{v} = d\boldsymbol{l}\times\{(\boldsymbol{B}\cdot\nabla)\boldsymbol{v}\} - \boldsymbol{B}\times$

$\{(d\boldsymbol{l}\cdot\nabla)\boldsymbol{v}\} = [(d\boldsymbol{l}\cdot\nabla)\boldsymbol{v}]\times\boldsymbol{B} + d\boldsymbol{l}\times[(\boldsymbol{B}\cdot\nabla)\boldsymbol{v}]$.

6.3 (6.31) の両辺を時間偏微分し，(6.30)，(6.32)，(6.33)，(6.34) を用いると，
$h_0\dfrac{\partial^2}{\partial t^2}\boldsymbol{v} = \rho_0\left(\dfrac{dp}{d\rho}\right)_0\nabla(\nabla\cdot\boldsymbol{v}) + \dfrac{1}{4\pi}[\nabla\times(\nabla\times(\boldsymbol{v}\times\boldsymbol{B}_0)) + \dfrac{\partial^2\boldsymbol{v}}{\partial t^2}\times\boldsymbol{B}_0]\times\boldsymbol{B}_0$ となる．ここで，
$[\nabla\times(\nabla\times(\boldsymbol{v}\times\boldsymbol{B}_0))]\times\boldsymbol{B}_0 = B_0^2\left[\dfrac{\partial^2\boldsymbol{v}}{\partial z^2} - \boldsymbol{e}_z\dfrac{\partial}{\partial z}(\nabla\cdot\boldsymbol{v}) - \nabla\dfrac{\partial v_z}{\partial z} + \nabla(\nabla\cdot\boldsymbol{v})\right]$ を用いて，
$\left(h_0 + \dfrac{B_0^2}{4\pi}\right)\dfrac{\partial^2\boldsymbol{v}}{\partial t^2} - \dfrac{B_0^2}{4\pi}\dfrac{\partial^2 v_z}{\partial t^2}\boldsymbol{e}_z = \left\{\rho_0\left(\dfrac{dp}{d\rho}\right)_0 + \dfrac{B_0^2}{4\pi}\right\}\nabla(\nabla\cdot\boldsymbol{v}) + \dfrac{B_0^2}{4\pi}\left[\dfrac{\partial^2\boldsymbol{v}}{\partial z^2} - \nabla\dfrac{\partial v_z}{\partial z}\right.$
$\left. - \dfrac{\partial}{\partial z}(\nabla\cdot\boldsymbol{v})\boldsymbol{e}_z\right]$ となる．v_A^2, v_f^2 を用いて，直ちに (6.35) を得る．

6.4 解は $B_y(x,t) = \dfrac{B_0}{2}\left[\text{erfc}\left(\dfrac{x-l}{2l\sqrt{t/\tau}}\right) - \text{erfc}\left(\dfrac{x+l}{2l\sqrt{t/\tau}}\right)\right]$．ここで，$\tau = 4\pi l^2/\eta$，$\text{erfc}(x) \equiv \dfrac{2}{\sqrt{\pi}}\int_x^\infty e^{-(x')^2}dx'$ は余誤差関数である．図に示すように，$-l < x < l$ に局在化していた磁場は磁気拡散により瞬時 ($t > 0$) に全領域 ($-\infty < x < \infty$) に広がる．このように，非相対論的拡散現象では瞬時に影響が無限遠方まで及ぶので，相対論的な因果律を満たさない．

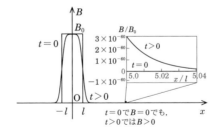

図　磁場の拡散．初期に局在した磁場は磁気拡散により一瞬にして全域に広がる．

6.5 $1 < 4\eta'^2 k^2$ のときは，電磁波の分散関係は $\omega = \dfrac{1}{2\eta'}[i \pm \dfrac{i}{2\eta'}(4\eta'^2 k^2 - 1)^{1/2}]$ となるので，電磁波の群速度は，$v_g = \dfrac{\partial\omega}{\partial k} = \dfrac{\eta' k}{\sqrt{(\eta' k)^2 - 1/4}} > 1$ となる．これはつねに光速度を超えるが，情報が光速度を超えて伝播することを意味しない．そもそも，群速度は情報が伝わる速度を表すものではない．情報の伝播速度の最大値は**先端速度** (head velocity)，$v_h = \lim\limits_{k\to\infty}\dfrac{\omega}{k}$ で与えられる[*1]．この場合は $v_h = 1$ となっていて，この減衰する電磁波により伝えられる情報の伝播速度は光速度を超えることはない．情報を光速度を超えて伝えることができれば，過去に情報を伝えて因果律を破るようなことができること

[*1] この証明は複素関数論を用いて行われる (Koide, Morino 2011).

になるが，そういったことは起こらない（というか，因果律を破るような現象は多分すべて禁止されているのであろう）．

6.6 5.4.1 節で導入した $\tilde{T}^{\dagger\dagger} = T^{\mu\nu}N_\mu N_\nu$, $\tilde{T}^{\mu\dagger} = -\mathcal{P}^\mu_\sigma N_\rho T^{\sigma\rho}$, $\tilde{T}^{\mu\nu} = \mathcal{P}^\mu_\sigma \mathcal{P}^\nu_\rho T^{\sigma\rho}$ という表記法を用いる．(6.72), (6.74) において，$\tilde{T}^{\dagger\dagger} \to \tilde{e}$, $\tilde{T}^{i\dagger} \to \tilde{Q}^i$ と対応づけられる．さらに，

$$\tilde{T}^{\dagger\dagger} = T^{\tilde{0}\tilde{0}} = T^{\hat{0}\hat{0}} = \hat{T}, \tilde{T}_{i\dagger} = T_{\tilde{0}\tilde{i}} = h_i T_{\hat{0}\hat{i}} = h_i \hat{T}_i, \tilde{T}^{i\dagger} = T^{\tilde{0}\tilde{i}} = \frac{1}{h_i} T^{\hat{0}\hat{i}} = \frac{1}{h_i} \hat{T}^i,$$

$$\tilde{T}^j_i = T^{\tilde{j}}_{\tilde{i}} = \frac{h_i}{h_j} T^{\hat{j}}_{\hat{i}} = \frac{h_i}{h_j} \hat{T}^j_i, \tilde{F}_\dagger = \hat{F}_\dagger, \tilde{F}_i = h_i \hat{F}_i, \sigma_{ij} = \frac{1}{h_j} \frac{\partial}{\partial x^j}(\alpha \hat{N}^i), N^i = \frac{1}{h_i}\hat{N}^i$$

を用いると次の式を得る．

$$\alpha \hat{F}^\dagger = \frac{\partial \hat{T}^{\dagger\dagger}}{\partial t} + \frac{1}{h_1 h_2 h_3} \frac{\partial}{\partial x^i}\left[\frac{\alpha h_1 h_2 h_3}{h_i}(\hat{T}^{i\dagger} + \hat{T}^{\dagger\dagger}\hat{N}^i)\right]$$
$$+ \frac{\partial \alpha}{\partial x^i}\frac{1}{h_i}\hat{T}^{i\dagger} - \frac{\alpha}{h_i h_j}\hat{N}^i\left(\frac{\partial h_i}{\partial x^j}\hat{T}^{ij} - \frac{\partial h_j}{\partial x^i}\hat{T}^{jj}\right) + \sigma_{ji}\hat{T}^{ij}, \quad (*)$$

$$\alpha h_i \hat{F}_i = h_i \frac{\partial \hat{T}^{i\dagger}}{\partial t} + \frac{h_i}{h_1 h_2 h_3}\frac{\partial}{\partial x^j}\left[\frac{\alpha h_1 h_2 h_3}{h_j}(\hat{T}^{ij} + \hat{T}^{i\dagger}\hat{N}^j)\right] + \frac{\partial \alpha}{\partial x^i}\hat{T}^{\dagger\dagger}$$
$$+ \frac{\alpha}{h_j}\left[\frac{\partial h_i}{\partial x^j}(\hat{T}^{ij} + \hat{T}^{i\dagger}\hat{N}^j) - \frac{\partial h_j}{\partial x^i}(\hat{T}^{jj} + \hat{T}^{j\dagger}\hat{N}^j)\right] + h_i \sigma_{ji}\hat{T}^{j\dagger}. \quad (**)$$

次に，$\hat{T}^{\dagger\dagger} = \epsilon + D$, $\hat{T}^{i\dagger} = \hat{Q}^i$ と置き換える．ここで，(**) を $1/h_i$ 倍し，$\hat{F}_i = 0$ とすると，(6.84) となる．(*) で $\hat{F}^\dagger = 0$ とし，さらに (6.83) を両辺から差し引いて (6.85) を得る．

6.7 座標系の変換則は $t = t', r = r', \theta = \theta' - \Omega t', z = z'$. であるので，メトリックは $ds^2 = -dt^2 + dr^2 + r^2 d\theta^2 + dz^2 = -(1 - r'^2\Omega^2)dt'^2 + dr'^2 + r'^2 d\theta'^2 + dz'^2 - 2r'^2 \Omega d\theta' dt'$ となる．よって，$g_{\mu\nu}$ でゼロでないものは，$g_{t't'} = -(1-(r'\Omega)^2), g_{r'r'} = 1, g_{\theta'\theta'} = r'^2, g_{z'z'} = 1, g_{t'\theta'} = g_{\theta't'} = r'^2\Omega$. すぐに，$g^{r'r'} = g^{z'z'} = 1, g^{\theta'\theta'} = 1/r'^2$, $\alpha'^2 = -g_{t't'} + \sum_{i,j} g'_{ti}\gamma'^{ij}g_{t'j'} = 1$, $\hat{N}^{\theta'} = -r'\Omega$, $g^{t't'} = -1/\alpha'^2 = -1$ である．よって，$\partial \alpha'/\partial x^i = 0$. こうなるのは，座標系 (t', r', θ', z') において基準観測者にくっついて $\hat{N}^{\theta'} = -r'\Omega$ で回転する質点は実は慣性座標系 (t, r, θ, z) では静止しているので[*2]，そのような質点には遠心力が働かないためである．また，(6.84) の右辺第 3 項の r' 成分 $f^{r'}_{\text{curv}}$ と θ' 成分 $f^{\theta'}_{\text{curv}}$ は $f^{r'}_{\text{curv}} = [h(\gamma')^2\hat{v}^{\theta'}(\hat{v}^{\theta'} - r'\Omega) + p]/r'$, $f^{\theta'}_{\text{curv}} = -h(\gamma')^2\hat{v}^{\theta'}\hat{v}^{r'}/r'$ となる．$f^{r'}_{\text{curv}}$ は座標系の座標軸が曲がっていることに起因する遠心力 $h\gamma'^2(\hat{v}^{\theta'})^2/r'$ を含む．また，$-h(\gamma')^2 \hat{v}^{\theta'} r\Omega$ は $\hat{v}^{\theta'} > 0, \Omega > 0$ のときは向心力である．これは慣性系から見

[*2] それゆえ基準観測者の座標系は **locally non-rotating frame** (LNRF) とよばれることがある (Bardeen, Press, Teukolsky 1972).

たとき遠心力の減少に対応する．ただ，自転するブラックホールのエルゴ領域では角運動量がブラックホールの角運動量と逆で，その大きさが十分大きいとき，f_{curv}^r が非常に大きな引力となる．一方，座標系 (t', r', θ', z') において基準観測者系は慣性系に対して回転しているわけではないので，$f_{\text{curv}}^{r'}$ および $f_{\text{curv}}^{\theta'}$ から座標系の回転に直接起因する Ω^2 および Ω に比例するような遠心力およびコリオリ力は現れない．

この座標系はかなり特異な座標系で $r' > 1/\Omega$ では，その座標軸は光速度を超えて回転する．このとき，$g_{t't'} > 0$ となる．しかし，そのような領域でもラプス関数は $\alpha' = 1$ であり，重力赤方偏移などの相対論的な効果はない．

6.8 $F_{\mu\nu} = \nabla_\mu A_\nu - \nabla_\nu A_\mu = \partial_\mu A_\nu - \partial_\nu A_\mu$ なので，$u^\mu \partial_\mu A_\nu - u^\mu \partial_\nu A_\mu = 0$. さらに，$\dfrac{d}{d\tau} = u^\mu \partial_\mu$ より，$\dfrac{d}{d\tau} F_{\mu\nu} = \partial_\mu(u^\alpha \partial_\nu A_\alpha) - (\partial_\mu u^\alpha)\partial_\alpha A_\nu - \partial_\nu(u^\alpha \partial_\mu A_\alpha) + (\partial_\nu u^\alpha)\partial_\alpha A_\mu = u^\alpha \partial_\mu \partial_\nu A_\alpha + (\partial_\mu u^\alpha)(\partial_\nu A_\alpha - \partial_\alpha A_\nu) - u^\alpha \partial_\nu \partial_\mu A_\alpha + (\partial_\nu u^\alpha)(\partial_\alpha A_\mu - \partial_\mu A_\alpha) = (\partial_\mu u^\alpha) F_{\nu\alpha} - (\partial_\nu u^\alpha) F_{\mu\alpha}$．これより，(6.95) となる．

6.9 (6.89) より，$\dfrac{\partial}{\partial r}(h_\theta h_\phi \hat{B}^r) + \dfrac{\partial}{\partial \theta}(h_\phi h_r \hat{B}^\theta) = 0$．(6.97) において $i = \phi$，$\hat{v}^l = 0$ とおいて，$\dfrac{\partial \hat{B}^\phi}{\partial t} = \dfrac{1}{h_r h_\theta}\left[\dfrac{\partial}{\partial r}\left(\dfrac{\alpha h_\theta h_\phi}{h_\phi}\hat{N}^\phi \hat{B}^r\right) + \dfrac{\partial}{\partial \theta}\left(\dfrac{\alpha h_r h_\phi}{h_\phi}\hat{N}^\phi \hat{B}^\theta\right)\right] = \dfrac{h_\phi}{h_r}\dfrac{\partial}{\partial r}\left(\dfrac{\alpha}{h_\phi}\hat{N}^\phi\right)\hat{B}^r + \dfrac{h_\phi}{h_\theta}\dfrac{\partial}{\partial \theta}\left(\dfrac{\alpha}{h_\phi}\hat{N}^\phi\right)\hat{B}^\theta$ より，(6.98) を得る．

6.10 無限遠のエネルギー密度およびエネルギー流束密度の流体成分については次のように計算される．ここで，$T_{\text{hyd}}^{\mu\nu} = pg^{\mu\nu} + hu^\mu u^\nu$ なので，$e_{\text{hyd}}^\infty = \alpha \tilde{e}_{\text{hyd}} + \alpha N^i T_{\text{hyd}i}^{\tilde{0}}$，$T_{\text{hyd}\tilde{i}}^{\tilde{0}} = hu^{\tilde{0}}u_{\tilde{i}}$ とできる．さらに $\tilde{e}_{\text{hyd}} = -T_{\text{hyd}\tilde{0}}^{\tilde{0}} = -p - hu^{\tilde{0}}u_{\tilde{0}} = h\tilde{\gamma}^2 - p$. ここで，$\tilde{\gamma} = u^{\tilde{0}} = -u_{\tilde{0}}$ とおいた．また，$v_{\tilde{i}} = \dfrac{1}{\tilde{\gamma}}u_{\tilde{i}}$ として，$T_{\text{hyd}\tilde{i}}^{\tilde{0}} = h\tilde{\gamma}^2 v_{\tilde{i}}$ となる．一方，エネルギー流束密度 P^i については，$P^i = -\chi^\nu T_{\text{hyd}\nu}^i = -T_{\text{hyd}0}^i = -hu^i u_0 = \alpha h\tilde{\gamma}^2(1 + N^j v_{\tilde{j}})(v^{\tilde{i}} + N^i)$.

全角運動量密度および全角運動量流束密度の流体成分については次のように計算される．ここで，$T_{\text{hyd}}^{\mu\nu} = pg^{\mu\nu} + hu^\mu u^\nu$ なので，$l_{\text{hyd}} = T_{\phi\text{hyd}}^{\tilde{0}} = hu^{\tilde{0}}u_{\tilde{\phi}} = h\tilde{\gamma}^2 v_{\tilde{\phi}}$，$M_{\text{hyd}}^i = \xi^\mu T_{\text{hyd}\mu}^i = T_{\text{hyd}\phi}^i = T_{\text{hyd}\tilde{\phi}}^{\tilde{i}} + N^i T_{\text{hyd}\tilde{\phi}}^{\tilde{0}} = p\gamma_\phi^i + h\gamma_L^2 v^{\tilde{i}} v_{\tilde{\phi}} + N^i l_{\text{hyd}}$.

6.11 $\boldsymbol{N} \cdot \tilde{\boldsymbol{v}} \geqq -|\boldsymbol{N}||\tilde{\boldsymbol{v}}|$ かつエルゴ領域の外では $\boldsymbol{N} < 1$ であるので，$e_{\text{hyd}}^\infty = \alpha[h\tilde{\gamma}^2 - p + \boldsymbol{N} \cdot h\tilde{\gamma}^2 \tilde{\boldsymbol{v}}] > \alpha[h\tilde{\gamma}^2(1 - \tilde{v}) - p] = \alpha\dfrac{mn + p/(\Gamma - 1) - \tilde{v}p}{1 + \tilde{v}} > \alpha\dfrac{mn + (2 - \Gamma)p/(\Gamma - 1)}{1 + \tilde{v}} \geqq 0$.

第 7 章

7.1 ベクトルポテンシャルがキリングベクトルのときは，すでに電磁場は真空定常解となっ

ていることは示されているので，ブラックホールの無限遠方で電場がゼロ，磁場の強さ 2 の一様磁場になっていて，ブラックホールの磁荷がゼロ，電荷が $Q_e = 16\pi Ma$ になっていることを示せばよい．η^μ を 4 元ベクトルポテンシャル A^μ とするとき，中心ブラックホールに想定される電荷および磁荷を求めるために十分遠方 $(r \gg M = r_g)$ での磁場 $\hat{B}^r$ および電場 $\hat{E}_r$ を評価する．この場合の 4 元ベクトルポテンシャルは $A_\mu = \eta_\mu = g_{\mu\nu}\eta^\nu = g_{\mu 3}$．また，遠方 $(r \gg M)$ で，$\Sigma^2 = r^4\left[1 + \dfrac{a^2}{r^2}(2 - \sin^2\theta) + O\left(\dfrac{M^3}{r^3}\right)\right]$, $\rho^2 = r^2\left[1 + \dfrac{a^2}{r^2}\cos^2\theta\right]$ であるので，$\hat{B}^r = \dfrac{1}{h_\theta h_\phi}\dfrac{\partial}{\partial\theta}A_\phi = \dfrac{1}{h_\theta h_\phi}\dfrac{\partial}{\partial\theta}g_{\phi\phi} = 2\cos\theta\left(1 + \dfrac{a^2}{2r^2}\sin^2\theta\right) + O\left(\dfrac{M^3}{r^3}\right)$ となる．非常に大きな半径 r をもつ原点を中心とする球面 S での磁場の面積分を考えると，

$$Q_m = \oint_S \hat{\boldsymbol{B}} \cdot d\boldsymbol{S} = \int_0^\pi \hat{B}^r 2\pi r\sin\theta rd\theta$$
$$= \int_0^\pi \left[2\cos\theta\left(1 + \dfrac{a^2}{2r^2}\sin^2\theta\right) + O\left(\dfrac{M^3}{r^3}\right)\right]2\pi r^2\sin\theta d\theta = O\left(\dfrac{M}{r}\right).$$

Q_m は，r によらないはずなので，$r \to \infty$ として，$Q_m = 0$ を得る．

また，十分遠方 $(r \gg M)$ では $\hat{B}^r = 2\cos\theta + O\left(\dfrac{M}{r}\right) \approx 2\cos\theta$, $\hat{B}^\theta = \dfrac{-1}{h_r h_\phi}\dfrac{\partial}{\partial r}A_\phi = -\dfrac{1}{h_r h_\phi}\dfrac{\partial}{\partial r}g_{\phi\phi} = -2\sin\theta + O\left(\dfrac{M^2}{r^2}\right) \approx -2\sin\theta$ であるので，十分遠方では z 方向に磁場の強さ 2 の一様磁場と一致することが分かる．さらに，$\hat{E}^r = \dfrac{1}{\alpha h_r}(A_{0,r} - \alpha N^\phi A_{\phi,r}) = \dfrac{1}{\alpha h_r}(g_{0\phi,r} + \alpha N^\phi g_{\phi\phi,r}) = 6Ma\sin^2\theta\dfrac{1}{r^2} + O\left(\dfrac{M^3}{r^3}\right)$ となり，ここで原点を中心とする半径 r の十分大きな球面 S での電場の面積分を考えると，$Q_e = \oint_S \hat{\boldsymbol{E}} \cdot d\boldsymbol{S} = \int_0^\pi \hat{E}^r \cdot 2\pi r\sin\theta rd\theta = 16\pi Ma + O\left(\dfrac{M}{r}\right)$．これは r にはよらないはずなので，$r \to \infty$ として，$Q_e = 16\pi Ma$ を得る．

7.2 ブラックホールの無限遠方で外部からの電場，磁場がなく，ブラックホールの磁荷がゼロ，電荷が $Q_e = -8\pi M$ であることを示せばよい．$A_\mu = \chi_\mu = g_{\mu 0}$ のとき十分遠方 $(r \gg M)$ では $\hat{B}^r = \dfrac{1}{h_\theta h_\phi}\dfrac{\partial}{\partial\theta}A_\phi = \dfrac{1}{h_\theta h_\phi}\dfrac{\partial}{\partial\theta}g_{0\phi} = -4Ma\cos\theta\dfrac{1}{r^3}\left[1 + O\left(\dfrac{M^2}{r^2}\right)\right]$ となる．原点を中心とする非常に大きな半径 r をもつ球面 S での磁場の面積分を考えると，$Q_m = \oint_S \hat{\boldsymbol{B}} \cdot d\boldsymbol{S} = \int_0^\pi \hat{B}^r 2\pi r\sin\theta rd\theta = -\int_0^\pi \dfrac{4Ma\cos\theta}{r^3}\left[1 + O\left(\dfrac{M^2}{r^2}\right)\right] \times 2\pi r^2\sin\theta d\theta = O\left(\dfrac{M^3}{r^3}\right)$．これは，半径 r によらないはずなので，$r \to \infty$ として，$Q_m = 0$ を得る．さらに，この場合は $r \to \infty$ で $\hat{B}^r \to 0$ となる．$r \to \infty$ で $\hat{B}^\theta \to 0$ も同様に

確認できる．したがって，外部からの磁場の印加はない．

一方，無限遠方の電場については $\hat{E}^r = \frac{1}{\alpha h_r}(A_{0,r} + \alpha N^\phi A_{\phi,r}) = \frac{1}{\alpha h_r}(g_{00,r} - \alpha N^\phi g_{\phi 0,r}) = -\frac{2M}{r^2}\left[1 + O\left(\frac{M^2}{r^2}\right)\right]$ となり，ここで原点を中心とする半径 r の十分大きな球面 S での電場の面積分を考えると，$Q_e = \oint_S \hat{\boldsymbol{E}} \cdot d\boldsymbol{S} = \int_0^\pi \hat{E}^r \cdot 2\pi r \sin\theta r d\theta = -8\pi M + O\left(\frac{M^2}{r^2}\right)$．同様に $r \to \infty$ として，$Q_e = -8\pi M$ を得る．また，$r \to \infty$ で $\hat{E}^r \to 0$，$\hat{E}^\theta \to 0$ となり外部からの電場の印加はない．

7.3 (7.10) が一様磁場の条件 (1) – (4) を満たすことを示せばよい．まず，4元ベクトルポテンシャル $A^\mu = \eta^\mu$，$A^\mu = \chi^\mu$ のいずれもマクスウェル方程式を満たし，地平面で特異点を持たないので，その線形結合である (7.10) は (1) と (2) を満たす．ブラックホールから十分遠方では4元ベクトルポテンシャル $A^\mu = B_0 \eta^\mu / 2$ は強さ B_0 の一様な外部磁場（電場はゼロ）が印加された磁荷ゼロ，電荷 $8\pi M a B_0$ のブラックホールが作る電磁場を与え，$A^\mu = a B_0 \chi^\mu$ は磁荷ゼロ，電荷 $-8\pi M a B_0$ のブラックホールが作る電磁場を与える．よって，その和 (7.10) は十分遠方において一様な磁場中の磁荷ゼロ，電荷ゼロのブラックホールの作る電磁場と一致し，(3) と (4) を満たす．

7.4 カー–シルド座標の場合も回転軸キリングベクトルと時間移動キリングベクトルがあり，それらは $\eta^\mu_{\rm KS} = (0,0,0,1)$，$\chi^\mu_{\rm KS} = (1,0,0,0)$ とできる．これがボイヤー–リンキスト座標に戻したときにどのようなベクトルになるのか見てみよう．ボイヤー–リンキスト座標 $x^\mu_{\rm BL}$ からカー–シルド座標 $x^\mu_{\rm KS}$ への座標変換 $dt_{\rm BL} = dt_{\rm KS} - \frac{2Mr}{\Delta} dr_{\rm KS}, r_{\rm BL} = r_{\rm KS}, \theta_{\rm BL} = \theta_{\rm KS}, d\phi_{\rm BL} = d\phi_{\rm KS} - \frac{a}{\Delta} dr_{\rm KS}$ より，$\frac{\partial x^\mu_{\rm BL}}{\partial x^0_{\rm KS}} = \frac{\partial x^0_{\rm BL}}{\partial x^0_{\rm KS}} \delta^\mu_0 = \delta^\mu_0$, $\frac{\partial x^\mu_{\rm BL}}{\partial x^\phi_{\rm KS}} = \frac{\partial x^\phi_{\rm BL}}{\partial x^\phi_{\rm KS}} \delta^\mu_\phi = \delta^\mu_\phi$．したがって，

$$\xi^\mu_{\rm BL} = \frac{\partial x^\mu_{\rm BL}}{\partial x^\nu_{\rm KS}} \xi^\nu_{\rm KS} = \frac{\partial x^\mu_{\rm BL}}{\partial x^0_{\rm KS}} \xi^0_{\rm KS} + \frac{\partial x^\mu_{\rm BL}}{\partial x^\phi_{\rm KS}} \xi^\phi_{\rm KS} = \delta^\mu_0 \xi^0_{\rm KS} + \delta^\mu_\phi \xi^\phi_{\rm KS} = \xi^\mu_{\rm KS}$$

となり，カー–シルド座標でのキリングベクトルとボイヤー–リンキスト座標のキリングベクトルは一致する．よって，$A^\mu_{\rm KS} = \xi^\mu_{\rm KS}$ としたときの電磁場はボイヤー–リンキストで $A^\mu_{\rm BL} = \xi^\mu_{\rm BL}$ とおいた電磁場と同じものになる．すなわち，その回転軸キリングベクトルや時間移動キリングベクトルは 228 ページにある条件 (a)，(b) を満たすことが分かる．そのことから，真空中の定常磁場はボイヤー–リンキスト座標と同様に $A^{\rm KS}_\mu = \frac{B_0}{2}(g^{\rm KS}_{\mu\phi} + 2a g^{\rm KS}_{\mu 0})$ と与えられることが分かる．

7.5 (7.16) の Υ 成分と Ψ 成分から，

$$0 = -\frac{h_\Upsilon}{h_\Upsilon h_\Psi h_\phi} \hat{\epsilon}^{\Upsilon\Psi\phi} \frac{\partial}{\partial \Psi}(\alpha h_\phi \hat{E}_\phi) = -\frac{1}{h_\Psi h_\phi} \frac{\partial}{\partial \Psi}(\alpha h_\phi \hat{E}_\phi),$$

$$0 = -\frac{h_\Psi}{h_\Upsilon h_\Psi h_\phi} \hat{\epsilon}^{\Psi\Upsilon\phi} \frac{\partial}{\partial \Upsilon}(\alpha h_\phi \hat{E}_\phi) = \frac{1}{h_\Upsilon h_\phi} \frac{\partial}{\partial \Upsilon}(\alpha h_\phi \hat{E}_\phi)$$

となり,各局所座標系で $\alpha h_\phi \hat{E}_\phi$ は一定であることが分かる.ブラックホールの外の空間は同様な局所座標系で埋め尽くされているので, $\alpha h_\phi \hat{E}_\phi$ はブラックホールの外側全域で一定とみなせる.さらに,ブラックホールの無限遠方で $\alpha h_\phi \hat{E}_\phi = 0$ とすると,ブラックホールの外側全域で $\hat{E}_\phi = 0$ といえる.

7.6 (7.18) の Υ 成分, $4\pi\alpha \hat{J}^\Upsilon = \frac{1}{h_\Psi h_\phi} \epsilon^{\Upsilon\Psi\phi} \frac{\partial}{\partial \Psi}(\alpha h_\phi \hat{B}^\phi)$ により (7.27) の左辺の第1項は $\frac{1}{2\alpha h_\phi} \frac{\partial}{\partial \Psi}(I(\Psi) + \Lambda(\Upsilon,\Psi))^2$. (7.17) より

$$\hat{\rho}_e = \frac{1}{h_\Upsilon h_\Psi h_\phi} \times \frac{\partial}{\partial \Psi}\left[-\frac{h_\phi^2 h_\Upsilon}{\alpha}(\Omega_F - \omega)\hat{B}^\Upsilon\right]$$ なので,左辺の第2項は $\frac{\hat{E}_\Psi}{\hat{B}^\Upsilon} - N^\phi = -\frac{h_\phi}{\alpha}\Omega_F$ を用いて

$$-h_\phi \frac{1}{h_\Upsilon h_\Psi h_\phi}\left\{\frac{\partial}{\partial \Psi}\left[h_\phi h_\Upsilon \frac{h_\phi}{\alpha}\Omega_F(\Omega_F - \omega)\hat{B}^\Upsilon \frac{\partial \Psi}{\partial \Psi}\right]\right.$$
$$\left. - h_\phi^2 h_\Upsilon \frac{1}{\alpha}(\Omega_F - \omega)\hat{B}^\Upsilon \frac{d\Omega_F}{d\Psi}\left|\frac{\partial \Psi}{\partial \Psi}\right|^2\right\}$$
$$= -h_\phi \nabla \cdot \left[\frac{1}{\alpha}\Omega_F(\Omega_F - \omega)\nabla\Psi\right] + \frac{h_\phi}{\alpha}(\Omega_F - \omega)\frac{d\Omega_F}{d\Psi}|\nabla\Psi|^2.$$

左辺の第3項は $4\pi \frac{\alpha}{\hat{B}^\Upsilon} \hat{f}_L^\Psi = 4\pi\alpha h_\phi h_\Psi \hat{f}_L^\Psi$, 右辺は

$$-h_\phi \frac{1}{h_\Upsilon h_\Psi h_\phi}\frac{\partial}{\partial \Psi}\left[h_\Upsilon h_\phi \frac{\alpha h_\Psi}{h_\phi}(\hat{B}^\Upsilon - \hat{N}^\phi \hat{E}_\Psi)\frac{1}{h_\Psi}\frac{\partial \Psi}{\partial \Psi}\right]$$
$$= -\frac{h_\phi}{h_\Upsilon h_\Psi h_\phi}\frac{\partial}{\partial \Psi}\left[h_\Upsilon h_\phi \frac{\alpha}{h_\phi^2}\left(1 + \frac{h_\phi^2}{\alpha^2}\omega(\Omega_F - \omega)\right)\frac{1}{h_\Psi}\frac{\partial \Psi}{\partial \Psi}\right]$$
$$= -h_\phi \nabla \cdot \left[\frac{\alpha}{h_\phi^2}\left(1 + \frac{h_\phi^2}{\alpha^2}\omega(\Omega_F - \omega)\right)\nabla\Psi\right]$$

となるので, (7.27) に αh_ϕ を掛けて (7.28) を得る.

7.7 ボイヤー–リンキスト座標において ZAMO 系の電磁場成分を座標基底成分に変換する. (5.92) と (5.93) により

$$B^r = \frac{1}{\alpha h_r}B^{\hat{r}}, \quad B^\phi = \frac{1}{\alpha h_\phi}B^{\hat{\phi}}, \quad E_\theta = \alpha h_\theta\left(E_{\hat{\theta}} - \frac{h_\phi \omega}{\alpha}B^{\hat{r}}\right).$$

次に磁場の方位角成分をボイヤー–リンキスト座標の座標基底成分からカー–シルド座標の座標基底成分へ変換する. (2.44) を用いて,

$$B^{\bar{\phi}} = B^{\phi} + \frac{a}{\Delta}B^r + \frac{2Mr}{\Delta}\frac{1}{\alpha\sqrt{\gamma}}E_{\theta}$$
$$= \frac{1}{\alpha h_{\phi}}\left[B^{\hat{\phi}} + \frac{a}{\Delta}\frac{h_{\phi}}{h_r}B^{\hat{r}} + \frac{2Mrh_{\phi}}{\Delta\alpha\sqrt{\gamma}}\alpha^2 h_{\theta}\left(E_{\hat{\theta}} - \frac{h_{\phi}\omega}{\alpha}B^{\hat{r}}\right)\right].$$

地平面付近では $\Psi \sim \theta$, $\Upsilon \sim r$ として (7.24), $E_{\hat{\theta}} = -\frac{h_{\phi}}{\alpha}(\Omega_{\mathrm{F}} - \omega)B^{\hat{r}}$ を代入すると, $B^{\bar{\phi}} = \frac{1}{\alpha h_{\phi}}\left[B^{\hat{\phi}} + \frac{a}{\Delta}\frac{h_{\phi}}{h_r}B^{\hat{r}} - \frac{2Mr}{\Delta\sqrt{\gamma}}h_{\theta}h_{\phi}^2\Omega_{\mathrm{F}}B^{\hat{r}}\right]$. 地平面では $\alpha \longrightarrow 0$ となるので, $B^{\bar{\phi}}$ が地平面で有限になるには $B^{\hat{\phi}} + \left(\frac{a}{\Delta}\frac{h_{\phi}}{h_r} - \frac{2Mr}{\Delta\sqrt{\gamma}}h_{\theta}h_{\phi}^2\Omega_{\mathrm{F}}\right)B^{\hat{r}} = 0$ である必要がある. ここで, $\frac{\alpha B^{\hat{\phi}}}{B^{\hat{r}}} = -\left(\frac{a\alpha h_{\phi}}{\Delta h_r} - \frac{2Mr\alpha}{\Delta\sqrt{\gamma}}h_{\theta}h_{\phi}h_{\phi}\Omega_{\mathrm{F}}\right)$ となる. ここで, 地平面では $\Sigma^2 = (2Mr_{\mathrm{H}})^2$ となるので, $\frac{a\alpha}{\Delta h_r} = \omega$, $\frac{2Mr\alpha}{\Delta\sqrt{\gamma}}h_{\theta}h_{\phi} = 1$ となり (7.40) を得る.

7.8 $h_i = h_{i0}(1 + \eta_i)$, $\alpha = \alpha_0(1 + \eta_0)$ という, a の 1 次の微小量 η_{μ} $(\mu = 0,1,2,3)$ と a の 2 次の微小量 $\hat{v}_{\mathrm{F}}^{\phi}$ を用いて展開する. また, $\frac{\alpha h_1 h_3}{h_2} = \sin\theta$ なので, $\eta_0 + \eta_1 + \eta_3 - \eta_2 = 0$ という関係があることを用いて確かめる.

7.9 解 (5.52) において座標系を $x \to \hat{r}$, $y \to \hat{\theta}$, $z \to \hat{\phi}$ と読み替えると (5.56) は $B^{\hat{\phi}} = E_{\hat{\theta}} = -R\Omega_{\mathrm{F}}B^{\hat{r}}$ となる. ここで, 十分遠方では $\alpha = 1$, $\omega = 0$ となる近似の (7.24) を用いた. よって, $\frac{Y}{W} = \frac{I}{\Omega_{\mathrm{F}}} = \frac{R^2 B^{\hat{\phi}}}{R\Omega_{\mathrm{F}}} = -R^2 B^{\hat{r}} = -C\sin^2\theta$ を得る.

7.10 (7.55) を手計算で確認することは難しい. そこで Mathematica を使った確認方法の概略を示す. Mathematica において第 2 種の多重対数関数 $\mathrm{Li}_2(x)$ は `PolyLog[2, x]` で与えられる. この組み込み関数を用いると $f(r)$ は Mathematica で
`f[r_] = (PolyLog[2, 2/r] - Log[1 - 2/r] Log[r/2]) r r (2 r - 3 )/8`
`+ (1 + 3 r - 6 r r) Log[r/2] /12 + 11/72 + 1/(3 r) + r/2 - r r/2`
と書ける. この関数が, (7.55) を満たすのを確認するにはその式の左辺から右辺を差し引いた値がほぼゼロであることを確認すればよい.

7.11 (7.35), $W = 1/8$ とした (7.51) により, $\alpha_0 R_0 B^{\hat{\phi}} = -\frac{aC}{8M^2}\sin^2\theta$. よって, $\frac{MB^{\hat{\phi}}}{a_* B^{\hat{r}}} = -\frac{M^2}{a}\frac{r^2}{C}\frac{aC}{3M^2}\sin^2\frac{1}{\alpha_0 R_0} = -\frac{R_0}{8\alpha_0}$.

7.12 $(x^1, x^2, x^3) = (r, \theta, \phi)$ は直交座標系なので,
$$L = \oint \alpha(\hat{S}^1 h_2 h_3 dx^2 dx^3 + \hat{S}^2 h_3 h_1 dx^3 dx^1 + \hat{S}^3 h_1 h_2 dx^1 dx^2) = \oint_{r=r_{\mathrm{H}}} \alpha \hat{S}^r h_{\theta} h_{\phi} d\theta d\phi$$

$$= \oint_{r=r_{\rm H}} \alpha \hat{S}^r \sqrt{\Sigma^2}\sin\theta d\theta d\phi = \int_0^\pi d\theta \int_0^{2\pi} d\phi \alpha \hat{S}^r (r_{\rm H}^2 + a^2)\sin\theta$$
$$= 2\pi(r_{\rm H}^2 + a^2)\int_0^\pi d\theta \alpha \hat{S}^r \sin\theta.$$

$a \ll r_{\rm H}$ より,

$$L \approx 2\pi r_{\rm H}^2 \int_0^\pi d\theta \alpha \hat{S}^r \sin\theta = 2\pi r_{\rm H}^2 \int_0^\pi d\theta \frac{a_*^2}{16}\frac{(\hat{B}_{\rm P}^{\rm H})^2}{4\pi}c\sin^3\theta = 2\pi \frac{4}{3}\frac{a_*^2}{16}\frac{(\hat{B}_{\rm P}^{\rm H})^2}{4\pi}r_{\rm H}^2 c.$$

7.13 平衡を調べるので, $v^{\hat{\Upsilon}} = v^{\hat{\Psi}} = 0$, $v^{\hat{\phi}} = R(\Omega_{\rm F} - \omega)/\alpha$. 6 章の章末問題 6.6 の解答の $(**)$ で $T^{\mu\nu} = T^{\mu\nu}_{\rm hyd}$, $F^\mu = f_{\rm L}^\mu$ として $f_{\rm L}^{\hat{\Psi}}$ を計算する. $\hat{T}^{\dagger\dagger}$, $\hat{T}^{i\dagger}$, $T^{\hat{i}\hat{j}}$ でゼロでないものは $\hat{T}^{\dagger\dagger} = h\gamma_{\rm L}^2 - p$, $\hat{T}^{\phi\dagger} = h\gamma_{\rm L} u^{\hat{\phi}}$, $T^{\hat{\Upsilon}\hat{\Upsilon}} = T^{\hat{\Psi}\hat{\Psi}} = p$, $T^{\hat{\phi}\hat{\phi}} = h(u^{\hat{\phi}})^2 + p$ なので,

$$h_\Psi f_{{\rm L}\,\hat{\Psi}} = \frac{1}{\alpha h_\Upsilon h_\phi}\frac{\partial}{\partial \Psi}(\alpha h_\Upsilon h_\phi p) + \frac{1}{\alpha}\frac{\partial\alpha}{\partial \Psi}(h\gamma_{\rm L}^2 - p) - \frac{1}{h_\Upsilon}\frac{\partial h_\Upsilon}{\partial \Psi}p$$
$$- \frac{1}{h_\phi}\frac{\partial h_\phi}{\partial \Psi}[h(u^{\hat{\phi}})^2 + p + h\gamma_{\rm L} u^{\hat{\phi}} N^{\hat{\phi}}] + \frac{1}{\alpha}\sigma_{\phi\Psi}h\gamma u^{\hat{\phi}}$$
$$= \frac{\partial p}{\partial \Psi} + \frac{h\gamma_{\rm L}^2}{\alpha^2}\left[\alpha\frac{\partial\alpha}{\partial \Psi} - \frac{h_\Psi}{2}\frac{\partial}{\partial \Psi}(\alpha v^{\hat{\phi}})^2 + R\alpha v^{\hat{\phi}}\frac{\partial}{\partial \Psi}\left(\frac{\alpha}{R}v^{\hat{\phi}} + \omega\right)\right]$$

ここで, $\alpha N^{\hat{\alpha}} = R\omega$ を用いた. $\alpha v^{\hat{\phi}} = R(\Omega_{\rm F} - \omega)$, $\alpha^2/\gamma_{\rm L}^2 = \alpha^2 - R^2(\Omega_{\rm F} - \omega)^2 = \alpha_*^2$ を用いて (7.81) を得る.

7.14 $v^{\hat{\Upsilon}} = v^{\hat{\Psi}} = 0$, $v^{\hat{\phi}} = R(\Omega_{\rm F} - \omega)/\alpha$ なので理想 MHD 条件は $E_{\hat{\phi}} = -(v^{\hat{\Upsilon}}B^{\hat{\Psi}} - v^{\hat{\Psi}}B^{\hat{\Upsilon}}) = 0$, $E_{\hat{\Upsilon}} = -(v^{\hat{\Psi}}B^{\hat{\phi}} - v^{\hat{\phi}}B^{\hat{\Psi}}) = 0$. ローレンツ力は $\hat{f}_{{\rm L}\,\Upsilon} = J^{\hat{\Psi}}B^{\hat{\phi}}$, $\hat{f}_{{\rm L}\,\phi} = -J^{\hat{\Psi}}B^{\hat{\Upsilon}}$ となるので, $B^{\hat{\Upsilon}}\hat{f}_{{\rm L}\,\Upsilon} + B^{\hat{\phi}}\hat{f}_{{\rm L}\,\phi} = 0$ を得る. 問題 7.12 での $\hat{f}_\Psi$ の計算と同様にして章末問題 6.6 の解答中の $(**)$ より $\hat{f}_\Upsilon$, $\hat{f}_\phi$ を計算する.

$$h_\Upsilon \hat{f}_{{\rm L}\,\Upsilon} = \frac{1}{\alpha h_\Psi h_\phi}\frac{\partial}{\partial \Upsilon}(\alpha h_\Psi h_\phi p) + \frac{1}{\alpha}\frac{\partial \alpha}{\partial \Psi}(h\gamma_{\rm L}^2 - p) - \frac{1}{h_\Psi}\frac{\partial h_\Psi}{\partial \Psi}p$$
$$- \frac{1}{h_\phi}\frac{\partial h_\phi}{\partial \Psi}[h(u^{\hat{\phi}})^2 + p + h\gamma_{\rm L}u^{\hat{\phi}}N^{\hat{\phi}}] + \frac{h_\Upsilon}{\alpha}\sigma_{\phi\Upsilon}h\gamma u^{\hat{\phi}}$$
$$= \frac{\partial p}{\partial \Upsilon} + \frac{h\gamma_{\rm L}^2}{\alpha^2}\left[\alpha\frac{\partial\alpha}{\partial \Upsilon} - \frac{1}{2}\frac{\partial}{\partial \Upsilon}(\alpha v^{\hat{\phi}})^2 + R\alpha v^{\hat{\phi}}\frac{\partial}{\partial \Upsilon}\left(\frac{\alpha}{R}v^{\hat{\phi}} + \omega\right)\right]$$

ここで, $\frac{\alpha}{R}v^{\hat{\phi}} + \omega = \Omega_{\rm F}$ は Υ に依存しないので, $h_\Upsilon \hat{f}_{{\rm L}\,\Upsilon} = \frac{\partial p}{\partial \Upsilon} + \frac{h}{2\alpha_*^2}\frac{\partial \alpha_*^2}{\partial \Upsilon}$. また, $h_\phi \hat{f}_{{\rm L}\,\phi} = 0$. よって, つり合いの式は $h_\Upsilon \hat{f}_{{\rm L}\,\Upsilon} = \frac{\partial p}{\partial \Upsilon} + \frac{h}{2\alpha_*^2}\frac{\partial \alpha_*^2}{\partial \Upsilon} = 0$ より (7.83) となる.

7.15 (7.88), (7.89) より,

$$E - \Omega_L L = \alpha \frac{h}{\rho}(\gamma_L - V_F u^{\hat{\phi}}) \qquad (*)$$

となる. ここで, $\gamma_L = u^{\hat{0}}$, $u^{\hat{\phi}} = \gamma_L \hat{v}^{\phi}$, $\hat{N}^{\phi} = \dfrac{R\omega}{\alpha}$ であるので, (7.87) より, $(u^{\hat{\phi}} - \gamma_L V_F)B^{\hat{\Upsilon}} = u^{\hat{\Upsilon}} B_{\hat{\phi}}$. この式と (7.85), (7.89) で $B_{\hat{\phi}}$ を消去すると,

$$\left(-\frac{\hat{B}_P^2}{4\pi} + h\hat{u}_P^2\right)u^{\hat{\phi}} - \hat{u}_P^2 \rho \frac{L}{R} = -\frac{\hat{B}_\Upsilon^2}{4\pi} V_F \gamma_L. \qquad (**)$$

V_F と M^2 を用い, $(*)$ と $(**)$ で $\hat{u}_\phi$ を消去して整理すると, (7.91) となる. 同じ $(**)$ と $(*)$ で $\hat{\gamma}_L$ を消去すると, (7.92) を得る.

第 8 章

8.1 8次元不変体積要素に対するリュービユの定理は, 次のように証明される. 粒子の座標 x^μ と運動量 p^μ は, 測地線に沿って,

$$\frac{dx^\mu}{d\lambda} = p^\mu, \quad \frac{dp^\mu}{d\lambda} = -\Gamma^\mu_{\alpha\beta} p^\alpha p^\beta,$$

に従って変化する[*3]. いま, 測地線に沿ったパラメータ λ での位相空間中の点 $(x^\mu(\lambda), p^\mu(\lambda))$ と, そこから測地線に沿って微小量だけずれたパラメータ $\lambda + \Delta\lambda$ での位相空間中の点 $(x^{\mu'}(\lambda + \Delta\lambda), p^{\mu'}(\lambda + \Delta\lambda))$ との間の変化を考えよう. 測地線上での λ の 1 次の変化まで考えると,

$$\begin{cases} x^{\mu'}(\lambda + \Delta\lambda) = x^\mu(\lambda) + p^\mu \Delta\lambda \\ p^{\mu'}(\lambda + \Delta\lambda) = p^\mu(\lambda) - \Gamma^\mu_{\alpha\beta} p^\alpha p^\beta \Delta\lambda \end{cases} \qquad (*)$$

となる. ここで, 8 次元体積要素を,

$$dV_{xp} \equiv (-g)d^4x d^4p$$

と表すと, $(*)$ の変化に対応して,

$$\frac{dV_{xp}(\lambda + \Delta\lambda)}{dV_{xp}(\lambda)} = \frac{g(\lambda + \Delta\lambda)}{g(\lambda)} \frac{\partial(x^{\mu'}, p^{\mu'})}{\partial(x^\nu, p^\nu)}$$

となる. ここで,

$$\frac{g(\lambda + \Delta\lambda)}{g(\lambda)} = 1 + \left[\frac{d}{d\lambda}\log(-g)\right]\Delta\lambda$$

であり, ヤコビ行列式は,

[*3] 2.1, 2.3, 2.4 参照.

$$\frac{\partial(x^{\mu'},p^{\mu'})}{\partial(x^\nu,p^\nu)} = \begin{vmatrix} \frac{\partial x^{\mu'}}{\partial x^\nu} & \frac{\partial x^{\mu'}}{\partial p^\nu} \\ \frac{\partial p^{\mu'}}{\partial x^\nu} & \frac{\partial p^{\mu'}}{\partial p^\nu} \end{vmatrix} = \begin{vmatrix} \delta_\nu^\mu & \delta_\nu^\mu \Delta\lambda \\ -\frac{\partial}{\partial x^\nu}(\Gamma_{\alpha\beta}^\mu p^\alpha p^\beta)\Delta\lambda & \delta_\nu^\mu - 2\Gamma_{\alpha\nu}^\mu p^\alpha \Delta\lambda \end{vmatrix}$$

$$= |\delta_\nu^\mu|\,|\delta_\nu^\mu - 2\Gamma_{\alpha\nu}^\mu p^\alpha \Delta\lambda| = 1 - 2\Gamma_{\alpha\mu}^\mu p^\alpha \Delta\lambda = 1 - \left[p^\alpha \frac{d}{dx^\alpha}\log(-g)\right]\Delta\lambda,$$

$$= 1 - \left[\frac{d}{d\lambda}\log(-g)\right]\Delta\lambda,$$

となる.これらより,$\Delta\lambda$ の 1 次で,

$$\frac{dV_{xp}(\lambda+\Delta\lambda)}{dV_{xp}(\lambda)} = \left\{1 + \left[\frac{d}{d\lambda}\log(-g)\right]\Delta\lambda\right\}\left\{1 - \left[\frac{d}{d\lambda}\log(-g)\right]\Delta\lambda\right\} = 1$$

となり,測地線に沿って 8 次元位相空間での不変体積要素 $(-g)d^4x d^4p$ が保存することがわかる.

8.2 デルタ関数の性質を用いると (8.47) を書き換えることができる.デルタ関数 $\delta(x)$ のさまざまな性質は,デルタ関数に任意の性質のよい関数 $f(x)$ をかけて,x について積分することで示すことができる.ここでは,(8.47) に関連する次のような積分を考えてみよう.積分は p^0 に関して実行するものとし,関数 $\Psi(p^0)$ は任意の性質のよい関数とする.

$$\int_{-\infty}^\infty 2\theta(p^0)\delta(p^\mu p_\mu + m^2)\Psi(p^0)dp^0. \tag{A}$$

この積分は次のように変形することができる.

$$(A) = 2\int_0^\infty \delta(p^\mu p_\mu + m^2)\Psi(p^0)dp^0.$$

ここで,$g_{00} < 0$ であることを踏まえて

$$x = -(p^\mu p_\mu + m^2)$$

と置こう.このとき,$i,j = 1,2,3$ として,

$$-x = g_{00}p^0 p^0 + 2g_{0i}p^0 p^i + g_{ij}p^i p^j + m^2$$

であることから,

$$dp^0 = \frac{1}{2|p_0|}dx$$

となる.ここで,$g_{00}p^0 + g_{0i}p^i = p_0 = -|p_0|$ となることを使った.これより,式 (A) で与えられている積分は,

$$(A) = \int_{-(g_{ij}p^i p^j)}^\infty \frac{\delta(x)}{|p_0|}f(x)dx = \frac{1}{|p_0|}f(0)$$

となる．ここで，p^0 が x で表されることから $f(p^0)$ を $f(x)$ と表した．これらを考慮すると，(8.49) が得られる．

8.3 6 次元不変体積要素は，$-dV_\mu dP^\mu = (-\hat{u}_\mu p^\mu) dV dP$ となるので，$-\hat{u}_\mu p^\mu, dV$ および dP のそれぞれを局所ミンコフスキー系で考えてみる．まず，時間的な単位ベクトル $\hat{u}^\mu$ と運動量ベクトルの成分が具体的に与えられていることから，

$$-\hat{u}_\mu p^\mu = -\hat{u}_0 p^0 - \hat{u}_1 p^1 - \hat{u}_2 p^2 - \hat{u}_3 p^3 = \hat{u}^0 p^0 - \hat{u}^1 p^1 - \hat{u}^2 p^2 - \hat{u}^3 p^3 = E$$

となる．ここでは，いま，$(-,+,+,+)$ を採用していることから，$\hat{u}_0 = -\hat{u}^0$, $\hat{u}_k = \hat{u}^k$ $(k = 1, 2, 3)$ となることを用いた．次に，局所ミンコフスキー系では，$\sqrt{-g} = 1$ となるので，(8.56) より，

$$dV = \sqrt{-g} \eta_{\lambda\alpha\beta\gamma} \hat{u}^\lambda d_1 x^\alpha d_1 x^\beta d_1 x^\gamma = \eta_{0\alpha\beta\gamma} d_1 x^\alpha d_1 x^\beta d_1 x^\gamma = d^3 x$$

が得られる．最後の表式 $d^3 x$ は 3 次元空間の体積要素を表す．最後に，局所ミンコフスキー系において，$dP = d^3 p / E = p^2 dp d\Omega / E = p dE d\Omega$ となる（例題 8.2）．ここで，$d\Omega = \sin\theta d\theta d\phi$ である．以上より，局所ミンコフスキー系での 6 次元不変体積要素は，

$$(-\hat{u}_\mu p^\mu) dV dP = d^3 x d^3 p = p^2 d^3 x dp d\Omega = E p d^3 x dE d\Omega$$

となる．特に，光子に対しては，$m = 0$ であることから得られる $p = E$ を用いると，

$$(-\hat{u}_\mu p^\mu) dV dP = d^3 x d^3 p = E^2 d^3 x dE d\Omega$$

となる．

8.4 散乱によって光子数が減少するのは，運動量 $\boldsymbol{p}$ を持ち，運動量空間の dP の領域にある光子が散乱によって，位相空間の体積要素 $dWdP$ の外に飛ばされる場合であると考えることができる．散乱後に光子の運動量が $\boldsymbol{p}'$ となり，運動量空間の dP' の領域に散乱された光子があるとすると，散乱による光子の減少量は

$$\left[-\int \mathcal{A}_s(\boldsymbol{x}, \boldsymbol{p}) \zeta(\boldsymbol{x}; \boldsymbol{p} \to \boldsymbol{p}') \mathcal{F}(\boldsymbol{x}, \boldsymbol{p}) dP'\right] dWdP$$
$$= \left[-\mathcal{A}_s(\boldsymbol{x}, \boldsymbol{p}) \mathcal{F}(\boldsymbol{x}, \boldsymbol{p}) \int \zeta(\boldsymbol{x}; \boldsymbol{p} \to \boldsymbol{p}') dP'\right] dWdP \qquad (*)$$

と書くことができる．一方で，(8.97) によって光子の減少量を表すことができることから，(8.97) と $(*)$ を比較して，

$$\int \zeta(\boldsymbol{x}; \boldsymbol{p} \to \boldsymbol{p}') dP' = 1$$

となる．

8.5 散乱により運動量 p^α を持つ光子の減少量は $\mathcal{A}_s(x^\alpha, p^\beta) \mathcal{F}(x^\alpha, p^\beta)$ となる．このうち，散乱後に運動量 p'^α となる光子の割合は不変位相関数 $\zeta(x^\alpha; p^\beta \to p'^\alpha)$ で表される．散乱後の光子の運動量 p'^α について積分したものが散乱による光子の減少量の総量 $-\int \mathcal{A}_s(x^\alpha, p^\beta) \zeta(x^\alpha; p^\beta \to p'^\alpha) \mathcal{F}(x^\alpha, p^\beta) dP'$ を表す．いま，不変位相関数は (8.99)

を満たすことから (8.101) が得られる.

第 9 章

9.1 (9.55) の両辺に e^τ をかけることにより,$\dfrac{d}{d\tau}\{\mathcal{I}(\tau)e^\tau\} = \mathcal{S}(\tau)e^\tau$ を得る.この式を,τ に関し,$(0,\tau)$ の範囲で積分することにより,

$$\mathcal{I}(\tau) = \mathcal{I}(0)e^{-\tau} + \int_0^\tau \mathcal{S}(\tau')e^{-(\tau-\tau')}d\tau'$$

を得る.この式が,不変源泉関数 $\mathcal{S}(\tau)$ で表した形式解である.

9.2 (1) $\bm{e}_{\hat{a}} = e_{\hat{a}}{}^\alpha \bm{e}_\alpha$, $\bm{e}_{\hat{b}} = e_{\hat{b}}{}^\beta \bm{e}_\beta$ の両辺の内積をとると,$\bm{e}_{\hat{a}} \cdot \bm{e}_{\hat{b}} = e_{\hat{a}}{}^\alpha e_{\hat{b}}{}^\beta \bm{e}_\alpha \cdot \bm{e}_\beta$ となる.これより,$\eta_{\hat{a}\hat{b}} = e_{\hat{a}}{}^\alpha e_{\hat{b}}{}^\beta g_{\alpha\beta}$ となる.座標基底の成分を表す添え字 β は,$g_{\alpha\beta}$ で下げることができるので,$\eta_{\hat{a}\hat{b}} = e_{\hat{a}}{}^\alpha e_{\hat{b}\alpha}$ という関係が得られる.(2) (1) より,$e_{\hat{a}}{}^\alpha e_{\hat{c}\alpha} = \eta_{\hat{a}\hat{c}}$ が成り立つ.この式より,$e_{\hat{a}}{}^\alpha e^{\hat{b}}{}_\alpha = e_{\hat{a}}{}^\alpha (e_{\hat{c}\alpha}\eta^{\hat{c}\hat{b}}) = \eta_{\hat{a}\hat{c}}\eta^{\hat{c}\hat{b}} = \delta_{\hat{a}}{}^{\hat{b}}$ となる.(3) 左辺を変形して右辺になることを示す.$p^\alpha q_\alpha = (e_{\hat{a}}{}^\alpha p^{\hat{a}})(e^{\hat{b}}{}_\alpha p_{\hat{b}}) = p^{\hat{a}}p_{\hat{b}}(e_{\hat{a}}{}^\alpha e^{\hat{b}}{}_\alpha) = p^{\hat{a}}p_{\hat{b}}\delta_{\hat{a}}{}^{\hat{b}} = p^{\hat{a}}p_{\hat{a}}$.

9.3 まず,計算の方針を述べる.一般座標系では,不変輝度 $\mathcal{I}$ は,x^α と p^α の関数であるが,テトラッド系では $x^{\hat{a}}$ と $p^{\hat{a}}$ の関数となる.ここで,x^α と $x^{\hat{a}}$ は同じであるが,便宜上,区別する.また,運動量に $p^\alpha = e_{\hat{a}}{}^\alpha p^{\hat{a}}$ の関係があり,$e_{\hat{a}}{}^\alpha$ は座標の関数であるので,p^α は座標 $x^{\hat{a}}$ と $p^{\hat{a}}$ の関数である.これより,$x^{\hat{a}}$ と $p^{\hat{a}}$ の関数と見た場合の不変輝度 $\mathcal{I}(x^{\hat{a}}, p^{\hat{a}})$ の x^α に関する微分は,$x^{\hat{a}}$ と $p^{\hat{a}}$ に関する微分をそれぞれ含む形になる.この点に注意を払って,計算を進めることにより,テトラッド系での移流項を導出することができる.具体的には,まず,

$$\partial_\alpha \mathcal{I}(x^{\hat{a}}, p^{\hat{b}}) = \frac{\partial x^{\hat{a}}}{\partial x^\alpha}\frac{\partial \mathcal{I}}{\partial x^{\hat{a}}} + \frac{\partial p^{\hat{a}}}{\partial x^\alpha}\frac{\partial \mathcal{I}}{\partial p^{\hat{a}}} = \frac{\partial x^{\hat{a}}}{\partial x^\alpha}\frac{\partial \mathcal{I}}{\partial x^{\hat{a}}} + e^{\hat{a}}{}_{\gamma,\alpha}p^\gamma \frac{\partial \mathcal{I}}{\partial p^{\hat{a}}}$$

となる.これより,座標の変換はないこと(x^α と $x^{\hat{a}}$ が同じ),章末問題 9.2 (3) の性質などから,一般座標系での移流項は,次のように計算される.

$$\begin{aligned}
p^\alpha \partial_\alpha \mathcal{I} - \Gamma^\beta_{\alpha\gamma} p^\alpha p^\gamma \frac{\partial \mathcal{I}}{\partial p^\beta} &= p^{\hat{a}}\partial_{\hat{a}}\mathcal{I} - \left(\Gamma^{(b)}_{\alpha\gamma}e^{(b)}_\beta - e^{\hat{a}}{}_{\gamma,\alpha}\right)e_{\hat{b}}{}^\alpha e_{\hat{c}}{}^\gamma p^{\hat{b}} p^{\hat{c}} \frac{\partial \mathcal{I}}{\partial p^{\hat{a}}}, \\
&= p^{\hat{a}}\partial_{\hat{a}}\mathcal{I} + e_{\hat{b}}{}^\alpha e_{\hat{c}}{}^\gamma \nabla_\alpha e^{\hat{a}}{}_\gamma p^{\hat{b}} p^{\hat{c}} \frac{\partial \mathcal{I}}{\partial p^{\hat{a}}}, \\
&= p^{\hat{a}}\partial_{\hat{a}}\mathcal{I} - e_{\hat{b}}{}^\alpha e^{\hat{a}}{}_\gamma \nabla_\alpha e_{\hat{c}}{}^\gamma p^{\hat{b}} p^{\hat{c}} \frac{\partial \mathcal{I}}{\partial p^{\hat{a}}}, \\
&= p^{\hat{a}}\partial_{\hat{a}}\mathcal{I} - \gamma_{\hat{b}}{}^{\hat{a}}{}_{\hat{c}} p^{\hat{b}} p^{\hat{c}} \frac{\partial \mathcal{I}}{\partial p^{\hat{a}}}.
\end{aligned}$$

途中で,共変微分のライプニッツ則と計量テンソルの共変微分がゼロとなることを使った.

9.4 2 次元の角度座標の積分を積分領域の境界に沿った 1 次元の周回積分に変換するこ

とにより，積分の次元を下げることができる．具体的な式と詳細は，Takahashi, Takahashi (2010) 参照．

9.5 不変源泉関数 $\mathcal{S}$ が一定値をとる場合，(9.57) の積分を具体的に解くことが可能となり，

$$\mathcal{I}(\tau) = \mathcal{S} + \{\mathcal{I}(0) - \mathcal{S}\}e^{-\tau}$$

を得る．この式で，$\tau \to \infty$ の極限をとると，$\mathcal{I}(\tau) \to \mathcal{S}$ となる．上式より，$d\mathcal{I}/d\tau = -\{\mathcal{I}(0) - \mathcal{S}\}e^{-\tau}$ となる．これより，$\tau = 0$ での不変輝度の値 $\mathcal{I}(0)$ の値が不変源泉関数 $\mathcal{S}$ よりも大きい場合には，$d\mathcal{I}/d\tau < 0$ となる．つまり，τ が増加するにつれ，$\mathcal{I}(\tau)$ の値は減少しながら $\mathcal{S}$ に漸近し，$\tau \to \infty$ の極限で $\mathcal{I}(\tau) \to \mathcal{S}$ となる．一方，$\tau = 0$ での不変輝度の値 $\mathcal{I}(0)$ の値が不変源泉関数 $\mathcal{S}$ よりも小さい場合には，$d\mathcal{I}/d\tau < 0$ となるので，$\mathcal{I}(\tau)$ の値は増加しながら $\mathcal{S}$ に漸近し，$\tau \to \infty$ の極限で $\mathcal{I}(\tau) \to \mathcal{S}$ となる．よって，どちらの場合も $\tau \to \infty$ の極限で不変輝度 $\mathcal{I}(\tau)$ の値は不変源泉関数の値に収束する（図 9.12）．

第 10 章

10.1 輻射流体力学の発展方程式 (10.69)，(10.70)，(10.71)，(10.72)，(10.73) およびソース項に含まれる関数 $S_{\mathrm{m},E}, S_{\mathrm{m},K}, S_{\mathrm{rad},E}, S_{\mathrm{rad},K}$ の定義式 (10.74)，(10.75)，(10.76)，(10.77) に，ラプス関数 α，シフト・ベクトル β^i，3 次元空間の計量 γ_{ij} の具体形を代入して計算する．外部曲率 K_{ij} は (3.75) または (3.76) に従って計算する．(1) ボイヤー–リンキスト座標については，α は (2.40)，ゼロでないシフト・ベクトル成分は $\beta^\phi = -\omega$ [ω は (2.40)]，$\gamma_{ij} = g_{ij}$ で与えられる．外部曲率 K_{ij} の具体形は第 3 章の章末問題 3.5 で与えられている．(2) カー–シルド座標については，α，β^μ，γ_{ij} のゼロでない成分は (2.47) で与えられている．

10.2 (1) ZAMO 系での 3 元速度は，$i = 1, 2, 3$ として $v^i \equiv u^{\hat{i}}/u^{\hat{0}} = e^{\hat{i}}_\alpha u^\alpha / (e^{\hat{0}}_\alpha u^\alpha)$ $= e^{\hat{0}}_\alpha u^\alpha / (\alpha u^t)$ と与えられる．これより，

$$v^1 = \frac{1}{\alpha u^t \sqrt{\gamma_{11}}}(\beta^1 u^t + \gamma_{11}u^1 + \gamma_{12}u^2 + \gamma_{13}u^3),$$

$$v^2 = \frac{1}{\alpha u^t}\sqrt{\frac{\gamma}{\gamma_{11}\gamma^{33}}}[(\gamma^{33}\beta^2 - \gamma^{32}\beta^3)u^t + \gamma^{33}u^2 - \gamma^{32}u^3],$$

$$v^3 = \frac{1}{\alpha u^t \sqrt{\gamma^{33}}}(\beta^3 u^t + u^3)$$

が得られる．また，この 3 元速度に対するガンマ因子は $\gamma \equiv (1-v^2)^{-1/2} = \alpha u^t$ となる．ここで，$v^2 = v^1 v_1 + v^2 v_2 + v^3 v_3$，$v_k = v^k$ ($k = 1, 2, 3$) である．(2) まず，ZAMO 系と共動系の間の変換はローレンツ変換 Λ^α_β である．すなわち，

$$e^{\hat{\beta}}_{\bar{\alpha}} = \begin{pmatrix} \gamma & \gamma v^i \\ \gamma v_j & \delta^i_j + \dfrac{\gamma^2}{1+\gamma}v^i v_j \end{pmatrix}, \quad e^{\bar{\alpha}}_{\hat{\beta}} = \begin{pmatrix} \gamma & -\gamma v^i \\ -\gamma v_j & \delta^i_j + \dfrac{\gamma^2}{1+\gamma}v^i v_j \end{pmatrix}$$

となる. これより, 一般座標系基底 ∂_α と共動系基底 $\partial_{\bar\alpha}$ の間の変換は, $\partial_{\bar\alpha} = e_{\bar\alpha}^\delta \partial_\delta = e_{\bar\alpha}^{(\beta)} e_{\bar\beta}^\delta \partial_\delta$, $\partial_\alpha = e_\alpha^{\bar\delta} \partial_{\bar\delta} = e_\alpha^{(\beta)} e_{\bar\beta}^{\bar\delta} \partial_{\bar\delta}$, となる. (3) 一般座標での輻射力ベクトル G^α は共動系の輻射力ベクトル $G^{\bar\alpha}$ を用いて, $G^\alpha = e_{\bar\beta}^\alpha G^{\bar\beta} = e_{\hat\delta}^\alpha e_{\bar\beta}^{\hat\delta} G^{\bar\beta}$ のように計算される. 具体的には,

$$G^0 = \frac{\gamma}{\alpha}\left(G^{\bar 0} + v_k G^{\bar k}\right),$$

$$G^i = \left\{-\frac{\beta^i}{\alpha}\gamma + \left[\delta_k^1 \frac{\delta_1^i}{\sqrt{\gamma_{11}}} + \delta_k^2 \sqrt{\frac{\gamma}{\gamma_{11}\gamma^{33}}}(\gamma^{33}\gamma^{2i} + \gamma^{23}\gamma^{3i}) + \delta_k^3\right]\gamma v^k\right\}G^{\bar 0}$$

$$+ \left\{-\frac{\beta^i}{\alpha}\gamma v_j + \left(\delta_l^k + \frac{\gamma^2}{1+\gamma}v_l v^k\right)\right.$$

$$\left.\left[\delta_k^1 \frac{\delta_1^i}{\sqrt{\gamma_{11}}} + \delta_k^2 \sqrt{\frac{\gamma}{\gamma_{11}\gamma^{33}}}(\gamma^{33}\gamma^{2i} + \gamma^{23}\gamma^{3i}) + \delta_k^3\right]\right\}G^{\bar l}$$

となる. (4) ZAMO 系での輻射テンソル $R^{\hat\alpha\hat\beta}$ は, $R^{\hat\alpha\hat\beta} = \begin{pmatrix} \hat E & \hat F^i \\ \hat F^j & \hat P^{ij} \end{pmatrix}$ となる. 一般座標での輻射テンソル $R^{\alpha\beta}$ は ZAMO 系での輻射テンソル $R^{\hat\alpha\hat\beta}$ を用いて, $R^{\alpha\beta} = e_{\bar\mu}^\alpha e_{\bar\nu}^\beta R^{\bar\mu\bar\nu}$ のように計算される. 具体的に ZAMO 系での輻射テンソル $R^{\hat\alpha\hat\beta}$ の成分である $\hat E, \hat F^i, \hat P^{ij}$ で表すと次のようになる:

$$R^{00} = \frac{1}{\alpha^2}\hat E,$$

$$R^{0i} = R^{i0} = -\frac{\beta^i}{\alpha^2}\hat E + \frac{1}{\alpha}\left[\delta_k^1 \frac{\delta_1^i}{\sqrt{\gamma_{11}}} + \delta_k^2 \sqrt{\frac{\gamma}{\gamma_{11}\gamma^{33}}}(\gamma^{33}\gamma^{2i} + \gamma^{23}\gamma^{3i}) + \delta_k^3\right]\hat F^k$$

$$R^{ij} = \frac{\beta^i\beta^j}{\alpha^2}\hat E - \frac{1}{\alpha}f_F \hat F^k + f_P \hat P^{kl}$$

ここで, f_F と f_P の具体的な式は省略する.

10.3 (1) $R^{(\alpha)(\beta)} = \int dPF p^{(\alpha)} p^{(\beta)}$

$= \int_0^\infty E^3 dE \int_0^{2\pi} d\bar\phi \int_0^\pi \sin\bar\theta d\bar\theta F(x^\gamma, E, \bar\theta, \bar\phi)\bar p^{(\alpha)}\bar p^{(\beta)}$. (2) $R^{(\alpha)(\beta)} = \sum_{l,m} R^{(\alpha)(\beta)}|_{l,m}$ としたとき, $R^{(\alpha)(\beta)}|_{l,m}$ は次の式で与えられる:

$R^{(\alpha)(\beta)}|_{l,m} = \int_0^\infty E^3 dE \int_0^{2\pi} d\bar\phi \int_0^\pi \sin\bar\theta d\bar\theta \mathcal{F}_l^m(x^\gamma, E) Y_l^m(\bar\theta,\bar\phi)\bar p^{(\alpha)}\bar p^{(\beta)}$. ここで, $\bar p^{(\alpha)}$ は $\bar p^{(\alpha)} \equiv \frac{p^{(\alpha)}}{p^{(0)}} = \frac{p^{(\alpha)}}{E}$ とした. 具体的に書くと, $\bar p^{(0)} = 1$, $\bar p^{(1)} = \sin\bar\theta\cos\bar\phi$,

$\bar{p}^{(2)} = \sin\bar{\theta}\sin\bar{\phi}$, $\bar{p}^{(3)} = \cos\bar{\theta}$ である. (3) $l=0$ に対し,

$$R^{(\alpha)(\beta)}|_{l=0} = \int_0^\infty E^3 dE \int_0^{2\pi} d\bar{\phi} \int_0^\pi \sin\bar{\theta}d\bar{\theta}\, \mathcal{F}_0^0(x^\gamma, E) Y_0^0(\bar{\theta}, \bar{\phi})\, \bar{p}^{(\alpha)}\bar{p}^{(\beta)}$$

$$= \frac{1}{\sqrt{4\pi}} \int_0^\infty E^3 \mathcal{F}_0^0(x^\gamma, E)\, dE \int_0^{2\pi} d\bar{\phi} \int_0^\pi \sin\bar{\theta}d\bar{\theta}\, \bar{p}^{(\alpha)}\bar{p}^{(\beta)}$$

となるので, 結局, ゼロでない成分は,

$$R^{(0)(0)}|_{l=0} = \frac{4\pi}{\sqrt{4\pi}} \int_0^\infty E^3 \mathcal{F}_0^0(x^\gamma, E)\, dE,$$

$$R^{(1)(1)}|_{l=0} = R^{(2)(2)}|_{l=0} = R^{(3)(3)}|_{l=0} = \frac{4\pi}{3\sqrt{4\pi}} \int_0^\infty E^3 \mathcal{F}_0^0(x^\gamma, E)\, dE,$$

となる. これらより, $R^{(1)(1)}|_{l=0} = R^{(2)(2)}|_{l=0} = R^{(3)(3)}|_{l=0} = \frac{R^{(0)(0)}}{3}$, の関係が得られる. この関係は, エディントン近似 (Eddington approximation) と呼ばれる[*4]. (4) $l=1$ までを考えると, $R^{(\alpha)(\beta)} = R^{(\alpha)(\beta)}|_{l=0} + R^{(\alpha)(\beta)}|_{l=1}$ となる. ここで, $R^{(\alpha)(\beta)}|_{l=0}$ は上で見た $l=0$ までの式であり, $R^{(\alpha)(\beta)}|_{l-1}$ は

$$R^{(\alpha)(\beta)}|_{l=1} = R^{(\alpha)(\beta)}|_{l=1}^{m=0} + R^{(\alpha)(\beta)}|_{l=1}^{m=-1} + R^{(\alpha)(\beta)}|_{l=1}^{m=1},$$

と計算される. ここで,

$$R^{(\alpha)(\beta)}|_{l=1}^{m=0} = \sqrt{2}\sqrt{\frac{3}{8\pi}} \int_0^\infty E^3 \mathcal{F}_1^0\, dE \int_0^{2\pi} d\bar{\phi} \int_0^\pi \sin\bar{\theta}\cos\bar{\theta}d\bar{\theta}\, \bar{p}^{(\alpha)}\bar{p}^{(\beta)}$$

$$R^{(\alpha)(\beta)}|_{l=1}^{m=-1} = \sqrt{\frac{3}{8\pi}} \int_0^\infty E^3 \mathcal{F}_1^{-1}\, dE \int_0^{2\pi} (\cos\bar{\phi} - i\sin\bar{\phi})d\bar{\phi} \int_0^\pi \sin^2\bar{\theta}d\bar{\theta}\, \bar{p}^{(\alpha)}\bar{p}^{(\beta)}$$

$$R^{(\alpha)(\beta)}|_{l=1}^{m=1} = -\sqrt{\frac{3}{8\pi}} \int_0^\infty E^3 \mathcal{F}_1^1\, dE \int_0^{2\pi} (\cos\bar{\phi} + i\sin\bar{\phi})d\bar{\phi} \int_0^\pi \sin^2\bar{\theta}d\bar{\theta}\, \bar{p}^{(\alpha)}\bar{p}^{(\beta)}$$

である. これらを具体的に計算すると, ゼロでない成分は,

$$R^{(0)(1)}|_{l=1} = \sqrt{\frac{4\pi}{3}} \int_0^\infty \frac{1}{\sqrt{2}}(\mathcal{F}_1^{-1} - \mathcal{F}_1^1)\, E^3 dE$$

$$R^{(0)(2)}|_{l=1} = \sqrt{\frac{4\pi}{3}} \int_0^\infty \frac{-i}{\sqrt{2}}(\mathcal{F}_1^{-1} + \mathcal{F}_1^1)\, E^3 dE$$

$$R^{(0)(3)}|_{l=1} = \sqrt{\frac{4\pi}{3}} \int_0^\infty \mathcal{F}_1^0\, E^3 dE$$

となる. これより, $l=1$ までの式では $R^{(i)(j)}$ $(i \neq j)$ はすべてゼロとなる. より細かい輻射場の構造は, $l=2$ 以上の成分が記述する.

[*4] 第 3 巻の式 (5.65).

索引

数字・アルファベット

3＋1 形式	173
3C 273	18
3 次元ベクトル表示	183
4 元磁場	171
4 元電磁場のエネルギー・運動量テンソル	167
4 元電場	171
AGN	22
AGN ジェット	22, 26
GRB	24
GRMHD	194
GRMHD 方程式	209
GRMHD 方程式の 3＋1 形式	209
GRS1915+105	24
HST1	20
long GRB	24
M 87	20
MHD ブランドフォード–ナエク機構	255
MHD ペンローズ過程	256
Sgr A*	27
short GRB	24
VLBI	19
ZAMO	177
ZAMO 系	367

あ

アフターグロー	24, 27
アルベーン波	204
アルベーン速度	204
アルベーン点	253
アンペールの法則	179
位相空間	279
一般座標変換	281
一般相対論的 MHD	194
一般相対論的 MHD 方程式	209
一般相対論的輻射輸送シミュレーション	317, 322
一般相対論的輻射輸送方程式	313
一般相対論的ボルツマン方程式	304, 306
一般相対論的マクスウェル方程式	170
運動学	281
エネルギー・運動量テンソル	353, 354
エネルギー・運動量の保存則	353
エネルギー流束密度	221
エルゴ領域	214
オームの法則	197
遅い磁気音波点	254
遅いモード	205

か

外部衝撃波	27
カスプ速度	205
活動銀河核	22
観測者系	367
ガンマー線バースト	24, 26
基準観測者系	174
基準観測者の固有座標系	177
輝度	315
吸収係数	318
共動系	367
局所ミンコフスキー系	314
キリングベクトル	227
キリング方程式	227
空間の引きずり Ω 効果	220
クェーサー	18
グラム–シュミットの正規直交化法	341
グラド–シャフラノフ方程式	230, 233
形式解	334
ゲージ不変性	156
コア	19
光学的厚み	319
光学的深さ	319
光子運動量密度フラックス	353

光子エネルギー密度フラックス	353
光子球	324
光子数の保存則	350
光子数密度	349
光子数密度 4 元ベクトル	349
光子数密度フラックス	347, 349
光子のエネルギー・運動量の保存則	356
光線湾曲	329
降着円盤	27
光面	252
コロナ質量放出	24

さ

座標基底	341
散乱係数	318
磁気音速	205
磁気音波	205
磁気拡散	206
磁気駆動ジェットモデル	28
磁気タワー	241, 263
磁気的橋	263
磁気マッハ数	251
磁束のプラズマへの凍り付き	200
質量殻条件	293
磁場に関するガウスの法則	180
磁場の凍結	217
シフトベクトル	174
縮退性	170
磁力線	178
数密度の保存則	347
正規直交系	341
世界管	304
世界線	304
全角運動量流束密度	221
相対論的磁気リコネクション	270
相対論的宇宙ジェット	18
相対論的電磁流体力学	193
相対論的ビーミング	367

た

ダランベルシアン	157
超光速運動	19
超長基線電波干渉計	19
超放射	243
抵抗性 GRMHD	257, 270
抵抗性 GRMHD 方程式	217
定常流	249
テトラッド形式	340
テトラッド成分	342
電荷の保存則	180
電気抵抗率	197
電磁エネルギー流束密度	187
電磁場テンソル	158
電磁場のエネルギー密度	167
電磁場の角運動量密度	188
電磁場の角運動量流束密度	188
電場に関するガウスの法則	179
ドップラービーミング効果	21
ドップラーブースト	21

な

内部衝撃波	27
ノット	19

は

ハイブリッド・モデル	28
発展方程式	364
速い磁気音波点	254
速いモード	205
ハリス磁場	270
ファラデーの法則	180
フォースフリー	167
輻射 4 元力密度	358, 359
輻射エネルギー密度	363
輻射強度	315
輻射ストレス	363
輻射抵抗	366
輻射テンソル	353, 355
輻射フラックス	363

輻射輸送方程式	306	**ら**	
輻射流体力学	361	ラプス関数	174
不透明度	308	理想 GRMHD	257
不変位相関数	309	理想 GRMHD 方程式	217
不変輝度	316	理想 MHD 条件	197
不変吸収係数	308	理想 MHD 波	203
不変源泉関数	336	リッチ回転係数	344
不変体積要素	282, 283	リュービユの定理	280, 286
不変分布関数	302	リンキスト方程式	344
不変放射係数	307	レヴィ=チビタテンソル	173, 292
プラズモイド	271	レヴィ=チビタの記号	158
ブラックホール磁気圏	193	ローブ	20
ブラックホール・シャドウ	324, 327	ローレンツ・ゲージ	171
ブランドフォード–ナエク解	234, 238	ローレンツ不変量	280
ブランドフォード–ナエク機構	240, 246		
ブロッブ	24	**わ**	
分割単極子磁場	226, 234	ワルド解	229
分布関数	279		
平衡	248		
平行多面体	286		
ベクトル体積要素	295		
ペンローズ過程	256		
ポインティングフラックス	167		
ポインティングフラックスジェット	260		
ポインティング–ロバートソン効果	367		
方向微分	344		
放射係数	318		
保存形式	361		
ボルツマン方程式	279		
ま			
マイクロクェーサー	23		
マイクロクェーサー・ジェット	26		
マクスウェルの電磁場応力テンソル	167		
無限遠でのエネルギー密度	221		
無限遠での電磁エネルギー密度	187		
や			
ヤコビ行列式	283		

小嶌康史　1957年，大阪府枚方市生まれ．
こじま・やすふみ　81年，京都大学理学部物理学科卒業．
広島大学大学院理学研究科物理科学専攻教授を経て，現在，広島大学名誉教授．理学博士．
専門は，宇宙物理学，相対論的天体物理．

小出眞路　1962年，大阪府箕面市生まれ．
こいで・しんじ　85年，名古屋大学理学部物理学科卒業．
現在，熊本大学大学院理学研究科物理科学専攻教授．理学博士．
専門は，プラズマ物理学．

高橋労太　1975年，千葉県木更津市生まれ．
たかはし・ろうた　2000年，京都大学理学部物理学科卒業．
現在，苫小牧工業高等専門学校創造工学科教授．博士（理学）．
専門は，宇宙物理学，理論天文学，ブラックホール天体物理学．

ブラックホール宇宙物理の基礎［改訂版］
シリーズ〈宇宙物理学の基礎〉6巻

2019年2月25日　第1版第1刷発行
2024年2月25日　改訂版第1刷発行

著　者　小嶌康史・小出眞路・高橋労太

発行所　株式会社 日本評論社
　　　　〒170-8474 東京都豊島区南大塚3-12-4
　　　　電話 03-3987-8621（販売）03-3987-8599（編集）

印　刷　三美印刷
製　本　牧製本印刷
ブックデザイン　原田恵都子（ハラダ＋ハラダ）

©Yasufumi Kojima & Shinji Koide & Rohta Takahashi 2019,2024　Printed in Japan　ISBN978-4-535-79013-1

JCOPY　＜(社)出版者著作権管理機構　委託出版物＞
本書の無断複写は著作権法上での例外を除き禁じられています．複写される場合は，そのつど事前に，(社)出版者著作権管理機構（電話 03-5244-5088, FAX 03-5244-5089, e-mail:info@jcopy.or.jp）の許諾を得てください．また，本書を代行業者等の第三者に依頼してスキャニング等の行為によりデジタル化することは，個人の家庭内の利用であっても，一切認められておりません．